Jak do tego doszło, czyli tak zwany wstęp

Z Joanną Chmielewską znamy się od mniej więcej dziesięciu lat. Poznałem Pisarkę jeszcze w słynnym mieszkaniu na trzecim piętrze domu przy ulicy Dolnej, w uważnej obecności Julity Jaske, towarzyszącej pani Joannie znacznie dłużej niż ja: Julita jest najbliższą współpracownicą, redaktorką i współwydawczynią Jej tekstów... Pamiętam świetnie atmosferę tamtego lokalu: określiłbym ją jako ciemnożółtą, z akcentami zgaszonej czerwieni. Półki pełne książek, niski stół, kanapa przyrzucona kilimem wykonanym osobiście przez lokatorkę mieszkania. W wydzielonym, maciupkim zakamarku część prywatna: skromny tapczan pokryty narzutą, półki z ukochanymi tomami, lampa pamiętająca niewątpliwie lata sześćdziesiąte (widać od zawsze budząca pozytywne skojarzenia, skoro stoi jeszcze teraz przy łóżku, w zupełnie nowej sypialni zupełnie nowego domu). Na ścianach obrazy i kompozycje z suszonych, splecionych kunsztownie kwiatów oraz ziół, zawsze chętnie wskazywane przez panią Joannę jako przykład prawdziwie twórczej działalności (nazywa te wyploty — zielskiem). Mnóstwo własnoręcznie zbieranych i szlifowanych bursztynów. Po drugiej stronie długiego korytarza bez okien jeszcze jeden pokój z nieobszernym balkonem, z telewizorem, zarzucony gazetami, pełen kwiatów i — oczywiście — znowu książek. Ciemna kuchnia z przeszkloną ścianą, spora — jak na warszawską blokową ciasnotę — łazienka. Mieszkanie zdecydowanie skromne, bez żadnego metrażowego wyuzdania, zwłaszcza jeśli zważyć, że zamieszkiwała je przez ponad trzydzieści lat najpopularniejsza polska pisarka, autorka najpoczytniejszych od dziesięcioleci kryminałów. Gołym okiem widać, że sprawy materialne nie znaczą najwięcej dla t e j akurat lokatorki literackiego światka...

Pani Joanna najpierw starannie sprawdziła, kim jestem, a potem zaczęliśmy rozmawiać.

I te rozmowy, ze spotkania na spotkanie, narastały, pęczniały, gęstniały, nabierały wysokiej temperatury. Joanna Chmielewska stopniowo, bardzo powoli, miesiąc po miesiącu, rok po roku, przyzwyczajała się do mojej obecności. Aż wreszcie, z czasem, nasze stosunki stały się bardzo ciepłe, wręcz serdeczne. Rzadko używam tego słowa, ale może nawet — przyjacielskie? Z mojej strony na pewno.

W rezultacie Pisarka uczyniła mnie swoim pełnomocnikiem. Zajmuję się więc od dawna Jej różnymi sprawami, także literackimi. Dobrze o tym wiedzą koleżanki i koledzy dziennikarze, którzy kontaktują się z Chmielewską przeważnie za moim pośrednictwem. Towarzyszę pani Joannie w rozmaitych spotkaniach na terenie całego kraju, także wspólnie odwiedziliśmy dwukrotnie Moskwę (gdzie Pisarka ma statut największej literackiej gwiazdy), kibicowałem Szefowej podczas prestiżowych Frankfurckich Targów Książki w roku 2001, kiedy Polska pełniła rolę gościa honorowego. Raz zaś spędzałem kilka wyjątkowo ciepłych dni z Nią oraz z Jej rodziną w Paryżu i był to pobyt z różnych względów znaczący. Napisałem też broszurkę informacyjną na temat pani Joanny i Jej dorobku, którą opublikował krakowski Instytut Książki w języku niemieckim z okazji Frankfurter Buchmesse.

Dotąd pani Joanna wspominała mnie w książkach tylko jako pana Tadeusza (nie mylić z Tadziem, bo to ktoś zupełnie inny!), gdyż usilnie Ją prosiłem, aby moją osobę pozostawiać w tle. Teraz dopiero, ponieważ i tak się ujawniam całkowicie publicznie, odkrywam przed czytelnikami Chmielewskiej własną tożsamość.

Przez minionych dziesięć lat odbyliśmy mnóstwo nadzwyczaj istotnych rozmów, niekiedy bardzo prywatnych. Ich najintymniejszą treść zachowam na zawsze tylko dla siebie, bo nie zwykłem okazywać niedyskrecji, jeśli ktoś obdarza mnie swym zaufaniem. Ale wśród rozmaitych tematów, które poruszaliśmy, były też i takie, które aż proszą się o publikację, albowiem szkoda, by je

Tadeusz
Lewandowski

Chmie
lew
ska dla
zaawansowanych

Psychobiografia gadana

KOBRA

WARSZAWA 2005

Redaktor: **Julita Jaske**
Korekta: **Zespół**
Projekt okładki i opracowanie typograficzne: **Piotr Sztanderski**
Zdjęcie na okładce i 2. skrzydełku: **Michał Ignar**
Zdjęcie na 1. skrzydełku: **Andrzej Tyszko**

ISBN 83-88791-65-6

Wydawca:

Kobra Media Sp. z o.o.
skr. poczt. 33, 00-712 Warszawa 88
www.chmielewska.pl

Dystrybucja:

L&L Sp. z o.o.
tel. (58) 340 55 29; 342 21 07
fax (58) 344 13 38; 342 21 07
e-mail: hurtownia@ll.com.pl
strona handlowa: www.ll.com.pl
(również sprzedaż wysyłkowa)

Druk i oprawa:
Drukarnia Wydawnicza im. W.L. Anczyca S.A., Kraków

zamarynować na zawsze w jednej tylko pamięci. Dlatego stopniowo zaczęła mi w głowie świtać idea tej książki.

Kiedy zbliżał się jubileusz czterdziestolecia pracy pisarskiej pani Joanny, wraz z Julitą Jaske oraz Anną Pawłowicz, edytorkami Chmielewskiej z wydawnictwa autorskiego KOBRA, zastanawialiśmy się, jak uczcić tę okazję. Wówczas zgłosiłem pomysł zbudowania wywiadu rzeki. Obie wydawczynie przystały nań entuzjastycznie, krzywiła się natomiast sama zainteresowana.

— *Ja jeszcze żyję!!!* — powtarzała z dyzgustem. — *Przestańcie wznosić mi za życia pomniki! Kiedy umrę, możecie sobie pisać, co wam ślina na język przyniesie. Ale nie teraz. Nie chcę! Z panem Tadeuszem gadam prywatnie albo służbowo, tylko że nie do publikacji!*

Trochę należało popracować, nim się udało przekonać Pisarkę, że możemy przynajmniej zanotować niektóre z naszych rozmów na magnetofonie. Przełamawszy opory, zgodziła się. W rezultacie, jesienią oraz zimą 2003 roku, pani Joanna i ja nagraliśmy mniej więcej dwadzieścia cztery godziny rozmów, przeważnie wieczornych, zawsze przy świetnym czerwonym winie. Niekiedy nawet Pisarka — która gotuje znakomicie, ale nie bardzo chce Jej się na ogół wysilać — częstowała mnie bobem i orzeszkami nerkowca. Słone paluszki również się trafiały... Co prawda tylko incydentalnie.

Następnie przystąpiłem do opracowywania bogatego materiału.

I wtedy się zaczęło... Szefowa witała mnie niejeden raz skrzywiona. Popatrując wilkiem (a właściwie — wilczycą), sączyła słowa przez zaciśnięte zęby. Wreszcie, po jakimś czasie, powtórzyła, co już i tak wiedziałem: że rozmawiać ze mną może zawsze, lecz koncept, polegający na publikacji tych rozmów, niezbyt Jej nadal przypada do gustu. Z wielkim trudem udało się przekonać bohaterkę tej książki, aby przynajmniej przeczytała, co się z naszych wieczornych posiadów wykluło. A i tak Pisarka nadal nie uważa, że Chmielewska, jaka się z tekstu wyłania, to ktoś, kto Ją naprawdę przypomina.

W roku 2004 i aż do chwili publikacji uzgadnialiśmy oraz uzupełnialiśmy z panią Joanną pewne szczegóły, niektóre też fragmenty musiały ulec oczywistej aktualizacji. Poza tym tekst

— w kształcie, jaki Państwo otrzymują — został oczywiście autoryzowany i posiada niechętne błogosławieństwo Pisarki. W rezultacie wyłuszczonych tu okoliczności na jubileusz czterdziestolecia z książką nie zdążyłem, zwłaszcza że nawał obowiązków zawodowych i tak silnie ograniczał mój autorski rozmach. Ale nie poddawałem się, pracowicie wsłuchiwałem się w taśmy, przepisywałem, wygładzałem chropowatości żywej, r o z g a d a n e j rozmowy. No, i wreszcie miłośnicy prozy Joanny Chmielewskiej mogą czytać ten tom.

Piszę to wszystko na wstępie, aby podczas lektury mieli Państwo świadomość, że książka stanowi wynik wieloletniego wspólnego przebywania z Pisarką, zawierając przy okazji sporo informacji oraz emocji, jakie dotąd znało nieliczne tylko grono osób. Może na tym zasadza się jej główna wartość?

Przyświecała mi idea, aby pokazać miłośnikom twórczości Joanny Chmielewskiej coś w rodzaju rewersu „Autobiografii", cyklu, który liczy obecnie pięć tomów (w tym jeden silnie zmodyfikowany) i bynajmniej nie jest zakończony. Pani Joanna przymierza się do tomu szóstego, a pewnie i do kolejnych... W każdym razie starałem się, układając pytania budujące nasze rozmowy, nie powtarzać tych informacji, jakie łatwo znaleźć, sięgnąwszy po „Autobiografię". Lub przynajmniej inaczej niż na kartach „Autobiografii" odsłonić epizody, jakie uważni czytelnicy Chmielewskiej znają. Przy lekturze tej książki warto więc trzymać pod ręką stosowne tomy wspomnień Pisarki, aby uzupełniać na bieżąco pozorne niedomówienia albo pewne opustki faktograficzne.

Chodziło natomiast o zupełnie inne naświetlenie już egzystujących publicznie faktów i anegdot z życia słynnej kryminalistki. Stąd w podtytule pojawia się słowo „psychobiografia".

Uważny czytelnik „Autobiografii" zauważy bowiem, że pani Joanna eksponuje w niej głównie rozmaite wydarzenia, ich fabularny przebieg, akcyjność. Sama zaś Ona (z całą masą subtelnych emocji, problemów, obaw i radości) pozostaje w specyficzny sposób z boku tekstu, dyskretnie mu towarzysząc. Jakby jej nazwisko miało za zadanie tylko zaświadczyć, że relacja w „Autobiografii" polega na autentyku. Umieściwszy tam własną osobę wewnątrz narracji, prezentuje Chmielewska sprawy prawdziwe. Wszelako

Jej myśli i doznania są jednak w „Autobiografii" traktowane zdecydowanie mimochodem. To oczywiście zabieg celowy, bo Autorka nie lubi *babrania się w bebechach* — jak powiada. Ja otóż lubię. I wiem od dekady, iż komentarze Pisarki do tego, co się Jej przydarza, okazują się równie ciekawe, jak same te wydarzenia. Może więc warto ujawnić nie tylko pewną kreację literacką, znaną pod *nom de guerre* Joanna Chmielewska, lecz także popatrzeć na dorobek życia Pisarki przez pryzmat realnej osoby, twórczyni ponad pięćdziesięciu książek, uczennicy, żony, matki i mądrej, choć bardzo impetycznej kobiety, aktywnie komentującej rzeczywistość społeczną?

Zatytułowałem tę książkę „Chmielewska dla zaawansowanych", gdyż z pewnością może ona zainteresować tych wszystkich, którzy pani Joannie wiernie od zawsze towarzyszą, znają na pamięć Jej książki, którzy stowarzyszają się w celu wymiany opinii o dorobku Pisarki. Ileż to osób w mojej obecności zwierzało się autorce „Wszystko czerwone", że znacząco wpłynęła na ich różne zachowania i wybory, że ukształtowała w istotnym stopniu ich osobowość. Ba! Niektórzy wyznawali wręcz, iż jest dla nich najważniejszą postacią po matce albo że uratowała im kiedyś życie! Proszę mi wierzyć, to nie były przypadkowe stwierdzenia, ale deklaracje często się powtarzające, nie tylko w trakcie podpisywania książek. Kiedyś u pani Joanny zjawił się nawet pewien grafik komputerowy z syberyjskiego Tiumienia, który tak ułożył swój wakacyjny zagraniczny wyjazd, aby zahaczyć o Polskę i o mieszkanie przy Dolnej. Pragnął podziękować ulubionej literatce. Obrazy tego przemiłego Rosjanina, który przebył ponad cztery tysiące kilometrów po to tylko, aby wręczyć podarek, ozdabiają od tamtej wizyty pracownię Pisarki. Prezentują się efektownie, podobnie zresztą jak cały dom i jak inne suweniry od wdzięcznych czytelników. Mnie osobiście najbardziej wzrusza jajko, stylizowane na wyrób typu Fabergé, ręcznie, niesłychanie pracowicie wyklejone przez skromną starszą panią, mieszkankę Moskwy, z mnóstwa wielobarwnych koralików, naśladujących odcienie dukatowego złota oraz rubinu.

Zatem dla miłośników twórczości Chmielewskiej powstała ta książka. Ale wiem przecież, iż — w gruncie rzeczy — bynajmniej nie tylko oni z zaciekawieniem pragną poznać bliżej niż dotąd osobę i poglądy autorki „Lesia".

    Bowiem...

    Sądzę bowiem zresztą, że jest to również opowieść osoby naprawdę mądrej, a nie tylko twórczej, świetnie rozumiejącej rozmaite meandry człowieczej egzystencji. Zatem — da się „Chmielewską dla zaawansowanych" czytać bez trudu również jako bardzo specyficzny poradnik, swoiste świadectwo politycznej niepoprawności Pisarki i jej emocjonalnego impetu. Chmielewska to, bez przesady, wulkan ekspresji! Kiedy we Frankfurcie wkraczaliśmy, bezpośrednio po obiedzie i dyskusji z tłumaczem, na spotkanie z czytelnikami, mówiła już od progu, jeszcze w trakcie mocowania się z jesiennym płaszczem. A mówiła ciekawie i do tego stopnia ekspresywnie, iż przykuwała uwagę nawet tych słuchaczy niemieckich, którzy przybyli tylko dla towarzystwa, gdyż nie znali polskiego...

    No, i warto wreszcie ten tom potraktować jako świadectwo historyczne kogoś, kto, intensywnie zanurzony w kilka kolejnych polskich epok, umiał na nie zawsze przenikliwie patrzeć, dostrzegając co ziarno, co zaś plewa. Nie znaczy to jednak, że — moim zdaniem — zawsze miał rację, ziarno od plew odsiewając. Mojemu zdaniu daję wyraz w treści pytań.

                                        *

    Zastrzegam jednak, że książka niniejsza powstawała jako efekt przede wszystkim g a d a n i a. Czyli taśmy, jakie posiadam, zawierają porządek charakterystyczny dla wypowiedzi mówionych, z licznymi kolokwializmami, niekiedy powtórzeniami oraz skrótami myślowymi, jakie na ogół podczas ferworu g a d a n i a rozmówcy uzupełniają, wzbogacają obfitym zestawem gestów. Dlatego musiałem wypowiedzi pani Joanny przystosować do potrzeb słowa zapisywanego, więc nieco je ufryzować, niekiedy podstrzyc rozwichrzony nieodmiennie tok naszych rozmów. Sklejałem także w jeden ciąg rozmaite uwagi, pojawiające się w trakcie różnych spotkań, aby zachować względnie logiczny porządek wywodu. Zatem czytelnik otrzymuje nie tyle wierną, co raczej **moją** wersję owego z Joanną Chmielewską g a d a n i a.

    Za opracowanie stylistyczne tekstu i niedoskonałe naśladownictwo stylu Pisarki odpowiadam tedy wyłącznie ja.

Bo nie jestem Chmielewską, a tylko kimś, kto — chyba? — dość dobrze Ją rozumie... Przecież jednak, reagując w inny nieco niż pani Joanna sposób, nieco inaczej przyjmując sygnały idące ze świata, także inaczej je opisuję. W rezultacie podkreślić muszę, iż co prawda tekst został autoryzowany, posiada tym samym przyzwolenie Pisarki na publikację, lecz jednak niech czytelnicy pamiętają, że tworzy obraz Chmielewskiej przefiltrowany przez moje niedoskonałe uszy i stylistykę dla mnie właściwą. To **bardzo ważne**, gdyż to ja podpisuję „Chmielewską dla zaawansowanych", pani Joanna zaś umieszczona tu została w dość dla Niej niewygodnym, uciążliwym fotelu bohaterki narracji przygotowanej przez kogoś innego...

Owszem, fakt, starałem się w miarę umiejętności zachować charakterystyczne cechy stylu pani Joanny, stąd też, na przykład, dla oddania waloru wysoce ekspresyjnych rozmów wprowadzam nie tylko naturalne w żywej mowie mocne, dosadne sformułowania, lecz stosuję również zabiegi formalne, dając na przykład silne sygnały graficznego zapisu różnych emocji (wersaliki, spacje, pogrubienia). Ale, po raz kolejny powtórzę, czytając wypowiedzi Chmielewskiej, proszę nie obciążać Jej niedoskonałościami mojej książki. Pisarka do ostatecznego układu się nie wtrącała, wychodząc z założenia, że za ten akurat tom odpowiadam głównie ja. Zwracała natomiast uwagę przede wszystkim, aby to, co się pojawia, było nieskłamane. Jak jednak pozostało w moim oświetleniu nieskłamane — to już zupełnie inna para kaloszy...

Poza tym proszę przyjąć, że za wszelkie nieścisłości oraz za odstępstwa od autentyzmu „Autobiografii" winę ponoszę również wyłącznie ja.

Rozmawialiśmy w rozmaitych nastrojach, miotały nami przeróżne namiętności, otaczały nas za każdym razem inne, choć zawsze szalenie bogate klimaty. Nasze g a d a n i a toczyły się często przy rozmaicie przecież zaczerwienionym z emocji winie, więc efekty kolejnych rozmów tworzyły odmienną konfigurację obrazu w kalejdoskopie jednej, drugiej, trzeciej rozmowy. W rezultacie — inaczej układały mi się w tekst. Starałem się to oddać w poszczególnych blokach tematycznych, a Państwo ocenią sami, w jakim stopniu mi się udało.

Rozmowy, w całym ich bogactwie, podzieliłem na rozdziały, każdy poświęcony nieco innemu blokowi spraw. Oczywiście, jeśli

chce się zachować strukturę gawędy — zatem g a d a n i a roz-
krzewiającego się niczym korona dojrzałego drzewa — poszcze-
gólne motywy, tematy i wątki muszą powracać po wielekroć, za
każdym razem w nieco innym ułożeniu. Proszę się nie dziwić, że
ten sam fakt wyskoczy nie tylko w rozdziale, który jest z nim
związany, lecz także zachichocze albo zapłacze w innych całkiem
miejscach tekstu. To nie błąd, ale celowy zamiar konstrukcyjny.

Oboje z Joanną Chmielewską kochamy rozmowę jako sposób
potwierdzania, uzasadniania i udosadnienia ludzkiej wspólnoty.
Jeśli zrobi się Państwu raz albo drugi choć w części tak d o s a d -
n i e, jak było mi w trakcie naszych gadanych z Pisarką posiadów,
nie obawiam się wcale o sukces książki.

*

I jeszcze chciałbym na koniec gorąco podziękować edytorkom
tej książki, czyli Julicie Jaske i Annie Pawłowicz. Julicie osobno
dziękuję za ciężką pracę przy redakcji tekstu. Ani, towarzyszce
mojego życia, dziękuję także za wielką cierpliwość w znoszeniu
moich humorów oraz za wierne, uważne, wyrozumiałe przyglą-
danie się powstającemu tomowi. Autorzy bywają nieznośni, Ania
jakoś dawała sobie ze mną radę (choć z trudem).

Specjalnie dziękuję Robertowi oraz Jerzemu, synom pani Joanny, dziękuję także ich Rodzinom. Musiałem ujawnić wiele familij-
nych tajemnic, proszę więc o wyrozumiałość.

Pani Joannie nie dziękuję, bo byłoby nieprzyzwoite dziękować
komuś, dzięki komu tom w ogóle zaistniał. I kto stoi w jego
centrum. I kto ma takie znaczenie w moim życiu. Mam tylko cichą
nadzieję, że zaufania Pisarki nie zawiodłem, kiedy Ją dwa lata
temu zapewniałem, że razem wymyślimy coś rzeczywiście sym-
patycznego.

Tadeusz Lewandowski
Warszawa, jesień 2005

ROZDZIAŁ I

Co to ma być?

Joanna Chmielewska: Co to ma być?
Tadeusz Lewandowski: Rozmowa. W żadnym przypadku nie zamierzam jednak powtarzać Pani „Autobiografii", choć ten tytuł padnie niejeden raz w trakcie naszych dysput. Będziemy się więc do „Autobiografii" nieuchronnie odwoływać. Kto chce, niech sięga sam. Ale mam mnóstwo pytań. Później wszystko sam opracuję i wyjdzie Pani literacki portret. Napisany po mojemu, w moich rytmach, więc mojego pióra, mimo że zbudowany Pani słowami.

J.Ch.: Dobrze, potraktujmy to jako komentarz do „Autobiografii". Bo tam szło mi raczej o fakty i ich przyczyny. W żadne psychopatyczne dyrdymały się nie wdawałam. Uczciwie zeznałam całą prawdę. Dziś w ogóle nie pamiętam, co do tych książek wrzuciłam, o czym zapomniałam, bo to było dawno, a tekst „Autobiografii" rzetelnie przepracowałam tylko podczas korekty. Jeśli zdarzy się okazja, by wykonać kolejną korektę, z ciekawością wrócę do wspomnień. Zwłaszcza że planuję szósty tom, już nawet został napoczęty. Po drodze od tomu piątego przytrafiło się całe mnóstwo wydarzeń tak przeraźliwie śmiesznych, że właśnie je chciałabym opisać. Niech się wszyscy ucieszą, czytając, jak mi szkwał w Trouville zdarł ze łba perukę, choć na głowie miałam naciągnięty dla bezpieczeństwa kaptur, i jak się śmiałam, kiedy wyobraziłam sobie, co się wydarzy, gdy ktoś wyłowi z wody ten kołtun, szukając dalszego ciągu nieboszczyka! Takie wydarzenia lęgną się same w głowie i żebrzą o opis. Nawet kiedy śmieszność sytuacji okazuje się tak duża, że, choćby skichawszy się, człowiek tego nie zdoła oddać. Zobaczy pan sam w szóstym tomie.

T.L.: Ja natomiast trochę zamierzam, gadając, pogrzebać w „psychopatycznych dyrdymałach", jak to Pani określa. W psychobiografii Joanny Chmielewskiej.

J.Ch.: O, czyli nie będzie pan miał łatwego życia...!

T.L.: Trudno, jakoś sobie poradzę. Pani Joanno, w „Autobiografii" już pod koniec pierwszego tomu, poświęconemu czasowi dzieciństwa oraz wczesnej młodości, stwierdza Pani: *Sprecyzowałam wreszcie swoją drogę życiową. Chciałam, co następuje:*
1. *Skończyć studia, najlepiej architekturę.*
2. *Podróżować po świecie.*
3. *Mieć męża i dzieci.*
4. *PISAĆ!!!*
5. *Wyglądać pięknie i pachnieć fiołkami.*

J.Ch.: Hmm, ustabilizowane mam poglądy.

T.L.: Cytuję dalej.
Fiołki mi przeszły, przerzuciłam się na Diora, a co do pięknego wyglądu, to przytrafił mi się raz w życiu. Ostatecznie dobre i tyle. Właściwie można powiedzieć, że zrealizowała Pani swoje marzenia.

J.Ch.: Racja, zwłaszcza co do wyglądu. Teraz, w tym wieku, tak...!

T.L.: Każdy ma prawo dowolnie interpretować własne życie, ale jednak coś się chyba Pani udało...

J.Ch.: Większość postanowień zrealizowałam, nie przeczę.

T.L.: Skończyła Pani studia architektoniczne.

J.Ch.: Ale po świecie napodróżowałam się mniej, niż chciałam i niż miałam zamiar. Teraz, kiedy już swobodnie dysponuję czasem i stać by mnie było na te podróże, zrobiłam się po prostu zbyt zmęczona, za stara. Podróże wiele wymagają od człowieka. W ostatnich latach, kiedy mogłabym wyruszyć do Australii albo, powiedzmy, do Republiki Południowej Afryki, źle się czuję. W Poznaniu na przykład chmara meszek cztery lata wstecz obsiadła mi nogi, gdy podczas imprezy plenerowej podpisywałam książki. Ludzi przybyło mnóstwo, siedziałam długo, a te cholery, nie wiadomo kiedy, pogryzły mnie doszczętnie. Później musiałam leżeć, kurowałam się bardzo solidnie, choć skutki odczuwam teraz jeszcze. Takich wydarzeń więcej mnie w ostatnich latach dopadało. A zatem trzeba odpocząć.

No, i w końcu nie pojechałam, niestety, na Nord Cap, a ten kawałek świata ciągle się po mnie plącze. Nie widziałam też Aten, choć tam mogłabym ruszyć bez problemu, bo do Grecji wystarczy tylko po lądzie. Po lądzie owszem, proszę bardzo, mogę, byle nie samolotem. Na samoloty się zdenerwowałam, one mnie w końcu wyprowadziły z równowagi. Na samoloty kicham i pluję.

Czyli, sam pan widzi, nie odpracowałam tych wszystkich podróży, które miałam w planach od wczesnej młodości.

T.L.: Nic straconego!

J.Ch.: Akurat, rozpędziłam się...

T.L.: Taka Grecja chociażby, sama Pani o niej wspomniała. Ciepło, wcale nie za daleko.

J.Ch.: Owszem, bardzo chętnie. Tylko niby jak mam jechać w dwie strony równocześnie?

T.L.: Dlaczego w dwie strony?

J.Ch.: Bo moje dzieci pragną do Paryża, podczas gdy ja chcę do Aten.

T.L.: Ateny i Paryż to nie całkiem dwie różne strony.

J.Ch.: Niech pan nie przesadza z tą swoją drobiazgowością. Zresztą, mniejsza o szczegóły. Stwierdzam tylko, że nie napodróżowałam się tyle, ile kiedyś planowałam.

T.L.: No, i proszę.

Stworzyłem sobie plan naszej rozmowy, a on od razu wziął w łeb i swobodnie biegamy po dygresjach. Proponuję wprowadzić jakiś porządek. Jednak coraz bardziej się utwierdzam w przekonaniu, że bardzo będzie gadana ta Pani psychobiografia...

J.Ch.: Jak pan chce.

ROZDZIAŁ II

Pierwszy spacer po życiorysie

T.L.: Z naciskiem podkreślała Pani wielokrotnie niezależność kobiet „rodzinnych". A jednak w sytuacjach krańcowych one zawsze stawały przy boku swoich mężczyzn.

J.Ch.: To całkiem normalne.

Babcia i dziadek jeszcze przed I wojną brali udział w ruchu patriotycznym; dziadek wyłącznie przez czysty przypadek nie trafił na Sybir. O tym, jak babka podetknęła stołek pod tyłek carskiemu żandarmowi, a właśnie w tym stołku ukryte były rewolwery, po które przyszli sołdaci, napisałam w „Autobiografii". Za to na Sybir trafili wujek i ciotka. Dziadka zesłano tylko do Trzebini. Babcia za nim oczywiście pojechała, dlatego w Trzebini urodziła się moja matka.

Babcia w głowie miała dobrze poukładane, więc dziadka, jednego z najprzyzwoitszych oraz najszlachetniejszych ludzi, jakich znałam, doceniała. U nas zupełnie normalną sprawą było, że żony towarzyszą mężom. Kiedy mój ojciec, oddelegowany, trafił do Bytomia, żeby uruchomić księgowość oraz administrację zakładów cukierniczych, matka wyjechała wraz z nim. No i ze mną. Ale ona, moja matka, sama nie umiała egzystować. Ktoś musiał jej zawsze pomagać, pod tym względem okazała się absolutnie przedwojenna. Już po 1939 roku, gdy ojciec wyruszył na wojnę, matka została tylko ze mną oraz przedwojenną naszą kuchtą, osobą młodą, z temperamentem, rumianą, słowiańską w typie blondyną. Służąca uratowała mi życie, bo załatwiała chyba wszystko. Matka, zapytana, co by zrobiła bez tej dziewczyny, odparła: — *Zabiłabym siebie i ciebie!* Opisałam to zresztą. Bo w bardzo licznej grupie kobiet pulsuje siła bluszczu. Umieją się kurczowo oplatać wokół innych ludzi. Do dzisiaj znam takich mnóstwo. Narosła nam co prawda grupa ostrych, samodzielnych bizneswoman, ale ciągle istnieje nieporównywalnie więcej kobiet bluszczowatych. Tylko się rozglądają, którego chłopa by się uczepić. To dotyczy wszystkich poziomów umysłowych, wiem coś o tym z własnego otoczenia. Bluszczowate wygodnictwo w wielu kobietach zostało do teraz. Niech sobie każdy poczyta lub posłucha o tych wszystkich dziewuchach, które na pierwszym roku studiów rezygnowały, „bo dziecko"... Kończą się w tym momencie. Ślub — i do widzenia! Jak kogoś Pan Bóg chce skarać, to mu rozum odbiera. Głupich jest zatrzęsienie. Ja natomiast zapisałam się do grupy, stosunkowo mało obecnej, przedwojennych kobiet, które liczą przede wszystkim na siebie.

T.L.: Powiedziałbym, że kobiety są częstokroć po prostu słabe.

J.Ch.: No, wie pan co! Chciałabym być taka słaba! Tyle roboty odwalają, że strach. Za to im się nie chce samodzielności. Bo czasami praca umysłowa okazuje się trudniejsza niż fizyczny wysiłek.

Jeśli jednak zastanawiam się nad moimi przodkiniami, to, przy całym krytycyzmie, muszę dodać, że one w dupie miały konwenanse. Wyskakiwały na wszystkie strony z przedwojennej obyczajowości. Ich nietypowość odłożyła się również we mnie, choć moja „przedwojenność" od „przedwojenności" mojej matki różni się zasadniczo. Jej ktoś musiał urządzać życie, stwarzać egzystencję, załatwiać za nią ważne sprawy. Musiała się nieodmiennie na kimś wspierać. Tym kimś okazywał się nie tylko mój ojciec, ale również i ja. Musiałam zatem stanowczo wchodzić od początku w kompletnie inne role niż rola grzecznej córeczki. Ja nie za dziewczynkę byłam, która się uczy, jak zagniatać kluski kartoflane.

Przyszło mi robić za jednostkę, która musi wyszarpać gdzieś jakąś forsę i jeszcze pamiętać, co trzeba załatwić.

We mnie tkwiły straszliwe słowa ciotki Lucyny, wypowiedziane, kiedy miałam jedenaście lat: — *Jeśli ktoś chce o sobie decydować, musi umieć się samodzielnie utrzymać.* Zaraz potem zrobiło się mi w środku takie coś, że z zachwytem doszłam do wniosku: — *Mogę zarobkowo kleić torebki!* Niebo się przede mną otwarło!

Bo ja chciałam o sobie sama decydować... Kwestia swobody, wolności jest dla mnie od zawsze podstawowa. Nienawidzę ograniczeń, cierpię prawdopodobnie na rodzaj klaustrofobii duchowej. Nawet kiedy decyduję się być z drugim człowiekiem, jakimś mężczyzną, ograniczenia stąd wynikające przyjmuję tylko w takim zakresie, na jaki się własną osobą zgadzam. Bo sama sobie mogę narzucić wszystko, ale przybyszom z zewnątrz — wara! Wybierając dla siebie mężczyznę, zastanawiałam się, jakie ma zalety i jakie wady. Ja do niego dostosuję się o tyle, o ile mi będzie na nim zależeć. To kobieca plastyczność, wie pan? Mężczyźni w porównaniu z kobietami są tacy sztywni, że coś strasznego. Wybieramy jednak was, my, kobiety, bo okazujecie się przydatni.

Mam w sobie, na przykład, jeden malutki, zupełnie atawistyczny elemencik. W knajpie czy w innym lokalu uwielbiam absolutnie t e n   r u c h, którym mężczyzna sięga do wewnętrznej kieszeni marynarki po portfel, kiedy trzeba płacić. Choć od bardzo dawnych lat przywykłam, że przeważnie płacę ja sama, uznając to za rzecz normalną, jednak t e n   r u c h sięgania przez niego po portfel... Nie ma przy tym znaczenia, czy zapłaci dwa czterdzieści czy dziesięć tysięcy.

T.L.: Skąd to w Pani?

J.Ch.: Bo istnieje naturalna różnica płci. Piszę o niej dużo w „Przeciwko babom!"

*

T.L.: Pamięta Pani znakomicie tyle ważnych spraw. Przyznam, że ja takiej pamięci nie posiadam. Czy dobra pamięć ułatwia życie?

J.Ch.: Z pewnością. Ale też to, co się pamięta z rozmaitych przeżyć, zapisuje się na zawsze w człowieku. Jeśli coś się zdarzyło, to zaczyna nas obudowywać emocjami. Niekiedy ostro zmieniając poglądy. Weźmy jakiś epizod z mojego życia. Powiedzmy, z młodości. Kończy się niemiecka okupacja, wkraczają do Grójca Rosjanie. Miałam w pamięci lęki domowe, straszenie, że zwali się na nas wyłącznie dzicz. I że dymiącymi ludzkimi flakami pookręcają sobie szyje. Kiedy więc pierwszy raz u nas się zjawili, wszyscy obserwowaliśmy z uwagą, co też oni będą wyczyniać. Nawet jednak moja matka, osoba Ruskim zawsze nieprzychylna, ale przecież sprawiedliwa, nabrała z miejsca szacunku dla ich odwagi. Z nieba leciały bomby, samoloty pikowały, Ruskie zaś spokojnie wychodziły przed domy, zadzierały łby i obserwowały, gdzie co spada. O rosyjskiej kulturze zdania moja matka nigdy nie zmieniła, ale mniemanie co do ich odwagi — owszem, tak, chwaliła ich. Nawet pielęgnując w sobie niezgodę i na Ruskich, i na okupację, i na nowy ustrój.

Jeśli ja natomiast nie traktuję Ruskich jak wrogów, choć radzieckiego ustroju również nie znosiłam nigdy, to też jest efektem zapisów w mojej własnej emocjonalnej pamięci. Flaków wokół ich karków w charakterze kołnierzy w 1945 roku nie dostrzegałam, musiałabym zaś dostrzec, bo takie kołnierze byłoby dość trudno ukryć. Ale że zastępowali zdziczałych Niemców, człowiek rzuciłby się im już tylko za to na szyję. Nawet choćby obkręcili karki wzmiankowanymi flakami jak dętkami samochodowymi.

Do dziś uznaję Rosjan za naród, żeby tak powiedzieć... dwustronny. Z jednej strony to spokorniały tłum, który ugiął się z przerażającą bezwolnością pod butem władców. Pozwala sobą zbyt często bez sprzeciwów powodować. Stadność Rosjan — wyrobiona przez ich typ stosunków społecznych albo, co mniej prawdopodobne, przyniesiona w genach — przeraża mnie. Z drugiej zaś strony ci wszyscy Rosjanie, których poznałam osobiście, oni są czyste złoto nie ludzie, z wielkim sercem na dłoni, bardzo sympatyczni, inteligentni. Z Rosjaninem w pojedynkę umiem się bez problemów porozumieć, Rosjanin w masie będzie kogoś takiego jak ja — odpychał.

T.L.: Skoro rozwijamy temat, jeszcze kilka słów. Pani książki w Rosji odniosły niekwestionowany sukces. To drugi obok Polski kraj (drugi, bo po Czechosłowacji lat 70.), gdzie stała się Pani literacką gwiazdą najpierwszej wielkości. Rosja doceniła i fetuje Chmielewską. Ba! Tam kariery robią nawet naśladowczynie Pani stylu, jak Daria Doncowa.

J.Ch.: Podejrzewam, skąd się bierze entuzjazm Rosjan do mnie. Oni właściwie od początków XX wieku znajdowali się we władzy ustroju, który po II wojnie światowej i nas schwytał za gardło. O tak zwanym socjalizmie sowieckim wiele da się powiedzieć, lecz z całą pewnością nikt przy zdrowych zmysłach nie będzie go uznawał za system pozytywny. W szarym komunistycznym baraku każdy pragnął choć przez chwilę czegoś weselszego. Ja piszę pogodnie, do tego Rosjanie przecież bez pudła rozumieją realia moich wcześniejszych powieści. Słowiańskie narody wykazują wspólnotę najnowszej historii oraz, do pewnego stopnia, wspólnotę emocjonalnej nuty. Niech pan spojrzy na krąg skandynawski. Oni myślą powoli, nie śpieszą się, wiodą spokojną egzystencję. Najpowolniej reagują Duńczycy, nieco mniej powolnie Szwedzi, a najmniej powolnie Norwegowie. Taki temperament po prostu. Być może i dlatego, że w kulturze skandynawskiej już nawet dwuipółletnie spragnione dzieci dostają do ugaszenia pragnienia piwo. No i jeszcze jest ich historia, która raczej nie zmuszała Skandynawów do zbytniej gonitwy. Ale wracajmy do Rosjan. Sporo otóż wiem na temat naszych wschodnich sąsiadów od zaprzyjaźnionych osób. Na przykład od pracującej u nas w biurze architektonicznym Rosjanki, kreślarki, która w latach czterdziestych znalazła się legalnie w Polsce i przyjęła nasze obywatelstwo. Do rodziny pozostawionej w Związku Radzieckim jeździła. Ściśle biorąc, wiem o jednym takim jej wyjeździe, w przedziale między rokiem 1954 a 1959. Kiedy wróciła, zwróciła się do mnie cała wstrząśnięta: — *Słuchaj, jakaż tam diejstwujet straszliwa*

nędza! Ja już odwykłam, ja już zapomniałam, JAKAŻ TAM STRA-
SZLIWA NĘDZA... Zostawiłam moim, co tylko miałam, wróciłam
w jednej kiecce, w jednych obszarpanych kapciach. A oni uważają,
że jest im bardzo, bardzo dobrze. Mogą przecież c o d z i e n n i e
kuszat' kartoszku i jeszcze każdy ma sam dla siebie osobną parę
butów. Kiedy wspomną, że dawniej do jednej pary sapogów usta-
wiała się dziesiątka chętnych, oceniają, że wokół istny raj.

Westchnęłam i po cichutku pomyślałam: „Dlatego zapewne
swoim szczęściem postanowili obdzielić cały świat, wszystkich chłopów i robotników, w Europie oraz w Ameryce, na
całej kuli ziemskiej!". Cóż, bardzo się usilnie starali... Czytałam kiedyś jakiś partyjny ważny list, chyba Lenina do Dzier-
żyńskiego. Streszczę go. Pisał ten oberłobuz tak mniej więcej: „Z robotnikami angielskimi i amerykańskimi nasz numer nie przejdzie. Spróbujmy więc z Ruskimi".

Biedni, biedni tumanieni ludzie...

Moje natomiast emocje związane z Niemcami są inne. Przecież tyle istnieje literatury na temat tamtych czasów, zapi-
sano takie zwały papieru wspomnieniami oraz dyskusjami,
ale we mnie nadal tkwi punkt widzenia dziecka, które okupację przeżywało bezpośrednio. Gdyby popatrzeć z boku, to
ja wcale niemieckiej okupacji tak znowu straszliwie nie przeszłam. Ale ciągle noszę w sobie jeden okupacyjny rok głodu
i świetnie pamiętam ówczesną marmoladę. Do dziś, choćby
marmoladę sprzedawaną w bloku wykonać z nie wiem jakiego arcydzieła, ja tego świństwa do ust nie wezmę! Nie,
nie przełamię się! Niby najgorsze trwało rok zaledwie, krótko cokolwiek, jednak wywołało straszliwe emocje. Tak silna
jest pamięć.

W dodatku pamięć zawsze lepiej wychwytuje rzeczy złe niż
dobre. Dobre sprawy muszą okazać się naprawdę wystrza-
łowe, żeby w człowieku odłożyły się na zawsze. Złe mogą
być złe zwyczajnie, lecz i tak tkwią wewnątrz osoby jak parszywa zadra.

Podczas okupacji w Grójcu posiadaliśmy kury, świnie i całą
resztę chudoby. Czyli, bez przesady, tak znowu strasznie nie
cierpiałam. W dodatku nikogo z mojej rodziny na moich
oczach nie zamordowano. W ogóle Niemcy nam, obiektyw-

nie rzecz biorąc, nic złego nie zrobili bezpośrednio. Lecz mimo to silne emocje pozostały. Już dawno opisałam epizod, jaki zdarzył się w Zalesiu. Przy torze kolejowym, po nasypie, szedł niemiecki żołnierz, widoczny znakomicie na tle nieba. Ja znajdowałam się niżej, na łące. Kiedy dostrzegłam szkopa, nie wykluczam, że całkiem niewinnego chłopaka, uczułam przerażającą, kompletnie niedziecinną nienawiść... Ogarnęło mnie wzburzenie w stopniu, powiedziałabym, bliskim psychopatii. Wówczas sobie moich emocji nazwać nie potrafiłam, tyle że je teraz inaczej oceniam: były i niewskazane, i niewłaściwe. Do dziś dnia pamiętam dawne wojenne uczucie we mnie wybuchające... Ja, wówczas jedenastoletnia dziewczynka, gdybym trzymała w ręku nóż albo sztylet, wszystko jedno jaką broń, próbowałabym tego człowieka zabić, bez zważania, czy mi się zamiar powiedzie, czy też nie. Wydarzyło się więc coś zupełnie przerażającego! O tyle tylko później mi przeszło, że przecież nie latałam za byle Germańcem w celu zabijania go, zwłaszcza iż dokonywanie śmiercionośnego aktu widelcem albo nożem kuchennym uznawałam mimo wszystko za głupotę.

Wszelako potęga dawnego złego uczucia wciąż we mnie siedzi. Nie notuję w pamięci, żebym później, aż do dzisiejszego dnia, poczuła względem kogokolwiek aż TAK przeraźliwą nienawiść... Owszem, rzetelne pretensje do rozmaitych osób miewałam, lecz one nie osiągały nawet niskich stanów tamtej uczuciowej skali.

W człowieku zostaje również lęk, choć można się przyzwyczaić także do bomb, które na łeb lecą, co opisałam przecież porządnie.

Ale pamięć o Ruskich jako barbarzyńcach jątrzyła nielicho. Nowy ustrój, jaki na bagnetach tutaj przynieśli, też mnie drażnił zupełnie instynktownie. Opowiem coś panu.

Wychowywano mnie w domowym kulcie Piłsudskiego, w szacunku dla patriotyzmu, dla Orląt Lwowskich. Gadała we mnie cała przedwojenna polska literatura. Jeszcze do tego istniała moja babcia, ze swoim stosunkiem do rewolucji oraz komunizmu, do wściekłej dziczy bolszewickiej... I wujek-komunista, który twierdził, że nas wszystkich — do cholery! — po nadejściu nowego ustroju na latarniach powywiesza. Słowem, atmosferą oddychałam jako dziecko odpowiednią. Wtedy wywinęłam rzeczywiście porządny numer, nie zdając sobie sprawy, jaki kretyński.

W roku 1948 lub 1949, w każdym razie jeszcze wtedy uczyłam się w gimnazjum, przed maturą to się działo, gdy cała sala podczas jakiegoś szkolnego apelu zaczęła skandować jednym głosem: — *Stalin! Stalin!*, my z drugą, równie jak ja mądrą, wstałyśmy z miejsc i — wyszłyśmy... Do tej pory, przysięgam Bogu!, nie pojmuję, jakim cudem nie usunięto mnie wówczas ze szkoły?! Jej, rzecz jasna, też. Fakt, stałyśmy troszeczkę z tyłu, na końcu wielkiej sali, nie rzucałyśmy się więc w oczy, być może po prostu nikt nie zwrócił na nas uwagi. Albo jeśli zdarzył się taki ktoś, kto zauważył, ten ktoś, zwyczajnie, okazał się przyzwoitym osobnikiem.

T.L.: Jak więc dawała sobie Pani radę z polityką i politycznymi barierami, drukując teksty w Polsce Ludowej? Na przykład ostatni z Ważnych Mężczyzn Chmielewskiej, pan Marek, oszukał Panią w sprawie Katynia. Łatwo było mu uwierzyć?

J.Ch.: Skoro mi powiedział, że jego ojciec zdołał z Katynia uciec, stwierdzając na własne oczy zbrodnię dokonaną nie przez Rosjan, tylko przez Niemców...
Chwileczkę, posiadam człowieka przy boku, wierzę mu zatem. On zaś stwierdza, że tak właśnie się działo. To jak mam mu nie uwierzyć?! Dopiero gdy pojechałam do ciotki w Kanadzie i u jej męża, Tadeusza, poczytałam sobie dokumenty...
Marka od tamtych czasów nigdy nie widziałam, ale choć jedno mu na odległość teraz powiem: — *Słusznie czynisz, nie usiłując się do mnie nawet zbliżyć. Bo pogotowie i tak ma dostatecznie wiele roboty!*
Nawet bym go ani nie podrapała, ani nie pobiła po mordzie. Zniszczyłabym Marka słowami, spytałabym, co do mnie przysięgał, zacytowała mu dokumenty. Gwarantuję, dostałby przeraźliwych konwulsji.
Tak, pogadałabym z nim sobie jeszcze jeden, ten ostatni raz!

Widzi pan, ja jestem kobietą, a kobiecie, gdy się rozstaje z mężczyzną, zawsze będzie brakowało t e j   o s t a t n i e j r o z m o w y, kiedy on znika z jej życia. Ach! Jak wy wszyscy tego nie cierpicie, jak nienawidzicie!!! Macie zaraz w oczach harpie, meduzy, potwory jakieś. Baby bez tego żyć nie umieją. Każda marzy, aby odbyć tę Swoją Ostatnią Rozmowę, żeby w niej nie został niedosyt zemsty. — *Skoro oszukał MNIE, niech się, ścierwo jedne!, skręca w najgorszych męczarniach!* Takiej rozmowy z Markiem mi zabrakło. A nie staram się o nią ani z dobrego serca, ani ze zbędnego miłosierdzia, zwyczajnie — brakuje czasu. Gdyby nie czas, chętnie bym się stawiła tam, gdzie on teraz mieszka, w charakterze maszkary ze szponami gryfimi.

T.L.: Może poszukajmy?

J.Ch.: A tam...! Nie chce mi się. Nie mam czasu...

T.L.: Zastanawiam się nad konsekwencjami, gdy już pan Marek przeczyta naszą książkę...

J.Ch.: Co też pan?! On w ogóle nie czyta, książki w życiu do ręki nie weźmie!

T.L.: Tośmy sobie wylecieli do przodu...

J.Ch.: Znacznie, owszem. Wystrzeliliśmy. Bo po drodze przez lata zdarzało się jeszcze to oraz owo.

*

T.L.: Następny blok pytań zacznę od pewnej refleksji, wynikającej z naszej kilkuletniej już znajomości. Pierwsze wrażenie, jakie Pani sprawia, to żywioł, wodospad, lawina bezustannych emocji, wyrzucanych na zmartwiałe ze strachu oraz zachwytu otoczenie. Ale jeśli ktoś Panią choć trochę pozna, łatwo zauważy całkiem inne cechy osobowości. Podkreślić należy szczególnie dystans, jaki Pani prezentuje wobec siebie, przejawiający się w skłonnościach do autoironii i do gry z samą sobą. Weźmy sposób, w jaki na kartach „Autobiografii" podchodzi Pani do spraw genealogicznych. O rodzinnych kobietach pisze Pani i mówi z zewnętrznie manifestowanym

„obrzydzeniem", za to z zawsze wyczuwalną wewnętrzną lubością. W gruncie rzeczy słychać dumę i szczęście, że miała Pani takie właśnie przodkinie.

J.Ch.: Owszem, żywię wobec nich dość skomplikowane uczucia. Posiadać w genealogii jakieś barachło? Głupio, nie? Gdybym miała oceniać, przykładowo, pokolenie rodzinnych bab, usytuowanych oczko wyżej niż ja, to chętnie wyznam, że wszystkie trzy siostry bardzo się kłóciły, lecz żyć bez siebie nie umiały. Z dziadkami również łączyła mnie silna więź. Tyle że przed wojną nie było u nas zwyczaju, aby mieszkać wspólnie, więc raczej się wszyscy odwiedzali. Włażenie sobie wzajemnie na głowy we wspólnym mieszkaniu — to już czasy powojenne. Z konieczności, proszę pana, z konieczności... Przed wojną wspólnie mieszkało się raczej poza dużymi ośrodkami miejskimi, na prowincji, w dworach albo po wsiach. W kompleksach dworskich zabudowań osobnego miejsca dla wszystkich starczało.

T.L.: A przodkowie męscy, co z mężczyznami?

J.Ch.: Naprawdę ci faceci, odkąd sięga rodzinna pamięć, to jest licząc od pradziadka, poprzez dziadka i ojca, okazywali się ludźmi godnymi, by im dzień w dzień gęś pieczoną podtykać na tacy. Każdy ze złotym sercem na dłoni. No, po prostu, prawdę mówiąc, te baby na nich nie zasługiwały. Z całej rodziny ja pierwsza, po minionych pokoleniach, wzięłam sobie męża z duuuużą indywidualnością. Pragnęłam, żeby moje dzieci odziedziczyły coś silnego także i po ojcu.

T.L.: Jak ważne okazuje się, w Pani ocenie, genetyczne wyposażenie jednostki?

J.Ch.: Opieram się wyłącznie na doświadczeniu i stwierdzam występowanie pewnych cech, które w dodatku się wzmagają. Coraz to bardziej dostrzegam istnienie takiej determinacji, fakty same rzucają się w oczy. Coś w tym musi być, skoro mój młodszy syn, Robert, wykazuje cechy swojej praprababki, zwłaszcza jej nieubłaganą zawziętość. Starszy, Jerzy, odziedziczył po mieczu umiejętność zapominania wszystkiego, co mu się nie podoba. Potrafi idealnie, radykalnie, dokładnie wyrzucić to coś niechciane z pamięci. A ja wreszcie? Obecnie robię się coraz bardziej podobna do mojej matki i dostrzegam cechy, które mi się u niej nigdy nie podobały, gdyż mnie samej zatruły życie. Usiłuję się opanowywać, kiedy już coś dostrzegam. Ale, rzekłabym, coraz niechętniej, z coraz większym trudem...

T.L.: Genetycy nierzadko podkreślają fakt, iż dziedziczenie wielu właściwości osobniczych związane jest z fizycznością.

J.Ch.: Zawsze miałam czarne oczy, jak moja matka. Zniebieszczały mi dopiero po sześćdziesiątce, nie mam pojęcia, kiedy dokładnie. Ciekawe, u mojej matki nastąpiło to samo, od zewnątrz oczy jej też w starszym wieku zniebieszczały. Istnieje jeszcze jedna cecha dziedziczna, która u nas przelatuje z pokolenia na pokolenie. Trudno to przekazać w słowie, bo trzeba zobaczyć własnymi oczkami. Proszę. Kiedy zegnę rękę, tutaj pojawia się kreseczka, widzi pan, tu, tuż poniżej zgięcia łokcia, o tu, od wewnątrz. Mamy to wszyscy, i moja matka, i ja, i moje dzieci. Wynika stąd, że coś intymnie rodzinnego w człowieku trwa przez pokolenia.

T.L.: Porozmawiajmy przez chwilę o Pani ojcu. Odnoszę wrażenie, iż była z nim Pani mocniej związana niż z matką?

J.Ch.: Ojciec, kiedy miał do czynienia z niemowlęciem, bał się mnie oraz brzydził. Matka żywiła o to do niego pretensję. Opisałam w „Autobiografii", jak wybrał się ze mną, trzyletnią, z Grójca do Warszawy. Matka przeżyła chwile grozy, bo ktoś jej doniósł, że w pociągu męża widział, lecz dziecka nie. — *Jezus kochany, gdzie się podziało dziecko?!* A ojciec spokojnie zapomniał, że wyruszył razem ze mną. Łaziłam więc sobie po całym pociągu, i do widzenia! Znalazłam się przy nim w okolicach Warszawy, a skoro się znalazłam, no to już z pociągu ojciec mnie za rączkę wyprowadził. Późniejszych kontaktów bezpośrednich z ojcem przez długi czas nie pamiętam. Następnie wybuchła wojna. W jej trakcie dwunastoletnią panienkę po raz pierwszy w życiu ojciec zabrał do restauracji, ściąwszy mi uprzednio włosy. Dobrze to akurat pamiętam, bo jest co pamiętać... Wiele lat później moja koś-

cielna synowa, czyli Anka, pierwsza żona Roberta, spytała mnie: — *To co, do restauracji z długimi włosami nie wpuszczają?* Z czasem, gdy stawałam się jednostką komunikatywniejszą, doroślejszą, mój ojciec zaczął być dumny z córki, której istnienie wreszcie zauważył. Nawet mu się dość spodobało, że jestem. Od tego momentu pozostawaliśmy z ojcem już do samego końca w wielkiej przyjaźni. Szczerze powiedziawszy, ja mu się wcale nie dziwię. Też wolę jednostkę w wieku lat dwunastu czy trzynastu niż wrzeszczącego bachora. Ojciec był dla mnie zawsze kimś bardzo, ale to bardzo ważnym. Do dziś trudno mi wspominać, jak wielkie świństwo zrobiłam mu, gdy po wylewie leżał w szpitalu. Już wtedy gówno słyszał. A ja wiedziałam przecież, że czeka go punkcja. Bolesny zabieg. Więc tym bardziej nie mogę sobie darować, że nie wyryczałam, na cały szpital, na całą okolicę, ostrzeżenia, jak taka punkcja boli i dlaczego jest niezbędna. Informacje lekarzy z powodu głuchoty do niego nie dotarły, przeżywał więc wszystkie szpitalne tortury bez pojęcia, dlaczego mu je aplikują. Nawet teraz gnębi mnie własne obrzydlistwo. Przecież gdybym uprzedziła, co go czeka, nastawiłby się, inaczej by zniósł zabiegi.
Ojciec posiadał nie lada osobowość. I żałuję, że przy moich babach okazywał się zawsze tym gorszym... I on, i ja pełniliśmy w domu rolę przedmiotów usługowych. Związana z nim byłam niezwykle silnie, tym silniej, że ojciec niczym mi nie groził, a baby były drapieżne. Przed nim nie musiałam się bronić, przed nimi owszem, gdyż inaczej przestałabym istnieć.

T.L.: Z naszych licznych prywatnych rozmów, przez lata odbywanych dyskretnie, choć wcale systematycznie, odniosłem wrażenie, że Pani stosunki z ojcem układały się znacznie łagodniej i serdeczniej niż z matką.

J.Ch.: Z całą pewnością ma pan rację. Tylko że ojca od matki oddzielić nie sposób. Ojciec ją ubóstwiał — i do widzenia, koniec pieśni. Pozwalał sobie kółki na głowie ciosać. Ojciec zaraził mnie uczuciami do matki, przerastającymi absolutnie wszystko. Wziął sobie piękną kobietę, z silniejszym charakterem niż jego, nie umiał się jej przeciwstawić. A moja matka traktowała ojca jako podstawę życiową i kogoś, kto umożliwił jej ucieczkę od babci. Nie kryła tego nigdy i mówiła wprost. Zresztą czasami wypowiadała znacznie gorsze rzeczy niż informacja, że wyszła za niego, aby uciec z domu rodzinnego. Uwielbiałam ją, w dodatku początkowo bezkrytycznie. Wdzięk mojej matki powodował, że wszystkie jej wady schodziły na drugi plan. Nie było na nią siły. Po ojcu natomiast wzięłam złote serce.

Poza tym, skoro już dotyka pan mojej rodzinnej przeszłości, te baby nie wszystkie były takie znów podłe. Tylko że serca miały gdzieś tam w kąciku, stłamszone. Moje dzieci też są lekko złagodzone — moim ojcem.

T.L.: Zadam głupie pytanie. Gdyby rodzice się rozwodzili, wybrałaby Pani ojca czy matkę?

J.Ch.: Kiedy miałam dziewięć czy dziesięć lat, coś tam bredzili o rozwodzie. Weszła wtedy w grę pewna bogini ojca. Bogini, wyznam z dziką satysfakcją, krzywonoga. Pracowała w banku ojca, na niższym niż on stanowisku, i gdyby złapała tylko dla siebie dyrektora, chwyciłaby Pana Boga za golenie. Ojciec, mężczyzna przedwojenny, choć trwała okupacja, traktował kobiety z rewerencją. Kwiatki, szmatki, to, tamto. Pierwsza lepsza uważa, że to są awanse i już po tej linii da się pójść. Matce wystarczyło, że ojciec raz tę krzywonogą odprowadził w dniu imienin do domu i wręczył jej kwiecie. A mamusia była pod tym względem, oj! oj!, oj!, cokolwiek ostra. Miała wówczas zwyczaj wypłakiwać wszystkie swoje żale na łonie córki, więc coś tam wychlipywała na temat rozwodu. Dla mnie było to po prostu potworne. Na szczęście cała historia potrwała krótko i szybko się zakończyła. Jednak zorientowałam się wówczas, że pomysł wybierania między matką a ojcem okazał się w moim wypadku nie do przyjęcia. Prędzej bym uciekła z domu i zamieszkała w taborze Cyganów.

T.L.: Akurat Cyganów? Dlaczego?

J.Ch.: Bo wtedy Cyganie byli modni. Dziś nie potrafię powiedzieć, czy któreś z rodziców bym wybrała, ale na pewno zdobyłabym się na jakieś radykalne posunięcie, pozwalające mi uniknąć wyborów. Protestowałam absolutnie — i koniec. Wtedy ojciec okazał się zupełnie niezbędny, nie dawało rady egzystować bez niego. Bo myśmy z ojcem rozumieli się bez słów. I tylko czasami porozumiewawczo szeptał: — *Tylko nic nie mów mamie!* W wieku piętnastu lat zaczynałam rozumieć, co się dzieje w tej rodzinie. Później jakoś mi się wszystko w umyśle ułożyło. Już dobrze, opowiem panu coś specjalnego. Otóż kiedyś, podczas jednej z Wigilii, wszyscy radośnie rozpakowywaliśmy paczki spod choinki. I tylko jeden jedyny ojciec nie dostał od nikogo z nas żadnego prezentu... Ja wtedy doznałam wstrząsu. Zrozumiałam, jak bardzo się go nie docenia. Chociaż rolę i sytuację ojca sama doceniłam w pełni dopiero jako osoba dorosła.

Znów po wojnie, w naszym ówczesnym mieszkaniu na terenie szpitala, zjawiał się dość regularnie pewien przyjaciel ojca, emablujący moją matkę. Wszyscy wspólnie grywali w brydża. Niby nic strasznego. Jednak on, ten facet, przesiadywał godzinami i opowiadali do siebie z matką jakieś bardzo straszne głupoty. Nie cierpiałam go. Ojciec natomiast był szczęśliwy, że matka się nie nudzi. Tylko proszę dobrze zrozumieć, mówimy o ludziach z przedwojenną klasą. Ona nie była z tych, co by się po łóżkach obcych facetów poniewierały, żadne takie. Znacznie później uznałam, że powinna była się jednak z nim przespać, skończyłyby się grymasy i dąsy. Tamtym babom pod względem łóżka z reguły brakowało spełnienia, a w emocjach okazywały powierzchowny romantyzm. Moja matka uważała seks za obrzydliwość. Opisałam to wszystko z grubsza w „Autobiografii". W każdym razie kobiety w mojej rodzinie wykazywały silniejsze niż mężczyźni charaktery.

T.L.: Oponuję w kwestii męskich przodków. Sama Pani na kartach „Autobiografii" przyznaje im zarówno indywidualność, jak też umiejętność stworzenia rodzinie stosownych warunków materialnych. Czasem nawet zgadza się Pani oddać sprawiedliwość ich osobowościom... Nawet jeśli zostali definitywnie stłamszeni przez harpie.

J.Ch.: Oczywiście, mieli w sobie coś. Tylko okazywali się zbyt łagodni, zbyt ulegli, zbyt podatni na stłumienie.

*

T.L.: Mąż Pani z tego punktu widzenia prezentował się zdecydowanie inaczej. Ale czy do końca?

J.Ch.: Och, mój mąż pochodził z rodziny silnych mężczyzn, tak jak ja z rodziny silnych kobiet. Oni brali sobie ciche, uległe białogłowy. Jeśli nawet przytrafiały się tam jakieś baby, potrafiące do pewnego stopnia przeciwstawić się rozszalałym indywidualnościom mężów, to w zderzeniu z despotami, tyranami, egoistami nie miały szans. Ze mną przytrafiło się jakby trochę inaczej... A w rezultacie — moim dzieciom nie było łatwo. Bardzo silni faceci po mieczu i straszliwe baby po kądzieli. Czyli mieszanka nadzwyczaj wybuchowa. Choć są nieco przełamani łagodnością ich dziadka, a mojego ojca. Potworność przełamana łagodnością — takich mam synów.

T.L.: Z Pani słów wynika, że w Waszym, z ojcem Jerzego i Roberta, małżeństwie powinno od samego początku iskrzyć. Jeśli bowiem stykają się dwa rozpędzone koła, zawsze grozi to katastrofą, siejącą wokół snopami iskier.

J.Ch.: Niech pan mimo wszystko doda miłość. Mąż bardzo mnie kochał, a ja jego. To wiele zmienia. Ludzie posiadający jakąś tam inteligencję potrafią się zrozumieć. Nawet przebywając wspólnie przez całych jedenaście lat.
Myśmy oboje nie byli idiotami. Ratowało nas też w chwilach trudnych ogromne poczucie humoru. Nasze małżeństwo oceniam więc jako trudne szczęście. Ale szczęście rzetelne, wielkie. Dlatego rozwód okazał się dla mnie tak przeraźliwym wstrząsem. Podobny efekt wywarł na przyjaciołach oraz znajomych. Gdyż sądzili, że prędzej się rozpadnie kula ziemska niż nasze małżeństwo. No i, poza wszystkim innym, przyjaźniliśmy się. Uczucia to uczucia, ale ważne okazywało się również i to, że mój mąż, introwertyczny, jak na ogół wszyscy mężczyźni z jego rodziny, ze mną umiał rozmawiać. I rozmawiał, naprawdę! Zastępowałam mu tak zwanych męskich kumpli, z którymi faceci zwykli toczyć dysku-

sje. Gadać uczciwie, rzetelnie, od serca — to tylko ze mną. A i ja z nim również...

T.L.: Twierdzi Pani, że mąż dostrzegał na tym świecie tylko Panią. Ale czasami trudno nam zauważyć znajomych czy przyjaciół — zwłaszcza bliskich — tej drugiej połówki...

J.Ch.: Rozumiem, co pan do mnie mówi. I — podtrzymuję. Z całą pewnością mój mąż nie posiadał przyjaciółek, zresztą z męskich przyjaźni też pielęgnował tylko dwie. Tu jednak wchodziły w grę wyłącznie znajomości oparte na bazie zawodowej. Natomiast wśród kobiet, wśród wszystkich kobiet na całej kuli ziemskiej, liczyłam się wyłącznie ja. Istnieli dla niego ludzie, jednakowi, aż po horyzont, osobniki bez płci i jedna jedyna kobieta, czyli żona. Na tym polegał urok mojego męża. Stałam na piedestale, a wszystkie reflektory kierowały się na mnie. Nie wyobraża pan sobie, a i mnie trudno to słowami wyjaśnić, jak ogromna była siła uczuć mojego męża. Ona, ta siła, ustawiała wyróżnioną jednostkę żeńską tak wysoko, tak wysoko... że sama już nie wiem gdzie. Może na szczycie piramidy Cheopsa? Albo i wyżej.

T.L.: Każdy zrozumie, że rozstanie z takim mężem musiało okazać się straszliwym szokiem.

J.Ch.: Przecież dlatego usiłowałam popełnić samobójstwo, starając się o zatrucie gazem z mojego domowego piecyka! Później doszły jeszcze piece ogrzewające mieszkanie, w których, przerwawszy na moment próbę samobójczą, usiłowałam spalić co bardziej poufne papiery osobiste, aby nie wpadły w ręce synom albo innym niepowołanym osobom. Piece dymiły strasznie, więc nic z palenia mi nie wychodziło, w rezultacie one właśnie skutecznie oraz starannie uniemożliwiły mi to samobójstwo. Dymiły nie tam, gdzie było trzeba, a ja się rozmyśliłam. Parę razy już to zresztą rzetelnie opowiedziałam.

T.L.: Powtarzała Pani wielokrotnie, że wszystko odbyło się „z wtorku na środę". We wtorek kochał Panią bez pamięci, w środę odszedł.

J.Ch.: Sądzę, że elementem absolutnie zasadniczym okazała się niedziela przed tą środą. Wtedy on jeszcze chciał zachować uczucie do mnie i małżeństwo. Strasznie namawiał, abym z nim i z dziećmi poszła na spacer. Zaprotestowałam gwałtownie: — *Opanuj się! Odczepcie się ode mnie! Zobacz, pranie suche jak pieprz wisi mi na sznurkach. Ja to muszę wszystko uprasować. Won, wszyscy na spacer, ale beze mnie!* No, i poszli na ten spacer. Beze mnie. A tam, niestety, plątała się już Urszulka. Z córeczką... Wiedziała, co robi, a ja okazałam się zbyt głupia, by coś podobnego przyszło mi do głowy. Urszulka załatwiła sprawę, bo on strasznie chciał mieć córeczkę. Stąd mój szał na tle Roberta; okropnie pragnęłam, aby był córeczką. Uznałam, że syna mąż nie pokocha i dostałam amoku. Czort bierz, przecież bym mu tę córeczkę w końcu urodziła, może za dziewiątym lub dziesiątym razem, nie dam gwarancji kiedy, ale bym urodziła. Tylko, jak już panu wcześniej mówiłam, gdzie ja bym to wszystko położyła spać...? Bo jeść by dostały, niemowlę tak znów strasznie dużo nie żre. Później też dałoby się radę, chociaż mój mąż musiałby swoje wpływy z prac zleconych poświęcić na rodzinę, nie na rozwód. Cóż, głupia byłam. Napisałam gdzieś czarno na białym: należało mu od początku wszystkie pieniądze do ręki oddać.

T.L.: Trudno mi sądzić, iż to Pani zawiniła. Czasem współczesny los układa się niczym fatum w starogreckim dramacie. Jakaś akcja zmierza nieuchronnie do winy tragicznej. Tragicznej, bo przez bohaterów nie zawinionej. Widać przecież, że wokół zaraz zawali się wszystko. I nikt nic na to nie może poradzić... Pani Joanno, mam jeszcze kolejne bardzo trudne pytanie. Czy gdyby ktoś postawił Panią przed wyborem osób najważniejszych, wskazałaby Pani na dzieci czy na męża?

J.Ch.: ... *(dłuższa chwila milczenia)*
...W tej chwili oczywiście na dzieci. Wtedy — nie! Widzi pan, ja nigdy nie byłam przesadnie macierzyńska. Mam charakter wilczycy. Na co dzień działam bez sentymentalizmu. Dopiero jakby coś się stało, to ja oczy każdemu wydłubię, miasto podpalę! Dzieci stawały się ważniejsze tylko w dramatycznych okolicznościach. Dopiero wtedy, tak, wtedy dzieci. A nie chłop.

T.L.: Wielokrotnie oraz publicznie stwierdzała Pani, że w życiu najbardziej lubi Pani pisać. Tymczasem z naszej rozmowy wyłania się inna hierarchia wartości. Przecież nie zostawiłaby Pani męża, gdyby trzeba było wybierać między nim a literaturą.

J.Ch.: Nie stawiał mnie nigdy wobec takiej alternatywy. Lecz gdybym musiała...
...Wybrałabym pisanie.
(*Po przeciągającym się, skupionym zastanowieniu.*) Tak, tak właśnie bym uczyniła.

T.L.: Pani Joanno, padły tu słowa bardzo dramatyczne, o wielkim gatunkowym ciężarze. Chciałbym mieć absolutną pewność. Mimo wszystko gdyby musiała Pani wybierać między mężem a pisaniem, wybrałaby Pani PISANIE?

J.Ch.: TAK!
Tyle że starałabym się najpierw mieć i pierwsze, i drugie, i trzecie, czyli i męża, i dzieci, i pióro. No, nie, kiedy się teraz zastanawiam, coraz mocniej wiem, że — NIE, NIE i NIE! — z niczego bym wtedy nie zrezygnowała. Otóż moja podstawowa wada to nieumiejętność i niemożność rezygnacji. Z niczego, nigdy! Będę się starała do końca osiągnąć cel. Umrę z pragnienia, czołgając się w kierunku oazy, lecz nie spocznę, zawsze w ruchu. Będę machała mieczem, aż położę wszystkich wrogów pokotem lub sama legnę. Walczę do końca i niech mnie szlag trafi.
Teraz dopiero, po latach, potrafiłabym dokonywać jakiegoś wyboru. Gdyby więc postawił mnie pan przed wyborem: pisanie albo dzieci, wybrałabym dzieci. Jednak wtedy — przenigdy wybierać! Straszny to charakter, nader uciążliwy dla mnie samej. Niech mnie Pan Bóg broni od takich wyborów...
Bo, proszę pana, utrata dziecka boli niewyobrażalnie. Pamięta pan katastrofę samolotu „Kopernik", który — wskutek awarii technicznej, wynikającej z ludzkiej głupoty — roztrzaskał się w dołach, wykopanych obok warszawskiego lotniska Okęcie, tam gdzie kopcowano kartofle dla miasta? W tej katastrofie zginął Krzyś, najbliższy przyjaciel Jerzego, moje właściwie trzecie dziecko. Nigdy się z tym nie pogodziłam, nie pomogło wcale, że przepłakałam trzy tygodnie. Do tej pory nie ma we mnie zgody na tę śmierć. I nigdy nie będzie.
A teraz niech mnie pan zostawi samą.

ROZDZIAŁ III

Drugi spacer po życiorysie

T.L.: Skończyła Pani studia architektoniczne.

J.Ch.: Bardzo dobrze, cieszę się z tego.

T.L.: Chciała Pani zostać wybitnym architektem?

J.Ch: Może i chciałam. Lecz od samego początku moja dusza w gruncie rzeczy wiedziała: jestem akoncepcjonistką, twardo stąpającą po ziemi. Zrozumiałam, że nie stworzę wiekopomnych form architektonicznych. Za to umiałam sobie doskonale radzić z całą resztą projektu, posiadałam zwłaszcza zdolność wnikania w jego szczegóły oraz w funkcjonalność: proszę uprzejmie, z tym sobie świetnie dawałam radę. Ponieważ dla architektów nie starczało zleceń, zajęłam się praktycznymi aspektami zawodu. Z powodu braku szczytowych architektonicznych talentów nie skakałam do Wisły ani nie rozpaczałam. Podobnie jak nie topiłam się w Sekwanie, zobaczywszy mój ideał, czyli kaplicę na lotnisku Orly w Paryżu. Na szczęście już wtedy pisałam książki. I to zajęcie jednak przeważyło nad wszystkim. Okazało się, że architekturę stawiam dopiero na drugim miejscu.

A w zanadrzu ukrywałam od zawsze jeszcze jedną pasję. Otóż uwielbiam archeologię. Gdybym nie została architektem ani pisarką, poszłabym na archeologię. Bardzo również lubię zajmować się produkcją kilimów i takimi dyrdymałami, jak haft czy splatanie suchych zielsk, lecz do nich studiów nie trzeba. Poza tym zawsze umiałam rysować, inaczej przecież nie zostałabym architektem. Chętnie też malowałabym, ale nie miałam już kiedy. Zawsze także z przyjemnością liczyłam. I jeszcze wiele innych rzeczy wykonuję chętnie. Jedyna wszelako rzecz, którą umiem robić naprawdę dokładnie, nie po łebkach, to zestawiać kolory. Ja w ogóle lubię, kiedy buduję coś z niczego. Kiedy tworzę po prostu. To jest moje wielkie szczęście. Zyskałam możliwość wyboru takiego rodzaju ekspresji, jaki najbardziej mi odpowiada.

T.L.: Twórczość to pojęcie, dziś zwłaszcza, coraz bardziej obszerne. Przecież twórczy musi być wcale nie tylko artysta, ale na przykład, również biznesmen. Czy potrafiłaby Pani prowadzić przedsiębiorstwo?

J.Ch.: O, nie! Bo wtedy trzeba załatwiać!, załatwiać!, załatwiać! Czyli zajmować się czymś, co zawsze uznawałam za obrzydliwe. Załatwiałam w życiu mnóstwo spraw z konieczności. Pracując w biurze jako główny projektant, musiałam często coś załatwiać. Nieodmiennie twierdziłam wtedy, że zmieniam zawód i wolę raz na tydzień przeciągnąć mokrą ścierką cały most Poniatowskiego niż cokolwiek załatwiać. Kiedy załatwianie kończyło się, całkiem normalnie wracałam do pracy. Mam to po matce.

T.L.: Zatem w wyborze studiów nie nastąpiła życiowa pomyłka? Architektura polega przecież także na załatwianiu, sama Pani to przyznaje. Nie szkoda było czasu, który kiedyś można by wykorzystać na pogłębianie sprawności czysto literackich?

J.Ch.: W żadnym razie! Moje studia dały mi bardzo dużo. I późniejsza praca w charakterze architekta też. Zresztą, pracując, równocześnie pisałam. Co się ostatecznie nie dało połączyć, bo nie ma szansy na równoczesne uprawianie dwóch zawodów twórczych. Żaden z nich nie kończy się w godzinach pracy. Moja architektura polegała na tym, że przychodziłam do domu i siadałam do deski. Pisanie z kolei oznacza, że idę do pokoju i siadam, kiedyś do maszyny, dziś do komputera.

Wszystko trzeba wykonywać mniej więcej w tych samych godzinach. Nie sposób pracować, siedząc frontem do maszyny, a tyłem do deski lub odwrotnie. Zwłaszcza że, niestety, i pisanie, i projektowanie wymaga wyobraźni.

T.L.: Istotnie, siadanie tyłem do pola twórczości oznacza despekt albo dla architektury, albo dla literatury. Twórczość lekceważenia nie znosi. Łączyć wszystko do kupy potrafił tylko Leonardo da Vinci.

J.Ch.: Też nie brał wszystkiego razem, tylko kawałkami.

T.L.: Poniekąd. Jak przez długie lata Pani.

J.Ch.: Coś w tym rodzaju...

T.L.: Ze studiami wyszło jak trzeba. Sama Pani na ten temat pisze bardzo lekko, ślizgając się po temacie. Lecz gdyby każdy, kto, ot!, pstryknie palcami, z miejsca dostawał się na architekturę, życie okazywałoby się fraszką. A to nie taka znów prosta zabawa. Aby wywalczyć sobie miejsce na elitarnym wydziale, trzeba się ździebełko pouczyć.

J.Ch.: Co też pan, jakie pouczyć! Ukończenie takiej szkoły średniej jak moja w zupełności wystarczało! Przecież ja kończyłam świetne warszawskie liceum humanistyczne imienia Królowej Jadwigi, z przedwojennymi jeszcze nauczycielkami. Wiedza wyniesiona ze szkoły okazała się najzupełniej dostateczna.

T.L.: Mimo wszystko zaoponuję. Wtedy, w końcu lat czterdziestych, na terenie zrujnowanej Warszawy, działało co najmniej kilka znakomitych licealnych placówek oświatowych. Pewnie z każdej startowano na architekturę.

J.Ch.: Ma pan rację. Przyznaję też, że miałam nieodpowiednie pochodzenie klasowe. Ale przecież czytał pan „Autobiografię"? Tam napisałam, jak się moje wstąpienie na studia odbyło. Dostałam się na bazie jednego tylko faktu.

T.L.: Temat egzaminacyjny? Plan Sześcioletni, który wtedy określać miał powojenną odbudowę kraju na zasadach stalinowskich?

J.Ch.: Właśnie, Plan Sześcioletni. Otóż sto dwadzieścia cztery osoby pisały podczas egzaminu wstępnego o Planie Sześcioletnim, natomiast ja, osoba sto dwudziesta piąta, stworzyłam pracę absolutnie oryginalną, gdyż o Planie Sześcioletnim nie znalazłby pan w niej ani jednego słowa. Z tego prostego powodu, iż ja o Planie Sześcioletnim nie miałam najmniejszego pojęcia. W rezultacie kolegium profesorów, wykładających na Wydziale Architektury Politechniki Warszawskiej, stanowczo domagało się przyjęcia mnie na studia. I zobaczyłam moje nazwisko dopisane zielonym atramentem pod normalnie wydrukowaną listą przyjętych.

T.L.: Wyobrażam sobie Pani późniejsze kłopoty z działaczami ZMP. Studiowała Pani przecież w latach najczarniejszej nocy stalinowskiej, a złe pochodzenie i „nieprawomyślnie" zdany egzamin wstępny z pewnością nie poprawiały sytuacji.

J.Ch.: Miałam fart. Po pierwsze, posiadałam dziecko, co zwalniało mnie z mnóstwa obowiązków politycznych. Po drugie, ta rozpłomieniona polityką młodzież, która wtedy pochodziła w znacznym stopniu ze wsi, szybko pojęła, że, niestety, w mieście buty trzeba jednak na nogach nosić. Ubrać się też trzeba. Zatem należy na te buty i na to ubranie zarobić. Wszyscy się zorientowali, że życie jest brutalne i musowo obowiązuje iście na kompromisy, nawet z „przeciwnikiem klasowym". Życie jest życiem i aby dać sobie radę, trzeba było gdzieś dorabiać. Tymczasem na zebraniach wydziałowej organizacji ZMP zadawali nam wiele pracochłonnych lektur. Ja czytałam dużo i szybko, więc koledzy trynili mi do rąk polityczne broszury. — *Ty pochłaniasz książki* — mówili — *więc zasuwaj. Będziesz czytała na głos podczas zebrania. Tylko się pośpiesz, szkoda naszego i twojego czasu.* Starałam się, jak umiałam, przyśpieszałam, poganiając własnym głosem kretyński tekst. Same zebrania też odbywały się w dość specyficzny sposób. Sekretarz wydziałowego koła Związku Młodzieży Polskiej, a może przewodniczący, już nie pamiętam tytułów, odwalał wszystko niezbędne, zwłaszcza te lektury, potem zaś zwracał się do uczestników: — *Nikt nie ma żadnych pytań?* — I, nie czekając na reakcję, dodawał pośpiesznie: — *To dziękuję, kończymy na dziś.*

T.L.: Wystarczała rytualna oficjałka? Bez konsekwencji ze strony nadgorliwców?

J.Ch.: Proszę pana, my mówimy o Wydziale Architektury Politechniki Warszawskiej! Studiowała u nas znakomita młodzież, co wreszcie będziemy ukrywać! Architektura to zawód tyleż techniczny, co humanistyczny, wymagający naprawdę jakiejś błyskotliwości umysłu. Ci, którzy się utrzymali, musieli ową błyskotliwość umysłu posiadać. Natychmiast zorientowali się, czym są polityczne slogany... i nikt już poważnie nie traktował dyrdymał. Szybko się połapaliśmy, że to dęte. Z politrukami dawaliśmy sobie łatwo radę.

T.L.: A kadra profesorska? Nie pytali was na egzaminach o wszystkie ówczesne ideologiczne idiotyzmy?

J.Ch.: W życiu! Pan zwariował?! Jak sobie to pan wyobraża?! Suzin?! Hryniewiecki?! Mączeński?! Matko jedyna moja! Żarty na bok!

T.L.: Przepraszam, ale wielu Pani profesorów mocno związanych było z ustrojem.

J.Ch.: Już widzę, jak oni pytają o te bzdury rozmaite... U nas po prostu panowała inna atmosfera.

T.L.: Dobrze, zostawmy na moment politykę.
Pani miała już wówczas męża i dziecko...

J.Ch.: Owszem, miałam.

T.L.: Nad tym aspektem swojej studenckiej przeszłości w „Autobiografii" zbytnio się Pani nie rozwodzi. Nie chcę co prawda wnikać w szczegóły zbyt intymne...

J.Ch.: ...nie w tym rzecz. Jak wiadomo, złe matki dobrze wychowują dzieci. Ja byłam złą matką, choć mogę bez wahania stwierdzić, że to, co w tej chwili obserwuję w dziedzinie wychowania, podnosi włos na głowie. Przerażające! Moi synowie, odkąd tylko potrafili odróżnić ręce od nóg, byli zmuszeni sami o siebie zadbać, sami się ubierać, myć, o jedzeniu nawet nie wspominając. Z przyrządzaniem jedzenia nie mieli najmniejszego kłopotu, gdyż obaj byli żerci i mieli do wyboru — albo coś przygotują i zeżrą, albo nie. Przyzna pan, że taka perspektywa to brak perspektywy. Spraw kuchennych nauczyli się więc w mgnieniu oka. Szybko obaj stawali się samodzielni. Oczywiście, moje studenckie dziecko, Jerzego, należało do szkoły prowadzić i ze szkoły przyprowadzać, niezależnie od studenckiego planu zajęć. Robiło się więc co trzeba. I już.

T.L.: To „i już" za chwilę chciałbym rozwinąć. Teraz jednak inna, słynna anegdota dotycząca Pani dzieci. Czy to prawda, że tylko raz w życiu wykonała im Pani śniadanie?

J.Ch.: Prawda. Potwierdzałam to wielokrotnie. Jak wiadomo, ja o poranku nie bardzo działam... Natomiast obiady gotowałam dwa razy na tydzień i potem sobie odgrzewali. Sami umieli odgrzać. Gdzieżbym ja miała na to czas!

T.L.: Pani Joanno, wychowuję dwoje dzieci i dobrze wiem, że pięcioletni szkrab nie bardzo umie zrobić śniadanie.

J.Ch.: M o j e u m i a ł y! Lodówki wtedy nie posiadałam, ale dbałam przecież, aby mi się nic nie zaśmiardło. No więc sobie przygotowywały. Tak jak i ich ojciec, który w wieku lat czterech potrafił wziąć z kredensu tort tęczowy z brzoskwiniami, elegancko nakryć serwetką półeczkę przy kredensie i skonsumować to bardzo wytwornie. W tym miejscu dzieci poszły w tatusia.

W ogóle, stwierdzić muszę, skoro dotknęliśmy relacji moich synów z ich ojcem, że mój mąż zajmował się dziećmi bardzo porządnie, nie ma to tamto! On je karmił, kiedy były malutkie, on prał chłopcom gacie i skarpetki.

A później, kiedy już się ze mną rozwiódł, starsze dziecko prało młodszemu. Ja nie prałam im nic nigdy.

T.L.: Pani mąż wychodzi na marzenie feministek!

J.Ch.: One, te feministki, by jednak chciały jeszcze tylko jednego małego drobiazgu.

T.L.: ?

J.Ch.: Aby chłop zarabiał. A od zarabiania w naszym domu byłam ja. Przy dzieciach wszakże mąż sprawdził się nadzwyczajnie. Reprezentował szkołę racjonalnego wychowywania i dbał na przykład o karmienie z zegarkiem w ręku. Absolutnie odwrotnie niż moja babcia, zwolenniczka puszczania sprawy na żywioł. Tyle że gdy zrobił jej parę awantur, ugięła się. I nawet wówczas, kiedy ona później zajmowała się karmie-

niem, spóźnienie nie przekraczało dziesięciu minut. Żarły jak maszyny, bez pudła.
Nawet im się trochę dziwię. Bo kiedyś zobaczyłam, jak moja rodzina usiłuje karmić mi synów. Wtedy doskonale pojęłam, dlaczego ja w dzieciństwie nie chciałam jeść... Po drugie, zdziwiłam się, że jakimś cudem nie zdechłam i w ogóle wyżyłam. Musiałam prezentować cholerną odporność. Cóż te baby wyprawiały! Na zasadzie zimno-ciepło: ubrać dziecko, rozebrać dziecko, nakarmić dziecko, przekarmić dziecko... Przerażające!

T.L.: Kiedy słucham słynnej piosenki Wojciecha Młynarskiego, nadawanej w mediach osobliwie często w Dniu Matki, za każdym razem zastanawiam się, jak właściwie trzeba podchodzić do słynnego pojęcia macierzyństwa. „Ona jedna dostrzegała w durnym świecie tym jakiś ład. / Wychowała jak umiała, oczy mlekiem zalewała [...]. Nie ma, jak u mamy". Hmmm... Otóż wielokrotnie miałem okazję rozmawiać na ów temat z kobietami dorosłymi, o sporym bagażu życiowych doświadczeń. Od nich właśnie bardzo często, w chwilach szczerości, słyszałem liczne krytyczne uwagi na temat matczynego rodzicielstwa. W głosach moich rozmówczyń pobrzmiewały niekłamane negatywne emocje wobec własnych matek. A także wobec mitu „słodkiego macierzyństwa" w ogóle.
Przygotowała Pani swoisty antyporadnik, zatytułowany prowokacyjnie „Przeciwko babom!". Bardzo ciepło zresztą przez czytelników przyjęty. A także przez czytelniczki, mimo prowokacyjnego tytułu. Czy wolno w świetle takiej skłonności do obrazoburstwa zapytać o Pani stosunek do mitu „słodkiego macierzyństwa"?

J.Ch.: (*dłuższą chwilę milczy, później mówi coraz szybciej, wzburzona*) Owszem, istnieje taki pogląd: matka — świętość.
Wie pan co...? W końcu nie jestem taka znów strasznie młodziutka, ale znam tylko dwie matki, słownie DWIE, które okazały się prawdziwymi Matkami.

T.L.: A co z resztą?

J.Ch.: Reszta to megiery, harpie, istoty, które usiłują niszczyć życie swoim dzieciom. Drapieżne, przerażające pijawki. Matka to jest potwór żerujący na osobistych dzieciach. Nikt nie potrafi tak zniszczyć życia dziecku, jak jego własna matka. I obojętne, czy córce, czy synowi. Są potworne. Jakże często posiadają dzieci nie dla nich samych, lecz dla siebie! Proszę spojrzeć na kontakty matek z synami. Niejednokrotnie matka traktuje swego chłopca jako ostatniego mężczyznę życia. Dobrze znam takie. Ona nie popuści, nie pozwoli sobie wyrwać synusia z pazurów. Nie wierzę w dobre matki. Matka-Polka... Matka-świętość... Austriackie gadanie! Chętnie napisałabym książkę o matkach. Lecz wtedy — zostanę ukamienowana. Pisząc na temat bab dzieciatych, rozbiję w drzazgi wszystkie poglądy na temat macierzyństwa i matek. Ale rzecz o matkach wydam chyba dopiero pośmiertnie. Wtedy, jeśli chcą, niech sobie rzucają kamieniami. W mój grób.

T.L.: Aż się boję spytać, co sądzi Pani na temat ojców...

J.Ch.: Otóż nie, potwornych ojców istnieje o wiele mniej. Liczbę ojców takich jak te matki oceniam na dwa procent. O koszmarnym ojcu wiem jednym.

T.L.: Jakiż to osobnik?

J.Ch.: Aż przykro mówić. Facet, sparaliżowany od pasa w dół, miał córkę. Dziewczyna pracująca, bo ktoś przecież musiał zarobić i na siebie, i na całą resztę, nie? Odetchnąć mogła pewnie tylko w godzinach pracy. Bo później, wróciwszy do domu, zajmowała się głównie pielęgniarstwem. Właściwie to powinna z miejsca rzucać wszystko i prać, gotować, myć, zmieniać pościel, podkłady. Ten ojciec, czarujący człowiek!, gdy tylko ona, złachana jak zwierzę, wracała z pracy, przepraszam za wyrażenie, ale specjalnie zesrywał się w pościel, śmierdział, a kiedy ona wchodziła, krzywił nos i śmiał się, pohukując: — Hu!Hu!Hu! Ona, oczywiście robiła, co trzeba. Chodziła bez przerwy półprzytomna, bo nawet w nocy zrywał ją z łóżka. Czyli ten ojciec rzeczywiście był potworem. A że istnieje u nas przepis prawny, nakazujący opiekowanie się rodzicami, córka nie miała wyjścia.

Na miejscu tej dziewczyny uciekłabym za granicę, przysięgam Bogu! Ale takiego cudownego ojca znam tylko jednego. Może i błąd, lecz więcej o złych ojcach nie wiem.

*

T.L.: Wróćmy teraz do Pani zawodowych inicjacji. Trwają lata pięćdziesiąte. Zarabia Pani pieniądze, w jakimś stopniu zajmuje się Pani dzieckiem. I równocześnie kończy pani studia architektoniczne. W „Autobiografii" o ocenach nawet Pani nie wspomina, choć dobre wyniki brały się nie z dłubania w nosie, lecz z ciężkiej pracy.

J.Ch.: Nie miałam czasu na głupstwa, więc musiałam się dobrze uczyć. Wszystko robiłam w terminie, zdając egzaminy za pierwszym podejściem. Gdyby cokolwiek miało się za mną wlec, już by mi zatruwało życie. Odwalałam zatem, co należało, żeby się nie wlokło. Zresztą, tematy studiów lubiłam. Weźmy historię architektury powszechnej czy historię architektury Polski. Albo budownictwo drewniane, przecudowne! Jak ja dobrze znałam stare budownictwo drewniane! Wszystkie jaskółcze ogony, wpusty, czopy, co pan jeszcze chce. W dodatku uwielbiałam to rysować. W ogóle, ja kocham historię, więc podręczniki czytałam tak, jak się czyta jakieś powieści. Lubiłam po prostu całą architekturę, ona mnie ciekawiła. Nawet zapamiętywanie, czasami niezbędne, przychodziło mi w tej sytuacji z łatwością.
Lecz były i takie przedmioty, do których się nie nadawałam. Przede wszystkim konstrukcje stalowe.

T.L.: A geometria wykreślna lub statyka? Obie nauki techniczne, silnie zmatematyzowane.

J.Ch.: Ze statyką byłam jak cię mogę. Geometria wykreślna okazała się dziedziną dosyć mi bliską. Za to konstrukcje stalowe... Opisałam w „Autobiografii" wykłady, podczas których Dušan Poniž, jedną ręką pisząc na tablicy, drugą ręką zaraz to, co uprzednio napisał, ścierał. W ogóle nie rozumiałam, o co chodzi, jasną zatem jest rzeczą, że nie byłam w stanie tego wszystkiego zanotować. No to robiłam wtedy na drutach. Zdawałam metodą przedziwną, momentu obrotowego, roweru i kołyski. Kto ciekaw, niech sięgnie po szczegóły do „Autobiografii". Odwaliłam egzamin, łaska boska, w pierwszym terminie. A potem konstrukcje żelbetowe. Z nimi miałam ślepy fart. Bo trafiłam na ten cholerny strop Ackermanna, który robiłam na wszystkich rodzajach zajęć z budownictwa i jeszcze na budowie.

T.L.: Ja lubię komplikować. Sam przecież byłem kiedyś studentem, później studentów uczyłem, więc dobrze wiem, jak trudne są na wszelkich kierunkach studiów trzy pierwsze lata. To propedeutyka, poznawanie podstaw przyszłego zawodu. I ogromna ilość pracy. A u Pani w domu małe dziecko...

J.Ch.: Cóż, słyszałam wtedy od mojej matki, u której mieszkałam: — *Zabieraj swojego bachora, bo ja z nim dłużej nie wytrzymam.* Trochę to rozumiem, bo ona sama wymagała opieki... Niezbyt się wykazywała zaradnością. W późniejszych czasach, gdy już zlikwidowano konduktorów w środkach komunikacji miejskiej, nawet biletu tramwajowego w kiosku nie potrafiła kupić, wyganiając w tym celu któregoś z moich dzieciaków. Zabierałam więc bachora, po czym uczyłam się ze skryptów do egzaminu, siedząc w parku Dreszera na Mokotowie i nogą kiwając wózek dziecinny. Park był wtedy okropny, malutkie drzewka, w dodatku dróżki wysypane żużlem, czyli cały teren silnie czarny, z ławkami włącznie.

A poza tym ja po prostu nie sypiałam. Trudno ukryć, że mam za sobą całe lata niedosypiania, bo czego człowiek nie zdążył zrobić w dzień, odwalał w nocy. Uratowało mnie końskie zdrowie. Wytrzymałam. Dzisiaj wiele kobiet narzeka, że sypia tylko po siedem godzin. Jezu! Gdybym ja spała siedem godzin, uważałabym, że się byczę do nieprzyzwoitości. Ja całymi latami sypiałam po dwie-trzy godziny na dobę. Teraz się to na mnie dopiero odbija i obecnie wyspana być muszę. Brak snu zniszczył moje wspaniałe, kamienne zdrowie. Ślęczałam wtedy nad setkami prac zleconych, abyśmy przeżyli. Zdarzyły się takie cztery lata, już po rozwodzie, kiedy ja po sobie nawet jednej szklanki w domu nie wypłukałam, wszystko odpracowywały dzieci. Bo dzieci bezbłędnie, jak zwierzęta, wywęszają uczciwość. Gdybym ja wtedy wysiadywała po kawiarniach z przyjaciółkami, to synowie by mi się rozbestwili. Ale że widzieli, jak na dłoni, czym się zajmuję, oni to uznali. Dzięki czemu wszystko do dziś dnia potrafią zrobić, chociaż obaj starannie usiłują się do tego nie przyznawać. Ale proszę się nie martwić: uszyją nawet, gdy muszą, nie wspominając o takich drobiazgach, jak przyszywanie guzików. Prasują, gotują — proszę bardzo! Tyle że żony — nieświadome ich skrzętnie ukrywanych talentów — część roboty im niebacznie zdjęły z głowy.

T.L.: Znam obu Pani synów. Widujemy się od czasu do czasu. Są dobrze wychowani, rozsądni, z ciekawymi osobowościami. Tego nie uzyskuje się „zimnym wychowem cieląt".

J.Ch.: Dowcip polega na tym, że ja nie reagowałam tylko na takie ich fanaberie, które potrafiliby sami łatwo zaspokoić. Natomiast kiedy chodziło o sprawy poważne, wszystko rzucałam bez wahania. Jeśli więc padały pytania w rodzaju: — *Mamusiu, z czego zrobiony jest księżyc?* albo: — *Skąd się biorą dzieci?* — otóż zawsze na t a k i e pytania odpowiadałam bardzo porządnie, rzetelnie, uczciwie, tak aby dziecko zrozumiało. Nie odpędzałam od siebie precz poważnych dziecięcych problemów. Jeśli któryś z synów musiał wiedzieć: — *Dlaczego ten pan kierowca wysiadł i położył się pod drzewem?*, nie wrzeszczałam: — *Daj mi spokój, gówniarzu!!!*, lecz stwierdzałam: — *Bo widocznie zmęczył się i musi odpocząć.* Krzywiłam się tylko, kiedy odrywali mnie od roboty, dającej nam wszystkim środki do życia. W innych przypadkach starałam się odpracowywać co oraz jak trzeba. Mimo że zaliczam się do rzadkiej grupy matek-wilczyc, skłonnych urodzić i pchnąć zaraz szczenię na szerokie wody (podobnych mnie kobiet istnieje jedna na tysiąc), przecież odwalałam, co należało odwalić, bez pudła. Ale wysiłek okazał się może cokolwiek nadmierny.

W jakimś przecudnym dniu mojego życia, około roku 1961, zdechłam strasznie. Dostałam głupiej dolegliwości, dopadły mnie wykańczające bóle międzyżebrza. Nie pozwalały oddychać, zdawało się, że za chwilę człowiek umrze.

Wyliczyłam sobie tak. Od bólów międzyżebrza co prawda nie umrę, ale że nie mogę nabrać do płuc powietrza, zdechnę do rana z niedotlenienia mózgu. Co się stanie, gdy dzieci, obudziwszy się, zobaczą nieżywą matkę? Przeżyją straszny szok. Trzeba więc zawczasu coś zrobić. W tej sytuacji wezwałam pogotowie. Doktor łupnął mi jakieś coś i stwierdził: — *Jeśli do rana nie przejdzie, trzeba do lekarza.* Do rana nie przeszło. Poszłam do pani doktor-idiotki, która mi dała butapirazol. A mnie dalej rąbie i wokół żeber ściska obręcz. Wtedy zwiędłam z ciśnieniem. Z tego interesu wyciągnęła mnie dopiero Jadźka, moja szwagierka. Rozkwitłam i odżyłam dzięki jej metodom, lecz już wcale nie sypiać — się odtąd nie dawało. Pewnie, nie mówię o dobie czy dwóch całkiem nieprzespanych, po których jednostka myje się i dalej prosperuje. Nie mieszajmy jednak byle epizodów ze stanami chronicznymi, kiedy człowiek, planując niespanie przez trzy dni, wytrzymuje trzy tygodnie.

Po siedem godzin dziennie musiał natomiast zawsze spać mój mąż. Ale obecnie rodzina wysnuwa supozycje, że chyba miał początki rozwiniętej później wspaniale cukrzycy, o czym nie wiedzieliśmy. Umiał zasypiać w najprzedziwniejszych sytuacjach czy momentach. Wtedy byłam na niego oburzona, uważając, że to lenistwo albo coś w tym rodzaju. Zatem on spał, ja siedziałam przy robocie. Na szczęście nie obchodziły mnie nocami dzieci, bo zawsze zasypiały dobrze i spały bez problemów.

T.L.: Uważa Pani, że twardy wychów cieląt, *pardon*, niemowląt, w każdym przypadku ma sens?

J.Ch.: Bezwzględnie tak! Twarde metody działają ostro, brutalnie, wymagają wiele od dziecka, lecz dają świetne rezultaty. Wtedy dzieciaki czują, że coś w życiu trzeba z siebie dać... O Boże, żeby siedzieć przy łóżeczku syna przez godzinę i opowiadać mu dyrdymały jakieś? Gdzieżbym ja znalazła taką godzinę! Dzieci się kładły spać, pięć minut i do widzenia. Między moimi synami istnieje sześcioletnia różnica wieku, więc kiedy jeden miał trzy, to drugi dziewięć, czytać potrafił. — *Proszę uprzejmie, tu jest lampeczka, poczytaj sobie, a mnie nie zawracaj głowy.* Na szczęście udawało się z nimi mnóstwo załatwiać na bazie poczucia humoru. Obaj łapali błyskawicznie dowcip, dawało się więc ich w rozmaitych sytuacjach rozśmieszyć. Humor rozumieli chyba już od chwili, kiedy nauczyli się mówić. Porozumiewaliśmy się bez trudności. I dobrze, bo co inaczej miałabym robić? Bić? Takie duże bachory? Pewnie by mi ręka zdrętwiała.

Teraz, po latach, kiedy obaj chłopcy analizują kontakty z matką w czasach dzieciństwa, wzdychają oczywiście, że brakowało im trochę przytulania, silnego okazywania emocji i innych tego rodzaju dyrdymał. Równocześnie przyznają, iż stosowany przeze mnie zimny wychów cieląt na dobre im wyszedł. Przyzwyczaili się. A nawet kiedy trochę podrośli, jako mniej więcej jedenasto-, dwunastolatkowie, uciekli od nadmiernej opiekuńczości mojej matki i jej dwóch sióstr. Nie znieśli bezustannego zawracania głowy połączonego z obcesowym przełażeniem przez człowieka na wylot.

Lecz równocześnie przyznaję, iż systematycznie korzystałam z pomocy rodziny, skoro wskutek skłonności synów do chorób innego wyjścia nie było.

Ja mogłabym oczywiście oddać dzieci do żłobka, zwłaszcza że żłobek Polskiego Radia, należący się chłopcom z racji pracy ich ojca, znajdował się w moim zasięgu. Uznałam jednak, że dam sobie radę bez żłobka. Później, kiedy spróbowałam posłać Jerzego do przedszkola, przebywał tam około dziesięciu dni. Od razu złapał zakaźną żółtaczkę i tak skończyła się przedszkolna kariera starszego z moich synów. Zresztą identycznie stało się później z młodszym, Robertem. Oczywista więc rzecz, iż co najmniej połowa kłopotów opiekuńczych spadła na moją matkę. Zgodziła się zaopiekować moimi synami. A co z tego ostatecznie wyszło, to już zupełnie inna sprawa.

Z braku lepszego wyjścia codziennie więc odwoziłam obu do ich babki. Bynajmniej nie tylko autobusem, jeździliśmy jak leci. Zdarzało się, że samochodem rozwożącym węgiel albo innym czymś, co nawinęło mi się pod rękę. Machałam zaś na wszystko jeżdżące. Straż pożarna? Proszę bardzo, odwoziłam chłopców wraz ze strażakami. Polewaczka miejska? Owszem, też, bardzo zabawnie. Rozmaite dziwaczne ciężarówki? Dlaczegóż by nie? Zawsze to jakaś atrakcja. Furgonetki? Jasna rzecz. Wyruszaliśmy czym popadło. Następnie biegłam na uczelnię albo do pracowni, wiedząc, iż chłopcy zostaną z jakimś tam sensem nakarmieni, nie zgubią się po ulicach, że moja matka ubierze ich z dbałością o uwzględnienie warunków atmosferycznych. No, może przy ciepłych pogodach miałam granitową pewność, że babka zakuta obu zbyt obficie oraz przy pierwszej nadarzającej się okazji przegrzeje, lecz nie czepiajmy się byle drobiazgów. Słowem, w moim zaganianiu doznawałam jednak od domu ogromnej pociechy. Wracając, najpierw z Wydziału Architektury, później już z biura, odbierałam ich o rozmaitych porach.

Przyznaję, matka mimo wszystko zrobiła bardzo wiele. Bo kiedy ja biegałam po mieście i uczelni, ona zostawała z chłopcami. Jednak gdy się tylko pojawiałam, wracając obojętnie skąd — z wykładów, z pracy, skądkolwiek — dzieci od razu spadały na mnie.

Gdy chorowały, działo się inaczej. Że moje dziecko będzie chore, wiedziałam zawczasu, wtedy bowiem skiełczało lub grymasiło przy jedzeniu. Denerwowałam się potwornie. Ale w tym miejscu na wysokości zadania stawał mój mąż. Okazywał coś, co było w ogóle niebiańskie! On wraca do domu, ja cała w nerwach dzikich. Mówię: — *Słuchaj, Jerzy (albo Robert) chyba zachorował.* — A on: — *Tak? Świetnie, zaraz wezwiemy doktora.* No, i nagle całe moje zdenerwowanie zdychało. Myślałam: „Po co ja się właściwie denerwuję? Przecież on tak rozsądnie mówi!"

Na co dzień, a właściwie na co wieczór, podczas studenckich lat działo się tak, że ja wmawiałam dziecku, aby spało spokojnie, nie zawracając głowy. Na stole, gdzie piętrzyły się tomy Marksów, Engelsów, Leninów i Stalinów, rozkładałam deskę kreślarską, lampę od dziecka i od góry zasłaniałam kawałem jakiejś płachty gazetowej, aby światło go nie raziło, i zasiadałam do roboty. Powtarzam: szczęście, że synów zawsze miałam zdrowych, nawet jeśli czasami przechodzili normalne, dziecięce choroby, bo przy konieczności zarabiania przez długie lata na życie ciężkim tyraniem, nie potrafię sobie wyobrazić, co by nastąpiło podczas liczniejszych, niż się przydarzały, chorób. Łaska boska, że jeśli może byli obaj nieznośni, to nie chorowici.

T.L.: Rozmawiamy w końcu 2004 roku. Od tamtych problemów minęła epoka, skończył się organiczny niedostatek snu, studia już dawno włożyła Pani w przegródkę z napisem „czas zaprzeszły". Jak Pani dzisiaj patrzy na problem dzieci studenckich? Rodzić wtedy, czy nie rodzić? Plus jest taki, że szybko człowiek ma potomstwo odchowane, minusów znalazłbym znacznie więcej.

J.Ch.: Jak dla mnie, problem nie istnieje. Jeśli dla dziecka należałoby rzucać studia, uznałabym to za idiotyzm. Co prawda wszystko się udaje jakoś poskładać dopiero przy pewnym stopniu determinacji. W końcu jedna z moich koleżanek przyjeżdżała na wykłady z dzieckiem. Ja przynajmniej o tyle miałam lepiej, że moja matka zgadzała się zostawać z Jerzym. Ale wózek z dzieciakiem dziewczyny mniej niż ja szczęśliwej stał w ogródku Wydziału Architektury i ta z koleżanek, która akurat była wolna, leciała spojrzeć, czy on tam gęby nie drze albo coś w tym rodzaju. A i z przewijaniem nie miałyśmy problemu. Jakby co, się przewinęło i po krzyku. W rezultacie koleżanka studia skończyła. Zwłaszcza że pomógł jej fakt, iż dzieci, na szczęście, nieuchronnie rosną, stając się z czasem łatwiejsze w obsłudze.
Widzę pana wątpiącą minę. Zmierza pan, zdaje się, do stwierdzenia, że posiadanie studenckiego dziecka kolosalnie ogranicza możliwości rozwoju naukowego? Przyznaję, tak, kolosalnie ogranicza. Trzeba mieć do dziecka podczas studiów kamienne samozaparcie, mnóstwo sił, żelazne zdrowie oraz wiele dobrych chęci. I tak dalej. Jeżeli w charakterze jakiejś osoby istnieje choćby cień lenistwa, to niech ona się za to nie bierze. Lecz przeważnie kobieta, gdy się zaprze, wszystko zrobi. Tylko musi się porządnie zaprzeć. Trzeba mieć mnóstwo siły i harować jak wół. Człowiek w ogóle potrafi wiele. Nie wolno jednak siedzieć na tyłku jak jakiś głupi jełop, który sam nie wie, co go interesuje. Niech osoba wykrzesze z siebie energię lub niech bierze się za pucowanie mostu Poniatowskiego. Mówię to, patrząc na współczesne

młode pokolenie. Niby dorośli, świadectwa maturalne i dowody w garści, prawo do głosowania. I sami nie wiedzą, czego chcieć. Tej młodzieży, która naszą rozmowę czyta, dobrze radzę: zdecydujcie się, czego oczekujecie od życia, potem zakasać rękawy, wygonić z siebie lenia, a wtedy urządzajcie los na własne kopyto. Nie wdawajcie się tylko w zawód, którego nienawidzicie, bo największym szczęściem jest pracować i zarabiać w tym fachu, który się kocha. Moja sprawa miała swoje komplikacje, ale jej podołałam. Poza tym miałam przy opiece nad dziećmi bardzo dobrego męża.

T.L.: Swoją drogą, ja mu się nie dziwię. Gdybym ożenił się z taką piękną kobietą, jaką widzę na Pani zdjęciach z tamtego czasu, też bym chętnie podjął opiekę nad wspólnymi dziećmi.

J.Ch.: Uroda, rzecz gustu.
Niezależnie jednak od męża i dzieci, istniał dla mnie jeszcze jeden, dodatkowy, problem. Mój mąż miał rodzinę, zwłaszcza rodziców i rodzeństwo. Ja, niestety, rodzeństwa nie posiadam, ale też miałam rodziców. Oraz ciotki... Rozerwać się pomiędzy nich czy jak? Do kogo iść w niedzielę na obiad? Od tego przychodziło absolutnie zwariować, bo na dwa obiady przecież się nie udamy. Jakoś więc należało ów problem dyplomatycznie rozwiązywać. Muszę przyznać, że to była naprawdę ciężka sprawa... Teściowie moimi dziećmi się nie zajmowali, skupiając się na pomocy przy potomstwie swoich dwóch córek. Wie pan, pierwszy raz się zastanawiam właśnie teraz, dlaczego ani razu nie przyszło mi do głowy, aby moich synów podrzucić teściowej? Chyba szło o świadomość osobności. Moje dzieci — moja sprawa.
Stosunki z teściami były w ogóle oryginalne. Przez półtora roku absolutnie mnie nie dostrzegali. Dopiero po tym czasie stwierdzili, że jestem jednak ich synową. Widocznie ten fakt rzutował na całą resztę. Ale później, kiedy mnie już uznali, do samego końca pozostawałam z nimi w wielkiej przyjaźni. Na dzieci jednak to wpływu nie miało. Oczywiście, bywaliśmy razem z wizytami u teściów, a wtedy teściowa zachwycała się moimi synami, ponieważ żarli jak maszyny. Bo w do-

mu moich teściów żerte dzieci budziły niekłamany entuzjazm. Bardzo nam było miło i przyjemnie razem, tak. Lecz kiedy wychodziłam, zabierałam dzieci. Wśród kobiet to sytuacja normalna. Z reguły korzysta się raczej z matki niż z teściowej. Przeważnie tylko wtedy teściowa zajmuje się dziećmi, kiedy kobieta jest sierotą.

T.L.: Zastanawia mnie, czy z żeńskiej perspektywy w ogóle warto mieć męża.

J.Ch.: Hę?!

T.L.: Rozumiem to dwojako. Mąż to ktoś instytucjonalnie przypisany do człowieka, ale również ktoś, z kim się przebywa na co dzień. Dzisiejsze panie bardzo często instytucję męża poddają w wątpliwość. Streszcza ich mniemanie znany babski slogan: — *Po cholerę mi w domu jakiś typ, któremu muszę prać skarpetki?! A faceta do łóżka zawsze sobie znajdę.*

J.Ch.: W życiu do głowy by mi nie przyszło pranie mężowskich skarpetek. Poza tym ktoś silny fizycznie pod ręką się czasami przydaje. Sama jedna kawałka szafy nie przesunę, prawda?

T.L.: Do przesuwania szafy mąż niepotrzebny. Po co kupować cały sklep, kiedy się chce nabyć litr śmietany? Szafę przesunąć da się byle łapserdakiem, wezwanym z ulicy.

J.Ch.: Czy ja wiem...? Widzi pan, ów facet od przesuwania szafy może się okazać mężem innej. A ona z kolei nie musi się zgadzać, aby on tę moją szafę co i rusz przesuwał. Zresztą, małżeństwo zawsze dla mnie oznaczało partnerstwo. Z moim ślubnym partnerstwo istniało. Wszystko więc zależy, jakiego męża się posiada. Mąż i równocześnie partner okazuje się zjawiskiem nadzwyczaj przydatnym. Nigdy mój mąż nie stanowił obciążenia, które sobie często zwalają na kark kobiety. Na przykład weźmy klasyczny tekst: — *Jezus Mario, trzeba mu uprać koszulę, bo on zmienia koszule dwa razy dziennie!* A w cholerę, niech sobie upierze sam! Mój mąż prał swoje koszule. Ja mu je tylko prasowałam. Do dziś mój syn Jerzy wspomina miłe okrzyki, jakie wydawałam, że jeśli jeszcze raz dostanę koszulę zapiętą na guziki, to rzucać nią będę

pod jego głupie kopyta. Żądam rozpiętej koszuli do prasowania! Był kiedyś jeden taki piękny wieczór... To znaczy,
chciałam powiedzieć, pięknych wieczorów przytrafiło nam
się więcej niż jeden. Ale wtedy policzyłam: miałam do wy-
prasowania trzydzieści sześć koszul, bo i z męża, i z dzieci.
Cóż, prasować, proszę bardzo, lubiłam nawet dosyć, za to
prać — nigdy! On prał.

T.L.: Z Pani bielizną osobistą włącznie?

J.Ch.: Z moją? Nie. Co prawda rwał się do tego... Ale mu powiedziałam: — *Won od moich majtek!* Taka byłam dziwna dosyć. Czort
z tym. A że on robił dzieciom śniadania, już wspominałam.
Przygrzewał, co należało, także. Nie wiem jednak... Czy umiał
gotować? Lubił potrawy tak proste, że mistrzostwa kulinarne-
go nie wymagały. Do karmienia mój mąż okazywał się idealny. Uwielbiał kartoflaną zupę. Ani to drogie, ani znów skomplikowane. Ponieważ nie gotowałam codziennie, nauczyłam
się przyrządzać kartoflaną zupę na czternaście różnych sposobów, aby się nie połapał, że zawsze dostaje tę samą. Różne
takie podstępy stosowałam. Albo kartofle z mlekiem. Kartofle
ugotować, żaden problem, mleko zagrzać też nie kulinarne
Himalaje. Proszę bardzo — tak się przedstawiały ulubione
dania mojego męża. On w obsłudze nie był skomplikowany.

T.L.: Wspomina Pani na kartach „Autobiografii" coś na temat
kalafiorowej.

J.Ch.: Och, wielki mi problem! Dorzuca się do kartoflanej kalafiora
i po krzyku.

T.L.: A słynne męskie silne ramię?

J.Ch.: O męską opiekuńczość nie zabiegałam, odkąd ukończyłam
osiemnaście lat. Wcześnie zaczęłam zaliczać się do tych kobiet, które raczej samodzielnie dają sobie w życiu radę. Mnie
z okazji męża szło raczej o partnerstwo przy czymś trudnym.
Mąż na pewno przydaje się do opieki nad dziećmi. To nie
jest łatwa sfera. Miałam to partnerstwo, prawdziwie pełne
współdziałanie.

T.L.: Dzieci zwykle oznaczają dla mężczyzny przymus. Przymus
wyklucza partnerstwo. I w ogóle jest mało sympatyczny.

J.Ch.: Nie. Ujmę tę rzecz inaczej. Oczywista sprawa, że jeśli ludzie są ze sobą bez zafiksowania prawnego, wybierają się, jedno drugie, z dobrej woli. Istotnie, małżeństwo oznacza jakiś tam przymus. Z tym że ja żadnego przymusu nie pożądałam, ponieważ mój mąż był ze mną dotąd, dokąd chciał. A jak mu się odwidziało, to się rozwiódł, bez sprzeciwu z mojej strony i bez żadnych prawnych przeszkód. Po czym przyrzekłam sobie, że więcej w życiu nie wygłupię się z urzędem stanu cywilnego. Bo na co mi to?! Akurat dla mnie formalności małżeńskie nie mają żadnego znaczenia. Chociaż, z drugiej strony... Weźmy kwestię nazwiska. Kiedyś istniał wzgląd praktyczny, aby nosić jedno nazwisko. Ono ułatwiało w wielu sytuacjach egzystencję. Zameldowanie, wszelkie inne dyrdymały prawne itd. I wreszcie, proszę pamiętać o ówczesnych rygorach hotelowych! Jeżeli człowiek nie był czyimś mężem/żoną, nie dostawało się w hotelu wspólnego pokoju. Słowem, urzędowe zarejestrowanie związku dwojga ludzi miało wcale istotny aspekt praktyczny.

T.L.: O ile wiem, kobietom chodzi raczej o zabezpieczenie w małżeństwie własnych interesów materialnych. Na przykład od rozwiedzionego współmałżonka łatwiej dochodzić alimentów.

J.Ch.: Wprawdzie alimenty do głowy mi nie przychodziły, lecz pozostaje faktem, że dzieci nie biorą się znikąd. Zatem i obowiązki trzeba dzielić na dwoje.

T.L.: Zgoda, trzeba. Skoro jednak już zatrąciliśmy o to, skąd się biorą dzieci...
...Pani Joanno, trochę się Pani nad sprawą swoich mężczyzn przed ślubem prześlizguje. Wiem, wiem, inne były czasy. W latach czterdziestych... Jako piętnastolatka...

J.Ch.: ...nie, nie sypiałam z nikim, mając piętnaście lat, jak Boga kocham! Do głowy by mi nie przyszło.

T.L.: Wcale nie to chciałem powiedzieć. Zwłaszcza że na temat rozmnażania dysponowała Pani wtedy zaledwie bladym pojęciem. I to raczej bladym niż pojęciem.

J.Ch.: Jeśli już mówić o „czystej" fizjologii, zostałam po prostu medycznie poinformowana przez własną rodzinę, zwłaszcza przez matkę i ciotkę, kiedy miałam dwanaście-trzynaście lat. Wyjaśniły mi, jak się rzecz przedstawia z tymi tam komórkami, wszelkimi dyrdymałami i tak dalej.

T.L.: Ówczesna świadomość spraw damsko-męskich na ogół pozostawiała wiele do życzenia. Za charakterystyczny uznałbym przykład opisywanej przez Panią w „Autobiografii" koleżanki, która sądziła, że skoro chłopak ją pocałował, na pewno jest w ciąży.

J.Ch.: Aż taka głupia to ja nie byłam.

T.L.: Przeciwnie. Poza tym zaliczała się Pani do kobiet odważnych.

J.Ch.: Ujmę to inaczej.
Na dobrą sprawę, większość dziewczyn wtedy, tak jak i dzisiaj, sypiała ze swoimi narzeczonymi. Mało, gdy tuż po maturze, w roku 1950, wychodziłam za mąż, dziewczyny bardzo rozsądne, bo z wojennego pokolenia przecież, uznawały w poufnych rozmowach między sobą, że byłoby idiotyzmem poślubiać człowieka, z którym się przedtem nie przespało. Przecież diabli wiedzą, kim on się może okazać w łóżku. Po co komu byle facet, ktoś nie do przyjęcia? Głupotą jest narażać się na jakieś okropne konsekwencje, nie sprawdziwszy, czy kandydat w ogóle nadaje się do normalnego współżycia. Na rozum, teoretycznie biorąc, to zdanie podzielało dziewięćdziesiąt procent dziewczyn.
Ja odziedziczyłam temperament po przodkiniach i działałam w dodatku we wszystkim odwrotnie niż moja matka. To się objawiało podobno zawsze i wszędzie. Nie pamiętam zamierzchłych czasów, kiedy tylko nauczyłam się chodzić, ale wiem, że jeśli wtedy matka na spacerze wyruszała w jedną stronę, natychmiast ja obierałam kierunek przeciwny, drąc się przeraźliwie i raczkując, wylazłszy z wózka. Rodzina zgodnie potwierdza, że tak czyniłam stale. Całe życie musiałam wszystko robić odwrotnie niż matka. Wyprawiałam swoje protestacyjne szopki i ze wszystkich sił parłam przed siebie, zawsze łbem do przodu. Trudno taką dziewczynkę opano-

wać, to wielka sztuka. Później też okazywałam przeraźliwy brak pokory. Na przykład publicznie rozgłosiłam, że brałam ślub, już będąc w ciąży. Pies z kulawą nogą się zresztą tym nie zainteresował. Komplikacji żadnych dla siebie nie dostrzegłam. W przeciwieństwie do mojej szwagierki, która również brała ślub w ciąży, czyniąc z owego faktu straszliwe tajemnice. Aż tak, że jej ceremonia ślubna w warszawskim kościele Zbawiciela odbyła się o szóstej rano. Potem w oczy łgała, że dziecko urodziło się siedmiomiesięczne, a w ogóle, to spłodzone zostało już w małżeństwie, choć ślub cywilny w tajemnicy przed rodziną wzięli wcześniej. Jezus! Przez takie zawracanie gitary całe miasto wpadło w istny szał plotek. I po cholerę jej to było? Kiedy człowiek sam coś rozgłasza, nikogo to później już nie obchodzi. A tajemnicy każdy usiłuje dociec. Ona korci. Zlikwiduje się szczerością źródło plotek, rzecz sama przysycha. Przekonałam się, z pożytkiem dla siebie, bo byłam niepokorna.

I wszystkim stawiałam w życiu wymagania. Także mężczyzna, który chciał się o mnie starać, musiał włożyć w tę chęć sporo wysiłku. Żądałam, aby okazywał się mnie godny. Otóż mój mąż, a wcześniej narzeczony, był mnie godny... Od samego początku robił bardzo dobre wrażenie. Nie myliłam się. Jeszcze raz powtórzę, on okazał się naprawdę bardzo przyzwoitym i człowiekiem, i mężem. Przez całych jedenaście lat.

T.L.: Do tego stopnia, że ślub brali Państwo w stanie błogosławionym.

J.Ch.: Kiedy rozpoczynałam studia, nie życzyłam sobie tak z miejsca posiadać dzieci. Może tylko trochę nie miałam wyjścia.

T.L.: Rzecz wówczas źle widziana.

J.Ch.: No to co?!
Wszystko z powodu, że do rodzenia dzieci nadawałam się nadzwyczajnie. Rzekłabym, do tego właśnie zostałam stworzona. Pan wybaczy określenie, lecz jeśli koń pierdnął na ulicy, ja już zachodziłam w ciążę. Powinnam posiadać co najmniej dwadzieścia cztery sztuki. A już nie mniej niż dwa-

naście. Urodzić dla mnie to tyle, co dla innego splunąć. Aż
żałuję, że nie miałam szans, by wykorzystać swoje biologicz-
ne predyspozycje. Zrobiliśmy z moim mężem świństwo społeczeństwu. Nasze dzieci byłyby inteligentne, zdrowe, przydatne do rozmaitych zadań. Gdybym miała w ówczesnych
mieszkaniach odrobinkę więcej miejsca, rodziłabym te dzieci jak popadnie. Ale gdzie je miałam położyć spać?

T.L.: Nie sądzę, by z dużym przychówkiem łatwo było Pani stać
się aktywną pisarką.

J.Ch.: Niech się pan nie martwi, dałabym radę. Pamiętam, kiedy
Robert miał niecałe dwa lata, a Jerzy osiem, pojechaliśmy
we trójkę nad morze, do pensjonatu „Solmare". Spędzał
z nami wakacje syn właścicielki pensjonatu, pani Andrzeje-
wskiej... cóż za genialny tort mocca ona robiła!!!... pediatra,
przyjeżdżający specjalnie po to, by leczyć bachory. Robert
dostał jakiegoś draństwa, chyba ciężkiej anginy, więc And-
rzejewski mocno się nim zajmował, a ja sobie spokojnie
siedziałam i pisałam. Zapewniam pana, gdyby ich wymno-
żyło się osiemnaście sztuk, też bym siedziała i pisała...
Osiemnaścioraczków nie przewiduję, więc kiedy któryś po-
trzebowałby opieki i pomocy, inne, doroślejsze, by się nim
zajęły. Puściłabym to luzem. Jak moja koleżanka z klasy,
Marysia. Ona, prawdziwe dziewczę polskie, dorodna, wspa-
niała, gdy ją kiedyś odszukałam, urodziła już ośmioro dzieci,
a z dziewiątym chodziła w ciąży. Marysia stworzyła sobie
warunki, wychodząc za kierownika PGR-u, mogła więc całe
swoje stadko puścić luzem na świeże powietrze. I już. Mąż
Marysi wieczorami stwierdzał z westchnieniem, że trzeba
kłaść tylko te, które się akurat dadzą jakoś złapać, a reszta
niech idzie do łóżek jak leci. Marysi ojciec z kolei żałował,
że nigdy nikt nie utrwalił na wspólnej fotografii wszystkich
wnuków, bo trudno ich było razem ustawić przed aparatem.
Proszę bardzo, tak to ja mogłabym! Żal zatem, że w od-
powiednim czasie nie poślubiłam kierownika PGR-u. Zwłaszcza, gdybym w PGR-ze trafiła na Einsteina. Sam pan wie,
w PGR-ze człowiek dysponował szeroką gamą rozmaitych
możliwości.

T.L.: A gdyby, miast Einsteina, Państwowe Gospodarstwo Rolne prowadził jakiś Zweistein? Wśród dyrektorów tych typowo socjalistycznych instytucji Zweisteinów (nierzadko Cwańsztajnów), a zwłaszcza Dreisteinów (oraz Drańsztajnów) nie brakowało.

J.Ch.: Niespecjalnie mi taki pasowałby, lecz chyba, w ostateczności, mógłby się przydać. Zwłaszcza Zweistein posiadający domek z ogródkiem.

T.L.: Myśląc o wielkiej gromadzie potomstwa, nie bała się Pani o urodę, zwłaszcza o figurę?

J.Ch.: Absolutnie nie. Dysponowałam panią doktor Woyno, lekarką przedwojenną jeszcze. Ona mnie pouczyła, jak w ciąży należy dbać o figurę. Otóż, przede wszystkim, bezpośrednio po porodzie trzeba bezwzględnie leżeć. Leżeć, żadnego siadania, mowy nie ma! Karmić dziecko na leżąco. I l e ż e ć. Płasko, aż dupa zdrętwieje! Jeśli już wstawać, to wyłącznie od razu prosto na nogi. Co prawda ja, wstawszy od razu prosto na nogi, zemdlałam, lecz to fakt bez najmniejszego znaczenia. Rady pani doktor Woyno mają swój sens, dzięki leżeniu mięśnie brzucha położnicy inaczej się obkurczają. Wraca się do siebie po porodzie w mgnieniu oka i bez żadnych śladów. Z kształtem piersi również nie miałam kłopotów, gdyż karmiłam niezbyt intensywnie. Co prawda Jerzego nawet dość długo, bo przez pół roku, lecz nie wyłącznie piersią, a tylko pokarmem mieszanym. Tu się różniłam od własnej babci, która, wypiwszy szklankę wody, piersią potrafiłaby wykarmić pułk wojska. Ja natomiast miałam za mało pokarmu. Młodszy, Robert, z cyca korzystał tylko przez trzy tygodnie. Straciłam pokarm, nie śpiąc prawie, gdyż dziecko mi nie pozwoliło. Noc w noc mi się darł, od wieczora aż do rana. Nosiłam go na rękach, nie znosząc takich ceregieli, lecz tylko wtedy, kiedy mu się sufit przesuwał przed oczami, robił się nieco spokojniejszy. Mało od tego nie zwariowałam, krzyż mi pękał. Pracowałam wówczas w Energoprojekcie, byłam znerwicowana. A kiedy matka jest w stanie nerwicy, niemowlę ma obowiązek się wydzierać. Robert, dzieciak porządny, uczciwy, wydzierał mordę, jak trzeba. Na

pokarmie sztucznym przestał. I już skończyły się z nim je-
dzeniowe problemy definitywnie. Smoczka nie chciał, wy-
pluwał go, spał martwym bykiem, okazał się od jednego
kopa dzieckiem bezproblemowym. Wszystko miał gdzieś,
zachowywał się normalnie.

T.L.: Trudne dzieci, więc tym bardziej przydawał się mąż.

J.Ch.: Tak, podkreślę po raz któryś w tej rozmowie: mąż był mnie
godny...
(chwila ciszy)
...w przeciwieństwie do pozostałych moich mężczyzn. Musiałam się do nich uginać, żeby nie zniszczyć ze szczętem
jednego oraz drugiego człowieka. Gdybym naprawdę zapre-
zentowała, co myślę i odczuwam, nie wytrzymaliby ani przez
jedną sekundę... Biedne ofiary! I nawet jeśli oba pozostałe
związki trwały długo, ostatni nawet czternaście lat, to wiele
mnie kosztowały zdrowia. Kiedy wreszcie porządnie powiedziałam Markowi, co o nim myślę, to dostał konwulsji. Trzeba się było hamować i w chęciach, i w niechęciach. Tyle że
byłam, do licha!, dorosła. Uważałam, że wpierw należy roz-
ważyć, czego się chce, i potem już nie zawracać głowy. Podkreślam. Zawsze, uczciwie — trzeba wiedzieć, czego się
chce.

T.L.: Ale do formalnych wyznaczników małżeństwa przykładała
Pani mniejsze znaczenie?

J.Ch.: Zwłaszcza gdy zdecydowałam się z kolejnym partnerem na
formalny konkubinat. Koniec z małżeństwem! Co się będę
ze ślubami wygłupiała — tak sobie powiedziałam. Bo później rozwód, a on zawsze pociągał i nadal pociąga za sobą
komplikacje, jakieś wizyty w sądzie i tym podobne bałwań-
stwa. Konkubinat, może być. Rozejść się z kimś, z kim nie
pozostaję w związku formalnym? Żaden problem... A na
kotłowanie się po sądach zwyczajnie nie miałam czasu. Głupstwa, i tyle.
Zatem postanowiłam zrezygnować z prawem sankcjonowa-
nego małżeństwa, kierując się zwyczajnym rozsądkiem. Papiery, wynikające z formalnego związku, nie mają żadnego
znaczenia, jeśli ludzie chcą się rozstać. No to po licho mi te

papiery? Zawsze miałam w domu za dużo rozmaitych szpargałów.

T.L.: Podtrzymuję, trzeba sporo typowo babskiej odwagi, by tak ustawiać kwestię formalności małżeńskich. Tę odwagę na pewno ułatwia kobietom uroda, dzięki której łatwiej i bezpieczniej jest ryzykować z facetami. Bo nawet jeśli ten lub ów się nie sprawdzi, w przedpokoju odnóżami przebierają następni. Tymczasem Pani dość lekceważąco odnosi się do własnej urody, choć ze wszystkich dostępnych mi zdjęć wyłania się nieziemsko piękna blondynka o czarnych oczach, z wdzięcznym warkoczem. Zjawisko po prostu.

J.Ch.: Och, niech pan da spokój. Dużo mi brakuje. Zgoda, powiedzmy, że istnieją gorsze ode mnie, ale ja tak znowu w czołówce nie lecę.

*

T.L.: Po latach wspinania się na trzecie piętro przy ulicy Dolnej, wreszcie posiada Pani własny dom. Piękny, wszystkim się podoba.

J.Ch.: Za mały, bardzo żałuję. Mnie dziś, niestety, nie starcza domu, choć go lubię. Miejsce na książki, skąd je brać? Książki to dla mnie podstawowy element wyposażenia. Bez książek dom nie jest domem. W rezultacie sypialnię zamieniłam w pokój biblioteczny. W pracowni również stoi na półkach mnóstwo tomów. A w salonie, dla urozmaicenia, poutykałam kasety wideo. W dodatku brakuje mi oddzielnego pomieszczenia, gdzie mogłabym spokojnie zajmować się robieniem śmietnika, czyli splataniem kurzącego się zielska oraz bursztynem, a on okropnie przecież pyli. Muszę coś wymyślić, bo już mi bursztyn na Mierzei Wiślanej z głębi morza zapowiedział, że nie da się więcej znaleźć, jeśli nie zrobię porządku z tym, jaki w domu posiadam. Trudno, jeśli pragnę podtrzymywać bursztynową namiętność, muszę go posłuchać.

T.L.: Puśćmy wodze fantazji. Jaki powinien być Pani wymarzony dom?

J.Ch.: W zasadzie powinien posiadać około stu komnat. Ale się, ostatecznie, aż tak nie czepiam.

T.L.: Czego więc się Pani czepia?

J.Ch.: Czułabym niezmierną satysfakcję, gdybym oprócz posiadanych pomieszczeń — pracowni, sypialni, salonu z aneksem jadalnym, kuchni, gościnnego — dysponowała jeszcze kilkoma: jednym do prac bursztyniarskich, drugim bibliotecznym i trzecim do różnych prac brudnych. Oraz garaż, większy garaż, aby nie wstawiać doń samochodu ze sztukami ekwilibrystycznymi. Na poddaszu życzyłabym sobie co najmniej trzy pokoje gościnne z dwiema łazienkami. Wtedy uzyskałabym minimum potrzebnych mi n a p r a w d ę wygód. Bo wygodnie da się mieszkać nawet i w komórce, lecz trzeba do tego dyscypliny oraz zmysłu organizacyjnego. A ja, osoba rzetelnie nieporządna, zorganizować się nie potrafię. Nie zaliczam się więc do grona znanych mi bab, które w maleńkich przestrzeniach potrafiły poutykać, zachowując nieskazitelny porządek, całe mnóstwo rozmaitych dyrdymał.

T.L.: Dziś, po latach wytężonej pracy, z udanymi dziećmi, wnuczkami, z więcej niż półsetką książek na koncie, z edycjami zagranicznymi i pozycją pierwszej damy polskiego kryminału, we własnym domu, wśród kotów, ulubionych roślin oraz sprzętów, z fanklubem, odwiedzaną stroną internetową, obywatelstwem honorowym Krynicy Morskiej, Krzyżem Oficerskim Orderu Odrodzenia Polski — czy czuje się Pani osobą bogatą?

J.Ch.: W sensie materialnym absolutnie nie. Co najwyżej jestem zamożna, a w każdym razie nie posiadam zasadniczych kłopotów finansowych i nie muszę łamać głowy, z czego zapłacę bieżący rachunek telefoniczny. Co prawda, gdybym planowała większe wydatki, musiałabym się wcale nieźle pogimnastykować, ale to jakoś znoszę. Bo muszę.
Na resztę spraw nie narzekam. Rzecz jasna — w zasadzie.
Poza tym: czytelników bardzo sobie cenię, z odznaczeń się cieszę.

ROZDZIAŁ IV

P_RL

T.L.: Dość dawno zyskała już Pani perspektywę życiową dojrzałej kobiety...

J.Ch.: ...a jaką mam mieć, zdaniem pana, skoro urodziłam się przed drugą wojną światową? W zaprzeszłych klimatach, dla współczesnej młodzieży właściwie niepojętych.

T.L.: Chodzi pewnie o klimat emocjonalny Polski międzywojennej?

J.Ch.: Weźmy dzisiejsze domy, zestawiane w blokowiska. Ktoś, kto wywodzi się z blokowiska, musi być ukształtowany inaczej niż stara gropa, dla której podwórko własnego dzieciństwa we wspomnieniach tak wygląda, jak w przedwojennych czynszówkach przy warszawskiej ulicy Chmielnej: mroczne studnie otoczone wysokimi ścianami i figurka Matki Boskiej pośrodku. Nawet jeśli mnie — biednego, nieszczęśliwego, nadmiernie zaopiekowanego dziecka — nie wypuszczano na podwórko, bym się mogła z rówieśnikami pobawić, to wyrastam przecież wszystkimi korzeniami z przedwojennego czasu. Kiedyś w takich podwórkach zjawiały się orkiestry, ostrzyciele noży, lutowacze garnków i wszelacy inni domokrążcy... Ja, co prawda, nie wyobrażałam sobie, aby samodzielnie zejść w celu naostrzenia nożyczek u przygodnego szlifierza, gdyż byłam raczej wyprowadzana niż wypuszczana na spacer, ale dawny klimat gdzieś w środku pozostał.

Do niedawna jeszcze, kiedy mieszkałam przy Dolnej, usłyszawszy dźwięk instrumentów wędrownych muzykantów, wyrzucałam im przez okno pięć złotych owinięte w papierek. Żal mi świata, który odszedł. Wczesnej młodości chyba każdemu żal. Żal mi nawet tamtej mnie, czyli dobrze ułożonej panienki, która, trzymana krótko na smyczy, dziś jako stara gropa wspomina dzieciństwo bez zbytniego zachwytu. Sam pan zresztą się orientuje: ja jestem przedwojenna. Posiadam ukształtowany przed wojną i podczas niej charakter. A charakter u mnie zawsze przebijał poprzez wszystko. Tak już na zawsze zostało, chociaż wyrastałam w czasach zdecydowanie powojennych, w określonej i skomplikowanej rzeczywistości, pełnej niejednoznacznych wyborów, zresztą duchowo mi obcej. I mimo że...
(*Pani Joanna na dłuższą chwilę milknie.*)

T.L.: ...mimo że...?!

J.Ch.: ...mimo że początkowo kupiłam ten cały nowy ustrój. Bo wychowałam się na literaturze dziewiętnastowiecznej, akcentującej silnie sprawy społeczne. Zobaczyłam spełnianie się trzech zasadniczych postulatów. Po pierwsze, oświata dla wsi. Zdawałam sobie przecież sprawę ze straszliwej sytuacji polskiej wsi czasów dwudziestolecia, z jej biedy i pauperyzacji, a proszę pamiętać, że wieś znałam dobrze jeszcze z lat wojny, bo mieszkaliśmy wtedy w Grójcu. W dodatku moje szwagierki, lekarki, leczyły osoby ze wsi i donosiły nam, że widzą w sytuacji kompletnie postawionej na głowie jakieś tam pozytywy.

Nowy ustrój wiele z początku zmieniał. Obserwowałam, co się zaczęło poprawiać. Na przykład, że ludzie bez żadnej lipy zaczynają przejmować się kulturą.

Weźmy kiermasze książki, specyficzny, wyjątkowo wartościowy wynalazek epoki komunistycznej. Miałam sprzątaczkę, dawniej analfabetkę, która z czasem doszła aż na poziom „Przeminęło z wiatrem". Doceniałam to. Po drugie, opieka lekarska. Po trzecie, cywilizacja, jaka pojawiła się wraz z elektryfikacją kraju. Na temat elektryfikacji wiedziałam osobiście sporo, przepisując obliczenia statyczne do słupów wysokiego napięcia. Miałam więc sprawę elektryfikacji w małym palcu, dosłownie, bez żadnych przenośni, i w tym względzie orientowałam się bez pudła, jakie zachodzą zmiany. Uznałam owe trzy elementy za tak ważne, że zdeterminowały one mój stosunek generalny do zaprowadzanego u nas ustroju. — On m u s i a ł być dobry — przekonywałam sama siebie. Owszem, dostrzegałam wszelkie trudności, ale zwalałam je na nieuniknione problemy pierwszych lat powojennych: że nam trudno, ubogo, że to, że śmo. Tylko jełop tego nie zrozumie. Nawet jeśli wściekle się nie podoba człowiekowi widoczna wokół bieda, brzydota, wynaturzenia. Potem, stopniowo, zaczęłam zdawać sobie sprawę z podstawowego ustrojowego grzechu PRL-u. To wszystko bowiem opierało się przecież na monstrualnym, s t r a s z l i w y m ł g a r s t w i e! A ja pochodzę z rodziny, uznającej kłamstwo za tchórzostwo oraz obrzydliwość. Wychowywano mnie w duchu rycerskim, wpajano, wbijano w łeb, by mówić prawdę. Do tego jeszcze wszechogarniająca, kolosalna brzydota. Posiadam poczucie estetyki, lubię rzeczy ładne.

T.L.: Ówczesna Polska zbrzydła zaraz po II wojnie?
Dodam od razu, że zadając pytanie, bynajmniej nie mówię o zrujnowanej doszczętnie Warszawie, bo to oczywista sprawa. Chodzi mi raczej o Pani odczucia generalne i o zmiany zachodzące latami.

J.Ch.: Pan nie pamięta tych czasów, kiedy rozważano, czyby nie wprowadzić podatku od dywanów... Albo też od kryształowych wazonów... „Bo — myśleli dawni już na szczęście komunistyczni decydenci — po cholerę krowie kryształowy wazon!!! Po cholerę świni perski dywan!!!”. Żyliśmy wtedy na poziomie zwierząt, a w każdym razie usiłowano nas do tego skłonić. Normalny człowiek nie potrafiłby uwierzyć, że podobne kretyństwo zdołało w ogóle zaistnieć. Jeszcze i tak łaska boska, że jako osoba straszliwie zajęta nie za bardzo zwracałam uwagę, co nas otacza. Lecz tak zwane życie codzienne nieuchronnie kontaktowało mnie z rzeczywistością. Od czasu do czasu musiałam przecież kupić synom żarcie w spożywczym, by zatkać gówniarzom gęby, oraz sprawić jakąś odzież, żeby coś jednak na tyłkach nosili. W tym miejscu od początku ustrój mi się nie podobał. Nawet jeśli jako dziewczynka uczciwa, całkiem porządna, doceniłam kwestię opieki lekarskiej, oświaty, szkolnictwa, a zwłaszcza czytelnictwa. Mnie tam ani perskie dywany, ani kryształy nie są potrzebne, jeśli więc kiedykolwiek zapragnęłam posiadać coś kolorowego, to sobie, najzwyczajniej w świecie, zrobiłam własną ręką. Potrafiłam, więc dlaczego się niby miałabym ociągać? Umiem wykonać, co należy, aby otoczenie wokół mnie ładnie wyglądało, nawet i bez wymysłów w rodzaju drewna palisandrowego, które dla wielu jest „absolutnie niezbędne" na okładziny ścian. Natomiast obok mnie istnieją przecież osoby, które niekoniecznie dysponują zdolnościami do robótek ręcznych. Kupowały więc rzeczy w sklepach. W rezultacie zdawania się na to, co dostarczał ustrój, żyły w nie lada brzydocie. Bo atakująca zewsząd ohyda wołała o pomstę do nieba. Egzystencja snuła się po Polsce szara i szpetna, tak, po prostu szpetna. Każdy żywszy kolor, coś mniej niż rzeczywistość szarego, ściągał na siebie od razu uwagę.

Kiedyś, wszedłszy do sklepu z butami w Alejach Jerozolimskich, na parapecie dostrzegłam ogromnego, przepięknego kota. Jako osoba lubiąca rozmowę, natychmiast zwróciłam się do sprzedawczyni z komentarzem: — *Bardzo dobrze rozumiem, dlaczego trzymacie to zwierzę u siebie. Przynajmniej jedno coś, co tutaj jest ładne...*

Ekspedientka pojęła mnie bez słów.

Czy pan da wiarę, że przez trzydzieści lat nie kupiłam sobie ani jednej, no, a n i   j e d n e j pary butów w Polsce, bo tu nic, zupełnie nic dla siebie nie znajdowałam? U nas wszystko okazywało się latami tak śmiertelnie brzydkie... Obuwie przeważnie też. A jeśli nawet buty miały jakąś urodę, bo czasami projektanci trafiali się nam przyzwoici, to zakup uniemożliwiały inne felery. Na przykład miękkich butów nie uświadczyło się za cholerę, wszystkie okazywały się straszliwie twarde, jakby wycięte z żelaza.

Jedyne sklepy, gdzie na wystawione produkty dawało się popatrzeć bez obrzydzenia i ewentualnie coś dla siebie znaleźć odpowiedniego, to komisy.

T.L.: Instytucja dziś właściwie zapomniana. Przypomnijmy więc młodzieży, że w komisach znajdował się towar, wstawiany tam drogą tak zwanego prywatnego importu. Na przykład jeśli ktoś dysponował krewnymi za granicą, mógł nieźle dorobić, przynosząc do komisu otrzymane od nich w paczkach pocztowych towary: od pasty do zębów Colgate, do ubrań i sprzętu gospodarstwa domowego. Przebicie zawsze uzyskiwał wielokrotne. Dopiero później pojawił się jeszcze inny typ sklepów przyzwoicie zaopatrzonych, czyli dewizowe PEWEX-y. Kto miał dolary, mógł tam kupować do woli. W PRL-u istniały więc sklepy pierwszej, lepszej oraz, najczęstsze niestety, drugiej, gorszej kategorii. A we wsiach jeszcze sklepowe slumsy kategorii trzeciej.

J.Ch.: Mnie na komisy ani na PEWEX-y nie było stać, więc zawsze, wracając zza granicy, przywoziłam sobie użytkowe przedmioty w nadmiernych pozornie ilościach. Niekiedy po jedenaście par obuwia. Bo co niby miałam robić?!

T.L.: Z pewną przesadą powiem, że liczni rodacy spoglądali na witryny komisów jak na ołtarze.

J.Ch.: Ja uważałam je nieodmiennie za zwykłe świństwo. To co powinno być ogólnie dostępne i w normalnym świecie jest dostępne, u nas okazywało się niezwykłe, ekskluzywne. — *Zaraz, zaraz* — trzeba się było spytać — *w czym my żyjemy?!!!* Ja takie pytania zadawałam. O! Widzi pan? Okazuje się, że jednak byłam inteligentna dziewczynka... Zresztą, pal diabli szpetotę ówczesnego naszego świata. Istniały inne względy, ściśle praktyczne, by doszczętnie znienawidzić socjalistyczny handel. Cholera, potrzebuję nagle nowego garnka i, oczywiście, same kłopoty z kupowaniem. To już było całkiem skandaliczne.

Najważniejsza jednak okazywała się ówczesna atmosfera. Tu oraz tam. Kiedy już się pan wyrwał na tak zwany Zachód, nagle powietrze w krąg wprost pachniało wolnością. Bardzo duża sprawa, nawet jeśli się nie ma pieniędzy, zgoda?

Ja mogłam mieszkać w pralni u państwa von Rosen, mogłam odżywiać się, z braku większej ilości duńskich koron na luksusy, tylko skromnymi i tanimi produktami. To bez znaczenia, skoro czułam się tam CZŁOWIEKIEM. Miałam w Danii jakieś prawa, a w moim własnym kraju — wręcz przeciwnie. W Polsce stawałam się strzępkiem szarej, pozbawionej jakichkolwiek praw masy. Właśnie szarość Polski Ludowej brzydziła mnie dojmująco. Bo kolor zawsze był dla mnie czymś najważniejszym, barwy miały i wciąż mają na mnie największy wpływ. Pisałam przecież na temat koloru artykuły prasowe. Pamiętam, kiedy w Szczecinie, w latach siedemdziesiątych, znalazłam się na jakiejś wystawie malarstwa. Rzetelna, uczciwa retrospektywa wielu dziesięcioleci abstrakcji. Zaczynało się od taszyzmu, potem leciały op-arty i wtedy aktualne pop-arty. Przyznam się od razu, Picassa nie znosiłam nigdy, kubizmu nie cierpiałam...

T.L.: Nieźle, jak na architekta, który musi na co dzień operować bryłami.

J.Ch.: Chwileczkę. Niech nikt we mnie nie wmawia, że pozujący malarzowi głupek siedział i wyczyniał rozmaite cyrkowe sztuki. Jakim więc cudem na obrazie portretowana osoba posiada drugie oko na tyłku, a trzecia noga wyrasta jej z ucha? Malarz, „on to tak widzi". A otóż ja nie wierzę, że on to t a k widzi! Moim zdaniem albo jest wariat, albo ma coś gdzieś pomieszane, może we wzroku albo gdzie indziej? Gdyby mi powiedział: — *Ja tak bynajmniej nie widzę, ale tak c h c ę narysować, namalować, pokazać. Bo tak mi się spodobało...*, zrozumiem. Tylko niech we mnie nie wpiera, że „on to tak widzi". W życiu moim nie uwierzę. I już. Łgarstwa nie cierpię, więc również humbug artystyczny mi się nie podoba. Natomiast kiedy weszłam w rzetelną abstrakcję, nie taką, jaką oglądałyśmy z babami, zdaje się, że z Teresą... Opowiem najpierw, w co wdepnęłam z Teresą. To było wcześniej niż w Szczecinie, jakaś wystawa, pojęcia nie mam, gdzie. Nie impresjonizm, nie kubizm, pośrednia forma między kubizmem i abstrakcją. Każde coś pośrednie jest bez wyrazu. Zrobiłyśmy sobie zabawę w odgadywanie, jak też malarz mógł zatytułować swoje dzieło. Na przykład taki obraz, który strasznie dużo talerzy przedstawiał. Tytuł?

Hmmm... Zapewne „Wystawa ceramiki". Czytamy podpis. A tam stoi jak wół „Krawcowa". Na innym płótnie potworne ilości obuwia oraz nóg bosych. Skoro tam w podpisie stało „Krawcowa", więc tu może podpiszą „Szewc". Idziemy, czytamy. A zaś tam: „Miłość". Aha, rozumiem, miłość, tak, jeśli się ktoś upiera, proszę bardzo. Ja jestem bardzo tolerancyjna. Ale potem, w Szczecinie, jednak oglądałam uczciwą, porządną abstrakcję. I nagle zorientowałam się, niespodzianie dla siebie samej, że niektóre z tych rzeczy ogromnie mi się podobają. Wcale mnie nie obchodzi, co to ma oznaczać; czy artysta malował „Zachód słońca nad San Francisco", „Zatopienie Titanica" czy znowu „Stado byków na łące". Wszystko jedno, skoro pasuje mi kolorystycznie. Miałam zawsze w sobie kolor, jeśli urządzałam sobie jakieś wnętrza, wiadomo było, że kolor uznam za sprawę najważniejszą. Powierzchnię wykonano z cegły? Ze złota? Zupełnie wszystko jedno, ważne, aby miała pożądany kolor. Do dziś, gdyby ktoś mi przywiózł nie wiem jak cenną rzeźbę ze srebra, będę ją musiała schować, bo srebro do mojego wnętrza nie pasuje. Lub niech pan sobie wyobrazi na przykład figurę ze szmaragdu ustawioną tutaj, w salonie. Absurd! Gdzie indziej, w pracowni, owszem, będzie pasowała.

Pomyślałam więc, spoglądając na rzetelnie abstrakcyjne obrazy: „ W dupie mam, czy to abstrakcja, czy jakieś coś inne, istotne tylko, jaki to kolor oraz czy podoba się albo nie". Potem świadomie, wiedząc, że ta lub inna barwa najbardziej mi podchodzi, jechałam dalej ze zwiedzaniem, kierując się już tylko kolorem.

T.L.: Kolor kolorem, ale PRL miał jeszcze jedną dość uciążliwą cechę. Produkowane wtedy przedmioty wykazywały niską funkcjonalność. Wygoda użytkownika tej albo innej rzeczy znajdowała się na drugim planie.

J.Ch.: Dlatego w moim domu właściwie nie posiadam nawet teraz przedmiotów, które nie byłyby funkcjonalne. Nie znajdzie pan dziś u mnie stoliczków, konsolek, ozdóbek, innych pierdół, jeśli nie posiadałyby jakiegoś funkcjonalnego uzasadnienia. Wciąż mam za mało miejsca, żeby zrezygnować

z przedmiotu wygodnego na korzyść rzeczy wyłącznie ozdob-
nej. Jedyna półeczka poświęcona ozdobom to ta w salonie
z rozmaitymi nagrodami, jakie mi parę razy wręczali. Ale
one, te nagrody, muszą przecież gdzieś stać, do licha ciężkiego! No i druga płaszczyzna pozioma, gdzie trzymam
owoc prywatnego maniactwa, czyli muszle. Pracownia? Sypialnia? Czym one są wypełnione? Na Boga,
głównie książkami. I obrazami. Bo ścian mam dużo, obrazów
jeszcze trochę zdołałabym porozmieszczać nad regałami,
w których całkiem porządnie ustawiłam posiadane tomy.
Z całej siły się staram, żeby dekoracyjność nie przytłoczyła
funkcjonalności. Inaczej byłabym chora. Nie wiem, czy zostało mi to po epoce PRL-u, ale pewnie, między innymi, także.

T.L.: Do końca życia zapamiętam kwestię, którą usłyszałem kiedyś w telewizyjnej inscenizacji jakiejś sztuki, autorstwa chyba Macieja Zenona Bordowicza. To historia o inteligenckim
małżeństwie, dziejąca się gdzieś w drugiej połowie lat
osiemdziesiątych, do którego po latach w odwiedziny zjeż-
dża dawny kochanek żony. W pewnym momencie ona, mniej
więcej tak na osobności, prosi gacha sprzed lat: — *Błagam,
zabierz mnie stąd! Nam się tu niby powodzi, niby wszystko mamy,
lecz już dłużej nie mogę znieść wszechogarniającej brzydoty, która
nas zewsząd oblepia.*
Ja główną bohaterkę tej sztuki doskonale rozumiem, sam
kiedyś przeżyłem podobne uczucie wstrętu, wracając w kry-
zysowym roku 1986 z pierwszego wypadu na najpiękniejszy
Zachód, bowiem wyruszyłem akurat do *la ville des lumières*,
czyli do Paryża, miasta świateł. Tam pachnie, tętni życie.
U nas? Co u nas królowało wtedy w charakterze stołecznych
nastrojów? Ciemno, brudno, smród.
Pani deklarowała, że gotowa się była przenieść na prowincję
w charakterze architekta powiatowego, gdyby nie wyszła
Dania. Nie sądzę, aby to się udało bez obrzydzenia, szpetota
architektoniczna polskiego zadupia sparaliżowałaby Panią
ze szczętem.

J.Ch.: O, to pan mnie nie zna! Nie wiadomo, czybym nie zmieniła
naszej prowincji.

Kiedy wracałam pociągiem z Kopenhagi po śmierci mojej ciotki Lucyny, wściekła, półprzytomna, co chwila wpadająca w absolutną histerię, wyglądałam raczej bezmyślnie przez okno. Pociąg trochę jechał, trochę się zatrzymywał. Patrzyłam, patrzyłam i nagle mnie oświeciło: nasz pejzaż, w tych miejscach, których nie tknęła ludzka ręka — jakiż on jest piękny! Natomiast wszędzie tam, gdzie ludzka ręka wkroczyła — a cóż za ohyda!!! Proszę pamiętać, ja wracałam z Danii, z północnych Niemiec, z okolic Europy, gdzie było ładnie. Dostrzegłam jakiś magazyn usytuowany przy torach. Perwersyjna wręcz szpetota! Dlaczego tylko kilka godzin wcześniej, jeszcze w Danii, identyczny, o tej samej funkcji magazyn nie wykłuwał oczu? U nich całość pomalowana na jasne kolory, beczki oranżowe, niebieskie, poustawiane w ładne, dobrane kolorystycznie stosy. Wszystko wokół ślicznie zamiecione. A u nas? Teren i zabudowania czarne lub ciemnoszare, z zaciekami, obłupane z tynków, brudne, zardzewiałe antały, poniewierające się, gdzie popadło, śmieci piętrzyły się wszędzie.

Albo proszę wziąć ludzkie domy. Oczywiście, wypieszczone, ozdobione mozaiką z kapsli od piwa, potłuczoną stołową porcelaną, więc prześliczne wprost. Tuż przez domem pyszni się kolejny element ozdobny: walący się, obłupany, obrosły dzikim zielskiem parkan... Brrr...!

(— *Niech pan naleje trochę wina, bo nie mogę o tym myśleć!*)

Takie coś nigdzie więcej w normalnej Europie by nie zaistniało. No, robiło mi się coś w środku... Już trochę później, gdy — dzięki zaproszeniu Alicji — moja niedoszła „kariera" powiatowego architekta zwiędła jak stary kalafior, wtedy więc, trochę *con amore*, pomyślałam, że gdyby mi ta Dania nie wyszła, jeździłabym po prowincjonalnych architektach w urzędach powiatowych, wchodziłabym do gabinetów moich kolegów po fachu i lałabym ich rzetelnie po mordach. Następnie wyjaśniałabym: — *To za urodę współczesnej Polski!*

— Po czym wychodziłabym pełna satysfakcji z pokoju.

W końcu to architekt decyduje, jak ma wyglądać prowincjonalny chlew. On może zmusić chłopa, aby ów chlew zbudować estetycznie, co, naprawdę, nie zmienia kwestii kosztów. Kto wie, gdybym w szale ruszyła na powiatowego architekta, to może, z bożą pomocą, choć w skali jednego powiatu coś bym zrobiła? Pan pewnie myśli, że za duża w nich siła? O nie, nie znaleźliby sposobu, jak mnie utłuc, wiedziałabym, co należy wykonać, żeby rozdyźdać całe towarzystwo! Zawsze kontakt z ludźmi przychodził mi łatwo, spokojnie bym uczyniła, co wcześniej sobie zaplanowałam, bez obaw. Bo zawsze ze wszystkimi dawałam sobie radę. Z wyjątkiem partyjnych.

T.L.: *Pshaw!* Właśnie partyjni decydowali!

J.Ch.: Nieprawda. Partyjnych było mniej, niż się dzisiaj młodzieży wydaje, na co dzień decydowali zwyczajni ludzie. Zresztą, partyjny też człowiek i on się boi, aby mu zębów nie wybili. W ciemnej ulicy, po cichutku, nieznany sprawca mógłby którąś szanowną partyjną szczękę naruszyć.

W każdym razie, gdybym wsiąkła w prowincję, jedno wiem: byłoby to tysiące razy gorsze, trudniejsze, uciążliwsze niż los, który mnie ostatecznie spotkał.

T.L.: Dla architektury pewnie stało się gorzej, ale ja się cieszę, że rzuciło Panią nie do Wdzydzów czy Małkini, lecz do Kopenhagi. Przynajmniej z tego powstało kilka sensownych książek...

J.Ch.: We Wdzydzach też pewnie by powstały...

Wątpię tylko, czyby zostały wydane. Bo przecież nie strzymałabym, w powieściach po swojemu ruszyłabym polską rzeczywistość, a tego, rzeczywiście, nikt by mi tu nie opublikował. Jedyna nadzieja w ówczesnej ostatniej desce ratunku polskich pisarzy, czyli w Giedroyciu i jego paryskiej *Kulturze*. E tam, pan da spokój, zostawmy już to gdybanie! Teraz bez większego rozgłosu pracuję nad książką, gdzie coś z tamtych klimatów wejdzie. Ale to projekt na dużą skalę i mówić o nim publicznie nie chcę. Jeszcze powinnam mnóstwo przeczytać. Żadna zresztą uciążliwość, przecież lubię drukowane.

T.L.: Znajdujemy się zatem przy opisie natury minionego ustroju.

J.Ch.: Oczywiście. Kiedy więc się w naturze minionego ustroju zorientowałam, zaczęło się we mnie kotłować.

T.L.: Proponuję, abyśmy spróbowali to objaśnić, odwołując się do Pani doświadczeń jako architekta.

J.Ch.: My, wszyscy Polacy w ogóle, a warszawiacy w szczególności, dostaliśmy od losu tragiczną, lecz ogromną szansę całkowicie nowatorskiej odbudowy stolicy kraju. Szansę na miarę wielkiego Haussmana, twórcy między innymi paryskich Wielkich Bulwarów. Tylko że spieprzyliśmy gruzy, które zostawił nam Hitler. Aż się niedobrze robi. Banda ćwoków zamiast porządnego głównego urbanisty Warszawy! Oni, ci nasi „centralni planiści", doskonale by załatwili hodowlę nierogacizny, a może nawet i koni, zwierząt, bądź co bądź, szlachetnych. Lecz nie potrafili się zdobyć na zrobienie urbanistyki m i a s t a! Zawsze uważałam, że każdy powinien robić to, do czego się nadaje. Ja, na ten przykład, do opery się nie pcham i nie zgłaszam publicznie żądzy łkania ku struchlałym widzom „Szumią jodły na gór szczycie". Dlaczego więc oni wepchnęli się do mojej Warszawy?! Ja Warszawę kochałam bardzo, aż do chwili, kiedy to miasto przestało być sobą. Spaskudzono straszliwie Oś Saską, Oś Północ-Południe itd. Tylko na bazie tych dwóch Osi można tu było zrobić rzeczy przepiękne. A co myśmy zrobili? Osiedle Lacherta...? Tak, to jest prawda, w tym miejscu cierpię. No, więc tym bardziej ma pan pojęcie, jak się tuż po wojnie wszystko przewracało w środku takiemu Suzinowi, Weychertowi albo Pniewskiemu?

T.L.: Ale na przykład profesor Bohdan Pniewski uczestniczył przecież w tym morderstwie?

J.Ch.: Co mógł Pniewski wykonać, skoro miał za alternatywę tylko popełnienie samobójstwa? Skromny wybór, nieprawdaż? Inni też. Weychert, który robił Mokotów, zdobył się przynajmniej na tyle, aby zachować bodaj jakieś perspektywy ulic, żeby, patrząc przed siebie, spoglądał pan gdzieś, widząc jakiś kierunek, na którym da się oko zaczepić. Kiedy on projektował, akurat studiowałam i obserwowałam własnymi oczkami, co się działo. Dla zachowania choć cienia szansy na jaką taką urbanistykę Mokotowa, Weychert gotów był opowiadać różne polityczne pierdoły. I robił to!

Ci znakomici architekci w ogóle starali się ratować substancję Warszawy, nawet kosztem zachowań koniunkturalnych. Naczelnym Architektem stolicy był w latach 1951-1956 Józef Sigalin, współtwórca pierwszego Planu Generalnego Odbudowy Warszawy, kierujący Biurem Odbudowy Stolicy. Człowiek biorący na siebie odpowiedzialność za cały powojenny urbanistyczny knot. Otóż żaden z moich nauczycieli nawet słówkiem się o Sigalinie nie zająknął. Więcej, zgodnie z „linią główną", wkładali nam oczywiście do głów, jak powinno być cośtam, śmośtam, gdzieśtam. Ale zęby przy tym znacząco im się zaciskały, oj!, zaciskały.

„Arcydzieło" w postaci Pałacu Kultury... Zmuszano ich, aby nas informowali, że jest to arcydzieło. Niech mu, dopiero teraz, arcydziełu, psiakrew!, ziemia lekką będzie. Trudno, skoro bowiem dziś Pałac zmienił się w zabytek, może już sobie zostać. Francuzi z początku wieżę Eiffela uważali za budowlę ohydną... Patyna niekiedy przydaje dziełom architektury, nawet złym, jakiegoś szczególnego, perwersyjnego uroku. Tak się pocieszam.

T.L.: Na Pałac Kultury w swych powieściach zawsze strasznie wyrzekał Tadeusz Konwicki, czyniąc w dodatku ów gmach na kartach genialnej „Małej Apokalipsy" jednym z głównych rekwizytów sparszywiałej Warszawy. W zasadzie nie ma co się temu dziwić, gdyż jeden z dwóch tylko balkonów, jakie istnieją przy ulicy Górskiego, należy do lokalu, w którym zamieszkuje pisarz. Ilekroć więc wychyla się, musi, on — jako jeden z dwóch lokatorów wśród reszty na całej ulicy — napawać się perspektywą ze stalinowskim Pałacem w tle. Co prawda, kiedy cztery lata temu przeprowadzałem z Konwickim wywiad dla Polskiego Radia, przyznał, że już się wreszcie przyzwyczaił. Polubił nawet... Tak jak i Pani.

J.Ch.: Ze ściśle rodzinnego punktu widzenia Pałac okazał się w naszym przypadku ogromnie użyteczny. Kiedy bowiem osobiste moje dzieci znajdowały się jeszcze w wieku mocno małoletnim, widząc Pałac Kultury, orientowały się, gdzie trzeba iść. Przez dziesięciolecia gmaszysko górowało nad miastem.

Uznałam, że jest z niego przynajmniej drobny pożytek. Jeśli nic innego, niech chociaż spełnia funkcję busoli.

Problem z Pałacem na tym jeszcze polega, że jego fasadowość zewnętrzna później, już w środku, zamienia się w zwykłe gówno. Też mi reprezentacyjny gmach... Niech pan weźmie boczne skrzydła budynku, na przykład Teatr Studio. Przecież tam starszy człowiek z trudem się wspina na pierwsze piętro! I brak sensownego wykończenia, od klatek schodowych poczynając.

Mnie się to kojarzy z kanadyjskim barachłem, jakie widziałam podczas zwiedzania osiedli tak zwanych willowych, odwiedzając ciotkę w Ottawie: ohydne zaplecza eleganckich domów w postaci tu jakiegoś szałasu, tam znów byle drewnianej budy.

Z Pałacem nie inaczej. Na szóste piętro, do teatru, windą wjechać się nie da. No!, jednym słowem, fasadowość. I dziki, wściekły formalizm. Piękna elewacja, a za nią? Chlewy!

Paradoks polega na tym, że stalinowcy właśnie formalizm w architekturze z furią potępiali. Między innymi właśnie patrząc na Pałac, połapałam się, że całe to ustrojowe gówno oparte było na monstrualnym, ponadhistorycznym łgarstwie. Sprawdzałam specjalnie — w dziejach świata nie istniał równie załgany ustrój. Wyprawiający niezłe przecież sztuki starożytni egipscy kapłani w zestawieniu z uczniami Lenina okazywali się po prostu przedszkolakami.

T.L.: Teraz łatwo tak mówić. Przecież również i Pani przykładała własną rękę do wznoszenia Marszałkowskiej Dzielnicy Mieszkaniowej, czyli MDM-u. Targały Panią wtedy negatywne uczucia?

J.Ch.: Owszem, własną ręką budowałam to coś. Interesowało mnie bardzo, jak się układa pręty zbrojeniowe w stropie Ackermanna. Wtedy właśnie stwierdziłam, że gdy się muruje ścianę na wysokości półtora metra, cholernie od tego bolą ręce. A mówiąc poważnie. Pyta pan o bardzo dawny czas młodej kobiety, która przeżyła wojnę. Taki czas, kiedy cieszył w ogóle fakt, że moje miasto się odbudowuje. Naprawdę, powstawały jakieś pomieszczenia, byłam, widziałam. Ludzie

w tym wkrótce zamieszkają! Proszę pamiętać, wojna skończyła się raptem sześć lat wcześniej. Wokół wciąż ruiny. Ja
ciągle jeszcze stałam na grobie miasta. Jezu! Każda cegła
oznaczała czystą radość i szczęście.
Poza tym wnętrza mieszkań MDM-u, jak na swój czas, wcale
nie okazały się złe. Dopiero budownictwo gomułkowskie
dało naprawdę Polakom popalić. Na dobitkę te normatywy
wcale nie wychodziły taniej. Siedziałam przecież w latach
sześćdziesiątych na budowie, w BZ-etach i w obmiarach,
sprawdzałam, jak to idzie. Otóż oświadczam panu, w tym
całym szmelcu nie było ani jednego prawdziwego słowa.
Rozumie pan? A n i   j e d n e g o! Starzy fachowcy przynajmniej tyle starali się zrobić, aby pilnować fachowości. Fachowości na przykład przestrzegał mój szef, który co prawda
kobiet na budowie nie lubił, za to robotę znał. Cierpiał,
widząc tyle partactwa, ale, jak każdy, i on jakoś pragnął oraz
musiał żyć. Żona miała raka, nie mógł sobie pozwolić na
podskakiwanie, boby go od razu wylali na bruk. Z czego
brałby wtedy na leczenie? Starał się więc przynajmniej, żeby
wszystko robić porządnie i uczciwie. Uczciwości w robocie
pilnował naprawdę. Inny mój kierownik, Garliński z biura
BLOK, wreszcie nie wytrzymał i wyjechał do Szwajcarii, bo
tam mógł projektować, jak mu się zamarzyło.

T.L.: Kiedy Pani zorientowała się w szalbierstwie i obłudzie nowego ustroju?

J.Ch.: O! Nie tak zaraz. Pyta pan o bardzo stopniowy proces. Nie
da się powiedzieć, że wszystko lekko zrozumiałam od pierwszego kopa. Z moim jakby troszkę skomplikowanym życiem
prywatnym nie za bardzo zresztą miałam czas przyglądać
się, co zachodzi wokół, jeśli to coś nie przybierało rozmia-
rów dramatycznych. Na duperele i inne głupstwa brakowało
mi czasu. W dodatku owe wszystkie wiejskie Antki i Wicki
na studiach architektonicznych... Przed wojną — gdzie by
im do architektury...
Czyli pierwsze sygnały okazywały się wcale zachęcające.
Ćwoków u nas zjawiało się mało, jeśli już, to oni później
trafiali przeważnie do administracji, głównie usadzając tyłki

na niskim, lokalnym szczeblu. Lecz tacy Zarębscy... Ze wsi, a tego samego rzędu zdolności, co i ja. Nie geniusze, ale i nie kretyny architektoniczne. Rzetelni, uczciwi, przyzwoici rzemieślnicy. Chociaż nie artyści. A niegłupi, przeuroczy Wiesiek Wieczorkiewicz, świeć Panie nad jego duszą...? Ten, niestety, poszedł w politykę, w urzędy, w te wszystkie rzeczy. Jedyny znany mi człowiek, który co prawda przez trzy miesiące pełnił funkcję ministra budownictwa, potem jednak sam, absolutnie dobrowolnie, zrezygnował. Westchnął tylko do nas: — *Słuchajcie, w tym bagnie ja grzęznąć nie zamierzam!!!*
Cała zaś reszta z roku mojego oraz z roku powyżej okazała się plejadą znakomitych, genialnych architektów. Tylko że oni nie wywodzili się z rodzin chłopskich, robotniczych. Nie, oni zjawili się całkiem skądinąd...
No i przeważnie nie wytrzymali panującego ówczesnego klimatu. Bliski mi Piotr? Uciekł! Andrzej Bobiński? Uciekł! I jeszcze parę innych osób takoż. Oni postanowili sobie, że jednak STĄD znikną, aby TAM pozostać architektami. Czyli — będą projektować. Tutaj wegetowali, uwięzieni w normatywach. Wyznawali bez owijania w bawełnę, całkiem wprost: — *Posiadam swój zawód. Chcę go wykonywać. To moje życie, moje przeznaczenie, moje szczęście, moje wszystko. Muszę się więc udać tam, gdzie będę mógł bez kłód rzucanych pod nogi pracować...* Cóż, do dziś oni istnieją jako czołowi architekci krajów, w jakich się znaleźli: Kanady, Francji, Stanów Zjednoczonych itd.
Ci, których wymieniłam, wspięli się akurat na profesjonalne wyżyny, ale wielu innych na Zachodzie wykonywało zawód wyuczony jako doskonali projektanci, choć bez podobnych osiągnięć.
Doskonale moich kumpli rozumiem. Bo ja, jeśli mi nie pozwolą pisać dla dorosłych, mogę pisać łagodnie dla dzieci, a w ostateczności napisane schowam do szuflady. Ona, ta szuflada, cierpliwa. Jednak architekt, aby się zrealizował, musi projektować i powinien realizować pomysł, co go na określone zlecenie wymyślił. Bo potrzeba mu do rozwinięcia skrzydeł: konkretnego terenu, projektowych założeń, wiedzy o dostępnych środkach. Inaczej — dupa blada!

W tej sytuacji oceniam, iż oni nie uciekali, bo oni — zwyczajnie — ratowali własne życie, cały jego sens.
Nie każdy tak chciał. Kazio Musiałowski siedział trzy lata
w Maroku, na kontrakcie. Arabowie dali mu do projektowania ośrodek turystyczno-hotelowy. Pokazali teren przy-
szłej inwestycji, zapewnili, że koszty nie grają roli. Zaprojek-
tował, zrobił, wykonali. Kiedy Kazio tu wrócił, tylko
westchnął: — *Spędziłem trzy lata w raju...* Wrócił zaś wyłącznie dlatego, że alternatywę stanowiła nielegalna ucieczka
z Polski.
Przecież i ja mogłam zostać na zawsze w Danii. Moi duńscy
szefowie bardzo żałowali, że odjeżdżam. Nalegali, abym
wciąż pracowała w ich pracowni jako architekt opracowujący
w szczegółach koncepcje, ubierała w konkret szkice projek-
towe. Lubię to, umiem, więc problem z zawodowego punktu
widzenia nie istniał.
Ja natomiast uciekłam inaczej, w literaturę.

T.L.: Fakt pozostaje faktem. Nienawidząc minionego ustroju, nie
starała się Pani zbyt zawzięcie go obalać.

J.Ch.: Na litość boską, czego pan wymaga od trzydziestoparolet-
niej kobiety!!! Ja miałam dzieci, obowiązki, trzeba było przede wszystkim rodzinę nakarmić. Jak się w takiej sytuacji
wdawać w politykę?! Człowiek jeszcze młody był, chciał trochę zadbać o siebie, spotkać jakiegoś faceta, z kimś się zobaczyć, coś w tym rodzaju. A czasu miałam ciągle tyle co
kot napłakał. Nawet jeśli się, ogólnie rzecz biorąc, po moim
życiorysie niezbyt wielu przewraca osobników płci męskiej,
co rzetelnie zeznałam w „Autobiografii", jednak jedną albo
drugą chwilkę na nich potrzebowałam. W dodatku tu robota, tam prace zlecone, z czegoś musiałam żyć. To jeszcze się
w politykę lub w inne prace społeczne miałam wdawać...?
Niechże się pan puknie w umysł.

T.L.: A nie mierziła Pani rzeczywistość?

J.Ch.: Przecież ja nie byłam zupełną kretynką. Orientowałam się,
że w rozmaitych krajach ludzie żyją różnie, choć z innymi
krajami aż do momentu wyjazdu do Danii się nie kontaktowałam. Ale zawsze wiedziałam, jak n a l e ż y żyć! Poli-

czmy spokojnie, ile czasu, przez ładne parę lat, starałam się cierpliwie poczekać. Od końca wojny, a nawet, niech będzie!, machnę ręką, godząc się nie wliczać do okresu czekania gruzów i ruin 1945 roku, więc zacznijmy liczyć od 1946. W 1950 jeszcze istniała pamięć o Polsce sprzed wojny. Mimo szalejącego już ustroju, ja Jerzego rodziłam 9 stycznia 1951 roku w warunkach jeszcze absolutnego luksusu przedwojennego, przy placu Zbawiciela, w warszawskiej klinice pani doktor Woyno. Dysponowałam zbytkami niedostępnymi dla partyjnych bonzów! Oni nawet nie sądzili, że aż taki szyk w ogóle mógłby istnieć! Ja więc byłam przedwojenna, pani doktor tyż przedwojenna, z perłami wokół szyi... Owszem, wokół trwało takie coś, co nie pozwalało mi się odnieść właściwie do rzeczywistości, w jakiej istnieję. Jakieś kolejki, ogonki, rosnące kłopoty z zaopatrzeniem, dyrdymały? Rany boskie! Mnie zajmowały studia, prace zlecone, dziecko, mąż, własna matka, praca. Gdzieżbym ja miała głowę do rozmaitych bzdur! Za to później zaczęło się. Jak się już zaczęło, szło stopniowo, dalej i dalej...

Mieszkanie, na miłosierdzie pańskie! Zdobycie mieszkania, przydział mieszkania, zagęszczenie mieszkania — to już okazywało się troszeczkę nieludzkie, jakby niehumanitarne, n i e c y w i l i z o w a n e, NIENORMALNE. Przecież wszyscy nie ułożymy się do snu na jednym barłogu, na przypiecku, w siedem osób albo w jedenaście! Mój mąż, od powrotu z Wysp Brytyjskich czarna reakcja, pracował w Polskim Radiu jako spiker na Anglię. Dysponował nawet akcentem genialnym, w ogóle operował perfekcyjnym angielskim, którym wygłaszał propagandę, co tam będziemy ukrywali. Zdarzało się, że czytywał jakieś teksty o trzeciej w nocy albo spędzał czas do rana przy nasłuchach rozgłośni brytyjskich. I ten reakcjonista, półgłów skończony!, UWIERZYŁ w komunistyczną propagandę, choć sam ją przecież podawał, zatem wiedział, na czym to polega! Przy okazji zapisał się do partii, od czego zrobiło mi się ciemno w oczach. Co przeżyłam, to moje... Cholera z tymi facetami!

Z początku naszej znajomości mój reakcjonista nie kupił absolutnie niczego w państwowym sklepie... Ile ja się z nim w pierwszej fazie małżeństwa naużerałam... Skoro do państwowego sklepu nie wszedł, tylko do prywatnego? W rezultacie należało stale po wszystko trochę pochodzić, nim się kupiło. Miałam ze sprawunkami krzyż pański.

T.L.: Ale już wkrótce potem...

J.Ch.: Już wkrótce potem? Z dnia na dzień mu się odwidziało! I teraz — ani przestąp progu u prywaciarza! Uznawał wyłącznie sklepy państwowe. Chociaż, na przykład, warzywa na klienta czekały zawsze znacznie świeższe i lepsze w prywatnych warzywniakach. Ale skoro on się przerzucił propagandowo na tę drugą stronę...
Mnie z opresji ratował, jak zwykle, brak czasu. Kiedy jakaś dziewczyna urodzi dziecko, najczęściej rzuca studia, poświęca się domowi. Otóż JA NIE RZUCIŁAM NICZEGO. Uparłam się przy wszystkim. Miałam w konsekwencji troszkę jakby dużo zajęcia... Gdybym tak okazała odrobinkę zmęczenia... A skąd, siłę wykazywałam konia.
Mieszkanie przy ulicy Dorotowskiej mój mąż otrzymał z radia po czterech ciężkich wspólnych naszych latach, tak ciężkich, że kiedyś, po którymś ataku furii, typowym dla mężczyzn z jego rodziny, skończyło się moją ucieczką z mieszkania mojej matki, gdzie wszyscy się na kupie gnieździliśmy. Przeżyliśmy na Dorotowskiej dwa lata, tam urodziłam Roberta. Wcześniej się z drugim dzieckiem nie dało, bo kiedy mieszkałam z matką, ona mi rodzić zabroniła, gdyż troszkę by się nas za dużo zrobiło w lokalu przy alei Niepodległości.
Później przydzielili nam Dolną. Lokal otrzymaliśmy wyłącznie wskutek kłótni między radiowym przewodniczącym organizacji partyjnej i szefem komisji mieszkaniowej. Aby sobie wzajemnie zrobić na złość, dali mu zapluskwiony nieziemsko lokal. Trzech dni potrzebowaliśmy, by za pomocą proszku DDT przydzielone nam pluskwy wykończyć. Spaliśmy przez te trzy dni bardzo dziwnie, on na klatce schodowej, ja — u mojej matki. Piękne sceny wyrabialiśmy, nie chcąc zdechnąć razem z tymi pluskwami... Tylko że jeszcze w ogóle nie kojarzyłam pluskiew z ustrojem. Wciąż byłam zdania,

iż chodzi o koszty przebudowy społecznej, a ona musi kosztować: elektryfikacja kraju, służba zdrowia dla wsi, oświata dla wszystkich. Rozumowałam tak: „Co się czepiać, musi być trudno! Myślenie zostawmy sobie na kiedy indziej, teraz trzeba działać". Wie pan, aż do rozwodu, kiedy się tak obecnie zastanawiam, nie rozważałam ogólnej sytuacji, choć mi się WŚCIEKLE nie podobała. Dopiero po rozwodzie i po przeżyciu nielichych turbulencji osobistych zaczęłam na serio — powolutku, powolutku, po troszeczku — dostrzegać całe to straszne gówno, obracające się wokół mnie. Wreszcie poooleciałooo. Jak już ruszyło, to szybko dosyć...

T.L.: W latach siedemdziesiątych, gdy związała się Pani najpierw z panem Wojtkiem, a potem z panem Markiem...

J.Ch.: Wojtek, mimo że prokurator, taki znów polityczny nie był. Od niego natomiast zdobyłam sporo wiedzy potrzebnej do pisania książek. Już tylko to, czego się z ust i papierów Wojtka dowiedziałam, wystarczyłoby, aby każdego wytrącić z samozadowolenia. Pamiętam, na przykład, zabójstwo Gerharda; nic z tego zresztą początkowo nie potrafiłam zrozumieć.

T.L.: Wyjaśnijmy. Jan Gerhard, znany pisarz związany z ustrojem powojennym, ale człowiek z francuskim szlifem, bo we Francji lata całe przebywał (walcząc między innymi podczas wojny w szeregach *Rèsistance*), więzień stalinowski, zawodowy oficer, dziennikarz, poseł na Sejm. Został zamordowany przez chłopaka swej córki 20 sierpnia 1971 roku. To było wówczas bardzo głośne wydarzenie, wiązane z tłem obyczajowym, homoseksualnym nawet. W stolicy aż huczało od plotek. Naczelny literacki plotkarz systemu, Roman Bratny, w jednej z powieści pod wyrazistym kamuflażem opisał tę sprawę, mocno przy tym spekulując.

J.Ch.: Kiedy się dowiedziałam, o co chodzi, zgłupiałam. Zaraz, chwileczkę. Zabił Gerharda narzeczony córki, nożem go dziabnął? Bzdura jakaś potworna, niemożliwe! Wszystko tam było jakieś takie... brudne!
No i coś mi zaczęło w moim głupim łbie świtać. Nie podobało mi się przecież już wcześniej, sukcesywnie zaś brzydzi-

ło coraz bardziej, a przy Marku zaczęłam dostrzegać okropne kretyństwo tego, w czym żyję. Cóż, wreszcie się połapałam, że chodzi o jedno potworne łgarstwo. ŁGARSTWO! Zatem działo się tak: najpierw pełna aprobata, potem wątpliwości, lekkie niezadowolenie, wreszcie — zaczęłam dostrzegać, co jest grane, myśleć troszeczkę. Oczywiście, to falowało, bez żadnej jednoznaczności, żadnego tak od razu! Kiedy w latach sześćdziesiątych przejeżdżaliśmy tranzytem przez Ruskich, w Zaleszczykach poczułam się jak przedwojenna ministrowa, uciekająca z kraju. Nawet mi się spodobało. Że jestem z Polski Ludowej. I że uciekam. Gdybym miała układać czasowo, to moje obrzydzenie do polskiej ówczesnej rzeczywistości ruszyło od mniej więcej siedemdziesiątego roku i toczyło się coraz szybciej.

T.L.: Dlaczego więc Pani nie dawała wyrazu swym uczuciom w książkach?

J.Ch.: Ja wyraz dawałam — ale ma pan rację, nie w książkach. Pyszczyłam w rozmowach z gachem! Do niego kłapałam mordą, nie ma co. Dostawałam, zdarzało się, szału absolutnego! ABSOLUTNEGO!
Tylko że od niego, dalej, w społeczeństwo, nic nigdy nie wychodziło.

T.L.: Wróćmy do zmian emocjonalnych, jakie w Pani się dokonywały.

J.Ch.: W 1957, kiedy Robert miał rok, ciotka Teresa wyjechała do męża, który wskutek wojny znalazł się poza krajem i trafił do Kanady. Później, kiedy wracała od czasu do czasu, oczywiście zajmowałam się nią. To się działo dużo później. Pewnego razu transportowałam z Markiem Teresę do Ciechocinka, bo chciała tam pobyć, fajnie. Wracaliśmy już tylko z nim, we dwójkę. I, od słowa do słowa, porządnie zaczęliśmy się kłócić o tak zwaną rzeczywistość. Okropnie się za kierownicą gorączkowałam, dając intensywnie wyraz swym poglądom oraz uczuciom. Wypowiadałam się oczywiście na temat otaczającego nas ustroju. To zaś całkiem odbierało świadomość, rzucając mi się na głowę. Aż wreszcie, mocno wymęczona, zapomniałam na śmierć z szalejącej we mnie politycznej furii, że ciotka emigrantka już odwieziona, a my wracamy do siebie. I że zbliża się z wolna Warszawa. Coś mi w krajobrazie jednak radykalnie nie pasowało. — *Jak to, skąd tu jakieś zabudowania. Przecież do Warszawy ciągle jeszcze kawałek, ale przedtem nie ma już żadnego miasta! Co nam tu za domy wyrastają przed nosem?!*

W rezultacie mojego ustrojowego zdenerwowania kompletnie straciłam orientację, gdzie ja właściwie jestem. Bo myśmy, nie wiadomo kiedy, nie wiadomo jak, już przelecieli całą prawie trasę i podjeżdżaliśmy nieoczekiwanie do własnego miasta. Z wściekłości ustrojowej straciłam poczucie czasu i przestrzeni. Zgubiła mi się Warszawa. Stąd przedmieścia, które się wyłaniały przed moimi zdziwionymi oczami i których nie poznawałam.

Polityka, wtedy akurat, denerwując mnie przesuwającymi się za oknami samochodu realiami, rzuciła mi się na geografię, co zresztą w Polsce, „mocarstwie obrotowym", jak pisał Słonimski, rzecz całkiem normalna. I całe niezadowolenie skrupiło się nagle na Marku. Bo my wielokrotnie zachowywaliśmy się na podobieństwo dziada i baby z bajeczki dla dzieci: on swoje, ja swoje.

Jemu nigdy nie udało się mnie przekonać. Co to, to nie.

Przykład z awanturą na temat — pozornie — Ciechocinka to tylko jeden drobny pryszcz, jeśli chodzi o moje emocje. Coraz bardziej się zacinałam, aż się wreszcie całkiem porządnie zorientowałam w orwellowskiej naturze systemu. Głupia, apolityczna dziewczynka, głupia, bardzo zajęta panienka, głupia, zapracowana, wiecznie niewyspana młoda mężatka, zmuszona z wysiłkiem zarabiać — ta kobieta wyrastała z wolna na taką mnie, jaką pan zna.

Aż się w końcu oczywistość na mnie rzetelnie rzuciła.

U mnie przebywa czternaście kotów. Nawet gdyby ich pan długo nie zauważał, jeśli na pana wszystkie polecą z pazurami, trudno będzie to zignorować, prawda? Zauważy je pan silnie. Mnie na tamte sprawy ciągle jeszcze cholera trzaska, bo to były przecież szalenie emocjonujące stany. Adrenalina się z nich lęgnie straszliwa.

T.L.: Weźmy pierwszy z brzegu przykład.

J.Ch.: Weźmy.
Zarabiać musiałam od lat pięćdziesiątych. Ale wreszcie przyszła taka chwila, że koniecznie trzeba było zdobyć ze względów zawodowych papiery oraz kwalifikacje głównego projektanta. On, ów główny projektant, odpowiadał za wszystko, od zamiatania podłogi do finansów, zresztą nie dysponując żadnymi na serio sankcjami wobec winnych zaniedbań, niedoróbek albo przestępstw. Zostawała tylko perswazja, to owszem. Mało jakby, nie?!
Jedną z moich „pogawędek", kiedy pełniłam funkcję głównego projektanta, odbytą z inżynierem-konstruktorem, który u nas w BLOK-u pracował na zlecenie, przyrównuję do sytuacji, jaka wydarzyła mi się ostatnio na plaży w Trouville. Uwaga, będzie wycieczka.
Tkwiłam otóż w dziwnym, wściekłym, męczącym hałasie. Już nawet upał tak nie doskwierał, jak ten hałas okropny. Przez cały dzień, bez przerw, darły mordy jakieś dzieci oraz mewy, rzęgot odbywał się przeraźliwy, nawet w kasynie, a musiałam w nim zazwyczaj przebywać, bo z racji usterek klimatyzatorów gdzie indziej te niezbędne mi urządzenia działały tylko we wzmiankowanym kasynie oraz w moim samochodzie. Następował wieczór, fajnie. Wracałam do siebie. Teraz jednak też hałas nie ustawał. Już było po północy, lecz jacyś ambitni ciągle walili jak wściekli pod moimi oknami, składając parasole i krzesełka. Noc w noc się starali uprzykrzyć gościom życie. Aż kiedyś posądziłam trzaskaczy, że mi dachówki zrywają, i wyszłam na hotelowy balkonik sprawdzać, kto wpada na tak głupie pomysły. Żeby wykonywać demontaż dachu nocą...?! Jakby wciąż było mało, temperamentni Francuzi często kłócili się przed wejściem do hotelu, czego starannie wysłuchiwałam. A o siódmej znów rano nadjeżdżał traktor, wyrównujący plażę. W sumie wziąwszy, istniałam w hałasie. Jednak pewnej zupełnie czarnej nocy, całkiem dodatkowo, usłyszałam za oknem... bębny murzyńskie. Psiakrew! Gdzie też się rozsiadły na plaży te s...ny z upodobaniem tłukące w tam-tamy?! Wezmę od dzie-

cka scyzoryk, poświęcę się, zejdę, porżnę im te bębny cholerne, aby nie mogli w nie tłuc. Z trudem tylko, czort bierz!,
wytrzymałam. Rano na plaży znowu: *bum bum, bum bum, bum
bum.* Nawet się ucieszyłam, bo zemsta bywa słodka. Niestety, to nie Murzyni tłukli w bębny. Otóż trzech całkiem
porządnie ucywilizowanych francuskich Arabów posiadało
nie żadne tam-tamy, tylko radio, doposażone w coś takiego,
co robi *bum bum, bum bum, bum bum.*

T.L.: Wzmacniacz może?

J.Ch.: Nie wiem, moja wnuczka wiedziała. Spytałam ją więc: — *Monika, jak im wody w to coś wlejemy, trafi szlag całe bumbające
ustrojstwo?* Monika przytaknęła: — *Tak jest!* Tylko że się
z miejsca zorientowałam, na czym polega problem: — *Ale
zaraz, brakuje nam foliowej torby.*

T.L.: Po co Paniom foliowa torba?

J.Ch.: Żeby się, przypadkiem, potknąć obok nich. Z tej torby by
się wylało, i już!
Cholera... — *A piasek?* — pytam. Ona młodsza, poza tym
zna się zawodowo na elektronice: — *Piasek też pomoże!* Niestety, ja akurat ani nie mam łyżki, ani przynajmniej łopatki,
choćby widelca. No, to jak sypnąć?! Zrezygnowana, powlok-
łam się do wody. Przechodziłam obok źródła hałasu, cała
wściekła, w towarzystwie tego ich *bum, bum, bum bum, bum
bum.*
Zatrzymałam się na bardzo krótko, może na jedną sekundę?,
popatrzyłam oczkami na aparat oraz na nich. Co miałam
w oczach, nie wiem, lecz przyciszyli radio w mgnieniu oka.
Zdechło po prostu, słychać go nie było wcale. Potem moja
wnuczka błagała: — *Babciu! Pokaż, j a k i m ty wzrokiem ich
obrzuciłaś, muszę to wiedzieć!!!* Ale już nie umiałam wykrzesać
tych iskier z oczu. Inne uczucia we mnie szalały.
Koniec wycieczki.
Będzie druga.
Tak samo było z tym konstruktorem, jaki pracował u mnie,
w BLOK-u. Prosiłam, powarkiwałam, znowu prosiłam,
groch o ścianę. Wreszcie coś we mnie wstąpiło. — *Jeżeli
jutro, o poranku, nie znajdzie się na moim biurku rzut fundamen-*

tów, ja nie napiszę donosu do dyrekcji, bo donosów nie trawię. Za to zrobię panu coś takiego, proszę pana, że własna matka z pewnością buźki nie rozpozna, bo OD PODRAPANIA PAŃSKIEJ MORDY ROZPOCZNĘ! Dalej nie wiem, w praniu zobaczę, co panu wykonam dalej. Zielonego nie mam pojęcia, jakie wariactwo buzowało w moim spojrzeniu, w każdym razie następnego dnia, o rzeczonym poranku, rzut fundamentów spoczywał, gdzie spoczywać od dawna powinien. Musiałam zaprezentować sobą bardzo silne emocje. Ogólnie rzecz wziąwszy, też wynikające z ustroju, bo w normalnej firmie normalnego państwa nikogo tak strofować nie trzeba. Obiboki wylatują tam z roboty — i tyle!

T.L.: Pani Joanno, dotknę teraz kwestii trudnej. Skoro Pani nie trawiła ustroju, to dlaczego skłonna jest Pani rozumieć stan wojenny?

J.Ch.: To nie do końca tak.

Ja po prostu obserwowałam coraz bardziej narastające patologie, z którymi wszyscy przestali sobie w 1981 roku kompletnie radzić. Życie zrobiło się cokolwiek uciążliwe. Kobiety, prowadzące jakiś tam dom, latające z wywieszonym ozorem po zakupy, wystające godzinami w kolejkach po cokolwiek, dźwigające ogromne siaty z równianej jakości produktami, te kobiety, którym brakowało nawet elementarnych artykułów higienicznych, a dzieciom nie miały co do pysków włożyć, one przeżywały gehennę.

Ja sama nawet się mniej niż inne baby uchetałam, bo kłopoty życia codziennego nie dotyczyły mnie już wtedy aż tak strasznie jak ich. Synowie odchowani, ja taka znów żerta nie jestem, o co chodzi?

W dodatku ludzie pluli już na wszystkich. I na rząd, i na Solidarność, i na wszystkich świętych.

Poza tym, kiedy wybuchł stan wojenny, stało się nagle całkiem jasne, że Warszawa zaprojektowana została na półtora miliona ludzi i przy takiej właśnie liczbie mieszkańców nagle staje się miastem nieuciążliwym. Oto w jednej chwili zniknęły blokady rond, na półkach pojawiło się coś więcej niż tylko ocet, coś tam więc dawało się nareszcie kupić, nawet

gdy to coś było jak zawsze typowo ustrojowe, to znaczy w parszywym gatunku i w żadnym wyborze. Znajdowało się w sklepach produkty już z mniejszym wystawaniem w uciążliwych wściekle kolejkach, które uprzednio były efektem codziennego najazdu na stolicę co najmniej półtora miliona przybyszów z województwa.
Uszczęśliwiło mnie również, ze względów całkiem prywatnych, wyłączenie telefonów, bo znakomicie oszczędzało czas.

T.L.: Ale przecież istniały tak zwane wyższe względy polityczne?

J.Ch.: Przyznaję, o polityce nie miałam nigdy i nadal nie mam zielonego pojęcia.
To tak jak tuż po wojnie z Planem Sześcioletnim. Kiedy zdawałam na studia w czarnym stalinizmie, nic na jego temat nie potrafiłam sklecić. Ja naprawdę się nie orientowałam, że coś takiego jak Plan Sześcioletni w ogóle istnieje! Identycznie działo się i potem. Gdzie ja znalazłabym czas na polityczne dyrdymały...! Stan wojenny spodobał mi się, podkreślę wyraźnie raz jeszcze, wyłącznie po wierzchu i tylko dlatego, że obserwowałam wreszcie puste miasto, wystarczające na potrzeby swoich mieszkańców.
Przedtem bowiem oglądałam wielce interesujące sceny. Na przykład w Supersamie, przy placu Unii Lubelskiej, dwie wsiowe baby stały w ogonku, zajmując sobie miejsce co pięć osób, i wykupywały mięso „rzucone" akurat na żer dla nieszczęsnych, sprowadzonych do roli wieprzy, ludzi. Te baby już nabyły około dwustu kilogramów, pilnowała ich mięsnej góry baba trzecia. One przyjechały, podkreślam, z prowincji. Gdzie powinny były hodować kury, wszelki w ogóle drób, świnie, bukaty. Od produkcji mięsnej jest wieś. Tymczasem wiejskie baby pazernie wyrywały mięso ludziom z Warszawy, którzy świnie mogliby trzymać co najwyżej w wannach. Niekoniecznie budziły takie zachowania mój entuzjazm.
Ale w sprawach publicznych wielokrotnie usiłowałam interweniować, oczywiście w sobie dostępny sposób. Czyli — pisałam. Artykuły, felietony, memoriały. I TYLKO NIKT MI TEGO NIE CHCIAŁ DRUKOWAĆ. Pyskowałam na prawo

i na lewo. Tyłem się do mnie obracali, jak jakiś ruski milicjant, co chapnął łapówkę.

T.L.: Hmm...

Dla wielu „zwierząt politycznych" mimo wszystko podejrzenie rodzi się okropne. 1956 rok i przełom antystalinowski? Zero reakcji w książkach. Rok 1968? Objawia się tylko kąśliwą refleksją nad statkiem z cwaniakami w kopenhaskim porcie. Stan wojenny? Chwali Pani. Przynajmniej po wierzchu. Przynależność organizacyjna? Joanna Chmielewska pozostała w ZLP, a nie przeniosła się do SPP, utworzonym w opozycji do „ZLePu" i wciąż w Związku Literatów Polskich jest, choć ten uchodził do niedawna za „reżimowy".

J.Ch.: W 1956 roku, kiedy mój mąż uparł się lecieć pod Politechnikę na wiec, żeby Gomułkę wznosić na tron, ja akurat byłam w przeddzień porodu. Stwierdziłam więc: — *Chwileczkę! Co dla ciebie ważniejsze? Czy jakiś taki Gomułka* (między nami mówiąc, nic mi jego nazwisko wtedy nie mówiło), *czy własna żona i dziecko? Gówno, żadnych wieców, wybij sobie z głowy. Pod Politechnikę nie pójdziesz!* Musiał jechać ze mną do domu. Myśli pan, że to przez jego pasję do polityki zaraz potem urodziłam drugiego syna? Rzeczywiście, świetny moment sobie wybrał na zajmowanie się i polityką, i Gomułką...

Wszystkiego o Gomułce dowiedziałam się znacznie później. Także i tego, że on po kretyńsku wierzył swej żonie, jakoby jej buty w domu towarowym kosztowały dwieście złotych. I tego, że nie wątpił, iż za takie pieniądze kupiła te buty w PDT, chociaż nabyła je oczywiście za tysiąc dwieście złotych w komisie.

Pracując w biurze projektów jako architekt, doskonale od dawna wiedziałam, że w Polsce obowiązuje norma mieszkaniowa 7 m^2 na człowieka. Przedtem w pracowni robiłam między innymi jakieś obory, zatem wiedziałam również, że na krowę przypada tylko o 1 m^2 mniej.

Lecz dopiero z czasem dowiedziałam się, bo z początku bladego pojęcia nie miałam, iż obowiązujący normatyw mieszkaniowy wykombinował sobie właśnie Gomułka.

Pytał pan o rok 1968. Dla mnie istotnie ważna data, ponieważ wtedy usiłowałam uchronić własne dziecko przed wyrzuceniem ze szkoły i utratą matury. Tym się zajmowałam. Przez całe trzy kolejne dni nie wypuściłam go z domu. Tylko samochód, do szkoły, po lekcjach zaraz z powrotem. Tłumaczyłam: — *Dziecko, w tym roku robisz maturę. Cokolwiek byś wyprawiał po ulicach, ojczyzny tym nie zbawisz, absolutnie! Zaszkodzisz natomiast potwornie sobie, rezultat zaś okaże się zerowy. Wobec tego przynajmniej nie pozwolę, żebyś ty sobie spieprzył życie.* Co prawda raz zgodziłam się, abyśmy podjechali w trakcie strajku studentów pod uniwersytet, na Krakowskie Przedmieście. Oczywiście z Wojtkiem, moim ówczesnym. Jerzy z Wojtkiem wyszli razem, ja zaś czekałam w samochodzie na zapalonym silniku. I dobrze, że na zapalonym, bo szła już chmura gazu, oni dwaj pryskali biegiem, wspólnie z całą gromadą studentów, uff, wskoczyli, do widzenia, zdążyliśmy odjechać... Udało mi się sprawić, że dzięki mojej stanowczości nie wyrzucili go z liceum i maturę zdał.

Doskonale przewidziałam, że jeszcze tym razem nic z buntu w skali ogólnej nie wyniknie. A działając zbyt pośpiesznie, życie łatwo sobie zmarnować. Zatem przez trzy dni nie wypuszczałam gówniarza z domu. Ze zbuntowanymi studentami sympatyzowałam, aczkolwiek tamte wydarzenia — powtórzę raz jeszcze — miały dla mnie taki sam walor, jak Powstanie Warszawskie. Szały, uniesienia patriotyczne, które tylko kolejny raz nam bokiem wyjdą.

T.L.: Wtedy trwał też zryw w Czechosłowacji.

J.Ch.: Akurat jechałam przez ten kraj, bo tak mi z marszruty wypadło. Ruskie już tam siedzieli, dodatkowo świetnie przecież wiedziałam, że i myśmy brali udział w nieszczęsnym najeździe. Hmmm... Odzywać się po polsku trochę głupio. Po francusku ewentualnie... Ale nie, okazało się, iż polski język Czesi jakoś znosili. Nawet rękawiczki, po jakie wpadłam do Pragi, kupiłam sobie bez problemów.

Ślady interwencji jednak były, świetnie widoczne choćby na drogach. Czesi zamalowywali informacje drogowe, zwłaszcza dotyczące odległości i dojazdów do większych miast, aby utrudnić najeźdźcom przemieszczanie się po kraju. Spotykał pan więc potwornie skomplikowane skrzyżowania, w dodatku równorzędne, bez tablic, a właściwie z tablicami, tyle że całkowicie zamazanymi. Owszem jakaś lokalna zupełnie trasa, jakieś połączenie Jičinek-Hradek miał kierowca na tablicach wskazane, lecz droga Praha-Brno już nie posiadała stosownych drogowych oznaczeń. Objechałam chyba pół Czechosłowacji, szukając właściwej trasy. Zresztą nic Czechom z tak bezsilnego komunikacyjnego protestu nie przychodziło, bo o potrzebną mi drogę bez trudu dopytałam się u ruskich żołnierzy, siedzących na poboczu w gaziku. Nawet mnie trochę popilotowali, abym już nie błądziła.

T.L.: Żydzi wyrzucani z Polski w 1968 roku? Mało ich pod Pani piórem.

J.Ch.: Od tego się zaczyna, że ja nigdy antysemitką nie byłam i ani mi do głowy przychodziło, że to w ogóle jest możliwe. Dla mnie antysemityzm to pojęcie oraz sprawy zamknięte przez wojnę, przebrzmiałe, dawno minione. Alicja, moja przyjaciółka, ma rację. Słowo „rasizm" powinno zniknąć z ludzkiego języka. Tak się złożyło, iż w 68 roku przebywałam akurat w Danii, gdzie z zaskoczeniem ujrzałam, że podobna kwestia istnieje. W dużym rozrzucie możliwych opinii.
Przyjechały do mnie dwie koleżanki. Jedna wypowiadała się na tematy żydowskie raczej powściągliwie, druga za to, cała kompletnie roztrzęsiona — przywiezioną z kraju wedlowską czekoladę postanowiła ofiarować pewnemu zaprzyjaźnionemu żydowskiemu dziecku, które wraz z rodzicami, ludźmi przyzwoitymi, z Polski wyrzucono. Pojechałyśmy we trzy wspólnie na skibet — jak duńska Polonia określała, ze źle spolszczonego angielska, statek (the ship) z uchodźcami, przycumowany w kopenhaskim porcie. Dlaczegóż by nie? Jedna z przyjezdnych dziewczyn oświadczyła, że na skibet nie wejdzie, bo ma zasady. Pojęcia nie miałam, o jakie jej zasady szło, ale mniejsza. Druga od razu poleciała do znajomego z Polski oraz jego dzieciaka z czekoladą.
Mnie same pojęcia „Żyd", „żydowskie dziecko" w odniesieniu do Polaków, wszystko jedno, o jakich korzeniach, wy-

dawały się absurdalne. Dlatego nie do końca wszystko okazywało się jasne. Musiałam sobie wydarzenia oraz ich sens
w głowie uporządkować.
Weszłam na skibet i ja. Nie żebym koniecznie pragnęła od
razu kogokolwiek pocieszać, ale siusiać mi się zachciało.
Potrzebowałam, krótko mówiąc, toalety. I od razu w recepcji ujrzałam czarującego chłopaka, zachwycającego Didier,
w którym zakochała się na śmierć i życie Małgosia. Dobrze
ją rozumiałam, sama bym się w jej wieku wdała w to męskie
bóstwo. Zrobiłam, po co weszłam, i czekałam na przyjaciółkę. Trochę trwało, nim się pokazała. Sina na twarzy, roztrzęsiona, z miejsca zażądała papierosa. Co się okazało?
Otóż ów biedny, nieszczęśliwy Żyd, tłumacz z profesji, zresztą fachowiec świetny, znający ładnych kilka języków,
w tym również skandynawskie, kiedy się u niego zjawiła,
siedział obłożony zwałami rozmaitych luksusowych produktów — tu serki, tu czekolada, tu nie wiadomo co jeszcze
— na pryszcz mu więc były jej wedlowskie wyroby? Wyznał
szczerze, iż przyjechał do Kopenhagi dopiero teraz, a przedtem trzy miesiące spędził w Mediolanie, gdzie... wypoczy-
wał. Nie, na razie jeszcze nie pracuje, albowiem opłaca mu
się odpocząć, skoro na łeb dają im po dwadzieścia cztery
korony duńskie dziennie.
Każdy, kto wówczas znał naszą rzeczywistość, od razu przyzna: warunki nieco odmienne od tych, jakie dotyczyły mojej
przyjaciółki w Polsce. Stąd jej rozdygotanie, gdy ujrzała piek-
ło, w jakim cierpiał. — *Całe życie uważałam go za przyzwoitego*
człowieka. Naprawdę, strasznie mi go było żal, płakałam nad jego
dziećmi oraz nad resztą rodziny. A teraz widzę coś, przy czym nie
umiem spokojnie rozumować, co w głowie mi się nie mieści. On,
wraz z rodziną, odpoczywa przez trzy miesiące w Mediolanie.
A mnie samej, pojedynczej zupełnie Polki, nie stać na odpoczynek
przez tydzień w Danii. Nic nie rozumiem? Biedny on? Czy biedna
ja?
To jeden aspekt. Lecz weźmy koleją sytuację.
Joanna Keller-Larsen, w moich książkach Anita, przyjmowa-
ła u siebie na przyjęciach absolutnie wszystkich. Jeśli zatem
akurat trwała emigracja żydowska, u Joanny zjawiało się,

naturalnym trybem rzeczy, mnóstwo Żydów. Rany boskie, dlaczego nie, mogą być sobie tymi Żydami, skoro chcą albo muszą, mnie wszystko jedno! Albo Arabami, Indianami, kim kto chce. Co mi do tego? I tak ich zresztą od siebie nie odróżniam. Otóż właśnie podczas jednego z tych zlotów u Joanny porządnie mnie rąbnęło. On blondyn. Szczery Polak. Chrześcijanin od pokoleń. Słowiańskie bydlę, takie bardziej w sobie, rzetelne co do gabarytów. Obok żona. Drobna, subtelna Żydówka, neurochirurg. On wyemigrował do Danii jako mąż swojej żony, która to żona natychmiast zresztą otrzymała posadę w kopenhaskim szpitalu, z bardzo dobrym uposażeniem pięć i pół tysiąca koron duńskich (ja wtedy miałam jako architekt ledwie cztery tysiące). Zdążyli już objechać spory kawałek Europy, on wypowiadał się na temat rozmaitych miejsc w sposób irytujący. — *Barcelona? Cóż to takiego ta Barcelona?! Grójec z arkadami, wielkie mi mecyje...! A moja praca? Nie, nie pracuję, nie będę się wdawał w jakąś tam pracę...* Ona, kobieta szlachetna, wykształcona, tylko przed nią klaskać i klękać, a on — wał skończony! Szczery Słowianin od pokoleń. No, strzeliłabym w mordę to kompromitujące bydlę...!

Zresztą najsympatyczniejszy człowiek, najinteligentniejszy ze wszystkich, jakich spotkałam w Danii, był pochodzenia żydowskiego. Przeuroczy, czarujący. Jakby mnie chciał, babę starszą od siebie, za mąż bym za niego chętnie wyszła. A czort z jego pochodzeniem, on po prostu spełniał, a nawet znacznie przekraczał, wszelkie kryteria, jakie trzeba stawiać przed ludźmi przyzwoitymi.

Czyli: różnie z naszymi Żydami bywało. Wtedy także dowiedziałam się o żydowskim pochodzeniu rozmaitych Polaków, cenionych przeze mnie w najwyższym stopniu. Ale co mnie obchodzi ich pochodzenie lub wyznanie? Jeśli przychodzę do lekarza, to on jednak nie kiwa się przed Pięcioksięgiem Mojżesza w jarmułce na łbie, tylko leczy pacjentkę. Ten, o którym teraz mówię, zaliczał się do najlepszych medyków, jakich w życiu moim spotkałam, zresztą od śmierci mnie uratował kiedyś, czyste złoto!

Podobnie moja przyjaciółka Ania. Gdy na dworcu spotkała wyjeżdżającego kumpla, osłupiała: — *TY jesteś Żydem?!!!* Kolega rozejrzał się, nachylił ku niej konspiracyjnie i szepnął: — *Wiesz, miałem w rodzinie takie nazwisko, że mi się udało...* Ileż to osób starało się o żydowskie papiery wyłącznie po to, aby dzięki nim wyjechać! Skoro inaczej się nie dawało... Wie pan, mnie smutno, że takie sztuki musieli nasi robić, aby się wyrwać z własnego kraju.

Jeśli zatem zajmujemy się emigracją Żydów w 1968 roku, pamiętajmy o całkiem skomplikowanych ludzkich losach, postawach, zachowaniach. Inaczej nic z tamtych czasów nie pojmiemy. I nie dorabiajmy komuś, jak mnie na przykład, opinii antysemitki na podstawie zdań albo epizodów, wyrwanych z kontekstu. Bo ja ludzi dzielę na dwie kategorie: przyzwoici lub nieprzyzwoici.

Dla siebie przyjmuję następującą dyrektywę. Wszystko mi jedno, jakie są twoje korzenie. Jeśli starasz się wypełniać obowiązki obywatelskie, obowiązki członka mojego społeczeństwa, to twoje pochodzenie jest mi najdoskonalej obojętne. Skoro ktoś decyduje się związać z jakimś krajem, niech się po prostu stara być dobrym jego obywatelem. Niech nie pieprzy głodnych kawałków, że w nowym miejscu mu się nie podoba. Jeśli nie chcesz, wracaj, skądś przybył. WON!

Tylko tyle. Aż tyle.

Jeśli więc Żydzi pragną być obywatelami Polski, ich dobre prawo. Niech wyznają jaką chcą religię, niech żywią dowolne sentymenty za krajem pochodzenia. Tylko niech wypełniają swe obywatelskie powinności. Jeśli nie, uprzejmie prosimy do wyjścia. To samo dotyczy każdego. Polaków za granicą również. Bo jeśli ktoś chce być Polakiem, niech przestrzega stosownych powinności. I odwrotnie, jeśli Polak usadawia się poza Polską, musi postępować identycznie.

T.L.: A poglądy co do rasy w ogóle?

J.Ch.: Już w latach osiemdziesiątych, gdy zaproszona zostałam na Kubę, gdzie zorganizowano spęd kryminalistów, to jest, chciałam powiedzieć, autorów książek kryminalnych, zorientowałam się, że niekiedy nawet koloru skóry nie rozróżniam. Kuba sprzyja brakowi rasizmu, oni mają tam przebogatą mieszankę ras, kultur, obyczajów. Sprawa pochodzenia kogokolwiek nie może więc istnieć. I nie istnieje. Bardzo smolistej karnacji mojej tłumaczki nie zauważałam po prostu. Tam mieszkają ludzie. LUDZIE. Jedni opaleni, drudzy czarni, trzeci piegowaci, niechby i zieloni na twarzach. Co za różnica?! Obrzydliwy, ohydny może być tak samo urodzony rdzenny warszawiak, jak Eskimos albo Paragwajczyk lub Chińczyk. Każdy z nich ma też prawo stać się arcydziełem ludzkości. Poza tym kolory zwykłam dostrzegać na kieckach, w przypadku ludzi interesuje mnie tylko, kim kto jest, a nie skąd jest oraz jakiej jest barwy.

Co prawda ostatnio przestałam żywić sympatię dla ras żółtych oraz skośnych. Z jednego wyłącznie powodu: oni tworzą tłum. I lubią, zdaje się, ten tłum. A ja tłumu nienawidzę. Poza jedynym niuansem, że jest ich chyba ciut za dużo, nie przeszkadzają mi zresztą także oni. Jakby w jakiejś mazowieckiej wsi na pukanie do bramy otworzył mi czarnoskóry wieśniak — też dziś raczej nie zwrócę uwagi.

T.L.: Pani Joanno, Polska po II wojnie światowej to kraj w zasadzie etnicznie jednorodny. Ale są i Niemcy, i Ukraińcy, i Rosjanie...

J.Ch.: Problem tych dwóch ostatnich nacji wynika z faktu, że ich reprezentanci objawiali się tu ostatnimi laty zbyt często w charakterze członków różnych grup przestępczych. Nie mam do nich pretensji narodowych, ale wyłącznie „fachowe". Ich zajęcia mianowicie niezbyt mi się podobają. Za ważne uznaję bowiem nie to, skąd przyjechali, lecz to, czym się zajmują. Poza tym niczego im nie zarzucam. Jak nie miałabym niczego do Bizantyjczyków albo Szkotów, ściągających do Polski, chyba że zaczęliby tutaj paskudzić.

T.L.: W 1970 roku nastąpiły wydarzenia, które przeorały nasz kraj. Gierek doszedł do władzy, nowa ekipa ze Śląska zaczęła wszystko zmieniać. Od obsady posad zresztą poczynając. To wówczas kursował dowcip, rodem z kabaretu „Pod Egidą", w formie dworcowej zapowiedzi przez mikrofon: „Uwaga!

Uwaga! Wjeżdża ekspres z Katowic. Proszę odsunąć się od posad!". Rzeczywiście, ekipa Gierka miała kompletnie inne priorytety niż ludzie Gomułki.

J.Ch.: Po pierwsze usłyszałam, że czeka nas technokratyzacja. Cóż strasznego w dbałości o wzrost poziomu technicznego, stłamszonego przez Ruskich, tonącego w zacofaniu kraju?! W innym miejscu tej rozmowy już to panu objaśniałam. A sam Gierek? Ten biedny robotnik z Belgii? Czy tak trudno pojąć, że jego olbrzymim marzeniem było choć raz w życiu zejść po schodach Pałacu Elizejskiego w charakterze najważniejszej postaci? Właśnie TO on chciał osiągnąć. Doskonale go rozumiem, niezależnie od faktu, iż ani myślę wdawać się w marzenia egzystencjalne Edwarda Gierka.

T.L.: Jak przyjęła Pani tak dla wszystkich znaczące wydarzenia grudnia 1970 roku? Bo wtedy Pani dzieci zostały już odchowane, chodziły zdecydowanie własnymi drogami, a Pani trochę się z najgorszego wyplątała. Oto więc intronizują wzmiankowanego Edwarda Gierka, namaszczają go na I sekretarza PZPR...

J.Ch.: ...przy całej awanturze z Gierkiem z początku w ogóle nie rozumiałam, o co chodzi. Wokoło gadali, że teraz zapanuje technokracja, więc uznałam, że stanie się bardzo dobrze. Skoro dotąd panował zwyczajny idiotyzm, to...
(*Pani Joanna zapala kolejnego papierosa. Ile ich w trakcie tej rozmowy wypaliła..?*)
Technokracja w końcu lepsza niż idiotyzm, prawda?! Mamy stawiać na technikę? Tyż piknie, skoro jesteśmy z techniką opóźnieni wobec Zachodu o Bóg wie ile dziesięcioleci. Wychodzimy z epoki kamienia łupanego? No więc walmy w tę technikę! A fakt, że Gierek wymyśli Hutę Katowice, że szynami przez nas produkowanymi zdołałby nie wiadomo po co czternaście razy opasać całą Ziemię dookoła i że całkiem się w innych celach ta jego stal nie nadawała — to mi do głowy nie przyszło...
No, dobrze, niech panu będzie, nie zorientowałam się od pierwszego kopa, że Gierek jest idiotą...

T.L.: Jednak dlaczego, obstając przy swoich poglądach, nie wzdragała się Pani, kiedy w 1976 roku Sejm PRL przyjmował konstytucję z wpisanym do środka Związkiem Radzieckim?

J.Ch.: Pan sobie ciągle żartuje. Cóż to za mecyje w porównaniu z latami pięćdziesiątymi?! Bo wtedy przecież, choć w domu moich rodziców leżały od zawsze portrety Piłsudskiego, słuchałam osobiście, z niedowierzaniem, jak sala podczas masówki skandowała jednym głosem: *Stalin! Stalin!* Znowu mi wielka różnica... Ponieważ za każdym z tych razów uznawałam, że dzieje się idiotyzm, przekraczający w przerażającym stopniu jakiekolwiek moje możliwości, to po co akurat ja będę się w to wdawała? I akurat, nie wiedzieć czemu, teraz?! Jeśli w obskurnej knajpie codziennie stado pijanych awanturników leje się strasznie po mordach, ja nie pójdę rzucać się na nich z nogą od krzesła, aby tylko wziąć udział... Już raczej wyjdę z tej knajpy.
Jeśli zdołam...

T.L.: Jak Pani przyjęła rok 1980, powstanie Solidarności, strajki, bunt przeciw systemowi komunizmu realnego?

J.Ch.: Podobnie jak wszyscy. Bo w gruncie rzeczy i ja uważałam, że należy coś zrobić, tylko nie sądziłam, że trzeba akurat samemu brać się za obalanie ustroju.
Z punktu widzenia własnej ludzkiej aktywności znacznie bardziej energicznie musiałam reagować w marcu 1968 podczas studenckich rozruchów. Solidaryzowałam się, owszem. Tyle że nie aż tak, by ryzykować własnego syna i jego całą przyszłość.
Mój młodszy syn, Robert, znów w 1981 był przewodniczącym koła Solidarności w warszawskim biurze projektów. I wykazał wtedy rzetelny rozum. Kiedy Solidarność zdelegalizowano, zebrał ludzi, powiedział: — *Słuchajcie, istnieją dwa wyjścia. Albo się podporządkujemy, albo ruszamy na ulicę.* Wtedy jeden facet spytał: — *Co pan osobiście nam radzi?* Robert na takie *dictum* stwierdził: — *Musimy wiedzieć, że jeśli wyjdziemy, nie wszyscy powrócą...* No, i się rozwiązali...
Wyjątkowo rozumnie dziecko zareagowało, sama byłam zdumiona! Dzięki jego postawie nie wylali z roboty nikogo,

nikomu nic złego nie zrobili. Powściągliwość niekiedy okazuje się cnotą, choć wszyscy już wtedy wiedzieliśmy znakomicie, co o tym całym radzieckim gównie myśleć. I że mo-
loch się niedługo rozleci, dając nam szansę.

T.L.: Nie wszyscy tak uważali.

J.Ch.: Ja dobrze wiedziałam, co się wydarzy, że Sowiety rozwalą
się bez mojej mikroskopijnej pomocy — też. Jeszcze
w 1978 roku przepowiedziałam całkowity upadek „naszego" ustroju oraz Związku Radzieckiego. Wszyscy mnie
uważali za głupią, mówili: — *Wariatka, apolityczna idiotka,
niepoprawna optymistka.* Ja jednak swoje: — *Zobaczycie!* Zrobiło mi się tak po odwiedzeniu w tymże roku Kraju Rad
i obejrzeniu własnymi oczkami ogromu morza nienawiści
gruzińsko-rosyjskiej. Kłóciłam się o to już przedtem, choć
naprawdę jestem apolityczna i w te wszystkie polityczne
historie się nie wdawałam. Jeśli nawet bowiem zbiorowym
głosem powtarzano mi: — *Głupia! Wariatka! Nienormalna!*,
odpowiadałam stanowczo: — *To sami zobaczycie!* I co? Na
moje wyszło, prawda?!

T.L.: Ale Komitet Obrony Robotników, Ruch Obrony Praw Człowieka i Obywatela, kilka pomniejszych środowisk opozycyjnych jednak organizowało społeczny opór. To przecież miało
swoje znaczenie...

J.Ch.: Proszę pana, nie opór społeczny tej albo owej mniejszości
politycznej był w gruncie rzeczy ważny. Liczyła się świadomość ludzi, chęć do sprzeciwu, jaka może ulęgnąć się tylko
w środku pojedynczego człowieka, razy miliony obywateli.
Nie da się efektywnie organizować oporu wśród ludzi, z których jeszcze dziś niejeden krzyczy: — *Komuno, WRÓĆ!*
Wśród ludzi, dla których zarządzenia, nakazy i tym podobne
opresje stanowią naturalny sposób życia, a normatyw mieszkaniowy, o którym już sobie pogawędziliśmy, ustalony na
7 m², okazywał się właściwą i wystarczającą przestrzenią
życiową... Co się da z takimi osobnikami wspólnie zrobić?
Nic się nie da zrobić, dopóki nie poczują własnego, niepod-
ważalnego, rzetelnego absolutnie c z ł o w i e c z e ń s t w a.
Zbydlęcona masa, biegnąca na wezwanie w tę albo i w tamtą

stronę, zdolna jest wykonać najwyżej taką samą rewolucję,
jak w 1917 roku u Ruskich. Serdecznie dziękuję, beze mnie.
Uważam, że nim się zabierzemy za rewolucję, trzeba zmienić środek jednostki ludzkiej, zrozumienie siebie samego.
Pchałam się więc uparcie — we wszystkim cokolwiek pisałam, a także mówiłam — w to, a nie w politykę. Wie pan,
ja rzadko stawałam w kolejce, ale jeśli już, nie istniała taka,
w której bym nie zrobiła swojej własnej, na moją skalę skro-
jonej, rewolucji. Nawet kiedy wszyscy kolejkowicze byli zdania, że stoi im się wespół-wzespół nadzwyczaj rozrywkowo.
I właśnie dlatego nigdy nie podpisałam żadnej petycji, rezolucji, protestu. Bo nie miałam pewności, czy w tym podpisie
tkwi jakiś sens. Petycjami możemy sobie na ogół tyłek pode-
trzeć, jakby ktoś chciał. Moje prywatne petycje — to awantury o siebie samą. Czasami opinia, wyrażona na przykład
w liście do ministra spraw wewnętrznych, o czym już pana
kiedyś informowałam. Mało, gdziekolwiek poszłam, robiłam
straszliwe numery. I tylko nie umiem powiedzieć, dlaczego
okazywałam się w moich awanturach do tego stopnia od-
osobniona...

Wiadomo, jak w PRL działały urzędy, prawda? Z łaski
w ogóle dopuszczano jednostkę ludzką przed surowe oblicze
władzy. Ja wchodziłam, podkreślając z naciskiem: — *Przepraszam bardzo, Państwo tu pracujecie za moje pieniądze i jesteście
Państwo zobowiązani załatwić moją sprawę.* Zazwyczaj spostrzegałam, że po moich słowach wokół siedziały przeważnie osoby z oczkami wielkości talerzyków mniej więcej.
Wtedy im tłumaczyłam: — *Proszę Szanownych Państwa, cała
administracja pracuje za pieniądze pracowników produkcyjnych.
Otóż przez okres zawodowej aktywności ja zaliczam się do pracowników produkcyjnych* [co zresztą było świętą prawdą — p. J. Ch.].
*Zatem wy pracujecie za pieniądze, jakie ja wypracuję. Czyli Państwa
obowiązkiem jest mi moją sprawę załatwić NATYCHMIAST!*
I JA TO MIAŁAM NATYCHMIAST ZAŁATWIONE!!! Przecież zawsze twierdziłam — cholera! — że gdyby choć pięć
tysięcy osób w tym kraju zachowywało się tak jak ja, może
by się coś jednak zmieniło... Tylko że wszyscy się bali, bali,
bali!

Na litość boską, w takim parszywym Polserwisie petenci siedzieli pokornie na korytarzu. I NIC! Ja miałam tylko jedną durną pieczątkę do przywalenia, jakaś baba miała mi to zrobić. Pytam więc grzecznie: — *Przepraszam bardzo, na co Państwo czekają? Czyżby przerwa?* Ależ skąd, żadnej przerwy, a w środku, przy mordzie baby, nikogo! No, to wchodzę. A z Markiem byłam, można powiedzieć, że on czasami współdziałał ze mną w tym akurat miejscu. Siedzi taka gruba, herbatkę posiada, na papierze ma rozłożoną elegancko kanapeczkę z kiszką pasztetową i z ogórkiem. Marek, wszedłszy, spytał grzecznie: — *Przepraszam bardzo, czy to jest urząd, czy restauracja?! Bo o ile Pani na moje pytanie nie potrafi odpowiedzieć, chętnie spytamy dyrektora...* Gruba zareagowała jakoś tak dziwnie. Kiedy wyjaśniłam, że chodzi mi tylko o przystawienie jednej pieczątki w jednym konkretnym miejscu, w ciągu trzydziestu sekund wyszliśmy z pieczątką. A wszyscy, którzy tam siedzieli w korytarzu, jak posłuszne bydło, wyrapili na mnie oczy: — *I co, i co?!* ZAŁATWIŁA?!!! Pomyślałam: „Jeśli nie potraficie zażądać od tej pani, aby spełniła swój obowiązek, siedźcie sobie dalej jak chore krowy!!!". Innym znów razem udałam się do ADM-u po jakieś gówno zupełne. Zamknięte. Ale z jakiej racji zamknięte?! W godzinach przyjęć interesantów?! Oprócz mnie jeszcze drugi gość stoi pode drzwiami. Pytam:
— *Gdzie ta facetka? Dlaczego zamknięte?!*
— *A, bo ona ma szkolenie w innym pokoju.*
— *O, żesz ty, kurza morda...!*
Poleciałam, grzecznie zapukałam, spytałam nadzwyczaj wykwintnie:
— *Najmocniej Państwa przepraszam, podobno u Państwa znajduje się pani z pokoju numer 11?*
Pyskują:
— *A co? Tu zebranie, tu szkolenie jest!!!*
Na to ja:
— *Chwileczkę. Obowiązują przecież godziny przyjęcia interesantów?!*
— *Proszę pani, to za dziesięć minut.*
— *Szkolenie możecie sobie organizować do woli w siedzibie organu nadrzędnego. Lecz w tej chwili, skoro mamy obowiązujące godziny*

przyjęć interesantów, jeśli JA przyjdę choćby o minutę przed upły-
wem terminu wyznaczonego, zostanę przyjęta. Natomiast zrozu-
miem, jeśli przyszedłszy minutę po wyznaczonym terminie, przyjęta
nie zostanę. Ale teraz, w związku z wywieszonym grafikiem przy-
jęć, proszę NATYCHMIAST załatwić moją sprawę!
Wtedy stał się cud. Osoba, która powinna, dźwignęła z krzesła swój dostojny tyłek i potruchtała załatwić, co należało.
Facet, cierpliwie przestępujący pod drzwiami z nogi na nogę,
zaprotestował, że stał pierwszy. — *No, to trzeba było iść tam*
po nią! — wydarłam się na pokorne cielę.
Panie Tadeuszu, pan mnie atakuje, że za mało robiłam. Ale
co pan by zrobił ze społeczeństwem, które wystaje w poko-
rze w kolejkach jak krowy albo inne bydło? CO ZROBIĆ ZE
SPOŁECZEŃSTWEM, KTÓRE ZESZŁO NA ZBYDLĘCO-
NY POZIOM!!! Otóż najpierw trzeba owo „społeczeństwo"
nauczyć człowieczeństwa! I poczucia własnej godności.

T.L.: Ale przecież ludzie, którzy zajmowali się działalnością polityczną, jednak starali się...

J.Ch.: Nieprawda! Nie starali się!!! Ludzie, którzy zajmowali się
działalnością polityczną, starali się z przyjemnością utrzymać społeczeństwo na poziomie bydła właśnie! Bo łatwiej
jest rządzić bydłem niż ludźmi!!!

T.L.: A opozycja?

J.Ch.: Opozycja? Ona działała ze swojego własnego punktu widzenia, a i też nie zawsze bezinteresownie... W dodatku wielokrotnie nie brano pod uwagę poglądów oraz potrzeb innych
ludzi. Nie przychodziło opozycji do głowy, że warto mieć do
czynienia ze zbiorem p o s z c z e g ó l n y c h jednostek, nie
zaś z bezosobową masą. Może zresztą uznawali indywidualiza-
cję społeczeństwa za marzenie nieosiągalne...? Bo, w istocie
— czy mieli chodzić od jednej wiejskiej chałupy do drugiej, by
tłumaczyć rolnikom: — *Panie, pan jest przecież człowiek!!!* Mimo
że ja sama znam takich chłopów, którzy się słusznie uważali za
ludzi. Oni umieli w rozmowie ze mną zaznaczyć: — *Proszę pani,*
my się nie wtrącamy, my robimy swoje. Ale przecież krowa co innego,
ja — co innego! Tylko że tak wielu chłopów znakomicie czuło
się, kiedy ich komuniści umieścili na poziomie bydlęcia...

Nastąpiło więc zbydlęcenie społeczeństwa. Nie, nie pan osobiście je zbydlęcał, jak sądzę. I nie ja, ja, ile mogłam, to na
miarę sił oraz możliwości przeciwdziałałam. Lecz z pewnością przyłożyła się do zbrodni cała sfera polityczna. Nawet
nie obwiniam zanadto inteligencji, bo specjalnie nie starała
się zbydlęcić społeczeństwa, raczej traktowała je *à la mode*
Maria Konopnicka. Natomiast partyjni, czyli karierowicze
i głupcy, oni są absolutnie winni!

T.L.: Przecież w PZPR znaleźli się też entuzjaści, którzy za swój
entuzjazm zapłacili.

J.Ch.: Wuj mojej matki był komunistą, przedwojennym. Jeszcze
podczas okupacji, zakamieniały, zapamiętały, obiecywał
nam, że niech no tylko tu przyjdą komuniści, wtedy on nas
własną ręką na latarni powywiesza. Już to opowiadałam.
Kiedy po wojnie ustrój się powoli ustabilizował, kiedy zaczęły wychodzić na jaw rozmaite obrzydlistwa, moja matka
zwróciła się do niego z milutkim pytankiem: — *No, jak to
będzie z tym wieszaniem?* Usłyszała w odpowiedzi, żeby sobie
poszła do cholery.

T.L.: Do partii należała również Pani ciotka, Lucyna. Czy z głupoty? Czy raczej z karierowiczostwa?

J.Ch.: To drugie. Tylko że jej nie szło o własną karierę...
Sama pytałam Lucynę, jak ona z tą partią... Przecież zdawałam sobie sprawę z jej poglądów. No, i miała podobne do
moich reakcje. Niezbyt, powiedzmy, ortodoksyjne. W trakcie jakiejś akademii ku czci — kiedy elita zasiadała na est-
radzie — ona, siedząc w prezydium, obok ruskiego generała,
potrafiła solidnie chlapnąć. Ów generał spytał moją ciotkę:
— *Nu, kak Wam nrawitsia?* W odpowiedzi usłyszał po polsku:
— *Wie pan, to nie są występy. To występki...* Na to on: — *Och,
kak priekrasno...!* Ale na tym ich rozmowa się urwała, gdyż
kiedy ciotka usłyszała generalski komentarz, wybiegła z sali
cała zasmarkana, krztusząc się ze śmiechu.
Lucyna wyjaśniła mi swoje motywacje. Ciotce zależało na
tym, aby ukulturalnić, podciągnąć trochę młodzież śląską. Ze
swoim ówczesnym partnerem, używanym do wszystkich kul-
turalnych przedsięwzięć, zrobili na Śląsku olbrzymią robotę.

Dla Lucyny jako alibi wystarczyłby choćby tylko jeden chłopiec, Franek, który najpierw grywał nad morzem na akordeonie, później zajął krzesło w Wielkiej Orkiestrze Polskiego Radia i Telewizji w Katowicach, by ostatecznie wylądować w orkiestronie nowojorskiej Metropolitan Opera. Ileż oni wspólnie, we dwójkę, z jej chłopem, na tym Śląsku talentów nawyciągali! Lucyna zdawała sobie sprawę, że bez partyjności nie pozwoliliby jej w kulturze tak pracować. W Warszawie zaś trafiła do upolitycznionego — bez żadnego przeproś! — dziennikarstwa, biorąc etat w *Kulturze i Życiu*. Owszem, redakcja podpadała nie pod centralę partyjną, lecz pod Centralną Radę Związków Zawodowych. Ale w gruncie rzeczy — cóż to za różnica? Zabawna jedna historia się z tą Lucyny pracą wiąże. Sześcioletni Robert bywał wtedy czasami w pracy u mojej ciotki. Kiedyś wpadł na osobistego kierowcę wielkiego dygnitarza, członka najwyższych władz, Ignacego Logi-Sowińskiego. Dowiedziawszy się, że Bardzo Ważny Szofer, z Bardzo Ważnym Automobilem znajduje się tuż obok, moje młodsze dziecko poczęło się z przejęciem dopytywać: — *Czy pan jeździ śmieciarskim samochodem...?!* Cały CRZZ gremialnie wpadł w radosny szał... Pokochali Roberta.

T.L.: Czy ciotki Pani po epizodzie z generałem nie spotkały konsekwencje? Wtedy, we wczesnych latach 50., można było trafić za takie coś do pudła.

J.Ch.: Och, istniały metody neutralizowania afer. Gdyby nawet pojawił się w okolicy nadgorliwy donosiciel, należało wyprzedzić jego reakcję. Na przykład pytaniem: — *Czyżby panu się nasz ustrój nie podobał?! Ustrój sprawiedliwości społecznej?!! Ustrój równości?!!!* Przy ćwokach partyjnych wystarczało. A już mówiłam, że na górze PZPR siedziały przeważnie ćwoki. Partyjna, przedwojennego jeszcze chowu, inteligencja skończyła się na Cyrankiewiczu. Owszem, rozmaici kombinatorzy umieli sobie zakładać konta w Szwajcarii, a i to tylko ci najmniej nieinteligentni, reszta buców nawet tego nie umiała. Liczyli, że na zawsze pozostaną u żłobu. Przeliczyli się, na całe szczęście.

Tylko że wciąż pokutuje tamta partyjna mentalność. Ciągle we władzach mamy łobuzów bez krzty honoru. Kiedy na cywilizowanym Zachodzie wyłazi na światło dzienne jakakolwiek afera, politycy uwikłani w machlojki podają się z miejsca do dymisji. A u nas, co? Wciąż widzi się na świeczniku 50-60% osobników skompromitowanych bezdennie, z mordami zamiast twarzy, bez fragmencika chociażby honoru wpiętego w zaplute biografie. Oni ani myślą rezygnować z powodu takiego głupstwa jak kompromitacja. O nie, nie zrezygnują! Dalej będą trzymali ryj w korycie... I przednie racice również! Kiedy się ich kopie w tyłek, zakwiczą, ale ryja nie wyjmą. Każdy pies jest od nich szlachetniejszy, bo kopany w tyłek wyjmie z miski pysk, ugryzie. Ale wieprz? Wieprz, nie! Wieprz, nie przestając kwiczeć ze strachu, ryjem będzie ciągle w korycie gmerał.
I oto obraz naszej „klasy politycznej"!
W tej sytuacji omijam z daleka sprawy polityczne, bo złoszczą mnie cholernie. Nic na łobuzów nie poradzę, nic uczynić nie mogę, a zamierzam jednak żyć w swoim kraju, choćby on ciągle jeszcze był taki jakby nieco oparszały. Staram się tylko, powodowana instynktem samozachowawczym, aby mnie szlag jasny na miejscu nie trafił.

T.L.: Zalicza się Pani do grona zwolenników kary śmierci...

J.Ch.: Absolutnie tak!!! I już wyjaśniam, dlaczego. Ale najpierw ważne zastrzeżenie.
Kara śmierci powinna być stosowana tylko wtedy, kiedy dalsze życie przestępcy zagraża życiu niewinnych ludzi. Wyjątkowo. Kiedy nie ma najmniejszych wątpliwości co do winy. Nigdy ze względów politycznych ani w procesach poszlakowych.
Otóż, uwalniając od śmierci rozmaitych zwyrodnialców, być może skazujemy na śmierć z ich rąk wielu niewinnych ludzi, których — potraktowany z nadmiarem humanitaryzmu — taki bydlak zabije. Z jakiej racji oraz jakim prawem decydujemy się ryzykować?!
Zwłaszcza że ciągle jeszcze żyjemy w kraju bezprawia. Tutaj wciąż panicznie lękają się przyzwoici obywatele, przestępcy

zaś kompletnie pozbawieni są lęku. Aktualnie obowiązujące polskie prawo wywołuje takie właśnie skutki. Skoro wiadomo powszechnie, że komisje sejmowe opłacane były po wielekroć, by dostosowywać normy legislacyjne do życzeń mafiosów...? Przestępcy mogą wyrabiać, co się im żywnie spodoba, skrzywdzony zaś przez nich człowiek — mordowany, okradany, oszukany, pozbawiony własności — pójdzie siedzieć, jeśli wystąpi przeciw przestępcy. Mnie na łonie wypłakiwali się niejeden raz policjanci, że doskonale znani im bandyci, łapani, następnie doprowadzani przed oblicze prokuratora, zwalniani są po kwadransie, wobec zaś gliniarzy, nierzadko oficerów, zgłasza się na boku pretensje, iż powinni odpuścić, bo swą aktywnością niepotrzebnie tylko przysparzają prokuratorom roboty. Prokuratorów zastraszają mafie. Zjawia się u jednego lub drugiego nieoficjalnie wysłannik mafii, serwując taki na przykład tekst: — *Pan posiada dom, żonę, dzieci oraz samochód, prawda? Czy woli więc pan najpierw stracić dom, mieć zgwałconą żonę lub córkę, czy może stracić zdrowie? Proszę wybierać. Lub może proszę dać nam spokój. A my pana wynagrodzimy...* W latach sześćdziesiątych prokuratorzy posiadali pozwolenie na broń i nosili tę broń. Obecnie zrobiło się gorzej... A przepisy prawa leżą odłogiem.

W rezultacie poczucie społecznego bezpieczeństwa legło w gruzach.

Moim zdaniem, przestępcy winni wiedzieć, iż, wdarłszy się do domu jakiegoś obywatela, narażają się na śmierć, ofierze zaś przemocy nic się z tego tytułu nie stanie. Wiele osób potrafiłoby rąbnąć przestępcę z broni myśliwskiej, za pomocą siekiery albo dzięki opanowaniu sztuk walki. Nawet pierwsza lepsza baba narzędziem kuchennym zdoła zabić faceta. Niechby łobuzy wiedziały, że jeśli zaatakują, narażają się oni, nie przez nich zaatakowani! Bandyci w Polsce muszą zacząć się bać.

Dlatego, między innymi, powtarzam, że na co dzień polityką się nie interesuję.

T.L.: Może więc...

J.Ch.: ...niech pan teraz nie przerywa!

Polityką się nie interesuję, wiele postaw moich szanownych rodaków, zwłaszcza tych ze świecznika, budzi moje nieukontentowanie. Fakt. Tylko że są przecież, do licha!, powody, że dlaczegoś tam mieszkam jednak ciągle tutaj właśnie, w Polsce.

T.L.: Dlaczego zatem?

J.Ch.: Bo ja stąd....
Bo ja naprawdę jestem stąd.... Nie lubię patosu, ale wreszcie raz powiem. To jest mój kraj, to jest moje miejsce. Tu się mimo wszystko dobrze czuję.
Informuję pana o sprawach bardzo osobistych i tylko moich. Mnie nie przeszkadza nawet fakt, że młodszy syn, Robert, mieszka z rodziną w Kanadzie, a jego córka, Monika, właściwie stała się już chyba Kanadyjką. Mam w sobie ogromną tolerancję na ludzką odmienność, nawet gdy dotyczy moich dzieci. Może tylko, egoistycznie, wolałabym, aby znajdowali się bliżej mnie, gdzieś w Europie, bo tak łatwiej się odwiedzać. Nie chcę Atlantyku, dla mnie on jest niesympatyczny o tyle, że samochodem go nie przejadę.
Ale ja sama, osobiście, powtórzę, jestem stąd. I dlatego właśnie tutaj wybudowałam na stare lata mój własny dom. Przecież mogłabym poświęcić wszystkie siły, aby postawić albo kupić posiadłość na Lazurowym Wybrzeżu, w Normandii, Bretanii czy gdzie pan jeszcze chce.

T.L.: Skoro dotknęliśmy sprawy Pani „kanadyjskich" dzieci... Jak Pani zniosła, że Robert, jak to się kiedyś mówiło, wybrał wolność, porzucając kraj? A także czy nie uwiera Pani kanadyjska tożsamość Moniki?

J.Ch.: W sprawie emigracji Roberta nie miałam nic do gadania, zniknął gwałtownie, w jednej chwili oraz doszczętnie. Długo wstrząsało mną pytanie: — *Czy oni w ogóle jeszcze żyją?!* Kiedy więc dowiedziałam się, że żyją, że są w Kanadzie, doznałam nie niczego innego, tylko kolosalnej ulgi. Niechby sobie był, gdzie tylko chce... Byleby był... Istotnie, załatwił wszystko ładnie, pewnie dlatego, aby zwariowanej matce zaoszczędzić konfliktów patriotycznych.
Moja zaś wnuczka? Monika praktycznie całe życie spędziła w Kanadzie, więc trudno, aby nie czuła się Kanadyjką. Poza

tym istnieje wprost monstrualna różnica między Moniką w wieku lat ośmiu i Moniką dzisiejszą. Moja wnuczka przez wiele lat broniła się przed Polską. Teraz czasami chciałaby znajdować się tutaj, w Polsce właśnie. Jakoś w końcu między sobą udało się nam to załatwić. I niech już tak zostanie.

ROZDZIAŁ V

Sztuki
^zliteraturą

DEBIUT I JEGO OKOLICE

T.L.: Odniosła Pani ogromny, niekłamany sukces artystyczny. Czytelnicy w kraju i poza krajem Joannę Chmielewską kochają. Krytyka nie czepia się zanadto. Na dodatek, w ostatniej dekadzie, po założeniu własnego wydawnictwa, obcy edytorzy przestali Panią łupić ze skóry (a przecież sam na własne uszy słyszałem, że dzięki książkom Chmielewskiej w początkach lat dziewięćdziesiątych nie zbankrutowały dwie drukarnie i duża oficyna wydawnicza). Czyli sukces na wszystkich twórczych polach. Skoro nawet z pisaniem, dziedziną twórczości niezbyt na ogół dochodową, świetnie się Pani udało...

J.Ch.: Teraz można już tak mówić. Lecz w latach sześćdziesiątych wymyśliłam, że jeśli nie dam rady nic większego napisać, będę kleciła teksty piosenek. Bowiem, wnioskując ze znanych mi utworów, potrafiłabym stworzyć coś równie banalnego. Oto typowy przykład: „Chcę być z tobą jeszcze, chcę być z tobą jeszcze, chcę być z tobą jeszcze, chcę być z tobą jeszcze, chcę być z tobą jeszcze...". Duża rzecz!

T.L.: Nie zgadzam się, aby piosenka zawsze musiała nieść ze sobą nazbyt wyrafinowane treści. Zwłaszcza przebój w rodzaju „Chcemy być sobą", którego refren w stanie wojennym przerabiano na „Chciałbym bić ZOMO, chciałbym bić ZOMO jeszcze, chciałbym bić ZOMO, chciałbym bić ZOMO wreszcie". Trudne treści doskonale obsługuje filozofia, w ostateczności literatura, nie estrada czy film. W przypadku sztuk estradowych oraz wszelkich zjawisk wizualnych chodzi, moim zdaniem, o coś zupełnie innego niż głębia przekazu. Rzecz zasadza się mianowicie przede wszystkim na wspólnocie emocji, na zespołowych nastrojach, na klimatach porozumienia między sceną i widownią. Teksty zespołu PERFECT — a jeden z nich, mocno zmieniwszy go, Pani przywołała — zaspokajają potrzebę przeżywania takich właśnie emocji. Miał rację Kazimierz Rudzki, słynny ongiś aktor, znany między innymi z niezwykle złośliwego poczucia humoru, który twierdził, że intelektualny poziom piosenki nie powinien wykraczać poza refleksję na poziomie „A mnie jest szkoda lata". Zawsze chce mi się śmiać, kiedy słucham „filozofujących" piosenkarzy. Jeszcze zaś głośniej chichoczę, kiedy piosenkarzom dorabiają gębę głębi ich usłużni recenzenci.

J.Ch.: Czego by pan nie mówił, tego rodzaju utworów mogłabym tworzyć ze sześć dziennie, jeśli sobie ktoś życzy. Pochlebiam sobie nawet, że umiałabym inteligentniej...

T.L.: Poproszę więc o próbkę.

J.Ch.: Dobrze, ale sam pan będzie sobie winien. Proszę posłuchać „Matrymonialnego tanga". Ten tekst otrzymał kiedyś wyróżnienie w konkursie i podobno ktoś skomponował muzykę, ktoś go nawet śpiewał, choć kto oraz gdzie, zupełnie nie wiem.

MATRYMONIALNE TANGO

W moim domu chyba zbrodnię popełniono
W moim domu dziś nastąpił chyba zgon
Wchodzę w próg i straszny lęk mi ściska łono
W martwej ciszy i w bezruchu siedzi on

Ta zimna dłoń i twarz śmiertelnie blada
Ja mówię doń, a on nie odpowiada

Ja ronię łzy, o jedno słowo błagam
On na to nic, on na to ani drgnie!

Ten straszny bezwład, ta głuchota, to milczenie...
Z rąk mi wypada zakupiony w Samie drób
Tak milczą groby, stare studnie i kamienie
Tak milczy jeszcze oprócz tego tylko trup!

Ten tępy wzrok, utkwiony w polskiej prasie
Ten bezwład rąk, nieuleczalny zda się
W mej piersi okrzyk, ze szlochem szarpię włosy
On na to nic, on na to ani drgnie...

Od lat co wieczór tak ożywić się go staram
I wchodząc w domu próg, powtarzam sobie wciąż
To nie są zwłoki, nie kadawer, nie ofiara
To jest normalny, najzwyklejszy w świecie mąż!...

Ta zimna dłoń i twarz śmiertelnie blada
Ja mówię doń, a on nie odpowiada
Ja ronię łzy, o jedno słowo błagam
On na to nic, on na to ani drgnie...

T.L.: „Kadawer" to oczywiście z francuskiego: *un cadavre*, czyli po naszemu „trup".

J.Ch.: Chce pan więcej przykładów mojej twórczości poetyckiej?

T.L.: Wcale interesująca propozycja. Rudzki miał rację. Chętnie posłucham.

J.Ch.: Naprawdę gotów pan dalej ryzykować? Odważny pan jest. Proszę bardzo. Zacytuję najpiękniejszy poemat, jaki kiedykolwiek stworzyłam. Powstał lata temu, w Kopenhadze.

Włos nam na głowie dęba stojał,
I każden z nas się strasznie bojał.
Zęby szczękali, nogi drżeli,
I tak się wszyscy wraz bojeli.

Panie Tadeuszu, jakie to piękne...! Dochodzę do wniosku, że w życiu nie zostałam doceniona. Pisywałam przecież wiele, w tym poematy heksametrem, rzetelnym, nieskalanym. Nawet treść odpowiednią posiadały. Problem tylko w tym może, że ja kompletnie nie mam słuchu. Za to dysponuję poczuciem rytmu. Gdybym zaśpiewała, drżyjcie wszyscy anieli, ale pisać wiersze? Proszę bardzo! Nawet je zapamiętam, napisawszy, bo zwykłą pamięcią dysponuję, tylko nie muzyczną.

Zwykła pamięć oraz zamiłowanie do bębnienia w maszynę do pisania plus poczucie rytmu przydawały mi się już w szkole, kiedy musiałam przepisywać dla klasy wiersze łacińskie z podręcznika. Naprawdę musiałam, skoro na wszystkie dziewczyny dysponowałyśmy tylko jednym podręcznikiem do łaciny, przez przypadek ocalonym u mnie w domu jeszcze z przedwojennych czasów. Nowego się wtedy za nic nie kupiło, skryptu żadnego też nie.

Przepisywałam więc. Dzięki temu, że lubię szturgać w klawisze oraz przy dobrej pamięci samo mi leciało. Zwłaszcza że łacina klasyczna posiada swój rytm, a ten łapałam natychmiast. Przy okazji, przepisując, uczyłam się treści. Przydawała się tutaj moja pamięć wzrokowa. Przepisałam jakiś wiersz trzy albo cztery razy — i już go umiałam!

Wypukując zatem po pięć-sześć razy każdy utwór, bo kalka brała tylko kilka kopii na jeden raz, więc należało operację kopiowania kilkakrotnie powtarzać, rzetelnie odpracowywałam robotę dla wszystkich koleżanek.

I ja, i klasa miałyśmy szczęście, gdyż każda z nas, uczennic, posiadała rozliczne, a pożyteczne, umiejętności. Na przykład ja lubiłam owo pisanie na maszynie. Moje koleżanki odwalały swoją robotę, specjalizując się za to w czymś innym.

T.L.: Jednak, na całe szczęście — stwierdzam to bez żadnego wahania, jako całkowicie profesjonalnie przygotowany krytyk literacki — więc na całe szczęście dla poezji została Pani przy prozie, tworząc swój własny, oryginalny styl, a także kompletnie nowy typ bohaterki powieści kryminalnych, czyli *porte-parole* autorki, słynną już nie tylko w Polsce Joannę Chmielewską. Ona przez lata ewoluuje, zmienia się wraz z Panią. Jest produktem swojego czasu i środowiska.

Czy, tworząc Joannę, i, przy okazji, kreując kryminał z przymrużeniem oka, osobny podgatunek powieści kryminalnej, miała Pani świadomość prekursorstwa?

J.Ch.: Żadnych tam takich głupich świadomości nie miałam. Nie znam się w ogóle na procesach twórczych, niech mi pan głowy nie zawraca.

T.L.: No cóż... Nie Pani jedna niesłusznie gardzi teorią procesu twórczego...
Kolejne więc pytanie. Skoro Joanna zmienia się wraz z Panią, czy to świadomy zabieg? Jak bardzo można, tworząc, poddawać się wpływom zewnętrznym, a w jakim stopniu da się zachować duchową niepodległość? Inaczej mówiąc, pytam, jak dalece przez to wszystko, co rodzi się pod Pani piórem, prześwituje indywidualny charakter realnie egzystującego człowieka płci żeńskiej?

J.Ch.: Tak, Joanna wyrasta z jakiegoś podglebia. Ze mnie się wzięła. A ja ewoluowałam, rzecz jasna, wraz z epoką. Ja jestem przedwojenna.

T.L.: Kiedy ostatecznie wykotłował się buntowniczy charakter Joanny? Długo, bądź co bądź, usiłowała się Pani z rzeczywistością godzić.

J.Ch.: Widziałam, spostrzegałam całe ówczesne, przez pięćdziesiąt lat zakłamywane gówno. U nas, w Polsce, po drugiej wojnie światowej, kiedy minął pierwszy zachwyt odzyskaną wolnością, stopniowo fałsze wychodziły spod frazesów niczym słoma z butów, podobnie jak we wszystkich demoludach. Obcowałam z demoralizacją budowlańców już w latach sześćdziesiątych, pracując na budowie. A nawet wcześniej, bo z perspektywy biur architektonicznych lat pięćdziesiątych wiele dawało się dostrzec. Cenniki tamtej epoki... Wtedy właśnie odpowiedziałam na artykuł świetnego dziennikarza *Polityki*, Andrzeja Wróblewskiego, który zastanawiał się, dlaczego koszty budowy aż tak znacznie wzrastają w trakcie realizacji, doskonale mijając się z początkowymi kosztorysami. Ja z praktyki to przecież wiedziałam. Mieczysław Rakowski, naczelny redaktor *Polityki*, uznał, że napisałam

znakomity tekst, ale opublikować go nie wolno. Zezłościłam
się, stwierdziłam: — *Nie rozumiem* — i sobie poszłam.
O te cenniki pokłóciłam się kiedyś na wczasach w Bułgarii
z pewnym dyrektorem zjednoczenia aż tak, że abyśmy nie
dali sobie po mordzie, musiano nas w dwie różne strony
odciągać.

T.L.: Dlaczego właściwie nie została Pani dziennikarką? Pisywała
Pani przecież do prasy branżowej. Temperamentu Pani wystarczyłoby dla całej sfory pismaków. Niezbędne warunki
były spełnione.

J.Ch.: Owszem, były, zwłaszcza że ja zaczynałam od reportażu oraz
od felietonów. Ale ta polityka... Nawet przez chwilę myślałam o pójściu na dziennikarstwo, lecz nie byłabym w stanie
nauczyć się wszystkich tamtych gangsterskich życiorysów
różnych Marcelich Nowotków oraz Róż Luksemburg. Przepraszam bardzo, podobne wymagania przy egzaminie to nie
dla mnie. Nie zdałabym. Dziennikarstwo było kierunkiem
straszliwie upolitycznionym.
Dlatego dłubałam na zasadzie wolnego strzelca. Na przykład
popełniałam artykuły dla *Kultury i Życia* i dla rozmaitych
innych tytułów prasowych. Tam, w *Kulturze i Życiu*, napisałam mój najlepszy chyba felieton, pod tytułem „Panem et
circaenses". Miał mi go pan dostarczyć?

T.L.: Uroczyście oświadczam, strawiwszy dwa dni na benedyk-
tyńskich poszukiwaniach w czytelni czasopism Biblioteki
Narodowej, że takiego tekstu *Kultura i Życie* nigdy nie wydrukowała. Również pod Pani pseudonimem albo krypto-
nimem.

J.Ch.: Dziwne... Ciotka Lucyna, związana z tym miesięcznikiem
i dająca mi tam od czasu do czasu zarobić, wypłaciła za druk
pięćset złotych.

T.L.: Wypłaciła?

J.Ch.: Wypłaciła! Ze swoich dołożyła czy jak?
Może i nie wydrukowali, ale zapłacili na pewno. To zresztą
było wówczas dla mnie najważniejsze: dostać honorarium,
choć trochę podreperować dziurawy koszmarnie budżet!

Godziłam się nawet, by ciotka straszliwie wygładzała mi teksty. Jak cenzorka! Ona się bała tekstów nieulizanych. Zresztą, kiedy już zaczęłam pisać prozę, oferowała się w charakterze redaktorki. No, jasna rzecz, że odmówiłam... Ale jedziemy dalej. Przy czym stanęliśmy? Aha, przy dziennikarstwie.

Weszłam do tego stopnia w myślenie dziennikarskie, że kiedy zaczęłam pisać własne powieści, jak tlenu potrzebowałam początkowo realiów, przekonana, że sama nic nie wymyślę. Dziennikarstwo opiera się na realiach, a ja miałam to już w sobie. Naprawdę, trudno przestawić się dziennikarzowi na prozę wymyślaną. Stąd kłopoty z moim debiutem, z całym tym cholernym „Klinem". Bo nie umiałam stworzyć fikcji, bałam się jej. Szukałam wokół siebie autentyku, aby się nim podeprzeć. Na fikcję przechodziłam z wysiłkiem, nawet i dla mnie samej widocznym. Do dziś dnia dopada mnie skłonność, aby dłubać w realiach.

T.L.: Sam pamiętam, jak pracowała Pani nad „Przeklętą barierą", a ja zostałem reasercherem. Sprawdzałem, na Pani polecenie, jaki był dzień tygodnia w określonym roku i jaka wtedy była pogoda. Weryfikując realia do „Pecha", odwiedzała Pani giełdę samochodową w Słomczynie. Staranność godna podziwu! Zupełnie jak Bolesław Prus, znany z dbałości o prawdę szczegółu. Do dziś można z jego książek rozpoznawać topografię oraz inne dokumentalia.

J.Ch.: Ba, kiedy pisałam moją pierwszą książkę dla młodzieży, czyli „Nawiedzony dom", parę godzin spędziłam, jeżdżąc po warszawskim Mokotowie w poszukiwaniu miejsca, gdzie mógłby stać dom Chabrowiczów. I znalazłam!!! Pierwowzór wyglądał nieco inaczej, ale z grubsza pasował i dawał się wmontować w tekst.

T.L.: Jedna z moich koleżanek, kierująca działem społecznym dużego warszawskiego tygodnika, wydała kiedyś tom opowiadań. Kiedy przyniosła książkę w podarunku do redakcji, w której nadal zresztą pracuje, naczelny wręczył jej piękny bukiet róż ze słowami: — Witam panią literatkę, żegnam kole-

żankę dziennikarkę. Co prawda ona w zawodzie dzienni-
karskim pozostała, jednak rezygnując z twórczości bele-
trystycznej. Wybór okazał się nieuchronny. Tak prawie
zawsze się obecnie dzieje; bardzo rzadko współczesny dziennikarz umie tworzyć dobre utwory oparte na fabularnej
fikcji.

J.Ch.: Przede mną profesjonalne dziennikarstwo właściwie było
zamknięte. Nic z tego, co wtedy pisałabym dla własnych
upodobań, nie mogłoby zostać opublikowane. Zwłaszcza że
rozpoczynałam w latach pięćdziesiątych. Lekko mówiąc, niezbyt przychylnych swobodzie słowa... Ja się awanturowałam
o rzeczywistość. Mogłam sobie więc pozwolić na uczciwość
tylko przy takich tematach, jak „Kolorystyka wnętrz w za-
kładach pracy", albo daliby mi czasami skrobać coś na temat
rozrywki. Sam pan widzi, skoro nawet bardzo łagodnego
„Chleba i igrzysk" nie puścili...
Żadnych poważnych tekstów żadna oficjalna gazeta nie wy-
drukowałaby za wszystkie skarby świata. Zwracali się do
mnie w tamtych czasach, owszem, lecz w tym celu, abym
napisała na przykład utwór gloryfikujący Państwowy Zakład
Ubezpieczeń. Równie dobrze spełniłabym prośbę, aby chodzić na rękach po Księżycu.
Jeśli już pisać, to bez łgarstw. W późniejszych czasach ważne, uczciwe prasowe utwory mi się zdarzały. Ja pierwsza
ruszyłam kanty wyścigowe, jestem z tego dumna, choć tej
mojej wielkiej zasługi nikt właściwie nie docenia. Dziennikarze mieli żony i dzieci, więc bali się pisać o przekrętach,
dziejących się na torach wyścigów konnych, bo rzeczywiście,
naruszenie interesów mafii nie było bezpieczne. Pamiętam
ważny i głośny ongiś tekst z 1993 roku, chyba drukowany
w programie wyścigowym, pod tytułem „Upsali nie będzie",
ale pisałam znacznie więcej.

T.L.: Zgodzi się Pani zacytować „Upsalę"?

J.Ch.: Jak pan chce, chociaż tekst dziś stracił ówczesną aktualność,
więc nazwiska dżokejów oraz imiona koni przeszły do pamięci już tylko starych wyścigowych bywalców.

UPSALI NIE BĘDZIE

Zdaję sobie sprawę, że tytuł może budzić skojarzenia z likwidacją Szwecji, ale jednak nie o to chodzi. Upsala, najlepsza klacz w stajni Jaroszowka, nie wątpię, iż oczko w głowie pana Sałagaja, aczkolwiek nie pytałam go o to, szła w sobotę w nagrodzie EFFORTY. I już od rana biegła po ludziach delikatna, szeptana informacja, że Upsali nie będzie. Janeta wygra albo Kostaryka. Jeden tylko przytomny gracz wyciągnął z tego wniosek właściwy. – *Znaczy, Upsala wygrywa* – rzekł. – *A przez to całe gadanie chcą podwyższyć stawkę. Napusty.*

I miał rację. Upsala wygrała w stylu, od którego serce rośnie. O 6 długości przed stawką szła nie tylko swobodnie, ale wręcz z uciechą, nietknięta poganianiem, całkowicie dobrowolnie. Dżokej po prostu ją puścił i nie przeszkadzał. Kto jak kto, ale Bolek Mazurek nie przeszkadza koniowi nigdy.

Tajemnicze napusty istnieją na wszystkich torach świata i nie ma gracza, który byłby na nie granitowo odporny. Najmądrzejsi, o ile można tu w ogóle wspominać o czymś takim jak rozum, uginają się lekko, dokładają podsuwanego konia, pozostawiając swojego. Szaleńcy wyrzucają własne typy i całe mienie pchają w napust, a temu, co dzieje się potem, ludzkie słowo nie podoła. Rekord pobił pewien kapitan MSW, który 25 lat temu ganiał po parkingu kandydata dżokejskiego ze spluwą w garści, postanowiwszy go bezwzględnie zastrzelić. Na szczęście robiło się już ciemno i kandydat dżokejski, lepiej znający teren, zdołał uciec.

Przyczyny napustów są trojakiego rodzaju. Jeden: obniżyć stawkę na faworyta, czego klinicznym przykładem było gadanie o Upsali. Drugi: rzetelna dobra wiara, wynikająca ze zwyczajnego braku rozeznania. I trzeci: dostać forsę.

Trzeci polega na tym, że informator ma umowę z graczem. Za dobre typy dostaje 10%. Wymyśla fuksa-monstre z nadzieją, że będzie cud i ten fuks przyjdzie. Jeśli nie, nic nie straci, jeśli trafi przypadkiem, 10% przeistacza się w całkiem niezłą sumę. A wyścigi to wyścigi i może się na nich zdarzyć wszystko.

W niedzielę Komisja Techniczna omal nie wywołała walnej bitwy graczy, zgłaszając własny protest po nagrodzie MOKOTOWSKIEJ. Poprowadził Adriatyk, lider ze stajni Krasne, i poprowadził szaleńczo, o kilkanaście, a może i więcej długości w przodzie, za nim szedł Solanum, dalej znów było pusto i wreszcie stawka, a w niej dwa faworyty, Secemin i Tartu.

Komentarze w trakcie gonitwy wypełniłyby powieść, głównie rozlegał się okrzyk: – *Kasię puścili!* Adriatyk osłabł dopiero w połowie prostej, Solanum wygrał z dużą przewagą, drugi był Tartu, pierwszy faworyt, Secemin, dopiero czwarty. Protest komisji zawisł na tablicy, a pośród graczy zapanowała atmosfera przedbitewna, przyczyny protestu bowiem były nieznane. Nikt nikomu nie przeszkadzał, żadnej kolizji, żadnego zajeżdżania, Adriatyk i Solanum leciały uczciwie, pozostało zatem jedno: zdejmą Secemina! Zdejmą, za co zdejmą, nie zdejmą, dlaczego nie gonił, a dlaczego miał gonić własnego lidera, po co ona tak leciała, leciała, bo była liderem, lider ma obowiązek lecieć, nic podobnego, lider ma trzymać tempo dla stajennego konia, ratunku. Przewagę zyskał pogląd, że Komisja Techniczna ratuje swoje pieniądze, grali na Secemina tak samo jak cały tor i teraz próbują znaleźć podstawę dyskwalifikacji. Wzajemne wydrapywanie sobie oczu ustało, kiedy wynik gonitwy został wywieszony i okazało się, że Secemina nie zdjęli. Jest niezmiernie interesujące, jaki będzie stosunek toru do Secemina, kiedy pójdzie następnym razem, obojętne, w tym roku czy w przyszłym.

Dodatkowo komplikuje sprawę udział w gonitwie trojga osób razem. Małżeństwa Kozłowskich i Dula. Krążą pogłoski, jakoby byli w przyjaźni, kto zatem kogo puści? Jakość koni bruździ dodatkowo, na domiar złego niewątpliwie wtrącają się do tego trenerzy. Obok tej trójki, która, mam nadzieję, bawi się sytuacją nie gorzej niż autorka niniejszego, pojawił się duet, dwóch Rejków, ojciec i syn. Syn jest kandydatem, będzie robił dżokeja, może nie zaraz, bo mu dużo brakuje, ale ojciec go puści. Puści, nie puści...

Druga strona wyścigów, ta ludzka, nie końska, jest niewątpliwie barwniejsza. A w ogóle, po pierwsze, znam paru takich, którzy z tego interesu wychodzą albo wyszli wygrani, po drugie zaś, zawiadamiam wszystkich, że Upsala będzie. I to nie jeden raz...

Nie dać się zmącić!

Dziś oczywiście nie wszystko już jest całkiem jasne, zwłaszcza że aluzje i komentarze dotyczą lat dawnych. Jednak zwracam pańską uwagę przynajmniej na jeden maluteńki fragmencik. Na zwrot „Kasię puścili".

Uważam go za wyścigową anegdotę. Chodziło bowiem o to, że pewien dżokej jechał wtedy w jednej stawce z żoną, która jeszcze nie osiągnęła statusu dżokeja, więc do awansu powinna zrobić określony wynik. Czuły mąż, dbający o karierę własnej połowicy, na ostatnim zakręcie wołał jakoby: — *Przyśpieszaj, Kasiu!* No, cały tor dostał absolutnego ataku śmiechu, ponieważ było, zdaniem ludzi, kamiennie gwarantowane, iż ów dżokej wrzeszczał do małżonki zupełnie, ale to zupełnie inaczej. Mianowicie: — *Jedź, kurwo!* Przyzna pan, to jednak coś innego niż: — *Przyśpieszaj, Kasiu!* Kto ciekaw, niech szuka dalszych utworów w starych gazetach.

T.L.: Jak dalej potoczyła się Pani sprawozdawczość wyścigowa?

J.Ch.: Kiedy inni sprawozdawcy zobaczyli, że napisałam, redakcja wydrukowała, a ja nadal żywa jestem, sami nabrali odwagi. Zaczęto temat przekrętów na torze poruszać uczciwiej.

T.L.: A Pani się nie obawiała?

J.Ch.: U mnie w rodzinie obowiązywała prawda, cała rodzina się na niej opierała. Taka panowała atmosfera.

T.L.: Skoro stanęliśmy na wyścigach konnych, widzę, że jakoś się złożyło, iż prawie wcale nie rozmawialiśmy na potrzeby tej książki o Pani wielkiej przez lata namiętności.

J.Ch.: Bo to, co działo się z moimi wyścigami wcześniej, opisałam w „Autobiografii", a znów teraz do powiedzenia mam za mało. Od dziesięciu lat na wyścigach nie bywam, z braku czasu oczywiście, i pewnie już się w obecnym życiu porządnie za tor nie zabiorę. Wszystko się pozmieniało, a ja nie lubię wypowiadać się bez znajomości tematu.

T.L.: Jednak poproszę o dalsze komentarze, dotyczące obszaru wyścigowych spraw, jakie nie mogły dotąd ujrzeć światła dziennego.

J.Ch.: Ma pan na myśli wyścigowe przekręty? Powtórzę, bo mam swoje zasługi, z których jestem dumna: ja pierwsza przecież przekręty ujawniłam i już troszeczkę pan o nich przed chwilą usłyszał. Ale, owszem, coś zawsze mogę dodać.
Weźmy bardzo dyskretny sposób wzbogacania funduszy Ministerstwa Spraw Wewnętrznych, zwłaszcza tajnych służb bezpieki. Otóż dwie gonitwy rocznie MSW „robiło" dla siebie. Z reguły w nich wygrywałam, bo wiedziałam wcześniej, co się będzie na torze wyprawiać.

T.L.: Brzmi tajemniczo i zostawia pole do nie lada domysłów...

J.Ch.: Co też pan, ja z bezpieką nie miałam kontaktów! Ale przecież taka rzecz nie dawała się całkiem schować pod suknem. Wiedzieli dżokeje, obsługa toru, dyrekcja też wiedziała. Cały przekręt musiał się przecież odbywać za jej pełną aprobatą. Bezpieka potrzebowała nieujawnianych nigdy i nigdzie pieniędzy na rozmaite utajnione akcje. Dzięki forsie z wyścigów między innymi łatwo dawało się ukryć, komu, ile oraz za co się buli z funduszy pozalimitowanych. Uzyskiwali je zatem w gotówce, z wyłączeniem formalnej kontroli. Jeśli ktoś znał się na koniach, ale układów wyścigowych nie znał, musiał rzetelnie zgłupieć, obserwując raz i drugi, jak na celownik przybiega coś strasznie dziwnego. Pamiętam, że w jakiejś arcyfuksowej gonitwie totalizator płacił siedemdziesiąt osiem złotych za dwadzieścia. Czyli ledwie trzykrotne przebicie, no, czterokrotne. Wszyscy byli granitowo zdziwieni, że tak tanio wyszło, skoro przybiega zupełnie kretyński układ. Mnie nie zdziwiło. Jasne, że płacą tanio, bo bezpieka zgarniała akurat wszystkie duże pieniądze z toru. Kilka osób, wśród nich niekiedy ja też, uszczknęło czasami dla siebie maleńki kawałeczek z wielkiej puli bezpieczniackiego przekrętu, cała zaś reszta forsy trafiała bokiem do służb. Oni w ogóle chętnie wyprawiali swoje rozmaite sztuki. Nie tylko wyścigowe. Chce pan posłuchać?
W 1965 roku pewien Szwed, lecący swoim volvo do Świnoujścia, miał katastrofę kilkadziesiąt kilometrów od Warszawy. Władował się na dwie baby, które jechały na motorze. Je zabił, rozwalił siebie oraz samochód. Trafił do szpitala, zabrany przez pogotowie, no i składał zeznania. Już nie majaczył w malignie, oprzytomniał całkiem. Przysięgał, klęcząc bez mała na połamanych kolanach, że on tych bab nie widział. Jechał porządnie, uważnie, w świetną pogodę, przy doskonałej widoczności, drogą prostą, bez najmniejszych w tym miejscu łuków, pustą po horyzont w obie strony. I nie dostrzegł, że ktoś na motorze zasuwa tu, po prostym? A miał rację! Bo tam istniała taka... nawet nie górka... wybrzuszenie raczej. Skapowałam się, bośmy pojechali z moim

Wojtkiem, prokuratorem przecież, tego samego lata na wizję lokalną przy identycznej pogodzie. Usiadłam obok kierowcy w samochodzie imitującym volvo Szweda, z przeciwka nadjeżdżał motorem gliniarz, udający baby. Myśmy wiedzieli, że przecież m u s i się pokazać w tamtym miejscu motor z człowiekiem, mimo to nic nie dostrzegłam. Aż mnie ciarki oblazły! Dlaczego nic nie widziałam, skoro patrzyłam porządnie!!!? Otóż słońce, odbijające się od jezdni, robiło coś takiego, że warunki atmosferyczne rzeczywiście likwidowały akurat tam i w tym czasie widoczność. Kilkakrotnie ponawiana próba dawała zawsze ten sam efekt. W rezultacie Szwed został uniewinniony.

Fajnie. Lecz zostało rozbite volvo. Wiedziałam, że będzie wystawione na przetarg.

Postanowiłam wziąć udział.

Ale ochłódłam szybko. Właśnie wtedy się dowiedziałam, jak organizowane są w podobnych wypadkach przetargi. Cóż, z góry należało zrezygnować... Bo nie znajdowałam się w stosownym towarzystwie do wygrywania. Ono, całe stosowne towarzystwo, wiedziało zaś dokładnie, kto oraz za ile rozbite volvo weźmie. Bardziej szczegółowo poinformował nas biegły sądowy, z którym wracaliśmy z wizji lokalnej.

T.L.: Jeden z moich przyjaciół miał wuja, który w latach siedemdziesiątych pełnił funkcję prokuratora wojewódzkiego. Kiedyś, gdy jechali publiczną drogą i kumpel obserwował mijające ich eleganckie samochody z polską rejestracją, spytał, właściwie retorycznie: — *Wujku, skąd oni biorą takie gabloty?!* Otrzymał odpowiedź: — *Nie wiesz? Z braku dostatecznych dowodów winy...* Nie każdemu trzeba było, jak widać, tę winę udowadniać...

J.Ch.: Za to moje samochody brały się z ciężkiej pracy w Danii. Nawet ich nasi złodzieje nie kradli. Bo po co w ogóle kraść volkswagena? Nie jeździło ich tak znów strasznie dużo, zatem każdy był znaczny. Nawet na części nie warto było chapać, bo potencjalny klient by się prędko połapał, że bierze trefny towar. Wtedy jeszcze nie działała zorganizowana mafia złodziei samochodów. Każdy czas ma swoje obyczaje.

ZAWODOWSTWO, A TAKŻE EKSHIBICJONIZM

T.L.: Uff. Jak słychać, sztuki wyczynia się nie tylko z literaturą. A *propos* literatury. Może do niej się zbliżmy?

J.Ch.: Niech pan się zbliża.

T.L.: Mniej więcej od początku lat siedemdziesiątych utrzymywała się Pani wyłącznie z pióra?

J.Ch.: Tak. Wróciwszy z Danii, trafiłam na blokadę etatów, co skutecznie uniemożliwiało mi powrót do biura. Po prawdzie, wcale się nie rwałam. Bo kiedy uświadomiłam sobie nasze warunki w porównaniu z duńskimi... Pytałam retorycznie kumpli: — *Wiecie co, czy to myśmy latami przy deskach ślęczeli na ordynarnych krzesłach? Czy to my lataliśmy z jednego końca deski na drugi, popychając nogą taki grzmot?* Przecież w Danii miałam krzesło na kółkach, wszystkie wygody, warunki idealne. Żartowaliśmy między sobą, my, Polacy architekci, że powinniśmy jeszcze Duńczykom dopłacać za możliwość pracy w ich warunkach. W Danii nie bolał mnie krzyż ani boki, ani kręgosłup, schylany godzinami nad deską kreślarską. Nie bolały oczy, ślepiące nad byle jaką kalką techniczną.

T.L.: Ale Pani zawód architekta przecież kochała?!

J.Ch.: Cóż, gdyby po powrocie z Danii pazurami mnie szarpali, rwali, ugięłabym się i do zawodu wróciła. Ale żebym to j a się miała szarpać?! By przemieniać w projekcie stołówkę na wychodek albo odwrotnie? Tak jak na ostatnim z moich polskich projektów, który dotyczył obiektu w Grodzisku Mazowieckim.

T.L.: W życiu wiele spraw zdarza się przez przypadek. A Pani rolę przypadku zdecydowanie ogranicza. Na przykład, jeśli nie daje się z architekturą, postanawia Pani ostro wziąć się za profesjonalne pisanie. Skoro zaś już postanowiła Pani zostać pisarką, bez względu na wszelkie okoliczności, została nią Pani. I to jak skutecznie!

J.Ch.: Nie, nie tak. Napisałam o tym kiedyś porządnie. Miałam w sobie rodzaj ekshibicjonizmu. Jeśli jakieś widzenie świata i jego przejawy bardzo mi się podobały, pragnęłam nimi obdarzyć możliwie liczną grupę ludności. Ze zwyczajnego, dobrego serca. Symptomem tej właśnie mojej cechy niech będzie choćby fakt, że potrafiłam bardzo długo nie pisać listu do wszelkich osób, gdyż właśnie przytrafiały mi się same nieprzyjemności. Dopiero gdy wyskoczyło coś ekstraprzyjemnego, siadałam i odwalałam długi list. To samo z telefonami. Nie cierpię dzwonić w okresach, kiedy spotykają mnie trudności, ale kiedy mijają, wtedy proszę bardzo, natychmiast dzwonię pozytywnie. Tak też dzieje się z pisaniem. Coś tam pisałam i mnie się to podobało, a skoro mnie się podoba, uprzejmie do siebie zapraszam, chętnie wszystkich obdaruję. Nazywam tę skłonność ekshibicjonizmem, bo tak właśnie czyni ekshibicjonista. Ujawnia z siebie, ile tylko potrafi. Oczywiście, ekshibicjonizm da się rozumieć różnie, nie zajmuję się przecież ekshibicjonizmem na podłożu seksualnym. Mam nadzieję, że moich czytelników mój ekshibicjonizm nie razi. Inaczej musiałabym całkiem serio przemyśleć własne postawy, aby nie stało się tak, jak z moją szwagierką za okupacji.

T.L.: ?

J.Ch.: Nastąpił wówczas jeden jedyny wypadek, kiedy, raz tylko — w całym jej życiu! — z najwyższym zachwytem natknęła się na Niemców w mundurach. Uprzedzę pańskie pytanie: dlaczego? A dlatego, bo po warszawskiej ulicy Filtrowej gonił ją z zapałem całkiem polski seksualny ekshibicjonista. Powtórzę w tym miejscu. Ja przyznaję się do ekshibicjonizmu, lecz duchowego, który uznaję za wyższy stopień postawy ekstrawertycznej, polegającej na wyrzucaniu z siebie wszystkiego, co się tylko da wyrzucić. Pragnę wypchnąć z siebie zwłaszcza co ładne, przyjemne, czym chcę innych obdarzyć. Z dobrego serca, po prostu. Obrzydliwe wolę tłumić w środku. Każdy pisarz jest zresztą ekstrawertykiem, przy czym niektórzy okazują się ekshibicjonistami. Inaczej by nie pisali.

T.L.: Nawet ekshibicjonista miewa marzenia wbrew sobie. Czy, pisząc już tyle lat, nigdy Pani nie korciło, aby uśmiercić Joannę?

J.Ch.: Co też pan! Cóż ja bym później zrobiła, aby ją ożywić?! Nie jestem ani Conan Doyle, ani Georges Simenon, gdyż oni tak właśnie z własnymi pałubami postąpili. Ja ograniczyłam się do ukatrupienia Alicji, choć i to nie całkiem. Pomysłu z jej sercem po prawej stronie, co ją, jak wiadomo, we „Wszystkim czerwonym" ocaliło, Alicja długo nie mogła mi darować, ponieważ jej własny siostrzeniec, przyjechawszy do Danii z Kalifornii, gdzie stale mieszka, stwierdził całkiem poważnie: — *Ciotka, ty przecież masz serce z prawej strony!* I Alicję mało szlag na miejscu nie trafił... Do dziś zgłasza pretensje. Chociaż... Jakby tak porządnie się zastanowić... Naturalnie, niekiedy korci mnie, by zabić moją Joannę. I niechby się okazało, że zachodzi oczywista pomyłka. Rzecz bardzo trudna do załatwienia. Namiastka czegoś takiego znajduje się w „Babskim motywie".

T.L.: Joanna Chmielewska żyć będzie wiecznie. Nawet jeśli ją Pani uśmierci. Amen!

J.Ch.: Bóg zapłać!

WARSZTAT PISARZA

T.L.: Porozmawiajmy dokładniej na temat pisania. Że od zawsze pragnęła Pani tworzyć, wszyscy czytelnicy dobrze wiedzą. Żartem i z dziennikarską przesadą stwierdziłbym, iż pisać książki zaczęła Pani chyba znacznie wcześniej niż mówić.

J.Ch.: Może jednak niekoniecznie?! Grać w karty nauczyłam się wcześniej niż mówić, owszem, na to zgoda. Lecz książki? Książki to inna sprawa. Nie popadajmy w przesadę!!!

T.L.: W każdym razie jedno uważam za pewne. Oto kochająca literaturę dziewczynka, skłonna do chwytania pióra w dłoń, z czasem przeistoczyła się w Joannę Chmielewską. Joanna Chmielewska zaś twórczości literackiej nie zaniechała do dziś. Nawet obecnie pracuje Pani z regularnością mniej więcej dwóch książek rocznie.

J.Ch.: A pan niech mi tych dwóch książek rocznie nie wymawia,
dobrze?! Może napiszę trzy. Albo jedną. I co?! Jeśli zechcę
szybko skończyć pewną powieść, nad którą po cichu od dawna pracuję i do której napisania potrzebuję trzech lat albo
i więcej, wówczas będę zmuszona zmienić rytm.

T.L.: Nic nie wymawiam, choć rozumiem irytację w głosie, która
się przy tym temacie pojawia.

J.Ch.: Bo nie wolno pisarzowi stawiać barier czasowych, pisanie
musi samo wychodzić z człowieka.

T.L.: I wciąż się Pani chce?

J.Ch.: Cóż za dziwaczne pytanie?! Gdybym nie miała ochoty, przestałabym.

T.L.: Jeśli naciskam, drążąc temat tak zwanych procesów twórczych, to świadom faktu, iż chodzi o ciężką pracę, trudną
także fizycznie. Pisarz, nawet w szczytowym natchnieniu,
powinien przesiedzieć na pupie po kilka godzin dziennie.
To może zaboleć. Albo przynajmniej pouwierać.

J.Ch.: Niech się pan nie martwi, mam miękki fotel. Aczkolwiek
sama czasem się dziwię, dlaczego od pracy umysłowej tak
drętwieje tyłek.
(*W tym miejscu, nie ukrywajmy, ja ryknąłem szczerym śmiechem.*)

T.L.: Zadam pytanie z gatunku takich, jakich pisarze nie znoszą.
Ale jednak poproszę o odpowiedź. Czy woli Pani pracować
nad tekstem rano, czy wieczorem?

J.Ch.: Uprzejmie dziękuję za tak „interesującą" dociekliwość. Za
pytania w tym stylu wyrzucam z mieszkania. Ale że pana
lubię, niech będzie, raz jeden, tylko raz!!!, wyłącznie dla
dobra pańskiej książki, odpowiem.
Kiedyś w dzień zajmowałam się głównie architekturą, na
literaturę miałam raczej wieczory i noce. Obecnie piszę
w dzień, bo w ogóle zrobiłam się zwierzęciem dziennym.
W epoce, gdy tkałam kilimy, potrafiłam spędzić nad nimi
czas od wschodu do zachodu słońca. Ale do kilimów świerz-
biły mnie palce, a do klawiatury świerzbi mnie raczej umysł.
Pozostaje jednak faktem, że zawsze gotowa jestem wykonać
to, co przydarzało mi się kiedyś, zresztą po wielekroć!, na

Dolnej. Mianowicie, poderwawszy się którejś nocy z tapcza-
nu, w nocnej koszuli, runęłam do maszyny. Bo akurat lągł
się we mnie tekst. We mnie budzi się pomysł i obrazowo
układa cały fragment. Bez zapisania — szlag go trafia... Myśl
może i zostanie, lecz forma umknie. Aby zachować co należy, zapisuję od razu wszystko właśnie ulęgnięte na wszelkiego rodzaju śmietkach, jakie znajdę pod ręką. Dlatego
u mnie w domu najmniejszego nawet paprocha wyrzucić nie
można, bo tam może być zapisany dalszy ciąg utworów.

T.L.: Nie lepiej mieć przygotowanego do odpalenia laptopa? Wtedy, również w podróży, wymyślony akurat kawałek prozy
czeka tylko na notację.

J.Ch.: Już się rozpędziłam, taszczyć takie ciężary! Kiedyś ktoś, na-
mawiając mnie do zakupu laptopa, przekonywał, że da się
z nim spacerować po Paryżu. Tu przysiąść przy stoliczku,
tam się rozłożyć z pisankiem. No, chciałabym tego mądralę
zobaczyć...! W mordę bym biła!

T.L.: Narażam się na śmierć rychłą, lecz się przyznam. A właściwie tylko ze skruchą przypomnę. Widzi Pani otóż „mądralę" naprzeciw siebie. Nadal zresztą uważam, że miałem
wtedy rację. Gdybym troszeczkę nie podkoloryzował, opisu-
jąc, ile takie elektroniczne stworzenie może zdzierżyć, opie-
rałaby się Pani jeszcze długo przed zakupem przenośnego
komputera.

J.Ch.: No wie pan! Niech pan sobie sam dźwiga takie ciężary, ja
ani myślę.
Chociaż przyznaję, to bydlę okazuje się użyteczne, zwłaszcza
w podróży. Istotnie.
Za to na co dzień wygodniej mi jest pisać na stołowym
komputerze, który mam zawsze pod ręką. Po co znowu tak
od jednego zawołania otwierać laptop?! Wolę inaczej. Kiedy
siedzę na przykład w kuchni, pijąc herbatę, a coś mi przychodzi do głowy, ja to natychmiast zapisuję, na czym tylko
popadnie. Pisać ręcznie nie umiem i zbyt długo nie mogę,
z powodu uszkodzenia ścięgien prawej dłoni, więc powstają
raczej krótkie notatki.

T.L.: Czy w dobie wszechobecnych komputerów nie żal Pani starej, poczciwej maszyny do pisania?

J.Ch.: Nie! Już teraz nie. Ponieważ odwykłam od walenia w klawisze. A w klawisze waliło się ostro. Nawet niewymagająca wysiłku maszyna elektryczna okazała się od komputera gorsza, gdyż trudniej znacznie w niej było wprowadzać wszelkie uzupełnienia i korekty.

T.L.: Często zwraca się jednak uwagę, że komputer wymusza inny model pisania, zmienia konstrukcję całych zdań, readaptację licznych cech stylu.

J.Ch.: Nie, nie w tym rzecz. Pisze mi się tak samo. Ale z reguły na maszynie pisałam najpierw brudnopis, czytałam go, wprowadzałam poprawki i przepisywałam na czysto. Przepisując, zawsze wprowadzam duże zmiany, nawet całe partie przeredagowuję w ogromnym stopniu. Na komputerze takie sztuki gorzej wychodzą, bo tekst okazuje się „zbyt gotowy". Nie przepisuję całości. Owszem, czytam, w miejscach, które mi się nie podobają, tu zmieniam akapit, tam zdanie, ówdzie słowo. Lecz nie dzieje się już właściwie tak, żebym wpisywała całkiem inną treść.

T.L.: A czy w miarę rozwoju Pani — jak by to ująć? — sprawności, hmmm...

J.Ch.: ...umysłowej...?

T.L.: Co też Pani! Sprawności komputerowej, biegłości w posługiwaniu się owym stworem, czy więc w miarę rozwoju biegłości coś się w charakterystyce Pani pracy zmienia? Na przykład umiejętność i łatwość przenoszenia z miejsca na miejsce całych akapitów może bardzo znakomicie odmieniać kształt tekstu.

J.Ch.: Normalnie na maszynie musiałam tu wyiksować, a tam wpisać. Z wielu brulionowych fragmentów powstającego utworu się po prostu rezygnowało, tłukąc w klawiaturę tego miłego urządzenia. Dotyczyło to wszystkich powieści, które pisałam na maszynie. Czyli w trakcie redakcji zmieniało się bardzo dużo, niekiedy zgoła cała treść, w każdym razie mnóstwo rzeczy. Tak mi wychodziło lepiej. Na komputerze natomiast operuję całymi akapitami, dowolnie je przenosząc. To, jak by nie patrzeć, łatwiejszy przyrząd niż maszyna. Tam musiałam wszystko napisać, więc czasami zdarzało mi się machnąć ręką: — A, *niech już zostanie!* Tutaj przeniosę, wyrzucę, tam znów dopiszę, wszystko zaś z łatwością.

Bez względu jednak na rodzaj sprzętu, zawsze, gdy czytam po dłuższym czasie własne książki, odnoszę wrażenie, iż powinno się je napisać raz jeszcze, całkiem inaczej. Co i raz ogarnia mnie myśl: „Jezu, jak ja mogłam tak potwornie schrzanić...!". Tylko z szacunku dla odbiorcy, który przecież wyłożył własne pieniądze, kupując książkę, raz napisanego już w zasadzie nie zmieniam. Trzeba szanować czytelnika, który mnie, na przykład, lubi i posiada dawno zaczytany egzemplarz. Skoro czegoś się spodziewa, nie należy go częstować zupełnie czymś innym! Owszem, po latach zdarzy mi się tu albo tam poprawić jakieś słowo, niepotrzebnie powtórzone, źle zastosowane lub wykonać inne takie. Natomiast całego szyku zdania lub pełnych zdań nie zmieniam. Rezygnuję także najczęściej z używania całkiem innych słów, bo nastąpiłaby zbyt daleko idąca zmiana w książce. Choć przyznam, że wcale często kusi mnie, aby w dodruku użyć formuły „wydanie zmienione i poprawione", pisząc wszystko całkiem od nowa... Zastanawiam się wszelako, czyby się jednak teraz nie odważyć? Raz kozie śmierć! Dotąd tylko raz się odważyłam, mianowicie w przypadku powieści „Duch". Głupia to historia, ale ją opowiem.

Tę rzecz napisałam pierwotnie jak należy, ale KAW — ni z tego, ni z owego — ograniczył objętość książki, część tekstu wręcz została precz wyrzucona. Ale ja potem wróciłam do pierwotnej formy, publikując to w PDW wraz z „Szajką bez końca". Później wyszło z tego „Ślepe szczęście". Komu się chce, niech porównuje, na własną odpowiedzialność.

T.L.: Szczególny to proces, Pani pisanie. Rzekłbym: schizofreniczny poniekąd. Już o tym wspominałem, ale powtórzę.

Bo oto do pracy umysłowej nad klawiszami komputera zasiada osoba znana w rodzinie jako Irena. W trakcie pracy przekształca się owa osoba w kogoś, kogo czytelnicy identyfikują pod pseudonimem Joanna Chmielewska. Jakie więc są wzajemne stosunki obu tych pań? Joannę Chmielewską stworzyła Pani sama i poniekąd osobiście wykarmiła własną piersią.

J.Ch.: Nasze stosunki? Złożone. Ja to ja, natomiast Chmielewska okazuje się zupełnie innym kimś. Czasami mam tamtej po dziurki w nosie. Chociaż bywam niekiedy z niej bardzo dumna. I z tego, że powstała, też.

T.L.: Dlaczego?

J.Ch.: Bo wszystkie nazwiska, jakie w życiu nosiłam, należały do mężczyzn. Najpierw do mojego ojca, później do męża. **A Chmielewska jest moja, moja zupełnie, prywatna! Takie całkiem osobiste coś. Wstrętna baba, czasem mnie okropnie męczy, lecz, wszystko jedno, jest moja.**

T.L.: Od kiedy ma Pani dosyć Joanny Chmielewskiej?

J.Ch.: Od momentu, kiedy, mniej więcej dwanaście lat temu, musiałam osiem razy z rzędu czytać korektę „Całego zdania nieboszczyka". Po ósmym, uważnym!, przeczytaniu książki, którą, do cholery!, znam na pamięć, powiedziałam sobie, że mogłabym czytać wszystko inne, byle nie Chmielewską, tę wstrętną babę. Niech pan sam spróbuje, tak osiem razy z rzędu, w dodatku bardzo porządnie, czytać książkę, którą przecież sprawdzał pan wielokrotnie, pisząc ją. Każdemu życzę...
Wtedy się jakoś wyodrębniłam od Chmielewskiej. Trochę zrobiła się ona dla mnie uciążliwa. Zwłaszcza kiedy się zastanawiam, która z nas jest głupsza. Bo że jedna z nas jest głupia strasznie, tego jestem kamiennie pewna. Pewnie ona, bowiem to jej życie wskazuje, że Joannę cechuje łatwowierność, naiwność, może nawet niekiedy nadmierna dobroć. Choć bywa również zadufana i popełniająca szalone błędy. I mnóstwo rozmaitych innych takich dyrdymałów. Cechy Joanny obu nam wychodzą bokiem.
Ale pisząc, wchodzę przecież w jej skórę. I wyznam, niech panu będzie, że to mimo wszystko jednak wciąż pozostaję ja. Rzeczywiście, taka pisarska schizofrenia. W rezultacie

piszę książki sobą, a moje literackie „ja" nazywa się Chmielewska, co zresztą okazuje się drobiazgiem bez znaczenia.

T.L.: Drobiazgiem?

J.Ch.: Drobiazgiem, poza jednym tylko. Kiedy wybierałam sobie nazwisko w charakterze literackiego pseudonimu, łapiąc je od jednej z przodkiń (wyjaśniam szczegóły w „Autobiografii"), nie zdawałam sobie sprawy, ile razy przyjdzie mi się Chmielewską podpisywać. Gdybym wiedziała, nazwałabym się krótko i zwięźle. Na przykład Ewa Puk. Tylko że moje przodkinie bardzo mi się podobają i chętnie do nich się odwołuję. Moja Chmielewska ułatwia utożsamianie się z nimi.

T.L.: Pani do dziś słynie z pracowitości. Już o tym zresztą wspominaliśmy. Dwie książki rocznie same się nie napiszą. Czasami nawet trzy. Zresztą Pani pracowitość nieco wcześniej w tym rozdziale podziwiałem.

J.Ch.: Raczy pan żartować, t e r a z to ja sobie od czasu do czasu odpoczywam. Proszę mi nie żałować pracy. Jak nie mam natchnienia, nie piszę. Robię wtedy coś innego. Albo nic nie robię. Czy ja, do cholery!, mogę czasem nic nie robić?!!!

T.L.: To się nie zdarza. Przy braku natchnienia wystarczy znaleźć na podłodze igłę z pomarańczową nitką. Z „Autobiografii" wynika, że ów zestaw krawiecki przywraca natchnienie.

J.Ch.: Nitkę diabeł mi ukradł. Świnia głupia, wykorzystał chwilkę roztargnienia...

T.L.: Facet, wiadomo, jak każdy. Wiedźma by Pani nic nie ukradła.

ALE KINO!
(PLUS JESZCZE TROCHĘ INNYCH ROZRYWEK)

T.L.: Istnieją zdjęcia z połowy lat sześćdziesiątych, na których młoda, urodziwa, głośna już wtedy pisarka Joanna Chmielewska wiedzie spory na temat ekranizacji własnych utworów z reżyserem Janem Batorym. Jak stara wyga, chciałoby się rzec. Ale skąd doświadczenie scenarzystki, skoro pochodzi Pani z generacji, dla której film zaistniał w dzieciństwie jako względnie nowy nośnik kultury?

J.Ch.: Prowokuje pan bardzo odległe wspomnienia. Na przykład wywołujące w pamięci filmy jeszcze sprzed wojny. Jeden z nich chyba o Robin Hoodzie. W oczach mi stoi, że był kolorowy. Ale nikt mi nie wierzy... Może jednak sobie tylko tak wyobraziłam? Niech będzie, niech mi nikt nie wierzy, a i tak społeczeństwo poinformuję, co mi wciąż w oczach stoi. Oni, w bramie, machają komuś rączką, pewnie tatusiowi, a ona ma na sobie ż ó ł t ą suknię. Jak więc, na miłosierdzie pańskie, na filmie czarno-białym ona być mogła w żółtej sukni?! W dodatku resztę też pamiętam na kolorowo. Ostatnie zresztą, co sprzed wojny zachowałam w pamięci kinowej, to owa żółta sukienka.

T.L.: Niewykluczone, że szło o pierwszy barwny pełnometrażowy film dźwiękowy, czyli „Wikinga" z roku 1928, zrealizowanego na zlecenie wytwórni Metro Goldwin Mayer przez R. Williama Neilla, z Donaldem Crispem w roli Leifa Ericssona i Pauliną Starke jako piękną Helgą.

J.Ch.: Może sobie pan sam sprawdzać. Ja nie zamierzam. I jeszcze zachwyciła mnie „Królewna Śnieżka" w kolorze, doskonały film rysunkowy.

T.L.: Disneyowska baśń, pierwsza w świecie pełnometrażowa kreskówka w kolorze i udźwiękowiona. Pochodzi z 1937 roku. Zaliczana jest do najbardziej kasowych obrazów wszech czasów.

J.Ch.: W oczach mi stoi, jak zła macocha zmienia się w czarownicę, a z rąk na ekranie wyrastają jej takie długie, strrraszliiiwe szpoooony. Purpurowe, żeby je piorun jasny strzelił! Dziecko takie rzeczy zapamiętuje, przejmuje się nimi. I naraz do widzenia, skończyły się filmy...

T.L.: Bo podczas wojny do kina Pani oczywiście nie chadzała?

J.Ch.: Przejęłam się ze wszystkimi hasłem „Tylko świnie siedzą w kinie". To hasło wypisywano na murach, pełno go było w gazetkach konspiracyjnych, w codziennej atmosferze. Zaszczepione raz na zawsze, tkwiło we mnie, oczywiste niczym oddychanie. Umarłabym na progu, gdyby mnie wtedy ktoś siłą do kina wciągał! Opisałam w „Autobiografii", jak podczas wojny odpowiadałam na pytanie księdza, kiedy byłam ostatni raz w kinie? Pytał całą klasę po kolei, wypełniając tym samym dyskretnie obowiązek patriotyczny, no i też wychowawczy. Kiedy doszło wreszcie do mnie, dumnej z własnej niezłomności dziewięciolatki, chętnie się przyznałam, bo co się nie miałam przyznać, że drugiego września! Ksiądz, a scena miała miejsce w 1943 roku, załatwił mnie na amen. Strasznie na mnie nawrzeszczał, bo do czego to jest w ogóle podobne, aby porządne polskie dziewczę śmiało latać na filmy, za którymi stał okupant?! Próbowałam mu gorączkowo wyjaśniać, że owszem, drugiego września, lecz 1939 roku. I od razu usiłowałam zgłosić istotne zastrzeżenie, iż przekroczyłam próg filmowego przybytku, nie wiedząc jeszcze nic o wojnie. Precyzyjnie zaś rzecz ujmując, właściwie wcale wtedy w kinie nie byłam, bo rozpoczął się akurat alarm oraz panika.

Ksiądz nie zwracał uwagi na moje gorączkowe protesty. Obraziłam się śmiertelnie, odmówiłam uczęszczania na religię, musiała interweniować matka.

Następnym razem oglądałam film dopiero w roku 1945, a szedł wówczas w Grójcu radziecki klasyk propagandowy pod tytułem „Sekretarz rejkomu". Ujrzałam ekran i na ekranie ruch, pierwszy ruch, jaki w ogóle kojarzę z filmami. Przeżyłam wstrząs dubeltowy, psychiczny i fizyczny, z miejsca doznałam cudowności ekranu, nieoglądanego przez cały czas wojennego dzieciństwa. Mało raczej do tego sposobny „Sekretarz rejkomu" wzbudził we mnie czułość ogromną oraz wywołał bicie serca. Bo oto oglądałam własnymi oczkami symbol odmiany. **Znów, znów jakaś normalność, wreszcie skończyła się ta parszywa wojna, ŻYJEMY!** Tamten okres, który odbierałam w sposób nadzwyczaj skomplikowany, z emocjami bynajmniej nie dziecinnymi, z wybuchami nienawiści do Niemców, odszedł na wieki. Proszę się zatem nie dziwić, że ruch na ekranie sprawił na mnie wrażenie roztkliwiająco-wstrząsające.

Za to rok później oglądałam już mnóstwo filmów, o czym sporo informacji porządnie podałam w drugim tomie „Autobiografii". Na przykład jak się wtłoczyłam wraz z tłumem na „Zakazane piosenki". Albo gdy w Bytomiu odpracowywałam seans filmu pod tytułem „Nieuchwytny Smith". Genialny, wstrząsający, niezapomniane przeżycie. Do tego stopnia, że gdy już wróciłam z seansu do domu, zrobiłam dokładne streszczenie. Nawet obecnie pamiętam: tuż przed wojną jakiś facet wydłubuje z hitlerowskich Niemiec pożądanego przez reżim naukowca, chyba polskiego, skoro nosił nazwisko Kozłowski, oraz innych przydatnych Hitlerowi osobników. Główną rolę męską grał Leslie Howard. Tak, „Nieuchwytny Smith" przebił wszystko. Po seansie uznałam, że właściwie już do końca życia żadnego filmu więcej nie muszę oglądać, bo nic nie dorówna takiemu arcydziełu. Dlaczego więc potem, aż do dziś, nikt tego cuda absolutnego ani razu w kinie lub w telewizji nie powtórzył, skoro było tak nadzwyczajnie piękne? Nie wiem, te ludzie to one głupie są i już. Kogoś mogłoby zdziwić, że w 1946 roku zezwalano na takie nieagitacyjne filmy, jak właśnie „Nieuchwytny Smith". Otóż moje ówczesne arcydzieło było poniekąd politycznie neutralne, a filmy nieagitacyjne komuniści z początku dopuszczali na ekran.

Oni dopuszczali, a ja za wszelką cenę starałam się oglądać. Oglądałam na przykład „Komediantów", siedząc w kapeluszu mojej matki. Dlaczego w kapeluszu? Żeby dorosłej wyglądać, bo wpuszczali od osiemnastu lat i nie wiem, jakim cudem udało nam się na to dostać.

Widziałam też „Lady Hamilton", stara rzecz, ale do dziś ją lubię. Nawet sobie po latach nagrałam. Kompletna nieprawda historyczna, ale to bez znaczenia zupełnie.

T.L.: Ten obraz, powstały w 1942 roku, należał do ulubionych dzieł sztuki filmowej tak różnych osobowości, jak Stalin i Churchill. Drugi z nich zresztą napisał, specjalnie na potrzeby scenariusza „Lady Hamilton", przemówienie, które weszło do filmu. Później autor przemówienia, premier Wielkiej Brytanii, oglądał dzieło aż cztery razy.

J.Ch.: Wcale mu się nie dziwię. Był to jedyny film, po którym, kiedy się skończył seans, panowała absolutna cisza. Nikt się nie zrywał, nie trzaskał krzesłami, ludzie wychodzili jak z kościoła.

A ruski klasyk „Świat się śmieje"? Cudo. Wiele, wiele lat później udawałam się Dolną ulicą — która miała wtedy tylko jeden wyjazd i wykładana była kocimi łbami — do mojej matki na Boże Narodzenie. Panowała absolutna gołoledź. Sam pan wie, że Dolna to poniekąd stromizna, więc żaden samochód nie mógł nią podjechać z Dolnego na Górny Mokotów. Ludzie wychodzili z aut i popychali je. Nagle ujrzałam przed sobą — wypisz-wymaluj! — „Świat się śmieje". Raz i dwa, raz i dwa, od krawężnika do krawężnika! Dwie i pół godziny spędziłam tam wtedy z dziećmi, w atmosferze nader radosnej. Święta szły przecież!

Znów po polskim „Skarbie" cały krajowy świat dziewczyński zakochał się na śmierć i życie w Jerzym Duszyńskim.

Kino — to było wtedy odkrycie, nowy kosmos, wszystko. Chodzenie do kina zawsze łączyło się z ćwiczeniami gimnastyczno-psychologicznymi, wysoce atrakcyjnymi... Jakież budziły się naraz ogromne emocje! Pewnego razu, ale już o wiele później, przed seansem „Baryłeczki" w nadludzkiej złości i z nadludzkimi siłami osobiście wciągałam do kina przez skłębiony, rozszalały tłum Teresę, moją ciotkę, kompletnie zaduszoną. Z moją matką znów kiedyś wydarzyła się rzecz odwrotna całkiem, bo ją do warszawskiego kina Polonia wniósł, przemocą oraz tyłem, ludzki prąd, który przedtem zlikwidował przeszkodę w postaci bramy. Zresztą, kto chce, niech czyta „Autobiografię". Opisałam to przecież.

Mimo dzikiego, rozszalałego tłoku, jaki zwykle panował przed kinami, nie zdarzył się jednak wypadek, abyśmy obie z Janką, moją podstawową przyjaciółką przez czterdzieści dwa lata, nie dostały się na wybrany seans. Boże kochany, przecież ja wiele komplikacji z wejściem do kina pamiętam dziś lepiej niż same filmy! Sztuki wyczyniałyśmy niekiedy nieprawdopodobne, lecz za to oglądałam wszystko, co na ekranie ciekawe. Zdarzały się efekty trudne do przewidzenia, jak w trakcie projekcji głośnej „Bitwy o Anglię", kiedy jeden z pilotów myśliwskich samolotów RAF-u, odwrócony na ułamek sekundy twarzą ku kamerze, wykazał straszliwe podobieństwo do Jurka, brata Lilki, mojego kuzyna. On, znaczy Jurek, rzeczywiście brał udział w tych powietrznych walkach i podczas nich zginął. Aktor okazał się tak podobny do Jurka, że bezbłędnie zapamiętałam cały film. Przez długie lata istniały trudności z dostaniem się do kina. Nawet od koników trudno było czasami kupić bilety. Gdy zaś mówimy o konikach z lat tuż powojennych, to wspomnijmy, iż oni także nie mieli łatwego życia. Koniki przecież uczestniczyli obowiązkowo w zmaganiach, przypominających zapasy uwiecznione w dużej batalistyce. Coś jak ruski klasyk, pod tytułem „Burza nad Azją", na żywo i w naturze. W dodatku kasy sprzedawały jednej osobie tylko dwa bilety. Kasjerka hurtem większej ilości nikomu nie dawała, więc koniki, ledwo się z trudem raz wyrwawszy z dzikiego tłumu, omijając pilnującą porządku i wyłapującą ich milicję, następnie znowu z determinacją nurkowali w wirze rozszalałej kolejki. To ciągle nie koniec. Aby zaproponować chętnemu bilet, zdobyty z narażeniem kości, konik musiał sobie upatrzyć odpowiednią, niepodejrzaną osobę i zwrócić się do niej niejawnie, dyskrecjonalnie, gdyż czasy przewalały się takie, że można było trafić do pudła za jednego nielegalnego dolara albo za trefny bilet do kina.

T.L.: Ja pamiętam dobrze koników z lat sześćdziesiątych, kiedy działo się nieco inaczej. Chociaż dość długo prosperowała ta specyficzna grupa „zawodowa"...

J.Ch.: Tylko że jesteśmy ciągle w tuż powojennych latach czterdziestych.
Następowało teraz wkroczenie publiczności do sali kinowej. Mogące się kojarzyć ze scenami, jakie Matejko wymalował na płótnie „Bitwa pod Grunwaldem". Pewnego razu tośmy się dostały na salę kinową podstępem, za plecami milicjanta. Film był zresztą głośny, wart zachodu. Chociaż... Dla nas wtedy wszystko okazywało się doskonałe, jak leci. Nie zawsze się mi jednak chciało walczyć o bilety niczym lwicy o małe. Pewnego więc razu, już jako mężatka, oświadczyłam mężowi, żądnemu akurat rozrywki kulturalnej:
— *Dobrze, pójdziemy do kina, ale jak ty, raz wreszcie, kupisz*

bilety! Długo czekałam, aż mój mąż wykona, co do mężczyzny należy...

Po trzech miesiącach, mimo całego ogólnego samozaparcia, uznałam, że albo jednak osobiście te bilety nabędę, albo do końca życia grozi mi kinowa posucha. Różne z moją rodziną zdarzały się sztuki. Mąż, o czym napisałam w „Autobiografii", często podczas seansów zasypiał, może ze względu na początki cukrzycy. Matka natomiast skompromitowała mnie niemal dozgonnie, kiedy zadrzemała podczas słynnego filmu „Dwunastu gniewnych ludzi". Budziła się tylko raz na jakiś czas z pytaniem: — *Co się dzieje?* — I pełną piersią wydobywała z siebie kolejną kwestię: — *Skąd on właściwie wziął ten nóż?* Nawet teraz nie wiem, co było w moim kinowym życiu gorsze, czy ówczesna reakcja matki, czy raczej sytuacje, kiedy mój mąż, raz albo drugi wyrwany ze snu, urządzał awantury o panujący wokół hałas... Dlatego przeżyłam szczęście absolutne, kiedy poszłam bez mojego męża na włoski, wściekle hałaśliwy film pod tytułem „Najpiękniejsza", z Anną Magnani. Siedziałam w tym dookolnym hałasie, jeszcze się stale potęgującym, ale byłam w błogim nastroju. Bo kiedy sobie pomyślałam, co by wyczyniał mąż, co chwila budzony jazgotem dobiegającym z ekranu... Aby uniknąć nieziemskiej kompromitacji, musiałabym się pewnie powiesić albo wejść pod krzesło. Czułam się więc znakomicie, patrząc na Annę Magnani, grającą bohaterkę, wystawiającą do jakiegoś konkursu aktorskiego własną córkę. Dzieci i dorośli wyli tam z ekranu wszyscy, bez jednej sekundy przerwy. Naprawdę! Najbardziej hałaśliwy film, jaki mi się zdarzyło w życiu oglądać.

Mniej hałasowano nawet wtedy, kiedy zarywały się schody w innym włoskim filmie, „Rzym, godzina 11" z Lucią Bose, słynną gwiazdą, na której uczesanie w późnych latach czterdziestych dziewczyny robiły sobie włosy. Dodaję dla porządku, że schody zarwały się w budynku, z którego bohaterka grana przez Bose uciekła.

T.L.: Fryzura *à la Bose* rzeczywiście zrobiła karierę.

J.Ch.: Ale pana jeszcze wtedy na świecie nie było. Ona latała krótko ostrzyżona, z włosami do tyłu i miała ich tak raczej dużo dosyć. Ja nie nosiłam się na Bose, chociaż prawie wszystkie próbowały. Lecz, jak to z modą, nie każdemu we wszystkim do twarzy.

T.L.: A Pani osobiste kino w latach późniejszych?

J.Ch.: Film lubiłam nadal i chętnie do kina chodziłam. „Rzym, miasto otwarte", „Cud w Mediolanie", „Piękności nocy", Gerard Philippe, Gina Lollobrigida. Pamiętam także głośny czeski film pod tytułem „Nikt nic nie wie".

T.L.: To od niego wzięło się powiedzonko „Jasne jak w czeskim filmie", oznaczające dokładnie to, co sugeruje tytuł.

J.Ch.: Ciężki to dla mnie film, ów wspomniany wyżej tytuł „Nikt nic nie wie", nie do zapomnienia po prostu. Siedziałyśmy z moją przyjaciółką, Hopferową, tuż przy ścianie. Ona bliżej ściany. I w którymś momencie widzę, jak Hopferowa, zamknąwszy oczy, z cieknącymi spod powiek łzami, wali głową o ścianę! Wie pan co? Tu film, tu takie sceny, trudno zapomnieć... Ale nikt nic nie wie!

T.L.: Nadal ogląda Pani mnóstwo filmów, chociaż wyłącznie w telewizji albo z odtwarzacza. Nawet na „Osiem kobiet" z ekstraklasą aktorek francuskiego ekranu nie dała się Pani wyciągnąć, mimo sympatii dla *la dulce France*. Kiedy mi się nie udało, uznałem, że zaprosić się do kina — dzisiejsza Joanna Chmielewska nie pozwala. Woli kasety z nagraniami wideo. Choć trochę Pani nie pojmuję, bo przecież inaczej ogląda się „Ben Hura" w ciemnej kinowej sali, inaczej w telewizorze.

J.Ch.: Mnie tam nie robi różnicy. No, gdyby w grę rzeczywiście, jak w „Ben Hurze", wchodziła jakoś tam Biblia... Wtedy tak. Bo filmowej wersji Biblii obejrzałam dokładnie prawą połowę.

T.L.: ?!

J.Ch.: Nie, ani się pan nie przesłyszał, ani ja nie zwariowałam. To zdarzenie miało miejsce w Danii. A musi pan wiedzieć, że w tym uroczym kraju ogonki do kina spotkałam dokładnie tylko dwa razy. Pierwszy ogonek stał, żeby zobaczyć Bonda pod tytułem „Żyje się tylko dwa razy". Może i żyje się tylko dwa razy, lecz ja widziałam tego Bonda razy cztery. Za czwartą wizytą w kinie zaczęłam już nawet rozumieć, co mówią. Drugi zaś pamiętny dla mnie kinowy ogonek zgromadził ludzi żądnych obejrzeć „Biblię". My dostaliśmy ostatnie dwa bilety, pierwsze oraz drugie miejsce w pierwszym rzędzie. Dlatego oglądałam sobie wyłącznie prawą połowę, bo ekran był wklęsły, tak zwany cinemascope. Co się wyrabiało po lewej, nie wiem do dziś.

T.L.: Ten amerykański obraz z roku 1966 posiadał jeden śmieszny i nadmierny szczegół, o czym informują źródła filmowe. Otóż Adam ma w nim... pępek. A przecież pierwszy człowiek nie urodził się tak, aby posiadać ślad po odciętej pępowinie. Prawda?

J.Ch.: Zabawne. Ale na pewno nie miał tego pępka po lewej stronie, raczej bardziej w centrum i po prawej. Inaczej pewnie zwróciłabym uwagę.

T.L.: To tak jak z sercem Alicji we „Wszystko czerwone": co prawda nie pępek, ale serce, jednak nie z lewej, lecz bardziej w centrum i po prawej. Rosjanie to sfilmowali, szkoda, że polska telewizja dotąd nie chciała serialu kupić.
A propos kupowania praw do ekranizacji.
Czy przypuszczała Pani w latach swej młodości i pisząc pierwsze powieści, że książki autorstwa Joanny Chmielewskiej kiedykolwiek zainteresują filmowców?

J.Ch.: Co też pan?! Istnieje jakaś granica prawdopodobieństwa. Czy dziś wyobraża pan sobie własne spacery za dziesięć albo dwadzieścia lat w delii wysadzanej wielkimi jak śliwki brylantami?!
(Nie miałbym nic przeciw temu — uwaga na stronie do siebie samego — T.L.)
Trwały piękne, trudne, szalenie atrakcyjne późne lata czterdzieste. Pełne ulgi, że nikt do nas nie strzela. Doprawdy, piękne chwile... A przy okazji dodam, że „Wszystko czerwone" w wersji rosyjskiej niezupełnie odpowiada treści przeze mnie napisanej. Łagodnie się wyrażam...

T.L.: Jednak szkoda, czytelnicy mogliby sami porównać. Ale wróćmy do głównego wątku. Zatem wszystko Pani jedno, ekran kinowy czy monitorek TV? To, moim zdaniem, ogromna różnica!

J.Ch.: „Wyzwolenie", potężną, pięcioseryjną i wielogodzinną kobyłę reżysera Ozierowa, oglądałam przecież pierwszy raz na dużym ekranie, a teraz mam sposobność popatrzeć na tę epopeję w telewizorze. W kinie wszystkie pięć serii robiło istotnie większe wrażenie. Ale — bez przesady! Nie uważam różnicy za istotną na tyle, abym miała się wysilać z chodzeniem do kina. Ani tam się herbaty nie napiję, ani papierosa nie zapalę.

I jeszcze na użytek tej rozmowy podzielę się z panem intymną informacją natury zdrowotnej. W roku 1970 lub 1971 zdarzało się, że wleczono mnie do kina czasem i dwa razy dziennie. Zdarzało się, Boże przebacz!, nawet i trzy. Marek, mój ówczesny, życzył sobie oglądać wszystkie produkcje, jakie trafiały do nas na ekran. Film z Angoli na przykład? Nie szkodzi, oglądał. I ja razem z nim. Bo bardzo potępiał, jeśli się człowiek z nim w seanse nie wdawał. Z tego angolańskiego arcydzieła została mi w pamięci jedna tylko scena. Otóż bohaterka, przepiękna zresztą kobieta, czarna w stopniu umiarkowanym, szła ścieżką pomiędzy jakimiś roślinami, boso. Ale jak ona s z ł a! Cóż to był za widok! Jej ruchy stanowiły kwintesencję poezji, równocześnie zachowując naturalną zwyczajność. Znowu bułgarski film „Powiatowa lady Makbet" zawierał w ścieżce dialogowej ledwie dwa zdania. Trochę przymało jak dla mnie jednak.

T.L.: Bardzo to głośna produkcja, mimo dwóch ledwie zdań, obsypana deszczem nagród na rozmaitych festiwalach, reżyserowana przez Andrzeja Wajdę w 1961 roku. Jeśli dobrze pamiętam, pod koniec filmu świnie zżerają trupa.

J.Ch.: Coś w nim pewnie tkwiło ciekawego, skoro pamiętam. A świnie wcale nikogo nie zżerają, tylko główna bohaterka na końcu pierze po pysku i topi rywalkę. Zamiast zresztą zrobić identycznie to samo, ale raczej z gachem.

Za co ja miałam tak pokutować, latając bez przerwy po kinach? Musiało to wzbudzić protest w moim układzie wegetatywnym, bo kiedyś wreszcie, siedząc w kinie, dostałam

trzepotania serca. Przeraziła mnie owa przypadłość zupełnie śmiertelnie i od tego momentu zaczęłam mieć kłopoty z chodzeniem na filmy. Siedząc na widowni, zaczynałam się od razu źle czuć. Kłopoty z oddychaniem i tak dalej. Wtedy ograniczyłam wizyty w kinach. Zresztą od lat sześćdziesiątych byłam wciąż tak niedospana, że zasnęłam nawet na „Gigi"! Szczyt wszystkiego! Nie udało mi się, mimo strasz-liwych wysiłków, utrzymać oczu otwartych.
Dlatego dzisiaj wolę wideo.

T.L.: W latach sześćdziesiątych weszła Pani osobiście w świat filmu. W sposób o tyle dziwaczny, iż rzadko się zdarza, aby ktoś, kto choćby raz otarł się o środowisko filmowców, tak go dokładnie potem zlekceważył, wybierając zupełnie inne koleje życia. Bo Pani przecież porzuciła Chmielewską-sce-narzystkę na korzyść pracy architekta w Polsce, a później w Danii. Bardzo nietypowy wariant losu, zwłaszcza gdy za-nurzamy się w realiach głębokich lat sześćdziesiątych, kiedy to sztuka filmowa stanowiła absolutny top mód kultural-nych, filmowcy zaś byli nieodmiennym obiektem wzdychań nastolatków i dorosłych snobów oraz snobek. O znakomi-tych pieniądzach, jakie wtedy ludzie kina zarabiali, nawet już nie wspominam. Pani, współpracując z Janem Batorym, złapała Pana Boga za nogi i... szybko tego filmowego boga z własnej woli wypuściła.

J.Ch.: Możliwe, że pan ma rację. Ale dla mnie filmowcy z Panem Bogiem nic wspólnego nie mieli. Mnie oni nie wzruszali. Tę filmową sprawę przeżywał raczej mój wówczas szesnasto-letni syn Jerzy, który knuł nawet rozmaite intrygi. Pewnego razu, wizytując plan „Lekarstwa na miłość", rozmarzył się tak: — *Matka, może wejdę Łapickiemu na nogę, co?! On do mnie warknie: „Won, gówniarzu!", a ja potem będę się chwalił, że osobiś-cie rozmawiałem z samym Andrzejem Łapickim...*

T.L.: Wcale się panu Jerzemu nie dziwię, zważywszy pozycję pierw-szego amanta PRL-u, którą supergwiazdor Andrzej Łapicki utrzymywał przez kilkanaście lat. Jeśli więc on zagrał główną męską rolę w „Lekarstwie na miłość", film właściwie miał z punktu zagwarantowany sukces, niczego scenariuszowi nie ujmując. Jak Pani wspomina premierę, zwłaszcza jej aspekty, dotyczące towarzyskiego spędu gwiazd?

J.Ch.: Owszem, bardzo mi się to wszystko podobało, a nawet wzruszona byłam. Zobaczyłam na ekranie własne nazwisko jako współscenarzystki itd. Jednak w sumie się tak nachalnie znów do kiniarzy nie rwałam. Wtedy ciężko pracowałam jako architekt, więc z gwiazdami-śmazdami kontaktowałam się sporadycznie. Nie zapraszano mnie też na rauty, wernisaże i wszelkie inne imprezy środowiskowe. W filmie zatem tkwiłam raczej płytko. Nigdy mnie to nie ciągnęło, absolutnie nie marzyłam, aby zostać gwiazdą i występować. Miałam swoje środowisko, architektoniczne, wolałam je, było mi bliskie. Do egzotyki filmowo-teatralnej nie pchałam się. Nie mam w sobie takiego pędu, który tworzy gwiazdy.

Często przy tym powstające na zasadzie *raz da i zwiezda*.

Z premiery drugiego filmu, jaki powstał na podstawie moich książek, czyli tym razem „Skradzionej kolekcji", ukręconej z „Upiornego legatu", pamiętam głównie tyle, że odbyła się w kinie Skarpa przy ulicy Kopernika.

T.L.: Kto z ludzi środowiska artystycznego, stojących na świeczniku tamtej Warszawy, szczególnie zapadł Pani w pamięć?

J.Ch.: Jerzy Pomianowski na pewno.

T.L.: Przedstawmy więc doktora Pomianowskiego.

On pochodzi z bardzo ustosunkowanej i utalentowanej artystycznie rodziny. Wnuk kompozytora i wirtuoza Zdzisława Birnbauma, bratanek znanego tłumacza Mieczysława Birnbauma, siostrzeniec aktorki Heleny Gruszeckiej. Wojnę przeżył w ZSRR, potem w Moskwie skończył psychiatrię. Związany przez dziesięciolecia z polskim środowiskiem teatralnym i filmowym, kierownik literacki kilku scen i zespołów filmowych, sam zresztą dramaturg, dziennikarz, znawca spraw rosyjskich i włoskich. Wiele lat, od marca 1968, przebywał poza krajem. Dziś redaktor naczelny miesięcznika *Nowaja Polsza*, tłumacz „Archipelagu GUŁag", profesor. On wspominał Panią bardzo ciepło i z nieco tajemniczą miną w filmie biograficznym, jaki o Jerzym Pomianowskim kilka lat temu nakręcono.

J.Ch.: Bardzo byliśmy ze sobą zaprzyjaźnieni, szczególnie w czasach, kiedy pełnił funkcję kierownika literackiego Zespołu Filmowego „Syrena". Łączyło nas między innymi i to, że przecież ani on nie świecił własną gębą na planie, ani ja tego nie robiłam. Znajdowaliśmy się wspólnie o b o k. Te zaś osoby, które przebywały o b o k, trzymały się r a z e m. Jak na przykład kolegujący się z nami kierownik produkcji „Lekarstwa na miłość", Zygmunt Goldberg, przeuroczy i legendarny. Cudo! Goldberg właśnie, odpowiadający między innymi za kosztorys i rekwizyty, zagroził kiedyś: — *Proszę pani, jeszli jeszcze raz wymyszli pani jakiegosz zwierza na planie, to ja w tym udziału nie będę brał!!! Ten pies zeżarł Petites Beurres za dzieszęć złotych pięćdziesząt groszy!* No, powiedzmy sobie, że jedna paczka herbatniczków maślanych Petites Beurres kosztowała zaledwie około pięćdziesięciu groszy, czyli nawet największa psia chciwość na sumę łączną dziesięciu złotych pięćdziesięciu groszy nie stanowiła dramatu wobec ogólnej skali wydatków całego filmu. Wspominany Jurek Pomianowski zapisał się na zawsze w mojej pamięci pewnym ciekawym epizodem. Otóż umówiliśmy się w kawiarni Nike przy ulicy Zgoda (wtedy Hübnera), przy Banku pod Orłami, na rogu Sienkiewicza. Na górze znajdowały się tam straszne w użytkowaniu, bo wymuszające pozycję leżącą, krzesła. Starzy warszawiacy muszą je pamiętać.

Myśmy postanowili spotkać się na dole, bo wygodniej. Zjawiłam się pierwsza, już nawet wzięłam sobie kawę. A tak się złożyło, że w ogonku do kawy stał akurat Lesio, którego z wielką lubością sportretowałam w mojej najlepszej powieści. Pomachał mi, stał sobie dalej. Kiedy nadciągnął Jurek, spojrzał z początku na mnie, później na kolejkę, na mnie, na kolejkę, na mnie, na kolejkę, na mnie i rzucił z pewnością siebie: — *To jest Lesio!* Zaskoczona, spytałam: — *Skąd wiesz?!* Odparł: — *Przecież widać!!!* Jak Boga kocham, od jednego rzutu oka rozpoznał Lesia! Nie znając go! A tamten ani nie podszedł, ani się nie przedstawił, nic, zwyczajnie — czekał, aż mu podadzą kawę. Pokochałam za to Pomianowskiego silnie... Nasz kontakt się urwał, kiedy ja wyjechałam do Danii, a on do Włoch. Spotkaliśmy się ostatnio w Pałacu Prezydenckim, kiedy wręczano mi Krzyż Oficerski Orderu Odrodzenia Polski. Jerzy, o czym nie wiedziałam, pełni funkcję członka kapituły tego odznaczenia.

T.L.: Czy pamięta Pani klub SPATiF-u, gdzie trzeba było w artystycznej Warszawie lat sześćdziesiątych bywać, aby się liczyć towarzysko?

J.Ch.: Odwiedziłam to miejsce może ze dwa razy. Jedno śliczne spotkanko zachowałam w pamięci. Który to był? Waldorff? Nie, Putrament! Po premierze „Lekarstwa na miłość" w SPATiF-ie odbywała się jeszcze jakaś dyskusja. Putramenta, twardego człowieka KC od środowiska kulturalnego, spytano, dlaczego się tak bardzo krzywi? Burknął: — *A bo ta Chmielewska... Ja nie lubię agresywnych kobiet!*

T.L.: Istniał wtedy nieformalny, ale układowo znaczący, słynny Szlak, trasa wszystkich VIP-ów kulturalnego światka oraz półświatka Warszawy. Opisał go Adolf Rudnicki we wspomnieniowym szkicu „Krakowskie Przedmieście pełne deserów". Jak Pani wspomina ów Szlak? Na przykład tak zwany Ściek przy ulicy Trębackiej?

J.Ch.: Co też pan, nie włóczyłam się jak jakaś artystka, chodziłam na rano do roboty, gdzie mnie do jakichś Szlaków, do jakichś Ścieków?! Na litość boską, wtedy ja pracowałam na dwa fronty! Owszem, znam dawną nocną Kameralną, w której kiedyś na moje osobiste życzenie zagrali polkę galopkę, a od zawsze uwielbiam ją tańczyć. Pamiętam, że przy ognistych zawijasach zleciał mi pantofel z nogi i jak poszedł między stoliki, to go potem dłuuugo szukano. Nawet nie wspomnę, z kim wtedy tańczyłam. Przy tańcach ludowych mężczyźni w sensie innym niż partnerski okazywali się dla mnie raczej nieistotni. Kochałam się wtedy w pewnym kierowniku produkcji z Filmu Polskiego, może to on ze mną krzesał hołubce? Albo raczej kto inny, na przykład niejaki Leopold, który nosił wcale proste nazwisko. Wiśniewski? Malinowski? Kamiński? Kowalski? Ten znów koniecznie pragnął się ze mną żenić, chociaż ja na niego akurat nie reflektowałam, mimo że już dawno byłam po rozwodzie. Kiedyś, na Balu Prasy, aby mi się zasłużyć, Leopold poleciał ku orkiestrze, zamachał stosownym banknotem i runęliśmy w tańce ludowe. Ktoś podsłuchał, jak muzycy, ostro biorąc się za oberka, szeptali między sobą z satysfakcją: — *No, teraz ich wreszcie wykończymy!!!* Myśmy z Leopoldem, który, a jakże, przyklękał!, stłukł sobie kolano, nie szkodzi, wytańczyli tego oberka do ostatniego dźwięku. Znów innym razem, w SARP-ie, czyli stowarzyszeniu architektów, gdy puściłam się w pląsy ze Zbyszkiem Cudnikiem, kolegą z BLOK-u, który świetnie tańczył i już nieważne, że tak ogólnie był puknięty na umyśle, taniec równoważył wiele wad, łatwo było Zbyszkowi wybaczyć, że każdy zaginiony w pracowni cyrkiel czy stalówka znajdowały się u niego na biurku, własnych nie posiadał, gdy więc puściłam się z nim w pląsy, wówczas mój kochający mężczyzna, czyli wtedy akurat Wojtek, poszarpał na mnie brylantowy naszyjnik ze sztucznej biżuterii marki Jablonex. Uczynił tak przez zazdrość, zatem nadmiernych pretensji nie zgłaszałam. Wreszcie — okazał duży objaw uczucia...

No, w miarę wolnego czasu, którego zresztą właściwie stale mi brakowało, bywałam w Kamieniołomach, czyli nocnej restauracji dancingowej Hotelu Europejskiego, albo na Olimpie, na samej górze ekskluzywnego wtedy hotelu Grand przy ulicy Kruczej. Tam właśnie spłacałam kumplom kolacją przegrany zakład, jaki uczyniłam na budowie.

Otóż miałam akurat okropną ochotę na pączka, a nie chciało mi się lecieć do sklepu. Jakoś tak, od słowa do słowa, założyłam się z dwoma kumplami, że zjem na jeden raz dwadzieścia pączków. Zakład stanął o kolację właśnie. Ma się rozumieć, polecieli oni, do Bliklego, przynieśli, co się należało, a trzeba wiedzieć, że pączki od Bliklego były zawsze bardzo tłuste. Rzecz jasna — zaczęłam, jak się należy, te pączki rąbać. Siedzieli, patrzyli mi w zęby, szczególnie ten młodszy. W jakiejś chwili aż westchnął do kolegi: — *Rany boskie, patrz, żre jak maszyna! Zaraz ona nam to wszystko zeżre!* Ale drugi, starszy, rozsądniejszy, uspokajał: — *Ty się nic nie martw, jeszcze mamy czas, ty się nic na razie, bracie, nie martw!*

Ogółem zjadłam jedenaście... Resztę, ledwie dziewięć sztuk zostało, pożarł do spółki oraz komisyjnie zespół kolegów na budowie, oczywiście z wielką przyjemnością. Przegrałam kolację. Przy czym okazało się, że w tej kolacji ma uczestniczyć siedem osób. Wobec czego, przytomnie, przyznano mi czym prędzej ekstrapremię, jakoby za osiągnięcia w pracy. I właśnie wtedy przypadkiem ufarbowałam sobie włosy na zielono, zatem włożyłam również zieloną spódnicę, aby wszyscy sądzili, że tak właśnie trzeba. No i całą tę kolację na Olimpie porządnie odpracowaliśmy. Znowu odsyłam do „Autobiografii".

Tak, troszeczkę podobnych drobiazgów pamiętam. Na przykład dwóch facetów w garniturach wleciało do fontanny w restauracji Kongresowa, która istniała w Pałacu Kultury, od strony Sali Kongresowej. Ja się wtedy znów zaparłam do tańców ludowych, co czyniłam systematycznie oraz z wcale dużym uporem. Wybraliśmy się do Kongresowej z kumplem z pracy, Januszem Roszakiem, z którym tworzyliśmy parę- -przyzwoitkę dla pewnej innej pary, też z naszego biura. Ta druga para polegała w gruncie rzeczy na tym, że on ją kochał nad życie, a ona jego nie chciała. W każdym razie, żeby się nas pozbyć od wspólnego stolika, zakochany, z zacięciem finansowego straceńca, bez opamiętania fundował wszystkim gościom tańce ludowe. Uczyłam wtedy Janusza krakowiaka. Instruowałam: — Tu masz mnie złapać, o tu! Gdy mnie wszelako tamże usiłował złapać, ale, niestety, nie złapał, jak gwizdnęłam o drzwi męskiego wychodka, to wleciałam na jakiegoś faceta... I tak dalej. O czym tu jednak rozprawiać, wydarzenia, bądź co bądź, normalne, całkowicie na porządku dziennym, a właściwie wieczorowo-nocnym. Nocny dancing w Kamieniołomach stał się dla mnie istotny właściwie tylko z jednego powodu, tam bowiem podrywał mnie Wojtek. Lecz gdzieś, bądź co bądź, musiał, prawda?

T.L.: Ja także jeszcze coś z tamtych lat pamiętam. Na przykład rozsławione przez Marka Hłaskę na kartach „Pięknych dwudziestoletnich" trzy Kameralne. Najpierw barek, czynny chyba od szóstej rano do wczesnego popołudnia. Potem tak

zwaną dzienną Kamerę, gdzie chadzało się między wczesnym popołudniem a wieczorem coś zjeść. I wreszcie najsłynniejszą, nocną Kameralną, pierwszy wśród modnych lokali Warszawy lat pięćdziesiątych. Z dumą podkreślam, iż zwizytowałem wszystkie trzy!
Wspominała Pani o własnej tanecznej polce w nocnej Kamerze właśnie. Tam bale zaczynały się o dwudziestej pierwszej, a trwały w porywach do szóstej rano. Ponieważ te trzy lokale usytuowane były w jednym gmachu przy ulicy Foksal, jeśli ktoś naprawdę potrzebował się skrzepić, nie musiał ani na moment opuszczać potrójnej wódodajni.

J.Ch.: Tylko że ja na brewerie nie miałam czasu. Wieczorami przeważnie wlokłam się do własnego mieszkania, aby nocami ślęczeć przy kreślarskiej desce. Nocami? Nie, nie tylko, ślęczałam na okrągło, ogólnie rzecz wziąwszy. Tyle że człowiek był młody, głupi, to i czasami wyrwał ze siebie jakiś strzęp czasu na rozrywki.

T.L.: Skoro rozmawiamy o uciechach nocnego życia, a liznąłem ich w swoim czasie również i ja, to uczynię Pani pewne zwierzenie. Otóż nadal nie zapomniałem wrażenia, jakie zrobił na mnie pierwszy striptiz, oglądany na początku lat siedemdziesiątych w warszawskiej knajpie pod nazwą Kaukaska, istniejącej na terenie domu towarowego Wars. Wjeżdżało się tam windą.
Pamięta Pani, jak się brewerie w rodzaju striptizu zaczynały rozprzestrzeniać?

J.Ch.: Ja to widziałam w Danii, mniej więcej wtedy co i pan. Przyjechał do mnie akurat Wojtek.
Z nim oraz z moim kumplem, Marcinem, opisanym w „Krokodylu z kraju Karoliny" oraz w trzecim tomie „Autobiografii", udaliśmy się na cały ten striptiz. Czytelnicy „Autobiografii" zostali starannie poinformowani, jak Marcin, kurczowo zaciskając powieki, szturgał mnie w łokieć, dopytując się co chwilę: — *Czy ona już sobie poszła?* Trudno mu się zresztą specjalnie dziwić, skoro rozbierała się niekoniecznie bardzo młoda Murzynka. Rzekłabym: całkiem niemłoda...

T.L.: W Warszawie tamtych lat znajdowała się Pani w dość specyficznej sytuacji. Bo tamte kobiety, orbitujące w świecie okołoartystycznym, z grubsza można by podzielić na dwie podstawowe kategorie. Po pierwsze — kibicki, związane dłużej lub krócej z jakimiś znaczącymi i modnymi wtedy osobnikami płci męskiej. One same zbyt interesującego prochu nie wymyślały, za to odznaczały się motylą urodą. Po drugie — artystki, w rodzaju Barbary Hoff, Aliny Szapocznikow albo Agnieszki Osieckiej, które, niezależnie od urody, same zapisywały się w kulturze dokonaniami twórczymi, przy okazji prowadząc rozrywkowy nieco żywot. Pani natomiast, kobieta o urodzie wybitnej, sama pisząca, i to właściwie od samego początku z sukcesem, odmawiała udziału w środowiskowych eskapadach. Mocno nietypowy, po raz kolejny, wariant losu.

J.Ch.: Jak już pana informowałam, z artystami się nie wiązałam. To — w przeciwieństwie do architektów — nie było moje środowisko.

Tylko czasami zdarzało mi się spotykać osoby skądinąd. Jak choćby pewnego razu w Kopenhadze, gdy upiliśmy się strasznie z Waldkiem Świerzym, grafikiem i plakacistą. Innym razem, a trwały lata hippisowskie, podążałam kopenhaską ulicą, a przede mną dwóch facetów, zestrojonych na ówczesną modę. O jednym nawet pomyślałam: „No, wreszcie ktoś, kto w idiotycznym stroju znakomicie wygląda". Okazało się, że skomplementowałam w duchu Daniela Olbrychskiego. Ten drugi to Janusz Morgernstern, reżyser. Wtedy właśnie Beata Tyszkiewicz przez pomyłkę ukradła moją parasolkę i przywiozła mi ją do Polski. My się chyba z Beatą w ogóle lubimy, w każdym razie ja ją — bardzo. Pewnie dlatego w ambasadzie polskiej w Moskwie, kiedy się po ładnych paru latach niewidzenia spotkałyśmy, od razu runęłyśmy ku sobie z otwartymi szeroko ramionami. Znamy się z jeszcze z wyścigów, gdzie ja bywałam stale, a Beata od czasu do czasu.

Cała natomiast epopeja — to Kalina Jędrusik. Opisana troszeczkę w „Autobiografii". Spotkałyśmy się przy kręceniu

„Lekarstwa na miłość", ale o przyjaźni trudno by mówić, skoro ona, generalnie i uprzejmie rzecz ujmując, miała mnie w nosie. Stawałam sobie zwykle z boku, obserwowałam, co Kalina wyrabia. Jan Batory, reżyser filmu, maltretował ją bardzo silnie, każąc w nieskończoność powtarzać ten sam dubel. A kiedy nagrywali dźwięk, uparła się, żeby dostać kaszanki. Kupili jej, lecz już w trakcie postsynchronów okazało się, że kawał owej kaszanki utkwił jej w gardle i zamiast normalnie mówić albo chrycha, albo chrypi. Wtedy zaczęła się okropnie awanturować: — *Po coście mi to dali!!!* Ekipa zastygła w słup. *Przecież chciałaś?!* Kalina, nadąsana, odpaliła: — *Ale trzeba było mi nie dawać!!!*

T.L.: Miałem sposobność w ostatnim okresie życia Kaliny Jędrusik trochę bliżej ją poznać. Nikt właściwie tego nie wie, ale na moje zamówienie ona pisała w początkach lat dziewięćdziesiątych książkę kucharską (świetnie gotowała!), oczywiście mającą stać się pretekstem do wspomnień. Opowiadała mi wiele pysznych anegdot, jak choćby tę z nagrywania któregoś Kabaretu Starszych Panów (dla zasady dodam, że przypisuje się tę anegdotę rozmaitym gwiazdom). Kalina, nadzwyczaj urodziwa aktorka, za przepierzeniem miała symulować niewiastę rozdzianą do rosołu. To przepierzenie otwierało pole do wyobraźni zwłaszcza wśród męskiej części telewizyjnej widowni, bo wtedy pani Jędrusik, nosicielka barokowych wręcz powabów, rzeczywiście miała co pokazywać. Tymczasem na stojącą opodal przepierzenia drabinę służbowo wdrapał się strażak dyżurny i kiedy zobaczył, że Kalina bynajmniej nie symuluje nagości, tylko ją wcale rzetelnie ujawnia, spadł, narobił rumoru i zburzył całą intymność spektaklu. Innego znów razu rozmawialiśmy, jak najskuteczniej wypromować jej powstające apetyczne dzieło. Twórczyni znakomitych potraw i niedoszła autorka pysznej książki zaproponowała wynajęcie młodziutkich aktoreczek, które podczas promocyjnej uczty, oczywiście też autorstwa Kaliny Jędrusik, witać będą gości półnagie *z cyckami na srebrnych półmiskach*, jak rozmarzyła się pewnego razu. Prace nad książką udaremniła, niestety, śmierć aktorki. Przepraszam, rozgadałem się niepotrzebnie.

J.Ch.: O wydarzeniu z gołą Kaliną słyszałam. Tylko że ja naprawdę nie kłamię, kiedy mówię, że n i e   m i a ł a m   c z a s u!

Ostatnie godziny przed siódmą okazywały się bardzo często nerwowe, bo siedząc w pracy, równocześnie musiałam pamiętać o dokonaniu zakupów przed zamknięciem sklepów. Później już przepadło, nocne wtedy nie istniały. Gdyby istniały, uważałabym, że spotyka mnie nadziemskie szczęście! Kupowałam zatem przed siódmą co trzeba, wracałam do biura na ulicę Kredytową, windą, chwała Bogu, po czym znów spędzałam długie godziny w pracowni nad deską, nierzadko do chwili, kiedy mnie sprzątaczka wyganiała. Potem, w domu, znów cała noc nad kreśleniami. Lata najbardziej dla wielu bab rozrywkowe miałam więc zajęte robotą.

Tylko zakupy musiałam wykonywać osobiście, bo kiedy raz posłałam do sklepu Roberta, zapytał: — *Co ja mam kupić?* Poleciłam: — *Dziecko, kup, co jest!* W rezultacie przyniósł sześć kilogramowych puszek gulaszu wołowego w sosie własnym. Westchnęłam: — *Trudno, będziecie konsumowali wołowinę w sosie własnym, aż do wyczerpania.* I konsumowali... Sam pan rozumie, że w takiej sytuacji po zakupy wolałam udawać się osobiście. Lecz oni już dalej odpracowywali sami całą resztę. Odgrzali, zjedli, pozmywali, o co chodzi?

Dlatego na rozrywki brakowało mi czasu. Co prawda starałam się odwiedzać teatry, ale wyłącznie jako skromny widz. Głośne spektakle lat sześćdziesiątych, jak „Kariera Artura Ui" Brechta w reżyserii Axera we Współczesnym chyba widziałam, oglądałam też Mrożka na małej scenie Kameralnego, położonej zresztą tuż obok nocnej restauracji Kameralna. Pewnego razu o mało w Kameralnym nie umarłam. Nie wiadomo dlaczego, wydawało mi się, że w tak małym teatrze, na tak małej widowni nie wolno się tak głośno śmiać. Jak wtedy ja. Usiłowałam więc tłumić przeraźliwy śmiech w sobie i o mały włos bym się udusiła. W latach sześćdziesiątych byłam akurat z Wojtkiem, a on nadzwyczajnie lubił teatr, więc chodziliśmy razem dużo. Wyręczając mnie, on kupował bilety. Całkiem przeciwnie niż wcześniej mój mąż.

Teatr jest mi bliski od dzieciństwa. Odwiedziłam pierwszy raz salę teatralną w wieku mniej więcej lat pięciu. Rok póź-

niej, jako sześciolatka, zakochałam się w Tomciu-Paluchu.
Grała go aktorka, ale nic mi to nie przeszkadzało. Pierwsze
wizyty teatralne odbywałam w warszawskim Teatrze Wielkim, który dawał spektakle również i dla dzieci, na ogół
poranki. Stąd moja absolutna pamięć podpowiadająca niezawodnie, jak brzmi Szopenowski Polonez A-dur. Grano go
zawsze przed podniesieniem kurtyny. Często błędnie osoby
używają nazwy As-dur, kompletnie bez sensu. Iluż to ludzi
przegrało ze mną zakład o właściwą nazwę tego poloneza!
Także Alicja i Marzena, jedna ze świetnym słuchem przecież,
a druga w ogóle muzyczka. Obie zapierały się zadnimi łapa-
mi, kłócąc się ze mną, pozbawioną słuchu, o Poloneza
A-dur.
W każdym razie wciąż mam w oczach jakiś spektakl, przygotowany na 11 listopada, krótko przed wojną. Rozchorowałam się wtedy na strój krakowski. Niestety, tak się złożyło, że nigdy takiego cuda nie dostałam. Niby mogłabym
sobie, jako dorosła kobieta, choćby dla żartu, zafundować
bez trudu strój krakowianki, tylko że już mi przeszło... Minęła wojna, a podczas wojny nie tylko do kina, ale i do teatru
się nie chodziło. Potem zaś tyle spraw się poprzekręcało...
Sama też występowałam na scenie w młodych latach, z reguły prowadząc konferansjerkę. Mogę nadal, proszę bardzo,
nigdy nic miałam przed występowaniem oporów. Podobno
prawdziwy aktor, z powołaniem, powinien odczuwać tremę.
Ja tremy nie miewałam. Czyli — absolutnie nie nadaję się
na aktorkę!
Po wojnie pierwszy raz zdarzyło mi się być na przedstawie-
niu w 1946 roku. Miało to miejsce w Bytomiu, gdzie oglądałam od razu operę, „Traviatę". Śpiewali Szeptycki oraz
Lachetówna, niewiasta raczej taka w sobie dosyć. Szczęście,
że w operze na podobne drobiazgi człowiek macha ręką.
W ogóle, jakoś głównie na operach wtedy bywałam.

T.L.: Nieźle jak na osobę, która sama o sobie powiada, że słoń jej
na ucho nadepnął. Tymczasem w rozmarzeniu wysłuchuje
arii, recitativów — wszystkiego, co w operze wymaga ogromnego treningu ucha!

J.Ch.: Jakiego znowu treningu ucha?! Z przyjemnością słuchałam
na przykład takiej „Madame Butterfly" albo „Cyganerii".
Tak, w Bytomiu trochę mi się pochodziło do opery.
A gdy wróciłam do Warszawy, zaczęło się normalne latanie
po stołecznych teatrach. Istniał u nas w rodzinie zwyczaj
wręczania wszystkim z okazji rozmaitych świąt i uroczysto-
ści biletów do teatru. W związku z czym cała rodzina hur-
mem leciała oglądać przedstawienia. Uprawialiśmy poniekąd w rodzinnej skali coś w rodzaju działalności socjalnej,
którą przez całe dziesięciolecia fundowały pracownikom za-
kłady pracy. I reakcje były u nas równie zróżnicowane, jak
i tych nieszczęśników uszczęśliwianych przez kadry na siłę.
Mój mąż wdał się kiedyś w potężną awanturę, stwierdzając,
że on na „Operę za trzy grosze" ani myśli lecieć. Dopiero
po wyjściu z teatru samokrytycznie stwierdził: — *Jaki ja byłem idiota, nie chcąc tego oglądać...*
Widzi pan sam, że ja żyłam z człowiekiem, który umiał przyznać się do błędu. Nie każdy męski typ tak ma...
Teraz? Teraz chadzam rzadko, bo się zrobiłam nieruchawa
stara gropa. A przecież chętnie bym poszła, gdyby mi się
jakoś tak fajnie przytrafiło. Tak, parę rzeczy w teatrze chciałabym jeszcze zobaczyć. Może czekałaby mnie podobna epopeja, jak dawniej z odwiedzinami w zatłoczonych kinach?
Kilka bardzo dawnych spektakli pamiętam dobrze, jak
„Ucznia diabła" George'a Bernarda Shawa z cudowną parą,
Dobiesławem Damięckim, ojcem Damiana oraz Maćka
— którego to Maćka znam z wyścigów — i Ireną Górską-
-Damięcką. Kobiety w głos na widowni płakały... Później
pamiętam młode aktorskie lata Kaliny Jędrusik, już po przyjeździe z Teatru Wybrzeże do Warszawy. Grała z rozpoczy-
nającym karierę zawodową Tadeuszem Plucińskim w Brech-
towskiej „Operze za trzy grosze". Oglądałam Mieczysławę
Ćwiklińską, nie tylko zresztą w jej ostatnim, sławnym spektaklu „Drzewa umierają stojąc". Ładne parę razy widziałam
na scenie Ludwika Solskiego. Młody już nie był, fakt, to się
działo na krótko przed jego śmiercią w wieku stu lat. Informuję, że kiedy go oglądałam, jeszcze się trochę ruszał.

T.L.: Rozmawialiśmy wielokrotnie na temat opery. Opowiadała Pani, że wizyty na spektaklach śpiewanych należały do przeżyć bardziej wstrząsających. To mnie dziwi. Powtarza Pani przecież równocześnie, że posiada drewniane ucho. Nie znosi Pani pozy, sztuczności, a tymczasem — powtórzę, co już twierdziłem — opera stanowi prawdziwą kwintesencję „dziwacznego udawania".

J.Ch.: Dlatego wolałam jednak operetki. Pierwszą oglądałam chyba jako piętnastolatka. Na scenie widywałam jeszcze Messalkę, co prawda w starszym już wieku, grubą. Ale zawsze jest się czym chwalić — postać poniekąd historyczna. Zabytek. Do dziś też z przyjemnością słucham arii z „Zemsty nietoperza", wspominając występy innej dawnej divy, Beaty Artemskiej.

Z operetką wiążą mnie przeżycia prywatne i wstrząsające nadzwyczaj.

Miałam w szkole podstawowej koleżankę, Alusię Wieczorkównę, o bardzo miłym głosie. Tym się odznaczyła, że podrywała chłopaka mojej przyjaciółki. Zobaczyłam ją po latach na scenie, w operetce „Życie paryskie" (z Artemską jako gwiazdą). Kiedy Wieczorkówna podskoczyła, scena aż zajęczała i o mały figiel się pod nią nie zarwała. Bowiem okazało się, że od czasów szkolnych podrywek Alusia dość zasadniczo zdążyła przytyć... Kiedyś, kilka lat później, znów siedzę na widowni operetki, przy „Fajerwerku", i cóż widzą cudne oczka moje? Główną rolę, czytam w programie, śpiewa... Alusia Wieczorkówna! Zastąpiła Beatę Artemską. Matko Boska, co to będzie?! Scena wytrzyma gabaryty grubszej o kolejne lata Alusi?

I wreszcie wchodzi moja szkolna koleżanka.

ALUSIA???!!! Ona?!

Ta sylfida w białej sukni o wciętym stanie, przepiękna całkiem, która prezentuje się publiczności, to ona?! Muszę przyznać, że szacunku dla koleżanki nabrałam ogromnego. Dwadzieścia kilo! Gwarantowane! O te dwadzieścia kilo mniej zaczęłam bardziej Alusię cenić. Proszę się więc nie dziwić, że „Fajerwerk" wrył mi się na zawsze w pamięć. Albo znów „Sprawa o Czardaszkę" w Teatrze Syrena. Wtedy moja ukochana Grodzieńska wyszła na scenę i tańczyła lepiej niż wszystkie inne, wyćwiczone przecież znacznie później niż pani Stefania, dziewuchy. W Operetce Warszawskiej królował przecudowny tenor Mieczysław Wojnicki; podobnym głosem dysponuje dziś Zbigniew Wodecki. Także duet Maryla Karwowska i Janusz Popławski, sławna para z lat wczesnych pięćdziesiątych. Oglądałam ich koncert w remizie strażackiej. Śmiesznie w tej remizie było: Popławski już się zmęczył, a Karwowska się dopiero rozśpiewywała. I chociaż wytrzymał jakoś do końca, ona zabrała mu wszystkie oklaski.

Kiedy jednak znajdowałam się na widowni operowej, pierwsze chwile spektaklu wydawały się co prawda idiotyczne i dziwaczne, lecz później się już człowiek szybko przyzwyczajał. Przyzwyczaiwszy się zaś do odśpiewywania recitativów oraz wszelkich innych niezbędnych dyrdymałów, osoba godziła się chętnie z udziwnioną formą, już dalej chętnie oglądając operowe przedstawienie.

Opera, ale i operetka, prowokuje, nie tylko zresztą mnie, do wyczyniania rozmaitych sztuk. Kiedyś w biurze architektonicznym z Alicją i wieloma innymi kolegami daliśmy improwizowaną inscenizację słynnej „Wampuki", gdzie przez całą odsłonę bohaterowie, twardo stercząc w jednym miejscu, wyśpiewują na głosy: „Uciekajmy póki czas, gonią nas, gonią nas, gonią nas!". Albo: „Śpieszmy się, śpieszmy się, śpieszmy się, uciekaaaaajmy!!!". I ciągle stoją w miejscu. Znowu: „Śpieszmy się, śpieszmy się, śpieszmy się, uciekaaaaajmy!!!". I znowu stoją w miejscu... Takie zabawy naprawdę lubiłyśmy.

Parodiowałyśmy też we dwie Pendereckiego. To trudno przekazać, ale wyłyśmy na głosy, z nadzwyczajnym talentem: „Wrrrrr, pu, pu, pu, pu, pu. Plątu, plątu, plątu. Trrrruuu. Ku, ku, ku, ku. Bi, pi, pi, pi, pi, pi, pi, piu, piu, piu, piju, piju, piju, bi, bi. Wzuuuu!". Mniej więcej tak. Na dwa żeńskie głosy wychodziło nam doskonale. Mistrz wtedy uprawiał kompozycje wielce awangardowe, z których my — obie proste architektki — niewiele pojmowałyśmy. Literatura

muzyczna mnie nie interesowała, a z prasy czytywałam
wówczas *Przekrój*.

T.L.: Czyli wizyty w filharmonii raczej nie wchodziły w grę?

J.Ch.: A wie pan, że nawet chciałam chodzić? Zdawałam sobie
przecież sprawę, że ja ze słuchem taka znów cudowna nie
jestem, pamięcią muzyczną również nie grzeszyłam. Ale coś
czasami w ucho samo wpadało, nawet się spodobało. Dlatego koniecznie, od lat czterdziestych, planowałam eskapady filharmonijne, zwłaszcza na koncerty odbywające się
w samo południe. Bo na koncerty wieczorne damy stroiły
się w wytworne kiece, a myśmy nie miały się w co ubrać.
Na dwunastą dawało się narzucić cokolwiek. Upierałam się
przy tych wizytach, które uniemożliwiała mi rodzina. One,
moja matka oraz ciotki, jechały na cmentarz, a mnie kazały
w domu pilnować rosołu. Awantury na tym tle odbywały się
w każdą niedzielę, każdego tygodnia... Przyzna pan, od rosołu do gmachu Filharmonii Warszawskiej jest przecież jakaś tam odległość? Jeśli mi się udało niekiedy zerwać z nie-
dzielnym rosołem, latałam na filharmoniczne koncerty.
Wtedy udawało mi się nawet odróżniać Bacha od Mozarta
albo Wagnera od Brahmsa. Zresztą — Wagner to takie coś,
co ciężko byłoby zapomnieć. Nie znoszę też Bacha i w ogóle
muzyki organowej. Pasowały mi romantyczne koncerty for-
tepianowe. Owszem, ich słuchałam chętnie.
I nawet ja zauważałam, tak jak większa część społeczeństwa,
cieszące się ogromnym powodzeniem konkursy szopenow-
skie. Zawsze też wolałam fortepian od skrzypiec. — *Mamusiu! Kiedy ten pan wreszcie przepiłuje tę skrzynkę?* Miałam podobny stosunek do skrzypiec jak chłopiec ze starego dowcipu.
No, ale nie oszukujmy się, najbardziej lubię słuchać starych
walców i tang, w miarę możności bez wykonawstwa wokal-
nego. Rytm tanga do dziś mnie bierze. *A propos* — czy ktoś
wie, jak naprawdę pisze się nazwę Tango Notturno? Ileż ja
wysiłku uczyniłam, pisząc „Szajkę bez końca", aby się tego
dowiedzieć... Na przedwojennej płycie mojej matki stało jak
byk: Tango Noturno. W księgarni muzycznej, gdzie udałam
się w celu sprawdzenia, nie wiedzieli. Pytałam muzyków, to

samo. Do tej pory nie jestem pewna. Apeluję do moich fanów, zwłaszcza tych, którzy utworzyli Towarzystwo Wszystko Chmielewskie, oraz bywalców internetowej strony www.chmielewska.pl: pomóżcie sprawdzić! Co do wokalistów, gusta mam takie bardziej staroświeckie. Irena Santor, nie do pobicia, głos sam z niej wychodzi. Violetta Villas, głos o skali trzech albo i czterech oktaw. Większą liczbą oktaw w gardle dysponowała tylko peruwiańska pieśniarka, Yma Sumac, mianowicie pięcioma. Sława Przybylska? Proszę bardzo. Beata Artemska? Jak najbardziej. Cenię sobie pieśniarki posiadające głos. Już Maria Koterbska nie sięgała tych wyżyn. Lubiłam sympatyczne piosenki Jerzego Połomskiego. To są moje muzyczne upodobania.

T.L.: Sporo rozmawiamy o środowisku snobistyczno-artystycznym stolicy, czyli tak zwanej warszawce. Za emanację, sól i pieprz warszawki lat sześćdziesiątych uznałbym kabaret. Lubi Pani kabaret?

J.Ch.: Do kabaretów chadzałam rzadko. Policzyłoby się te wizyty na palcach dwóch rąk. Co prawda, przyznaję, w czasach, o jakich mówimy, były kabarety całkiem dobre, na przykład kolejne programy Dudka. Ale nadmiernych wspomnień z nocnych szantanów nie posiadam. Irytowało mnie, że kabaretowe hece odbywały się w kawiarniach, więc jeśli człowiek siedział akurat przy stoliku tyłem do estrady, łeb mu się okręcał, mało szyja nie odpadła, niewygodnie okropnie. Dziś już nawet tekstów nie pamiętam. Jeżeli nawet coś tam mi się ochapia w umyśle, wcale nie wiem, że to pochodzi z kabaretu. Chociaż w młodości teksty do kabaretu chciałam pisywać. Ale że do kabaretu trzeba pisać na zamówienie, a tak to ja nie umiem, obeszło się samym chceniem. Bo u mnie albo samo się ulęgnie, albo nie. Na zadany temat pisywałam kiedyś gazetowe felietony, lecz i przy felietonach musiało mnie natchnąć. Czasami przez tydzień ani słowa, a potem ulewało się wszystko bardzo porządnie. Innym znów razem od razu człowiekiem szarpnie i natychmiast napisze.

RÓŻNE KSIĄŻKI ŚWIATA...

T.L.: Za swą ulubioną książkę Joanna Chmielewska uważa „Wspomnienia chałturzystki" Stefanii Grodzieńskiej.

J.Ch.: Najpiękniejsza książka świata! Arcydzieło, nie książka!!! O „Wspomnieniach..." gadać nie należy, trzeba to przeczytać! Treść oraz forma tego dzieła są po prostu genialne. Gdyby mi kazał pan komentować, musiałabym wziąć tekst do ręki i cytować, zdanie po zdaniu. A proszę sobie nie myśleć, że lubię tę książkę, bo wspomnienia objazdowego estradowca dadzą się porównać ze wspomnieniami pisarza, skazanego na czerpanie dochodów ze spotkań autorskich, więc wykazują zbieżności z moim losem, skąd! To zupełnie co innego. Poza tym ja „Wspomnienia chałturzystki" czytałam znacznie wcześniej, niż zmuszona byłam uczestniczyć w spotkaniach autorskich, bo tuż po ukazaniu się pierwszego wydania w 1963 roku. Genialny obraz tamtych czasów, sposób opisu najrozmaitszych wydarzeń dotyczących estradowców, jest we „Wspomnieniach chałturzystki" absolutnie najprzepiękniejszy na świecie. Weźmy scenę, kiedy Jerzy Duszyński, wielki amant powojennego kina, w którym, poczynając od premiery „Zakazanych piosenek", kochały się na śmierć i życie wszystkie żeńskie szkoły, podczas jakiegoś objazdu, kiedy każdemu mylą się w końcu doszczętnie miasta i daty, wyskakuje z kabiny telefonicznej, a na ustach zawisa mu straszny krzyk: — Gdzie ja właściwie jestem?!... Popłakałam się ze śmiechu, długo potem nie mogąc się uspokoić. Grodzieńskiej sposób pisania uwielbiam, i treść, i formę. Wszystko czytałam, co ona napisała. Tak, Grodzieńską mogę brać w każdej postaci i w każdych ilościach. „Wspomnienia chałturzystki" są dla mnie jednak najpiękniejsze, najlepsze. Nawet atmosfera między wierszami, puste miejsca w tej książce — brzmią przecudownie! Perła, po prostu perła.

T.L.: Skoro zatrącamy o sztuki masowe, takie jak estrada opisywana przez Grodzieńską, zapytam, czy lubi Pani cyrk? Bo sądząc po książkach — niezbyt. Epizodów cyrkowych tam jak na lekarstwo.

J.Ch.: A jednak cyrk lubię. Tyle że nie przypominam sobie odwiedzin w cyrku przed wojną. Już w Polsce powojennej do cyrku chadzałam, owszem. Nawet trochę żałuję, że zaliczałam się do dzieci prowadzanych nie tyle do cyrku, co do Teatru Wielkiego. Moja matka na cyrk nie leciała.

T.L.: Pani, miłośniczka zwierząt? Tam zwierzaki męczą.

J.Ch.: Toteż nie tak znów strasznie napierałam się na cyrk i przede wszystkim interesowały mnie akrobacje ludzkie. Z wczesnej, choć już powojennej młodości utkwiła mi w głowie scena cyrkowa z dwoma klaunami. Jeden drugiemu jakoby stłukł lustro, a ponieważ nie zamierzał się przyznać, stał przed nieistniejącym lustrem, strojąc miny, a drugi, z drugiej strony, usiłował pierwszego naśladować. Myślałam, że ludzie, wśród nich i ja, umrą... Wyliśmy, pialiśmy, tupaliśmy, nie wiem, co jeszcze.

T.L.: Trochę to jak z Pani prozą...
Dotykamy właśnie spraw dzieciństwa, więc spytam przy okazji o podglebie prozy Joanny Chmielewskiej.
Jak w Pani domu wyglądał kontakt dziecka z książkami?

J.Ch.: Czytanie traktowano tak naturalnie, że w ogóle nie warto było o nim gadać. Rzeczy naturalnych się nie zauważa. Ja żyję zanurzona w książkach od czwartego roku życia. Nawet nie umiałabym wyobrazić sobie egzystencji bez książek! Nikt nie myśli, jak oddycha, prawda? Lekturę traktowałam, będąc dzieckiem-niejadkiem, jako czynność bardziej nawet naturalną niż jedzenie. Czytać musiałam, jeść — w zasadzie niekoniecznie.
Nauczyli mnie czytać w wieku lat czterech, aby mieć ze mną spokój i żebym się odczepiła od bajki o żelaznym wilku, której lekturę wymuszałam bezwzględnie od wszystkich. A że w domu książki mieliśmy, jakoś tak dalej samo poszło. Odkąd wzięłam się za samodzielne lektury, bajki o żelaznym wilku już nigdy więcej do czytania nie zapragnęłam... Pozwalano mi czytać właściwie wszystko, z jednym, znacznie późniejszym,

wyjątkiem, który wymogła matka. Ona zabroniła otóż córce
sięgać po „Zmory" Emila Zegadłowicza przed ukończeniem
szesnastu lat. Dziecko, uczciwe, czytało wszystko inne, „Zmory" spokojnie omijając. Dopiero jako dorosła całkiem kobieta,
zupełnie przypadkiem, trafiłam na tę powieść. Czytałam,
czytałam, czytałam, czytałam i... do tej pory nie wiem, o co
matce chodziło?! Skąd jej się to wzięło? Ona natomiast lubiła
książki Cronina, Deepinga, Montherlante'a (ja go nie cierpiałam). W bibliotece stał Kraszewski, Dumas, Balzac, Deledda.
Ta ostatnia, noblistka, napisała między innymi powieść o roz-
wiedzionych rodzicach oraz ich córce. Czy to była „Annalena
Bilsini"? Może „Trzcina na wietrze" albo „Sprawiedliwość"?
Nie pamiętam. A nie, wiem, tytuł brzmi „Nie mam już domu".
Z tą ostatnią powieścią Grazii Deleddy zetknęłam się, ukoń-
czywszy dziesięć lat. Poruszyła mnie naprawdę jedna scena,
gdy rozwścieczona dziesięcioletnia dziewczynka, podniesiona
z kanapy, uczuła, jak ubranie ma na sobie przekręcone w którąś stronę. Brzmiało to tak absolutnie prawdziwie, tak doskonale było mi znane, że do tej pory nie zapomniałam...
Na półkach stał w sporym wyborze Karol May, Zofia Kos-
sak-Szczucka, choć do znajdujących się pod ręką „Króla
trędowatych" i „Bez oręża" brakowało rozpoczynającego
znakomity cykl tomu „Krzyżowcy". Mało z powodu niepo-
siadania „Krzyżowców" nie zwariowałam, aż wreszcie, już
długo po wojnie, z ulgą wielką ich dopadłam. Sienkiewicz,
rzecz oczywista, „Potop" pierwszy raz czytałam, mając dziewięć lat. Zaraz potem wzięłam się za całą Trylogię, przy
czym „Ogniem i mieczem" wydało mi się strasznie mroczne,
„Pan Wołodyjowski" zaś mniej od innych tomów zrozumia-
ły i nie najprzyjemniejszy. Właśnie wtedy, w malignie towarzyszącej jednej z moich licznych wówczas chorób, przy-
widział mi się książę Bogusław w postaci szklanego słupa,
którego się panicznie bałam.
Pomijam książki wciąż znane, przeznaczone wyłącznie dla
dzieci i młodzieży, Konopnicką czy coś innego w tym rodzaju. Ale weźmy „Gwiazdę przewodnią" czy „Złotą Elżunię".
Tę ostatnią książeczkę czytałam w latach okupacji. Wigilia,
świeci się choinka, a ja w charakterze prezentu otrzymuję

„Gwiazdę przewodnią" wraz z p ó ł t a b l i c z k ą p r a w- d z i w e j c z e k o l a d y. Żarłam więc tę czekoladę i pochła- niałam „Gwiazdę przewodnią". Byłam niebiańsko szczęśli- wa... Miałam też dla siebie całą Lidię Czarską oraz trochę tylko, zbyt przecież mało, książek pióra Marii Buyno-Arc- towej. Czytałam sama i dużo: straszliwe baśnie Grimmów, Ander- sena oczywiście, Karola Maya. Nawet gdy przez nasz dom w Grójcu przechodził w 1945 roku front, siedziałam pod karbidówką, zatkawszy sobie uszy, i nade wszystko prag- nęłam przed śmiercią skończyć tę bardzo przepiękną lektu- rę, która akurat spoczywała na moich kolanach. Co ja wtedy czytałam? Słowo daję, nie pamiętam...! Równocześnie, właściwie razem z literaturą dla dzieci, za- częły się książki dorosłe. Na przykład Livingstone'a „Wbrew oczywistości".

T.L.: Skłonny byłbym wysnuć hipotezę, iż zasadniczy dla kształ- towania się Pani myślenia o stylu literackim autor to Sien- kiewicz, zwłaszcza jako twórca Trylogii, ukochanego cyklu Joanny Chmielewskiej. Za którym z bohaterów przepada Pa- ni najbardziej? Za Kmicicem?

J.Ch.: Skąd. Różnie w rozmaitych okresach. Gdybym ja pisała Try- logię, może usiłowałabym zrobić coś innego z Bohunem, żeby jednak tak źle nie skończył. Nie wiem nawet, czybym mu Heleny nie oddała... Ale, psiakrew!, co wtedy zrobić ze Skrzetuskim...? Nie, nie wolno tak.

T.L.: W latach dziewięćdziesiątych, kiedy Rosjanie nakręcili serial z „Całego zdania nieboszczyka", jedną z ról kreował Alek- sander Domagarow. Też on grał Bohuna u Hoffmana. Wspo- minała Pani wielokrotnie o swej wielkiej sympatii do rosyj- skiego, poznanego na planie serialu, wybitnie urodziwego aktora. Może się to nałożyło?

J.Ch.: Wybaczy pan, ale jakoś tak się złożyło, że w latach mojego dzieciństwa Domagarowa jeszcze nie poznałam.

T.L.: Czytając wielokrotnie Trylogię, najpierw jako zwykły czytel- nik, a później jako filolog, zastanawiałem się, z którą żeńską bohaterką Sienkiewicza skłonne są utożsamiać się dziewczyny. Powiedzmy, Pani, dorosła Joanna Chmielewska...

J.Ch.: Ja? Z żadną z nich. Zresztą z męskimi bohaterami również się nie utożsamiam. Dlaczego więc czytałam i czytuję nadal Trylogię? No, proszę samemu zobaczyć, jakim językiem, z jakim wdziękiem, z jaką swobodą on to pisze. Jak przepięknie oddaje atmosferę czasu, charaktery ludzi. Dziewczyny Sienkiewicza nie są papierowe. Ta młodzież, co to ona dziś nie chce brać do rąk Sienkiewicza, to ona głupia jest.

T.L.: Profesor Julian Krzyżanowski, wybitny filolog, znawca polskiej literatury, en bloc bywał krytyczny wobec wielu literatów, własną bezkrytyczność rezerwując — tylko dla Sienkiewicza...

J.Ch.: Ja uwielbiam bez granic Trylogię, ale na przykład „Rodzinę Połanieckich" już niekoniecznie.

T.L.: Ponieważ Sienkiewicz bywa wcale często okrutny, teraz pozwolę sobie na słówko pro publico bono. Otóż istnieją dwa stanowiska w sprawie czytelnictwa dzieci i młodzieży. Pierwsze z nich reprezentowała świętej pamięci moja mądra chrzestna babka, Janina Szelągowska, która uważała, że dzieciom należy pozwalać czytać w zasadzie wszystko, bez żadnych ograniczeń. Druga opcja zakłada, iż książki oferowane dzieciom trzeba starannie dobierać, bo chodzi o względy wychowawcze.
W domu rodzinnym malutkiej Irenki, z której wyrosła później pisarka Joanna, obowiązywała ta pierwsza opcja. Co zaś Pani sama dzisiaj sądzi na temat owej kontrowersji?

J.Ch.: Tu przecież nie ma żadnej kontrowersji. Mnie czytać pozwalano wszystko, o czym już wspominałam. Zabraniać nie należy, podsuwać pożądane lektury — i owszem. Aby tylko dzieciak rozumiał, co czyta, bo inaczej się zniechęci.

T.L.: Pozwoliłaby Pani sięgnąć maluchowi po — bo ja wiem? — „Osiemnaście karatów dziewictwa" Pitigrillego? Albo inne takie.

J.Ch.: Coś w cytowanym rodzaju wciąga tylko dziewczynki. Z wypiekami na buziach będą czytać podobne głupstwa dwunasto-, czternastolatki. No i co? Czy się coś wielkiego stanie? Owszem, kiedyś sądzono, że książki potrafią demoralizować. Lecz dziś, w epoce wszechwładzy ekranu telewizyjnego...?! Po co w ogóle porównywać? Cóż jeszcze może te nieszczęsne dzieciaki zdemoralizować? Już raczej gorsze okazałoby się dla chłopców o wrodzonych głupich skłonnościach czytanie na temat krwawych, obrzydliwych, sadystycznych czynów. Za to sam miód znajdą w bitwach, opisywanych przez autorów dawnych, Waltera Scotta na ten przykład. Albo Karola Maya. Nawet jeśli się ich tomy zestarzały, jednak tkwi w nich wdzięk nieprzemijający. Moi synowie mogli czytać, co chcieli, absolutnie im nie zabraniałam. Sceny silnie erotyczne? Żaden z nich, jak się zdaje, na „Zmory" nie poleciał. Ogólnie wziąwszy, czytali wszystko. W młodych latach nie pchali się tylko do książek historycznych. Pewnego razu urządziłam w domu porządną awanturę, że mi zginęła „Elżbieta i Essex" Gilesa Lyttona Stracheya w przekładzie z 1958 roku Marii Godlewskiej. Obaj się bożyli, że przecież żaden z nich by tego do ręki bez obrzydzenia nie wziął... Robert, mój młodszy, dopiero teraz zaczyna się rzucać na historyczne utwory. A Jerzy liczył sobie już dwadzieścia lat, gdy, będąc rekonwalescentem po chorobie, dostał szału na tle Trylogii, bo w szkole tylko bryk czytał. Jak raz z Trylogią ruszył, tak wkrótce przyleciał do mnie z wyciągniętymi pazurami i z krzykiem dzikim, gdzie się podział drugi tom „Potopu"?!

T.L.: Każdy pedagog twierdzi, że szkoła zabija książki. Jeśli tytuł wprowadzić do szkolnych lektur, traci całą swą lekturową atrakcyjność.

J.Ch.: Dowcip polega na tym, że, idąc do szkoły, miałam już odpracowane lektury. Nawet chyba „Pana Tadeusza" sama przeczytałam wcześniej, nim nam go zaprezentowano podczas lekcji. Dużych fragmentów nauczyłam się na pamięć, do tej pory mogłabym recytować. Trudno obrzydzić coś, co się już wcześniej poznało. Nauczyciele nie dali moim lekturom rady, nie zdążyli.

T.L.: Czy posiada Pani jakąś specjalną metodę czytania?

J.Ch.: Tyle tylko, że lubię czytać seriami; jak historyczne, to historyczne, jak Balzaca, to Balzaca, jak Gardnera, to Gardnera.

Kiedy wchodzę w Mary Higgins Clark, to czytam Mary Higgins Clark. Takie upodobanie.
Przypuszczam zresztą, a właściwie jestem pewna, że to, co akurat czytam, wpływa jakoś na moje własne działania. Pewnie to jest wiele drobniutkich wpływków, składających się na coś osobnego. Trudno mi zresztą ten włos rozczapierzać na czworo.

T.L.: Czy wolno spytać o najważniejsze, zdaniem Pani, książki świata? Poza „Wspomnieniami chałturzystki" rzecz jasna.

J.Ch.: Najważniejsze dla mnie? Ależ pan ciekawy... Nie, ja tego nie umiem tak ułożyć. Chociaż, owszem, istnieje trochę książek, do których jestem bardzo przywiązana. Wiele ich znalazłabym, gdybym trochę poszperała w głowie, bardzo wiele... Ale na pewno za bardzo ważne dla siebie od razu uznaję kilka lub nawet kilkanaście.
Może jednak lepiej oraz łatwiej byłoby wymienić autorów i książki, jakich nie znoszę? Na przykład pisarstwa Williama Whartona. Z wcześniejszych autorów nigdy nie lubiłam Hemingwaya. Nie trawię go — i do widzenia! Typowy pisarz dla mężczyzn.
Boję się natomiast wyliczać rzeczy ulubione, aby nie prowokować losu. Zdarza mi się bowiem niekiedy nieszczęście w postaci utraty egzemplarzy. Przez lata tęskniłam na przykład do tomu Vercorsa „Zwierzęta niezwierzęta". To się ukazało w roku 1956 w PIW-ie, w przekładzie Juliana Rogozińskiego. Jedna z najbardziej humanitarnych książek, jakie w życiu czytałam. Gotowa byłam odkupić za każde pieniądze! Wleciała mi w rękę gdzieś około lat sześćdziesiątych, przepadła i od tamtego czasu nigdzie nie mogłam jej dopaść. Wreszcie zadziałali niezawodni czytelnicy. Mam! Tu absolutnie muszę wspomnieć, iż właśnie dzięki czytelnikom znacząco w ostatnich latach uzupełniłam braki oraz ubytki w mojej domowej bibliotece. Oni reagują niezawodnie!
Ale w ogóle wszystko, co wymieniłam w tej rozmowie, to wyłącznie wyrwane z kontekstu fragmenciki ogromnej całości.

Na przykład do najbardziej przejmujących lektur mojego życia zaliczam także „Krzyżowców" Kossak-Szczuckiej, już o nich rozmawialiśmy. W ogóle, skoro wymieniam Kossak-Szczucką, lubię i zawsze lubiłam historyczne książki.

T.L.: Skąd to się u Pani wzięło? Bo przecież duża część czytelników, osobliwie zaś kobiet, wykazuje absolutną głuchotę na rzeczy historyczne. Widzą przed sobą gładką, bez żadnych wypukłości ścianę. I kropka! Tymczasem Pani, co z ochotą potwierdzam, bo wiem z autopsji, historię uwielbia.

J.Ch.: Proszę pana, historia — to w dużej mierze dzieje wojen. Krwi w nich za dużo, jak dla potrzeb większości kobiet. Ja się do grupy nieprzyjaciółek historii nie zaliczam, fakt. Tutaj działa wyobraźnia, sądzę. Sprawy historyczne widzę własnymi oczkami, stają przede mną jak żywe. Musiało mi się od samego początku spodobać osobiste śledzenie zagmatwań historii, bo w ogóle uwielbiam zagadki. Zaczęłam jeszcze w dzieciństwie, od „Starej baśni" Kraszewskiego. Stał u nas w komplecie. Może nie wszystkie sześćset tomów, ale historyczne z pewnością. Od „Starej baśni", poprzez „Lubonie", „Zmartwychwstańców", aż do „Saskich ostatków". Czytałam, jak leci, po kolei. Wcale nie wyłącznie Kraszewskiego brałam w rękę, łapałam, co mi podeszło, w tym rozmaite rzeczy historyczne dla dzieci, dyrdymałki w rodzaju „Historii żółtej ciżemki" Antoniny Domańskiej.

T.L.: Mój Boże, pomyśleć tylko, że ta urocza opowiastka dla młodzieży ukazała się w 1913 roku, czyli ponad dziewięćdziesiąt lat temu! Dziś trąci myszką.

J.Ch.: I co z tego?! Skoro nadal dzieciaki czytają? Ja miałam, ułapiając Domańską, jakieś dziesięć-dwanaście lat, czyli to wystąpiło podczas okupacji. Wtedy, w wieku nastoletnim, już się wiele z tekstu rozumie, nawet stylizacje językowe. Dlatego lekturę odbywałam z wielkim zainteresowaniem. Podobnie jak chętnie łapałam za teksty Dumasa. Lecz wcale nie za „Trzech muszkieterów", którzy się sami narzucają, ale za „Czterdziestu pięciu", „Królewskiego posła", „Tragedię rodu Walezjuszy" i tak dalej. Po wojnie tych akurat Dumasów nie wydawano, dysponuję przedwojennymi jeszcze egzemplarzami. Czytywałam moje książki dziwnie: od połowy, od końca, nie od początku. Dopiero po wojnie rwałam się dziko, żeby sobie poczytać od początku, i kupowałam, co się dało. Bez czytania byłabym jak ryba bez wody, jak normalny ludzki osobnik bez tlenu. Zadusiłabym się.

Kiedyś, będąc jedenastolatką, pobożną, religijną i wierzącą, uznałam, że coś zrobiłam nie tak. Zatem, powinnam się ukarać. Wymyśliłam sobie karę straszliwą: przez cały dzień nie przeczytam ani jednej litery. Jezus kochany, co ja się umęczyłam...! Do dziś dnia pamiętam. Człowiek nie zdaje sobie na ogół sprawy, w jakim stopniu jest otoczony słowem drukowanym. Przecież wtedy nie wiedziałam, gdzie oczy podziać! Gdzie bym nie spojrzała, tu wala się jakaś gazeta z nagłówkiem, tam sterczy szyld nad sklepem. Książki już w ogóle pomijam, szturgałam je oczami wszędzie. A że byłam uczciwa, skoro się rzekło ani litery, to ani litery. Dzień ciągnął mi się ze dwa lata chyba, a pisanego mi nieskończenie brakowało. Z szaloną ulgą dnia następnego rzuciłam się na książki.

Czytałam zawsze zachłannie. Trudno się zatem dziwić, iż kiedy w końcu poszłam do szkoły, okazało się, że wiem ogromnie dużo. Nie zdawałam sobie nawet sprawy, ile rozmaitej wiedzy nabywam przez lektury. Mnóstwo najdziwaczniejszych dyrdymałów, ale znakomitych.

T.L.: A po wojnie?

J.Ch.: Po wojnie, pan to co najwyżej słabo pamięta, nastąpił wybuch książki. Na przykład podczas warszawskich kiermaszów, z początku w Alejach Ujazdowskich. Tam się dawało mnóstwo nabyć, my z matką kupiłyśmy sobie całego Balzaca. Także Orzeszkową, dziś jej egzemplarze mam kompletnie w proszku.

T.L.: Co Panią w Orzeszkowej brało? Nie każdy obecnie lubi rzeczy tej akurat autorki. Rzekłbym nawet, że mało kto...

J.Ch.: Ja czytałam wszystko. Wcale nie tylko „Nad Niemnem", to zupełna drobnostka! Ale i „Pana Grabę", i „Pamiętnik

Wacławy", i „Dwa oblicza", i wiele jeszcze. Może wykazuję dziwne upodobania, takie jednak miałam. Namiętnie kiedyś czytywałam również tomy historyczne Tomasza Teodora Jeża. Dziś mi już zapał do Jeża sklęsł.

T.L.: Wcale się nie dziwię. Choć był Autorytetem, takim niekłamanym, z wielkiej litery, teraz nie istnieje poza świadomością zawodowych historyków i filologów. Szkoda, bo Zygmunt Miłkowski — tak się naprawdę Jeż nazywał — to postać wybitna, ojciec nowoczesnej myśli narodowej, wszelakiej, rozumianej szeroko, gdyż i w wydaniu piłsudczykowskim, i endeckim. Jednak pisarsko bardzo, bardzo zmurszał. A przecież kiedyś wielką estymą darzył go nie tylko Żeromski, lecz też i Wańkowicz. Oraz wielu innych, bardzo różnych. Od Dmowskiego do Piłsudskiego właśnie.

J.Ch.: Czytało się, co było. Wielu dzisiaj oczywistych autorów kiedyś nie istniało dla nas. Weźmy Mikę Waltariego. Dopadłam go jako całkowicie dorosła osoba i zakochałam się w książkach tego Fina, choćby w tomach o upadku Bizancjum, jak na przykład „Czarny anioł". Oczywiście znanych majstrów w rodzaju Liona Feuchtwangera znam świetnie, wszystkie te „Żydówki z Toledo" i „ Białe karły". Natomiast pamiętniki margrabiny von Bayreuth miałam tylko pożyczone, a osoba, która mi je pożyczyła, postarała mi się szybko wyrwać książkę z zębów pazurami, w związku z czym tomu nie mam. Jak ona pilnowała! A szkoda... Cóż, wiedziała, dobrze wiedziała, że pieniądze za tę książkę oczywiście jej oddam. Ale egzemplarza — już nie.
Ba! Jako dorosła jednostka z przyjemnością zagłębiałam się w pamiętnikach rozmaitych osób historycznych, choćby kardynała Retza.
Ostatnimi laty bardzo dużo czytuję opracowań ściśle historycznych, takich, jak „Początki cywilizacji brytyjskiej" albo „Upadek Imperium Brytyjskiego". Zawsze wielu podobnych lektur byłam żądna, mam na półce dzieje licznych krain, częstokroć bardzo egzotycznych, o takich banalnych państwach, jak Francja czy Niemcy nawet nie wspominając. Tyle że obecnie wychodzi mrowie podobnych rzeczy, a ja już ze

wszystkim nie mogę nadążyć. Dlatego dla absolutnego odpoczynku czytam sobie Edigeya. Przypomina mi błogie, anielskie czasy. W dodatku tak głupio opisane! Jedyne zaś dzieje, które mi sprawiają kłopot, to dzieje... Polski. Historię Polski spokojnie mogę czytywać tylko do czasów Bolesława Chrobrego. A potem zaczyna mi się robić COŚ TAKIEGO, że nie jestem w stanie czytać, bo mnie s z l a g t r a f i a! Zaprzepaszczone szanse tego biednego kraju, błędy i głupoty całkiem przerażające. Jak chociażby ta cholerna Oda, ostatnia flama i pomyłka Bolesława Chrobrego właśnie. I Mieszko, i Bolesław, tatuś i nieodrodny synalek! Półgłówy! Takie nam świństwo zrobili! Jeden z jedną Odą, drugi z drugą, nie z tą samą przecież. Ale że obie nadawały się do wychodka, to pewne.

Dlatego po cichutku planuję utwór historyczny, zawierający wersję historii alternatywnej. Może mi się uda za życia? Skoro już to piszę? Należało zacząć znacznie wcześniej niż w czasach pierwszych Piastów. Kłopot polegał na tym, że musiałam sobie znaleźć odpowiedniego papieża. Waham się jeszcze, ale mi na ogół wychodzi VI-VII wiek. Wczesne średniowiecze i cały ówczesny ogólnoeuropejski galimatias. Wystarczy poczytać o Merowingach, by zobaczyć, jak przeraźliwy kocioł wrzał wtedy na naszym kontynencie. Właśnie w t e d y mieliśmy swoją szansę... Hmm, lecz trzeba by jakiegoś przypadku... Jakiegoś... Aby się udało... Jak to pociągnąć, jak to...

...A tam! Będę panu teraz moją nową książkę opowiadać!!! Zawracanie głowy! Nawet gdybym chciała, to opowieść byłaby z konieczności powierzchowna, pobieżna, niedokładna. Przecież powinnam jeszcze teraz rozpocząć coś na kształt bardziej szczegółowych studiów historycznych, bo inaczej bym nie napisała wszystkiego dostatecznie porządnie. Znowu gdybym tę historię odpracowywała całkiem od podstaw, od dokumentów, tobym umarła już wcześniej ze dwadzieścia razy chyba. Czyli — jeszcze chwilę potrwa, a czytelnicy niech trochę czekają.

Zawsze bardzo lubiłam biografie i mam ich w domu zatrzęsienie: Izabela Hiszpańska, Kolumb, Katarzyna Aragońska,

Maria Antonina, Anna Austriaczka. No, i jeszcze sensacje historyczne: książki Bidwella, Druona zupełnie przepiękny cykl „Królowie przeklęci", to są rzeczy o templariuszach, i swego rodzaju, że tak określę, kryminały żywe. O takich drobnostkach jak Bunsch nawet nie warto wspominać. Kupiłam sobie wreszcie całego Bunscha, bo na mojej półce stał tylko „Ojciec i syn", tom drugi. A gdzie przepadł tom pierwszy?!!! Rozumiem, w tej rodzinie książki latały po domach, no i w końcu poginęły. Tylko dlaczego akurat ja mam za wszystkich cierpieć?! Dobrze, że chociaż trochę odzyskałam z tego co trzeba, więc mam sporo z głowy.

T.L.: Czy zgodzi się Pani z tezą, że kiedyś większą wagę przykładano do czytania przez dzieci lektur patriotycznych?

J.Ch.: Sama wychowałam się na takich książkach. Oprócz wspominanych był jeszcze Makuszyński, którego miałam właściwie w całości, choć bez „Szatana z siódmej klasy". Tę uroczą książeczkę nabyłam dopiero po wojnie i wtedy przeczytałam. Bo podczas okupacji — skąd niby miałam wziąć? I tak jeszcze zdążyłam z tą akurat lekturą, nim zanadto wyrosłam, gdyż, niech pan łaskawie raczy pamiętać, zaraz po wojnie w końcu taka znów całkiem dorosła nie byłam...
No, i czytałam KRYMINAŁY. U mojej matki kryminały egzystowały na półkach. Mimo że nie mieliśmy książek na przykład Marczyńskiego, bo jego akurat mamusia sobie nie życzyła. Później, gdy już go dopadłam, przeczytałam i bardzo mnie śmieszył.
Natomiast z niekłamanym zainteresowaniem czytałam Livingstone'a „Wbrew oczywistości". Dla mnie utwór niezapomniany, zwłaszcza dlatego, że wreszcie zginął nawet mojej matce, a ona pilnowała swoich książek jak oka w głowie. Rzec nawet można, iż pewnie bardziej książek niż córki... No, gdyby miała na serio wybierać — pewnie jednak wzięłaby się za pilnowanie córki.
Chociaż ja wolałabym, aby w rozmaitych sytuacjach pilnowała raczej biblioteki...
Apeluję do czytelników pańskiej rozmowy: znajdźcie mi Livingstone'a, będę naprawdę wdzięczna! Z jakąż to rozkoszą

porównam swoje dzisiejsze wrażenia z tymi, jakie mnie do-
padały w czasie dawno minionym. Wtedy to działało na
mnie w sposób niesłychanie przejmujący. Podobnie jak „Zaginiony kurier" Oppenheima. Conan Doyle'a również mi się
udało jakimś tajemniczym sposobem dopaść w młodych latach. Wśród lektur liczy się też, rzecz jasna, „Tajemnica
żółtego pokoju" Gastona Leroux. Oraz kryminały Maurice'a
Leblanca. Też Greene'a, lecz nie tego od „Naszego człowieka
w Hawanie", lecz od „Przy drzwiach zamkniętych". Kryminał przepiękny, zaiste staroświecki. Boże, zmiłuj się nade
mną! Chowałam do ostatnich czasów, ale po powrocie mojej
ciotki Teresy z Kanady zginął mi. Chciałam jeszcze raz sobie
przeczytać, chała — nie ma! U mnie książki niekiedy same
wychodzą z domu!

T.L.: Może zamieśćmy spis książek, o których znalezienie Pani
zaapeluje?

J.Ch.: Owszem, posiadam taki spis. Rozproszony po około osiemnastu karteluszkach. Powinnam go wreszcie do kupy zebrać
i w jednym miejscu spisać. Gdzie, do licha!, podziały się
„Dzieje Anglii" André Maurois, przecież było tego co najmniej trzy wydania?! Gdzie dałoby się znaleźć czarującą opowieść o podróży przez prerię na Dziki Zachód chłopca z ojcem alkoholikiem? Zwłaszcza że uleciał mi i tytuł, i autor.
Do widzenia!
Te ulubione książki ginęły w najrozmaitszych okolicznościach. Niektóre łapała ciotka Lucyna i wysyłała do Kanady,
czasem nawet nie nadążałam z czytaniem. Wdzięczna byłabym uroczym osobom, które by uzupełniły na nowo mój
księgozbiór. Nie chodzi mi o formę typograficzną, opraw
skórzanych bynajmniej nie pożądam. W książkach liczy się
dla mnie treść.

T.L.: Zatem ogłaszamy. Kto pierwszy zgłosi się do wydawnictwa
z książką umieszczoną tutaj, a nieposiadaną przez Joannę
Chmielewską, dostanie w zamian egzemplarz kolejnego tomu Pisarki z dedykacją. Całkiem za darmochę. Decyduje
kolejność zgłoszeń. Jurorem jest wydawnictwo KOBRA.
Wróćmy jednak do wątku głównego.

Jakie przeżyła Pani największe czytelnicze rozczarowania w związku z książkami modnymi?

T.Ch.: Z całą pewnością powieści Whartona. Nie rozumiem zupełnie szału, jaki na jego punkcie onegdaj zapanował. Dla mnie one są *nieczytable*, pozbawione sensu, niesmaczne zgoła. Wymieniam pierwszy przykład z brzegu, bo takie niechęci kilka razy mi się oczywiście przytrafiały.

T.L.: Czy dla Pani, autorki poczytnych kryminałów, istnieje jakiś kryminał szczególnie ważny?

J.Ch.: Przyznam się do jednego autora, Edgara Wallace'a. Już nie pamiętam tytułu, może „Klub sprawiedliwych", a może „Gabinet nr 13"? W głowie mi się kołata jakoś tak spółdzielczo. Czyżby „Związek czterech"? Nie, nie przypomnę sobie tak od razu. W każdym razie wciągnęło mnie straszliwie, siedziałam nad powieścią z wypiekami na pysku. Mąż, zaciekawiony moim szaleńczym poruszeniem, także wziął ów tom do ręki. I dostał ataku potwornego śmiechu! Zdziwiłam się nadzwyczajnie: — *Czyś ty zwariował?* — pytam. — *Książka bardzo straszna, a ty rechoczesz...* Wyjaśnił mi, w czym rzecz. Otóż bohater czołgał się z cążkami w ręku, by przeciąć instalację elektryczną, podczas gdy mógł i powinien unieszkodliwić, co trzeba, znacznie prościej. Wallace wziął się do realiów, o których nie miał zielonego pojęcia, więc się wygłupił. Od tej pory realia w moich utworach sprawdzam jak wściekła.

T.L.: Czy są książki, jakie by się specjalnie kojarzyły z Pani kolejnymi partnerami?

J.Ch.: Nie, nie ma takich. Owszem, oni kompletnymi kretynami nie byli i rozmaite dzieła przecież czytywali. Ale mąż, Wojtek i Marek byli u mnie sobie, ich zaś lektury sobie. Na przykład mój mąż nie cierpiał Balzaca i w ogóle nie życzył sobie mieć okoliczności z klasykami francuskimi. Co on lubił czytać? Już nawet nie pamiętam. Na pewno *Życie Warszawy*. Z książek nie wiem. Przecież życie wtedy było trudne i właściwie nie za często się zdarzało, aby dwie osoby siedziały obok siebie nad lekturą. Chryste Panie! Gdyby się nam tak udało, uznalibyśmy, że już umarliśmy i znaleźliśmy się w raju.

T.L.: Przebywając w Danii, zyskała Pani sposobność do wzbogacenia swoich lektur o publikacje w kraju bezdebitowe. Czyli, ujmując rzecz po ludzku, złapała Pani szansę, by czytywać bez przeszkód książki wydawane na emigracji, a w Polsce zakazane, kontaktować się z dorobkiem uchodźców z PRL-u.

J.Ch.: Oj tam, zakazane! W Polsce dosyć łatwo „się kontaktowałam" z książkami zakazanymi. Zawsze się skądś co trzeba skombinowało. I nawet nie korzystałam z nieźle zaopatrzonej biblioteki ZLP, nigdy tam zresztą nie bywałam. Za wysoko.

Ja trafiałam na to, co mnie akurat interesowało, bez mordowania kogokolwiek sztyletem. Orwella „Rok 1984" ułapiłam, gdy za to szło się siedzieć. Poza tym, szczerze panu odpowiadając, na ogół nie zwracałam uwagi, czy jakiś tytuł jest zakazany, czy nie. Czasem nawet dziwię się ludziom, eksponującym straszliwe, niesamowite trudności w docieraniu do tekstów *niebłagonadiożnych* w ustroju, który znienawidziłam żywiołowo, absolutnie i z całego serca. Tyle że z kłopotami, wynikającymi akurat z chęci czytania czegokolwiek, ja akurat osobiście się nie zetknęłam. Chociaż wiem oczywiście, że za książki niektórzy szli do więzienia. Lecz za inne „przestępstwa" znacznie łatwiej było trafić za kraty. Moja koleżanka ze szkolnej klasy poszła na przykład siedzieć za śmierć Stalina.

T.L.: ?

J.Ch.: O tym, że Halina siedzi, dowiedziałam się *post factum*. Metodą plotkarską doszło do mnie, dlaczego ją posadzili. Albo ktoś u niej w pracy bąknął na korytarzu, albo z radia usłyszała, w każdym razie powzięła wiadomość, że umarł Stalin. Moja maturalna współtowarzyszka jakoś to skomentowała. Może westchnęła: — *To chyba dobrze?* Albo jakoś tak? Już nie pamiętam szczegółowo. W każdym razie jej westchnienie zostało określone następująco: — *Krytykowała śmierć Stalina.* Niech pan sam usłyszy, na czym polegał idiotyzm donosu. Upiorna głupota! Zwłaszcza jeśli zważyć, iż w gruncie rzeczy

Halinę polityka interesowała równie mało, jak i mnie. Jednak co podpadła, to podpadła. Wlepili jej pół roku, wyszła na szczęście po trzech miesiącach za dobre sprawowanie. Na dobrą sprawę nie rozumiała, dlaczego trafiła do pierdla, podstawowym zaś problemem, który ją dręczył, okazały się pająki grasujące w celi, ponieważ cierpiała na arachnofobię. W dupie miała i Stalina, i wszelkie zjawiska polityczne — myślała tylko o pająkach. Na szczęście, gdy ją wypuścili, znalazła pracę, wyszła za mąż, sytuacja się unormowała.

T.L.: A pająki?

J.Ch.: Pająki przegoniła.

T.L.: Kto ze współczesnych pisarzy polskich budzi Pani żywe zainteresowanie?

J.Ch.: Sama nie pamiętam tak znów dokładnie, co ostatnio czytuję. Dla mnie współczesność układa się zresztą inaczej niż dla pana, więc niektóre moje lektury mogą wydać się komuś nieco anachroniczne.
Nepomucka. Lubię jej cykl, podobno w pewnym stopniu autobiograficzny, nazywany „doskonałości-niedoskonałości". Ogromnie mnie bawi, że wszystko tam takie niedoskonałe, więc naprawdę lubię, proszę bardzo.
Uwielbiam Ewę Nowacką! Popełniła co najmniej jedną książkę przejmującą, zatytułowaną „Prywatne życie entu Szubad". Ona na ogół pisała o Rzymie, kochała go, fascynował ją. Grecji nie lubiła, jak wyznała mi osobiście. Ale w okresie, gdy gromadziła materiały, przez czysty przypadek, jakby z boku, nadleciało jej kiedyś coś więcej o Sumerach. Szkoda było Nowackiej zmarnować tę ilość wiedzy, którą zyskała, i tak powstała absolutnie moim zdaniem prześliczna powieść, czyli właśnie „Prywatne życie entu Szubad".
Jasienica. Jestem absolutnie po stronie Jasienicy. Uważam, że miał świętą rację zarówno w „Polsce Piastów", jak i w „Polsce Jagiellonów". Jadwiga nie powinna była poślubiać Jagiełły! I Jasienica wywlókł na jaw, rzuciwszy w masową świadomość, tę znaną prawdę historyczną, że Jagiełło celowo zwalniał, śpiesząc po Grunwaldzie pod Malbork. W tym celu, aby Zakon się obronił, dzięki czemu Polska nie

zyskiwała miażdżącej przewagi wobec Litwy. Gdyby się Jagiełło nie wygłupiał, to by w ogóle nie było potem Krzyżaków i, w konsekwencji, na przykład Hołdu Pruskiego. Na cholerę nam ten cały Hołd Pruski! Żeby Matejko kolejny ładny obrazek namalował?! Mógł sobie malować i bez tego. Najwyżej jakiś trochę inny. Ot, Jagiełło-neofita! Psiakrew!

*

T.L.: Czy zna Pani najnowsze hity?

J.Ch.: Jak które. Andrzeja Sapkowskiego „Wiedźmina" cenię. „Narrenturm" bardzo dobre, tylko dlaczego Sapkowski się wygłupił, jak dawniej Nienacki, który zaczął cykl o Polsce przedpiastowskiej, napisał „Ja, Dago", po czym wziął i umarł. O, przepraszam, a gdzie ciąg dalszy?! Niemądre dowcipy. W Bogu tylko pokładam nadzieję, że Sapkowski wciąż żyje. Żyje?

T.L.: Żyje.

J.Ch.: To dobrze. Niech więc pisze dalszy ciąg, do cholery, a nie postępuje tak, jak ja z moją mityczną już powieścią historyczną. Inaczej umrzemy obydwoje, zanim każde z nas swoje wykokosi.
Bardzo lubię przeuroczą rzecz pod tytułem „Nigdy w życiu" Grocholi, dalsze, moim zdaniem, są gorsze, a w każdym razie mniej dobre. Ona zaczęła z czasem niepotrzebnie dawać książeczki zamiast książek.

T.L.: Skoro zatrzymaliśmy się na przystanku Grochola, mam uwagę ogólniejszej natury. Że w ogóle obserwujemy od mniej więcej kilkunastu lat eksplozję prozy kobiecej.

J.Ch.: Wreszcie nauczyły się pisać. Tyle czasu nie umiały...

T.L.: No, i niech sama Pani popatrzy, co się na świecie wyrabia. Dawniej się mówiło, że nic tak nie plami honoru kobiety jak atrament...

J.Ch.: Niektóre zwariowały zupełnie i poplamiły sobie tym atramentem, co tylko mogły.

T.L.: Pani też!

J.Ch.: CO?! Proszę przestać! J a o krwawym seksie nie piszę! Ja się zajmuję normalnymi sprawami, rodziną, mężczyznami i tego rodzaju dyrdymałami. A one, te pisarki, wdają się w intymne zupełnie szczegóły erotyczne, potrzebne w literaturze jak dziura w moście. Skąd im się to wzięło? Postanowiły iść za modą, być czytane za dużą cenę? W końcu cały ten seks okaże się nieinteresujący. Również fizjologia serwowana w nadmiarze. Ileż bowiem razy da się ciekawie opisywać techniczne sposoby mycia zębów? Albo dłubania w uszach? Albo, *excusez le mot*, srania? Dowcip przecież polega na tym, aby bez tego rodzaju elementów modnych, wciągających na krótką zaledwie metę, utrzymać czytelnika. Ja sama posiadam w materii seksu pewne doświadczenie życiowe, które o czymś świadczy i to, co mówię, uwiarygodnia. Pornografia. Kiedy się znalazłam w Kopenhadze, pornografia wstrząsała mną lekko, bo naraz, po purytańskiej seksualnie Polsce, wokół zrobiło się nieco duńsko, czyli dziwnie. Lecz przyzwyczaiłam się wkrótce do tego, co oglądam. Aż tak, że przestałam w ogóle dostrzegać te nudne zgoła elementy otoczenia. Opisałam w „Autobiografii", jak czekając na autobus, oglądałam na wystawie sklepowej długopisy, a kiedy wreszcie spojrzałam i zorientowałam się, przed jaką witryną stoję, okazało się, że to sklep z męską pornografią. W ogóle go znad tych długopisów nie zauważyłam. Podczas wystawy Porno 69 znikały z mojej uwagi ogromne fotogramy, plansze i trzeba się było zastanawiać, co na tych ogromnych powiększeniach pokazują. Dziurkę od nosa? Kawałek ucha? W rezultacie zaczęłam się przyglądać przechodzącym mężczyznom. Wszyscy prezentowali identyczny wyraz twarzy: osłupiałe obrzydzenie. Nadmiar potrafi sprawić, że nawet na rzeczy atrakcyjne nie da się pozytywnie reagować. Nam też obrzydnie, niech się pan nie martwi. Żaden więc literacki sukces nie będzie możliwy, jeśli pisarka wyłoży w powieści głównie to, jak się jedna pani z drugim panem pieprzyła. Coś innego wydaje mi się w literaturze naprawdę interesujące. I o tym czymś innym piszę. Nie będę się bez powodu rozwodziła nad bólem własnego palca albo jakiejkolwiek innej części ciała.

T.L.: Zostawmy zatem pornografię w nader licznych pornosho-
pach i wracajmy do książek. Kto z pisarzy wywarł na Panią
zasadniczy wpływ?

J.Ch.: Grodzieńska, już parokrotnie panu wyjaśniałam. Moim nie-
doścignym marzeniem było napisać tak cudownie piękną
książkę, jak „Wspomnienia chałturzystki".
Poza tym przypuszczam, że olbrzymia liczba książek wywarła
na mnie wpływ kawałkami, choć nie potrafię tych kawałków
wydłubać. Ujęłabym to tak: zadziałało mnóstwo małego, nie
żadne jedno wielkie. Lubiłam książki patriotyczne, bo ja w ogóle byłam dziecko patriotyczne. Cud, że po wojnie z tego powodu
nie wyrzucili mnie ze szkoły... Wszystkie moje gesty wynikały
z patriotycznych lektur, a jeszcze dochodziła okupacja, kiedy
dziecko gotowe było walić w parszywego wroga już sama nie
wiem czym. Już panu opowiadałam, jak się mi upiekło, gdy
podczas jakiejś idiotycznej akademii pierwszomajowej zaczęli
skandować: — Stalin! Stalin!, a ja, z jeszcze jedną koleżanką,
demonstracyjnie wyszłyśmy. Dlaczego zostawili nas mimo
wszystko w szkole? Zwykła łaska boska. Może nikt nie zwrócił
uwagi, może inny powód. Bo myśmy wtedy bynajmniej cichutko, na paluszkach nie wychodziły. O, nie...

T.L.: Ale przed maturą zapisała się Pani do Związku Młodzieży
Polskiej, „organizacji reżimowych janczarów". Tak dziś się
ocenia ZMP, choć należała doń większość ówczesnej polskiej młodzieży.

J.Ch.: Owszem, zapisałam się, tyle że to się odbyło planowo. Uzgodniłyśmy między sobą w klasie, której się wolno zhańbić, a to
w celu pójścia na studia. Miałam pochodzenie społeczne
niedobre, tatusia wyrzucili z partii, wyglądało więc wszystko
ogólnie źle. Aby cokolwiek poprawić, zaciskałam zęby, niech
już będzie cały ten ZMP. Dziewczyny się wzajemnie rozgrze-
szyły. Potem mnie szczęśliwie wyrzucili.

T.L.: Jak wpływały na Panią książkowe mody? Na przykład szał
ogólny na bardzo trudnego „Ulissesa" Joyce'a.

J.Ch.: Z „Ulissesem" nawet i sprawdziłam, o co właściwie chodzi.
Zaczęłam czytać, uznałam, że — być może — jest to arcy-

dzieło. Ale równocześnie doszłam do wniosku, że ja do niego nie dorosłam i nie będę kontynuować. Do dziś nie wiem, o co się wtedy z „Ulissesem" ludność zabijała. Podziwiam tylko Słomczyńskiego, który na łbie stawał, tracił czas oraz pieniądze na przekładanie Joyce'a, dobre zaś kryminały pisywał od niechcenia ledwo, głównie dla chleba. Podziwiam go i jednocześnie wręcz przeciwnie. Bo on spaskudził we własnym przekładzie „Alicję w krainie czarów". Ja znam przekłady wcześniejsze, po raz pierwszy czytałam „Alicję..." bardzo już dawno. A jako osoba dorosła wzięłam do ręki tłumaczenie Macieja Słomczyńskiego. Zupełnie, ale to zupełnie nie to samo, straciła cały urok, wdzięk! Kiedyś skompromitowałam się chęcią pożyczenia od Słomczyńskiego dwóch taczek piasku, potrzebnego mi do glazury w łazience.

T.L.: Skompromitowała się Pani? Jak?!

J.Ch.: Skompromitowałam! Poniekąd. Nigdzie piachu nie było, trwała kolejna „zima stulecia", więc nie kopano na dnie w Wiśle. Szukałam gorączkowo kogoś, kto by się akurat budował. Znała go doskonale Seweryna Szmaglewska, a ją z kolei znałam ja oraz Witold Wiśniewski. Dowiedziawszy się, że Słomczyński właśnie stawia chałupę, runęłam do niego przez Wiśniewskiego, błagając o koleżeńską przysługę. Jak kryminalistka do kryminalisty. Zapomniałam tylko, że on swój dom owszem, budował, lecz pod Krakowem, a ja mieszkałam w mieszkaniu przy ulicy Dolnej w Warszawie. Dość daleko musiałby więc dygać z tymi taczkami... W tej sytuacji bez wyjścia wyjście znalazłam i, koniec końców, ukradłam piach spod znajdującego się blisko Dolnej ulicy Pałacyku Szustra, co skrupulatnie w „Autobiografii" opisałam.

T.L.: Skoro przystanęliśmy przy słynnym poniekąd Macieju Słomczyńskim, tłumaczu Szekspira i Joyce'a, lepiej znanym miłośnikom kryminału jako Joe Alex, gdyż takiego pseudonimu używał (choć powieści milicyjne pisywał też w skórze Kazimierza Kwaśniewskiego), miałbym pytanie. Jak Pani odnosi się do ukrywania własnego nazwiska przez pisarskich kryminalistów? Bo z kolei inny krakus, Tadeusz

Kwiatkowski, krył się „po francusku" jako Noël Randon. Andrzej Szczypiorski wkładał kryminalistyczną maskę Maurice'a S. Andrewsa, Tadeusz Kostecki wcielał się w W.T. Cristine'a, Helena Sekuła też nosi w rzeczywistości inne nazwisko, Barbara Gordon to naprawdę Ludwika Mitznerowa, a Jerzy Edigey w życiu oficjalnym występował jako Jerzy Korycki. Stefan Kisielewski wykorzystywał pseudonim Teodor Klon. Pani również nie posługiwała się nigdy jako literatka personaliami z dowodu osobistego.

J.Ch.: Wielu polskich autorów kryminałów wstydziło się tego, że zarabiają pieniądze i na czym je zarabiają. Jakby jakieś świństwa popełniali. Dali sobie wmówić, że gatunek kryminalny to zupełne dno, barachło niegodne dobrego słowa. A co dopiero własnego, porządnego nazwiska... Ot, głupota zupełna.
Ze mną było inaczej. Po pierwsze, kiedy zaczynałam, akurat byłam w trakcie rozwodu i na wszelki wypadek postanowiłam nie kalać nazwiska męża. Bo ja wiem, jak on by zareagował? Poza tym moje nazwisko po mężu brzmi z niemiecka, co niekoniecznie uznawałam za zaletę. Zwłaszcza gdy — po drugie — mimo że krótkie, okazało się dla bardzo wielu ludzi niesłychanie trudne do zapamiętania we właściwym brzmieniu. Do dziś tak jest. Z moim starszym synem, Jerzym, zabawiliśmy się kiedyś w zliczenie, na ile sposobów da się przerobić jego i moje „prywatne" nazwisko. Wyszło nam z obliczeń, iż spotkaliśmy się z siedemnastoma rozmaitymi wariacjami, układanymi z zaledwie czterech liter. Po trzecie — pragnęłam nawiązać do moich przodkiń, jak już wcześniej panu wyjaśniałam. W żadnym wypadku nie chodziło mi jednak o wstyd!

T.L.: Nie wszyscy „kryminaliści" używali pseudonimów. Za to wszyscy Państwo zapewne się znali?

J.Ch.: Niekoniecznie. Znałam oczywiście główne nazwiska i teksty. Niektórych ceniłam: Helenę Sekułę, także Annę Kłodzińską (która, nie wiedzieć czemu, dawno temu przestała pisać, a choć pisała proustrojowo, to jednak inteligentnie), Jere-

miego Bożkowskiego (on, podobno, był kobietą i umarł, robiąc mi tym samym straszne świństwo; w dodatku jego „Piękna kobieta w obłoku spalin" zginęła mi trzeci raz, więc znów czeka mnie odkupowanie...). Specjalnie zwracam pana uwagę na Helenę Sekułę, która stopniowo dawała coraz to lepsze książki. A trzy ostatnie przed zmianą ustroju — „Demon z bagiennego boru" , „Barakuda" oraz „Siedem domów kuny" — są w mojej ocenie wręcz znakomite! Najnowszą, „Ślad węża" z 2004 roku, nawet poleciłam własnym nazwiskiem na okładce. Chociaż Sekuła nieco zmieniła *genre*. A tak by się nadal chciało przyzwoitych kryminałów...!
Trudno mi zrozumieć dlaczego, ale większość polskich twórców tej odmiany pisarstwa, publikujących w minionym ustroju, dziś już całkiem nie istnieje. Zamilkli? Przestali pisać? A przecież jest czego się ułapić w naszej współczesnej rzeczywistości. Jeśli pojawią się zdolni autorzy, wszyscy będą ich pazurami szarpali. Tymczasem dzieje się z nimi jak ostatnio z wielką Agatą. Każdy by pragnął „normalnych" kryminałów Christie, a ciągle dostajemy jakieś dziwactwa, w dodatku źle przetłumaczone.

T.L.: Bardzo Pani dba o realia. Pani książki osadzają się nadzwyczaj silnie w swojej czasoprzestrzeni. W tym względzie książki Chmielewskiej są równie precyzyjne, jak autorów tak zwanego czarnego kryminału amerykańskiego, który wypączkował w latach trzydziestych XX wieku: Gardnera, Chase'a, Chandlera, Hammeta, Spillane'a.

J.Ch.: Lubię amerykańskich kryminalistów. Co prawda względem rzetelności ich opisów mam swoje zdanie. Proszę wziąć pod lupę opisy ekscesów alkoholowych bohaterów, stworzonych przez tych pisarzy. Oni, ci bohaterowie, whisky pijają na litry, więc nie rozumiem, dlaczego nie chodzą bez przerwy pijani... Niemożliwa po prostu rzecz!

T.L.: Wróćmy do Pani ukochanej Christie. Kiedy zetknęła się Pani z pisarstwem Agaty?

J.Ch.: Oj, dawno... Jednak już dopiero po wojnie. Gdybyśmy mieli Christie wcześniej w domowej bibliotece, na pewno bym sięgnęła, jak sięgałam po rozmaite dorosłe tomy. Pierwsza

książka Agaty, jaką przeczytałam, to „Dziesięciu Murzyn-
ków". Być może w wydaniu przedwojennym. Ja od sensacji
literackiej nigdy nie stroniłam, na przykład z Sherlockiem
Holmesem zetknęłam się przed końcem wojny.

T.L.: Bardzo często nazywa się Panią „polską Agatą Christie". Ja
nie lubię takich zwrotów, uważam, że one obrażają pisarza
o wykrystalizowanej własnej indywidualności. Bo chyba lepiej być pierwszą Chmielewską niż drugą Christie. Ale coś
Panie przecież jednak łączy...

J.Ch.: Ja świetnie rozumiem przywiązanie czytelników do rozpo-
znawalnego autorskiego stylu, dlatego zresztą sama chętnie
wracam do „starej" Chmielewskiej. Czyli do przestępstwa
kameralnego, z omijaniem wielkich afer rozmaitego autoramentu. Piszę więc nadal trochę podobnie jak Agata. Nie
będę się na stare lata wdawała w mafie, bomby, ogólnoświa-
towe zagłady i tym podobne dyrdymały.

T.L.: Nie męczy więc Pani fakt, że czytelnicy wymuszają na
Chmielewskiej pewien rodzaj pisarstwa?

J.Ch.: Powtarzam: doskonale ich rozumiem! Nie czuję skłonności
do pełnienia funkcji prorokini ogólnoświatowej katastrofy.
W gruncie rzeczy wolę zbrodnię kameralną. Zwłaszcza dziś,
kiedy ona tak niebezpiecznie spowszedniała. Kiedyś, jeśli
ukradziono panu jakiś renesansowy kielich, odziedziczony
po przodkach, wzbudzał się szał absolutny: poszukiwania,
policja i tak dalej. Teraz? Mogą panu rąbnąć komplet kieli-
chów oraz jeszcze parę innych drobnostek. I usłyszy pan:
— *O co w gruncie rzeczy chodzi, prawda? Niech pan nie zawraca
głowy, prawda! Rodzina żyje? Żyje, prawda? Bomba jest? Nie ma
bomby, prawda? To, prawda, w czym jest problem, prawda?!!!*
Nikt się nie będzie w pańskie kielichy wdawał. Kiedyś się
szukało zabójcy, obecnie sprawa idzie *ad acta*, do umorze-
nia... Jeśli zbrodniarz nie zdecyduje się stanąć obok miejsca
zbrodni z okrzykiem: — *To ja zrobiłem! To ja!!!* — kto się
będzie wygłupiał z poszukiwaniami...? Mamy mafie, czter-
dziestoosobowe albo liczniejsze, strzelające do policji, następnie zaś wypuszczane „ze względu na znikomą szkod-
liwość społeczną czynu"... Prokuratorzy biorą łapówki,

niekiedy ze strachu. Bo się panicznie boją, stając przed wyborem: chapnąć forsę i bandziora wypuścić albo mieć poderżnięte gardło, zgwałconą córkę lub zamordowaną żonę. Do wyboru z tego repertuaru albo wszystko razem, jak który woli. Niestety, prawo stoi u nas na głowie, za to panuje rozszalałe i dzikie **BEZPRAWIE!!!** Absolutnie! Istniejące kodeksy zostały skierowane przeciwko uczciwym ludziom. Górą zaś — przestępcy. W tej sytuacji uczciwy pisarz kryminałów powinien by się powiesić albo skakać do Wisły. Albo zmienić zawód, biorąc się za karmienie kur. A jeszcze lepiej — świń!

T.L.: U Pani, w powieściach kryminalnych, rzeczywiście ostatnio mafii się jakby nie ogląda. Kiedyś, w powieściach osnutych na tle wyścigów konnych, było inaczej. Rzekłbym, iż obecnie Chmielewska wybiera świat kryminalnej bajki...

J.Ch.: Na litość boską, policjant to też człowiek! Jak wszelkie inne osoby wykonujące rozmaite zawody. Bo jest lekarz-konował i lekarz, któremu zależy. Jest policjant byle jaki i jest inny, któremu także zależy. W gruncie rzeczy w każdym człowieku istnieje chęć robienia dobrze, każdy pragnąłby być tym najlepszym, godnym pochwały, nagradzanym. Pisarz, malarz, policjant — też. Tam, gdzie nieszczęsnego gliniarza nie pozbawia się szansy, on zrobi, co do niego należy. Postara się, znajdzie, wyszuka.
Wiem, jest ich mało.
Dobrze, a właściwie trudno. To ja zamierzam pisać o tych, których jest mało. O policyjnych masach, również tych skorumpowanych, pisała nie będę. Jak i w ogóle o żadnych masach. Ani ja Lenin, ani Marks, ani Engels. Ani jakiś Stalin... Ja pisuję coś, co trzeba nazwać „sensacją humorystyczną". Nazwę tę wynaleziono specjalnie dla mnie w Czytelniku, u mojego pierwszego wydawcy. Zresztą po potwornych wysiłkach. Nie mam pojęcia, komu tę „humorystyczną sensację" zawdzięczam. Może Irenie Szymańskiej lub Janinie Borowiczowej, moim dwóm Czytelnikowskim aniołom? Od nich zaczynałam współpracę z redaktorkami i bardzo wiele mnie nauczyły. Rosjanie nazywają z kolei typ humorystycznego pisarstwa, jaki wynika z moich książek, *ironiczeskij detektiv.*

T.L.: Czyli kryminał z przymrużeniem oka. Tyle że u Pani przeważa nie tyle ironia, co ciepły humor.

J.Ch.: Bo w gruncie rzeczy opowiadam się za humanitaryzmem, za zwykłymi ludzkimi uczuciami. A zwykłe ludzkie uczucia, one są właśnie takie, zwykłe, ciepłe. Nawet ten gliniarz bynajmniej nie musi stawać się pniem parszywym, gnącym się tylko na wszystkie strony w oczekiwaniu na byle łapówkę.

PISARZE, PISARZE, PISARZE...

T.L.: Członkinią Związku Literatów Polskich została Pani stosunkowo późno, gdyż w roku 1973. Tymczasem statut umożliwiał akces po wydaniu dwóch książek. Czekała więc Pani od 1966 roku, kiedy ukazała się druga powieść Chmielewskiej, czyli „Wszyscy jesteśmy podejrzani", aż siedem kolejnych lat. Dlaczego?

J.Ch.: Ma pan rację, wystarczyło wydać dwie książki. Niektórzy dodawali: — I trzech kolegów... Tych kolegów mi zdecydowanie do kolekcji zawodowego literata brakowało... Nie przyjęto mnie od razu, ale też ja się tak potwornie nie rwałam, konieczności żadnej nie dostrzegałam w sobie. Zdecydowałam się dopiero, dowiedziawszy się, że przynależność do ZLP zwalnia z pewnych świadczeń, dziś już nie pamiętam jakich. No i że papier, potwierdzający przynależność do ZLP, zdecydowanie ułatwiał zbieranie materiałów w całym kraju. Kiedy pokazywałam kartkę od ZLP z wypisaną prośbą, by umożliwiono twórcy gromadzenie danych, otwierały się rozmaite furty. Bo wszyscy ludzie, gdziekolwiek by się znaleźć, panicznie się bali bez tego świstka puszczać farbę na jakikolwiek podejrzany temat. Pytałam na przykład, nie okazując wprzódy papieru, raz lub drugi kogoś, kto mi się napatoczył, co taki gość żre na śniadanie, to on się od pierwszego kopa bojał, że w grę wchodzi robota szpiegowska. Wolał milczeć. Skorzystałam z protekcji Ireny Szymańskiej i otrzymałam legitymację ZLP. Drugiego członka wprowadzającego już nie pamiętam, za co uprzejmie tę zacną osobę przepraszam.

T.L.: Pisarze należący do elitarnego ZLP cieszyli się nie lada przywilejami: dostęp do literatury bezdebitowej (to znaczy objętej zapisem cenzury) w bibliotece Związku, możliwość przebywania w domach pracy twórczej, wyjazdy zagraniczne.

J.Ch.: Już wspominałam, noga moja w bibliotece nie postała. Zresztą biblioteka oznacza wdrapywanie się na wysokie trzecie piętro, więc dla mnie stanowczo za wysoko. Wszelkie *kazionne* książki czytałam bez pośrednictwa Związku. Natomiast raz jeden wybrałam się do domu pracy twórczej, który mieści się w Sopocie, dokładnie naprzeciw Grand Hotelu. A, nie, to ośrodek ZAiKS-u, przepraszam najuprzejmiej. Wychodzi, że w domach pracy twórczej ZLP nie gościłam nigdy.

T.L.: Każdy warszawski pisarz, który był zawodowo aktywny w latach sześćdziesiątych, musiał zaliczyć, właściwie obowiązkowo, Obory, czyli słynny ośrodek ZLP, umiejscowiony pod Warszawą, w dawnej barokowej posiadłości hrabiów Potulickich, wzniesionej w drugiej połowie XVII wieku.

J.Ch.: Owszem, znam Obory, zjawiałam się tam kilka razy. Tylko że nie prywatnie, lecz w celach służbowych. Pojechałam pierwszy raz do Obór, kiedy przymusiłam ZLP do wzięcia się za remont miejscowego pałacu i czynszówki. Do dziś odczuwam dumę!
Byłam akurat członkiem Komisji Domów Pracy Twórczej ZLP, a istniał już wtedy problem ewentualnego remontu Obór. Planowało się też w dalszej przyszłości rozbudowę ośrodka. Udałam się więc popatrzeć własnymi oczkami na obiekt, który liczył sobie trzysta lat.
Od pierwszej wizyty zorientowałam się, co się dzieje. Kierownik ośrodka, bo to on był odpowiedzialny za sprawy techniczne, skarżył mi się, że tu nie gra, tam nie gra. W ogromnym holu, który prowadzi w głąb pałacyku, zadarłam głowę, obejrzałam sobie strop. Tynk pękał, odpadał. Strop wykonano z drewna. A jeśli drewniany strop ma taką strzałkę ugięcia, że już odpada tynk, w dodatku nad salonem, w miejscu, gdzie siedzą ludzie, to dalej może być już tylko katastrofa.

Po czym udaliśmy się razem na strych. Wyjęłam długopis i... wbiłam go bez problemu w drewnianą stropową belkę. Wszystko zmurszałe! Nawet się więc w fundamenty nie wdawałam, od razu wiedziałam, jak zareagować. Jeszcze się w Oborach parokrotnie zjawiałam, odbywałam jakieś narady, wreszcie udałam się na kolejne posiedzenie Komisji Domów Pracy Twórczej. Trwał nacisk, żeby remontu poniechać. Bo do Obór pchali się wszyscy pisarze. Członkowie komisji bali się zatem, że trzeba będzie zamknąć ośrodek na jakiś czas, w wyniku zaś takiej decyzji zostaną przecież zlinczowani i ukamienowani. Starali się odwlekać, jak mogli. Ja najpierw nic nie gadałam, siadłam przy stole i pomilczałam. Aż do ostatniej chwili. Wówczas zabrałam głos.

— Jakąkolwiek decyzję Państwo podejmą, ja zgłoszę na piśmie votum separatum, ponieważ ktoś kiedyś mógłby się dokopać do moich budowlanych uprawnień. Czyli moim obowiązkiem jest wiedzieć i powiedzieć, że pałac w Oborach wkrótce się zawali! Jeżeli nie zrobimy natychmiast remontu, szlag trafi trzystuletni zabytek. Kiedy strop poleci, zabijając jakiegoś człowieka, winni pójdą siedzieć. Za tiurmę dla siebie dziękuję Państwu uprzejmie.

Wystraszyłam panicznie związkowych humanistów... Wtedy właśnie zdecydowano się zamknąć obiekt i przystąpić do remontu. Podczas którego ujawniło się jeszcze zagrzybienie fundamentów. Od tego zrujnowania wszystko by się w ciągu kilku lat zawaliło.

T.L.: A czy zdarzało się Pani uczestniczyć w związkowych zebraniach?

J.Ch.: Istotnie, jeśli nie zjawiał się Himmilsbach, nasiadówki odwalano do skutku albo i bez skutku. Wielokrotnie huczne one były... Często dochodziło do awantur między tymi kulturalnymi ludźmi, do rozmaitych protestów itd. Tyle że bez rękoczynów. W roku osiemdziesiątym ktoś wdrapał się na trybunę w sali obrad i stwierdził: — Czas mamy historyczny, wszyscy coś robią, więc chyba i my musimy...? Wymyślmy coś! Poza tym uparcie bywałam zatrudniana w komisjach skrutacyjnych. Dlatego, że ja umiem liczyć.

Mogłabym poszachrować? Nie, to mi do głowy nie przyszło. Kiedyś tylko pomyślałam sobie, że miałam w ręku władzę, gdyż podczas jakichś wyborów przeważył jeden jedyny głos. A ja osobiście te głosy niosłam w pustym zupełnie korytarzu. Nic nie stało na przeszkodzie, by całkiem pojedynczą kartkę wyrzucić do kosza... Chodziło o ostatnie zebranie, na którym byłam. Wtedy właśnie Krzysztof Gąsiorowski, poeta, został wybrany na przewodniczącego Oddziału Warszawskiego ZLP. Kontrkandydował chyba Szczypiorski. Mogłam załatwić sprawę drobnym gestem szachrajstwa, tyle że wciąż, przez całe życie, prześladuje mnie moja głupkowata uczciwość. Któryś z pisarzy, nazwiska już nie pamiętam, w każdym razie wysoki, wtedy trochę siwawy blondyn, spytał mnie potem przez zaciśnięte zęby: — *Czy n i c nie można było zrobić?* Przyznałam, że owszem. A wtedy ów pisarz popatrzył na mnie dłuuuugo, przeciąąąągle, w oczach taki rozjąąąkany. Za nim łypnęła na mnie jak na głupią któraś baba. No, i co z tego? Ja sobie kompletnie wtedy nie uświadamiałam, jaki skutek wywoła moja nazbyt akuratna postawa. Zresztą, skoro ludzie głosowali...
Uwielbiali mnie w tych związkowych komisjach skrutacyjnych, ponieważ jeśli ja wchodziłam w skład, liczenie głosów odbywało się trzykrotnie krócej niż na ogół beze mnie. Już po pierwszym moim razie tempo liczenia zachwyciło wszystkich. Wybierano mnie odtąd bardzo chętnie na skrutacyjną przewodniczącą. Zasłużyłam się więc dla literatury i byłam doskonała, choć wtedy ani mi to przychodziło do głowy. Miało zaś tę dobrą stronę, że członków komisji skrutacyjnych nie wybiera się do żadnych władz.

T.L.: W roku 1981, gdy nastał stan wojenny, Związek Literatów Polskich zawieszono, później przestał istnieć w kształcie znanym dotąd przez cztery dziesięciolecia. Nastąpił podział na Stowarzyszenie Pisarzy Polskich, w którym znalazła się cała opozycja i bardzo wielu znanych autorów politycznie mniej aktywnych, oraz na ZLP, zwany przez SPP-owców „ZLePem" i nieuznawany przez nich za dziedzica związkowej tradycji. Presja towarzyska, tak zwane układy, a i również poglądy, sytuowały Panią raczej w orbicie SPP. Jednak wciąż należy Pani do ZLP. Dlaczego?

J.Ch.: Myśli pan, że ja nie mam ciekawszych zajęć niż zabawa w takie albo inne stowarzyszenia pisarskie? SPP z pewnością bez mojej osoby przetrwa. Ja bez Stowarzyszenia — również. Nigdy się w politykę czynnie nie wdawałam. Ani myślę tego zmieniać! Czytałam też, co tylko chciałam, bez zwracania uwagi na poglądy polityczne autorów. Znowu mi wartościowe kryterium!
Rzeczywiście, podobno SPP zgromadziło rozmaitych opozycyjnych pisarzy, którym wstyd było przynależeć do „komunistycznego" związku... Tylko że ja n i g d y nie czułam się porządnie przynależna do jakiejkolwiek organizacji. W gruncie rzeczy było mi więc wszystko jedno. Nie miałam zamiaru zawracać sobie głowy polityką i problemami stowarzyszeń. Nawet nie wiedziałam, że m ó j związek literatów dzieli się na dwie nierówne połowy! Gdybym wiedziała, kto wie, może bym się przeniosła?
A w ogóle, co to za różnica dla kogokolwiek? Ja się staram ze związkami pisarskimi na co dzień nie zadawać. Boże broń!
W 1981 roku było tak samo. Uciekałam od stada, jak mogłam. Zawsze!
Kiedyś, odchodzący właśnie z funkcji prezes warszawskiego oddziału ZLP, Romuald Karaś, błagał mnie na wszystkie świętości, żebym się zgodziła kandydować po nim. Tak się ogromnie zapaliłam do jego propozycji, że na wszelki wypadek w ogóle nie poszłam na zebranie.
Bo oni by mnie — cholera! — wybrali... Jak amen w pacierzu, skoro nikt przeciwko mnie nic nie miał, nikogo znikąd nie wygryzłam, nikomu nie podstawiałam nogi. Nie stanowiłam zatem żadnej konkurencji dla nikogo. Wybraliby mnie więc, bodaj sobie na złość. A kiedy ja już porządnie, duszą swoją, zobaczyłam roztoczoną przed sobą własną polityczną przyszłość, zrobiło mi się niedobrze. I nie zjawiłam się na zebraniu wyborczym taktycznie, gdyż nieobecnego wybrać nie wolno.

Przy tym nigdy nie kryłam własnych „antysocjalistycznych"
przekonań. Ani w latach pięćdziesiątych, ani w sześćdziesiątych, ani w siedemdziesiątych, ani w osiemdziesiątych,
ani nigdy nie przychodziło mi do głowy, że za jakąś wypo-
wiedź mogę iść siedzieć. Mało, ja co tylko pomyślałam — za-
pisywałam. Tylko że nie zdaniami w rodzaju: *Precz z komuniz-
mem!*, taka głupia to przecież nie byłam. Poza tym przez
krótki czas uważałam, zwłaszcza zaraz po wojnie, że nowy
ustrój ma sens. Mam, rzecz jasna, na myśli nie komunizm,
lecz socjalizm, ów „ustrój sprawiedliwości społecznej". Już
panu wcześniej opowiadałam, jak ewoluowały w tej mierze
moje poglądy.
Ale bieżące sprawy polityczne pozostawały poza moim za-
sięgiem. Kto wchodził na kolejnego premiera? Pan wie? Oni
się przecież zmieniali.

T.L.: Zupełnie jak z Janem Parandowskim w anegdocie z 1953
roku. W wyniku tajnego zamachu stanu I sekretarzem ra-
dzieckiej kompartii wybrano Nikitę Siergiejewicza Chrusz-
czowa, co zaowocowało po dwóch dalszych latach stopniową
odwilżą polityczną, a następnie erozją całego bloku państw
tak zwanych socjalistycznych. Polska przebudziła się po raz
pierwszy, dostrzegano pierwszą jaskółkę zmian. Naród wle-
piał nos w gazety, nasłuchiwał komunikatów radiowych,
wszyscy gorączkowali się, dopytywali, co się dzieje w Moskwie?!
Ktoś, spotkawszy na ulicy Parandowskiego, chwycił go za
guzik od marynarki i, zapalczywie kręcąc, dopytywał się znaw-
cy antyku: — *Panie Janie, słyszał pan coś nowego?!!!* Parandow-
ski, uwolniwszy guzik od natręta, wzruszył ramionami:
— *Podobno kogoś wybrali. Mówią, że to ważne. Jakiś tam Chrusz-
czyk albo podobnie...*
Pani orientacja polityczna okazuje się zbliżona do kompe-
tencji politycznych Jana Parandowskiego...

J.Ch.: A wie pan, że mnie nie przyszło do głowy, że z tym Chrusz-
czowem to aż takie światowe wydarzenie? Mnie tam było
wszystko jedno: XX Zjazd KPZR czy VI Zjazd PZPR. Ganz-
-pomada przecież.

T.L.: Słowem, w materii politycznej poruszała się Pani jak Tadeusz Boy-Żeleński po modernistycznym Krakowie? Czyli jak pijane dziecko we mgle?

J.Ch.: Owszem.
Ja zresztą uważać mogłabym, sądząc po sobie i własnym postępowaniu, że w naszym kraju wolno było powiedzieć wszystko. Oczywiście, wiem, że to wyłącznie uzurpacja.

T.L.: Środowisko literackie w latach siedemdziesiątych dość powszechnie wzięło się za protesty wobec polityki władz. Protestowano przeciw Radomiowi i Ursusowi w 1976 roku...

J.Ch.: Sranie w banię... Trzeba było uczestniczyć w tych zebraniach! Ktoś wlazł na trybunę, coś poględził, cała reszta miała go w nosie. W dalszej części zebrania rzucali się, owszem, lecz z protestami przeciw podwyżce cen posiłków w domach pracy twórczej. O! Na takie tematy natychmiast wywiązywały się wielkie dyskusje! Zawracanie głowy.
Jeśli bywały dyskusje naprawdę polityczne, to mnie w nich nie zdarzyło się uczestniczyć. Różnych rezolucji także mi nikt do podpisywania nie wtryniał. Nawet nie wiem, czego ówczesne apele pisarzy dotyczyły.
Nie znałam się na tym. Wiedziałam tylko: przytłacza nas potworne, koszmarne łajno. Lecz uznałam tak: dopóki mamy molocha z prawej strony, dopóki go nie przewalczymy, dopóty ja osobiście wolę robić cokolwiek pożytecznego na swoim maciupeńkim odcinku. Utwierdzać ludzi tym, co piszę, że oni jednak, mimo wszystko!, są jeszcze troszeczkę ludźmi, że należą im się przyzwoite warunki cywilizacyjne, że może powinni zajmować się czymś, czym warto. Napisałam „Dzikie białko", którego jakoś nikt nie chce czytać. Tam zawarłam samą prawdę na temat ówczesnej sytuacji.
Wie pan, dlaczego kiedyś wyrzucili mnie z roboty? Bo poleciałam pyskować o pustaki wentylacyjne.
Albo, innym razem, robiłam rozmaite numery w swoim stylu. Na przykład pod biurem paszportowym.
Tu muszę wyjaśnić, że posiadałam zezwolenie na wyjazdy z kraju bez uprzedniego zaproszenia, wywalczone obelżywymi raczej listami, kierowanymi pod adresem ministra spraw

wewnętrznych (*godność ludzka — o ile orientuje się pan, co te słowa znaczą...* Albo: *pańscy urzędolcy, przepraszam, pracownicy administracyjni. Czekałam, kiedy mnie do sądu wreszcie zaskarżą. Nie zaskarżyli...*). Starałam się usilnie o takie zezwolenie w przekonaniu, iż nie uważam za stosowne, aby z mojego powodu, jednostki całkowicie dorosłej oraz odpowiedzialnej, miał pokutować, jakby co, ktoś z zagranicy. Nie życzyłam sobie statusu ubezwłasnowolnionego bydlęcia. Przecież pieniądze w Danii zarabiałam legalnie i legalnie wwoziłam je do Polski.

Tylko że nie ma lekko... Paszport, wróciwszy, musiałam, jak każdy obywatel, oddawać w urzędzie, w moim przypadku na Mokotowie, i tamże go w miarę potrzeb odbierać. Mokotów, największa dzielnica Warszawy, liczy sto pięćdziesiąt tysięcy mieszkańców. Łatwo zatem sobie wyobrazić te ogony do jedynego czynnego okienka.

Kiedyś pojechałam do urzędu paszportowego po raz trzeci, o godzinie 4.30. Siedziałam, czekałam. Ludzi zgromadziła się oczywiście stosowna obfitość, ja byłam w kolejce dziesiąta albo jakoś tak. Na ławeczce, wiadomo, się rozmawia. Jakaś facetka skarżyła mi się, że stawia się przed okienkiem któryś już tam raz z rzędu, bo zamierza wcześniej, mianowicie na dwa dni przed zakończeniem roku szkolnego, udać się z dzieckiem na zagraniczne wczasy. Dziecko, bardzo dobry uczeń, otrzymało od szkoły stosowne zezwolenie. Tylko że zgoda szkoły to zwykła mięta z bubrem. Ono, to zezwolenie, powinno zostać poświadczone w kuratorium... Matka przeszła się zatem do kuratorium. Wróciła do biura paszportowego i co usłyszała? Że jeszcze trzeba poświadczenia ze strony Ministerstwa Oświaty. Siedziałyśmy długo, ona się skarżyła, aż jej powiedziałam:

— *Proszę pani, czy nie uważa pani za obelżywe, iż matka dziecka, pozostająca w pełni rodzicielskich praw i pragnąca dla własnej pociechy dobrze, musi swoją własną opinię, na podstawie której uważa za możliwe zakończenie roku szkolnego o dwa dni wcześniej, uzgadniać z instytucjami?! Czyżby p a n i podpis nie był kompletnie nic wart?! Czy nie uważa pani, że traktują panią jak coś poniżej człowieka?!*

Wokół mnie zapanowała cisza przerażająca, społeczeństwo spoglądało na mnie baranimi oczami. Odsunęło się ode mnie, bo prawdopodobnie uznało mnie za prowokatorkę. Ludzie usiłowali w miarę możności słowa ze mną nie zamienić i raczej w oddali się ode mnie znajdować. Oto rezultat obywatelskiej interwencji i obraz stanu społecznej świadomości Polaków. Dwa pokolenia po wojnie uległy gruntownej demoralizacji. A wszyscy w ogóle jesteśmy demoralizowani znacznie dłużej, od początku zaborów. Do niedawna działanie przeciwko prawu takiego lub innego okupanta stanowiło czyn patriotyczny. To nam do dziś zostało. I trwa. Na dole oraz — zwłaszcza — wśród bandytów u koryta. Kradną, niszczą. Powiedzmy sobie bez ogródek: tak samo ludzie Solidarności, jak i dawniej komuniści.

T.L.: Przedstawiciele ówczesnej opozycji będą mieli Pani za złe podobne sądy.

J.Ch.: Przedstawiciele ówczesnej opozycji?! A kto dzisiaj rządzi krajem?!!! Oni lub ich pogrobowcy. I j a k rządzą, kiedy już wreszcie dorwali się do żłobu?! Obowiązują wciąż te same mafijne reguły, które przez dziesięciolecia gubiły Polskę. Możnowładcy pod tyłek garną, ani się obejrzą na wspólne dobro. I nawet nie potrafiliby powiedzieć, co należy dla dobra kraju uczynić... Tak oni potrafią rządzić, jak ja sprzątać... Jeśli ktoś z tych złodziei czuje się obrażony — a powinni wszyscy tak się poczuć! — niech mnie zaskarżą. Marzę, aby stanąć w sądzie i wywalić raz wreszcie, bardzo porządnie!, draniom i oszustom całą prawdę w oczy. To, co się w Polsce wyrabia, stan elit rządzących jest jednym, upiornym, przeraźliwym s k a n d a l e m. Wszystko, co było i jest dotąd w polityce, to gówno śmiertelne. Orwell niech się schowa! Nie, nie o nich mi chodzi, nie dla nich piszę.

Uff, zdenerwowałam się. I tylko dlatego nie używam teraz słów budowlanych, aby pan nie musiał ich znowu omijać.

ROZMAITYCH SZTUK CIĄG DALSZY

T.L.: O teatr już trochę zatrąciliśmy. Ale jest Pani, poza prozatorstwem, także autorką dramaturgiczną.

J.Ch.: Sztuki teatralne lubię oglądać, natomiast tekstów teatralnych, tak jak i scenariuszy filmowych, nie cierpię pisać.

Dramat jako gatunek nigdy mnie nie ciągnął. Mnie jako pisarkę interesuje zwykły przekaz, opowiadanie tego, co chce się wprost przekazać czytelnikowi. Chcę opisywać, jak ludzie ze sobą rozmawiają, jak się między sobą kontaktują.

T.L.: Dlaczego?

J.Ch.: Bo jest o kim społeczeństwo informować! Od młodych lat, a już na pewno od dziewiętnastego roku życia, kiedy rozpoczęłam studia, stykałam się z ludźmi ogromnie błyskotliwymi. Wydział Architektury Politechniki Warszawskiej, zupełnie wyjątkowy, pełen był wielkich indywidualności, sprofilowanych równocześnie i humanistycznie, i technicznie. Miałam też szczęście w pracy do szalenie dowcipnych, niezwykłych współpracowników. Jakże oni przepięknie rozmawiali! Stąd bierze się moje docenianie uroków dialogu, także w literaturze. Oczywiście, dialogu obudowanego odautorskimi informacjami, pełnego zaznaczeń wszystkich ważnych szczegółów: czy jakaś postać dłubała w nosie? Czy też raczej akurat bardziej nieco higienicznie gotowała rosół? Proza odpowiada, po prostu, moim duchowym potrzebom.
I jeszcze jeden ważny aspekt. Nie chcę, aby ktoś inaczej, niżbym sobie życzyła, pokazywał to, co j a sama, po swojemu, oglądam moimi własnymi oczkami. Kiedy reżyser na własne kopyto przeinacza moje historie, to mnie od razu zniechęca. Steruję wówczas końcowym efektem tekstu tylko i wyłącznie za pomocą didaskaliów w scenariuszu. Tekstu, który reżyser — właściwy majster kombinujący swoje rzeczy przy spektaklu — przerabia, jak tylko chce. Ja zaś, autorka literackiego pierwowzoru, nie uzyskuję autorskiej satysfakcji. Bo to on w rezultacie okazuje się twórcą tego, co ogląda widz. I tylko bardzo wysoka gratyfikacja finansowa może mnie skłonić do ustępstw na rzecz adaptatorów.
Do tego stopnia nie znoszę, jak mnie reżyserują, że nawet udzielając wywiadów, zwłaszcza zagranicznych, unikam takich środków przekazu, nad którymi tracę z miejsca i z powodów obiektywnych panowanie. Weźmy radio. W zagranicznym radiu istnieje nie mój przekaz bezpośredni, bo słychać nie mnie, tylko kogoś, kto mnie przekłada. Działa

więc na odbiorcę głos oraz interpretacja tłumacza. On mówi, jego słychać. To na plaster j a tam jestem potrzebna?! A jeszcze na dobitkę nie cierpię brzmienia własnego głosu przez mikrofon.

T.L.: Nie lubi Pani własnego głosu, nie lubi Pani własnego wyglądu, samą siebie określa Pani mianem „mazepa" (i nie jest to ukłon w stronę sławnego hetmana ukraińskiego Iwana Mazepy). Czy lubi Pani siebie przynajmniej jako prozaiczkę?

J.Ch.: Niechże pan nie przesadza, całą resztę siebie nawet lubię, włącznie z charakterem, który ja sama na co dzień oceniam jako okropny. Lubiłam i umiałam robić architekturę, poza oczywiście genialnością koncepcyjną, której mi zabrakło. Lubiłam zawsze obmyślać funkcje budynków oraz kreślić i rysować. Zaliczałam się do europejskiej czołówki kreślarzy! Potrafiłam kreślić z dokładnością do 1/10 mm, co wymagało bardzo dużej precyzji, ale skoro przyjmowałam zamówienia z Państwowych Wydawnictw Technicznych, musiałam mieć na względzie, że oni takiej właśnie precyzji wymagali. Lubiłam, umiałam, dawałam sobie radę.

Lubimy się przeważnie z moimi samochodami, choć zdarzały się sztuki, które mnie akurat nie pokochały zanadto. Na ogół jednak z samochodami egzystujemy w symbiozie.

Dzisiaj nawet do siebie jako do matki podchodzę raczej pobłażliwie.

Natomiast jako pisarka? Tak, chyba się lubię w tej roli. Akceptuję nawet i fakt, że obok mnie realnej, która wpadłam już w całkowitą schizofrenię, egzystuje ta druga, zupełnie niezależna osoba, czyli ona, Joanna Chmielewska, bohaterka moich książek. Tej baby, tak męczącej, że coś strasznego, rzeczywiście mam po dziurki w nosie. Dokładniej zaś mówiąc, męczy mnie nie tyle ona sama, ale wszystko, co jej dotyczy. Zwłaszcza tak zwana popularność, naprawdę wychodząca mi już uszami. Popularność Chmielewskiej męczy nie ją, ale mnie, osobę z krwi i kości. A właściwie, z jakiej racji — do cholery!

T.L.: Pozwolę sobie jednak na stwierdzenie, że Pani przesadza.

J.Ch.: Dobrze, może trochę. Żeby nie przesadzić do końca, powiem całkowicie serio: popularność okazuje się bardzo miła, pożyteczna, inspirująca. Człowiek coś tam robi i okazuje się, że robi właściwie, skoro wciąż istnieją osoby, tego czegoś chcące. Bardzo dobrze. Tylko, Jezus kochany!, ileż udręk się przy tym naprzeżywam. Potrzebuję niekiedy trochę czasu dla siebie, trochę spoczynku — nie ma szans! Gdyby się w dodatku poddać bezlitosnym absolutnie wymaganiom czytelników, na dobrą sprawę trzeba by z miejsca umrzeć, bo ileż organizm ludzki zdoła wytrzymać? Zdarza się, iż czuję się podobnie jak święty Bartłomiej, co to go z miłości rozszarpali na sztuki...

T.L.: Wielu by tak chciało. Coś opowiem.

Kiedyś — trzaskał wówczas styczniowy, lodowaty mróz, a wiatr zacinał gęstym śniegiem — więc którejś lutej zimy, w późnych latach osiemdziesiątych, podpisywała Pani wznowienie „Lesia” w księgarni Czytelnika przy ulicy Wiejskiej w Warszawie. Ludzie przytupywali nogami i trwali cierpliwie na zewnątrz, ustawieni w kolejkę, wyciągniętą aż do placu Trzech Krzyży. Przechodziłem tamtędy przypadkowo, miałem własne sprawy w Czytelniku, lecz mimo mrozu przystanąłem, oglądając przez dłuższą chwilę zbity tłum. Dowiedziawszy się, w czym rzecz, pozazdrościłem Pani... Podobne zdarzenie miało miejsce podczas drugiej wizyty w Moskwie. Trwały rocznicowe obchody 850-lecia założenia miasta, gdy podpisywała Pani egzemplarze swoich książek w najelegantszej z moskiewskich księgarni, przy ulicy Twerskiej (za czasów Związku Radzieckiego przemianowano ją na Gorkiego, później znów wrócono do historycznej nazwy). Ja, trochę zmęczony naporem ludzkiej ławy, kłębiącej się wokół Pani, w pewnej chwili wyszedłem obejrzeć, co też się wyprawia na zewnątrz. Ogromna, potężna, wielokrotnie poskręcana kolejka czytelników, żądnych Pani autografu. Ludzie żartowali, że ostatni z oczekujących to książę Jurij Dołgorukij, twórca stolicy Rusi, którego pomnik usytuowany jest około kilometra od księgarni. Przy kniaziowskim monumencie bowiem dopiero oczekiwali ostatni chętni. I tak przez dwie godziny, niezmiennie... Tylko Pani zmęczenie oraz stanowcza interwencja kierowniczki księgarni położyła kres kolejce.

J.Ch.: Wtedy, w Moskwie, nie miałam czasu nawet na chwilę podnieść głowy znad podpisywanych egzemplarzy. Tak, to istotnie wielkie, głębokie zadowolenie, że do czegoś się społeczeństwu przydaję, choć satysfakcję mąci coraz potężniejsze zmęczenie: wytrzymać to, odetchnąć, choć przez chwilę!

T.L.: Czy dawne teksty własne lubi Pani jeszcze i dziś?

J.Ch.: Niektóre fragmenty podobają mi się do tej pory, napisałabym je tak samo, ale wiele istnieje i takich, które najchętniej bym mocno przeczesała. Poczynając od „Klina", poprzez „Wszyscy jesteśmy podejrzani" i dalej. Jedno, dwa zdania... Tylko te zmienić, bo mi się przy nich — za przeproszeniem pańskich uszu — dupa marszczy. Niekiedy opinie moje i czytelników są rozbieżne. Od pana, między innymi, wiem, że czytelnikom najmniej podoba się „Dzikie białko". Dziwi mnie to bardzo! To najpiękniejsza albo chociaż jedna z najpiękniejszych książek, jakie napisałam. Tam zawarłam samą prawdę.

T.L.: Już biblista powiada: *Quod est veritas?* Cóż jest prawda? W literaturze i sztuce to tak mało znacząca kategoria...

J.Ch.: Możliwe, ale braku entuzjazmu dla „Dzikiego białka", które jest jakby kontynuacją „Lesia", ciągle nie pojmuję. Takie ono prześliczne, w dodatku tak właśnie się działo, jak opisałam! Uważam, że scena polowania na dziki, ta, kiedy Lesio odjechał za dzikiem, prezentuje się nad wyraz przepięknie. Prawdę mówiąc, nie pojmuję innych osób. Dlaczego się im nie podoba...?

T.L.: Jeśli czytelnicy skierują pod adresem wydawnictwa KOBRA albo na stronę internetową listy do Pani z opiniami w tej sprawie, zobowiązuję się je wraz z Wydawcą przekazać. Nie gwarantuję tylko odpowiedzi, bo wiem z góry, co nas czeka... Często powtarza Pani, że uważa się za grafomankę, bo tylko grafoman lubi pisać za wszelką cenę, z czystej przyjemności, nawet bez widoków na honorarium.

J.Ch.: Ale z chwilą, kiedy grafomanowi zaczynają płacić, przestaje być grafomanem.

T.L.: Klasa pisarska zależy więc tylko od tego, jakie sumy wchodzą w grę...? Wedle podanych przez Panią kryteriów, stopień grafomaństwa pisarza jest odwrotnie proporcjonalny do wysokości honorarium. Obawiałbym się układać podobne równanie...

J.Ch.: Stopniowanie nie ma tu zastosowania. Chodzi tylko o to, aby w ogóle płacili jakiejś osobie za pisanie. Kiedy pisarza wynagradzają, ma już dowolne prawo mieć tę swoją twórczą przyjemność.

T.L.: Skoro dotykamy sprawy pieniędzy. Dlaczego jedna z najpopularniejszych, jeszcze od czasów bardzo głębokiego Peerelu, pisarek utrzymywała się głównie z architektury? Płacili Pani za książki tak straszliwie źle?

J.Ch.: Nie pamięta pan? Przecież pisarz utrzymuje się głównie ze wznowień, a mnie nie wznawiano. Dlatego trzeba było dorabiać spotkaniami autorskimi. Stąd ich tyle miewałam w latach siedemdziesiątych oraz osiemdziesiątych. Prosta konieczność. Bo bardzo nie lubię tego robić. Sił mi brakuje.

T.L.: Przecież ceni Pani sobie własnych czytelników, szanuje ich?

J.Ch.: Owszem, szanuję nadzwyczajnie. Dzięki nim istnieję. Lecz spotkania zabierają czas, są wyczerpujące, a pisarz powinien siedzieć na tyłku, pisząc, nie zaś świecić gębą, gdzie popadnie. Teraz już w ogóle nie mam pary na równie wyczerpujące zabawy.

BYĆ OSOBĄ PUBLICZNĄ

T.L.: Życie dlatego jest okrutne, że mija, a mijając, zmienia naszą fizis.
Ot, kiedy spoglądam na Pani zdjęcia sprzed lat, aż mi żal, że Pani wtedy nie znałem.

J.Ch.: Na pewno wyglądałam bardziej rozrywkowo, skoro mój kierownik pracowni powiedział do mnie takie oto bardzo rozsądne słowa: — *Gdybyś sypiała ze wszystkimi, o jakich cię posą-*

dzają, tobyś nie miała kiedy przyjść do pracy... Rozumny człowiek po prostu. Do licha ciężkiego, ja m u s i a ł a m zarabiać!!! Dzieciom jednak trzeba było dać jeść. Zresztą, do ekscesów towarzyskiej natury w gruncie rzeczy mam charakter nieodpowiedni. Rozrywka od czasu do czasu? Oczywiście, bardzo chętnie! Ale na przykład pomysł, aby się uczepić jakiegoś bogatego faceta, który by mi życie ułatwiał, był ode mnie odległy o całe lata świetlne. Do takich sztuk wypada posiadać odpowiedni charakter. Ja w żadnym razie nie zamierzałam „ocierać się o sławy". Jeśli już, to sama chciałam być sławna. Choćby po to, aby, zjechawszy do hotelu, w którym zwykły śmiertelnik nie znajdzie już miejsca, usłyszeć: — *Ach! To PANI! Dla PANI — zawsze!!!* Później, kiedy już istotnie zrobiłam się sławna, okazało się, że w hotelach nadal mają mnie w nosie...

T.L.: Z Pani wspomnień nie wynika, aby dostrzegła Pani — kiedy? jak? — że Joanna Chmielewska niepostrzeżenie zyskała status osoby publicznej.

J.Ch.: Ja uważam, że osobą publiczną stałam się dopiero po zmianie ustroju w 1989 roku. Bo przedtem w księgarniach w ogóle nie istniały moje książki. Gdzieś tam plątały się szczątkowe wspomnienia po moich tomach w postaci pojedynczych, poszarpanych egzemplarzy. Coś jeszcze z moich rzeczy zdarzało się niekiedy znaleźć w antykwariatach.

T.L.: Muszę zaprotestować! Wszyscy wiedzieli, od połowy lat sześćdziesiątych, kim jest Joanna Chmielewska! Książek, owszem, w księgarniach nie było. Ale to jak z anegdotą o dwóch wydawcach, którzy przystanęli przed księgarską witryną. Pierwszy wskazuje z dumą: — *Popatrz, tu jest mój tytuł. I tu. I tu. I, spójrz tutaj, jeszcze tu. A gdzie twoje, hę?* Na co drugi: — *Moich książek tu nie uświadczysz. One są u czytelników.* Z Pani dorobkiem w latach PRL-u zdarzyło się podobnie. Wszyscy wiedzieli, że istnieje gdzieś ta mityczna Chmielewska. A poza tym ona podpisywała swe powieści na kiermaszach.

J.Ch.: Owszem, kilka razy zdarzyło mi się przyjmować wyrazy uznania. Kiedyś, na jakimś kiermaszu, w miejscowości po-

łożonej na zachód od Warszawy, może w Grodzisku, podpisałam jakiś egzemplarz, dedykując go przez pomyłkę „dla
Łukasza". A osobnik, który o podpis się zwrócił, miał na
imię całkiem inaczej. I wtedy rzeczywiście zrobiło mi się
miło, bo — aby tom się nie zmarnował — latali jak z piórkiem, poszukując na Chmielewską chętnego reflektanta
o imieniu Łukasz. Długo nie szukali, przyznaję.

T.L.: Zewnętrzne atrybuty sławy kompletnie Pani nie dotyczyły?!
Jak woda po psie?!

J.Ch.: Jak woda po psie. Nic nadzwyczajnego się nie działo. A jak
się miało dziać przy ówczesnych reglamentowanych nakła-
dach?! Dwadzieścia tysięcy, góra trzydzieści. „Nieboszc-
czyk...", ten poszedł w większym nakładzie. A i tak zniknął,
ślad po nim zaginął. Dostawałam tylko upiorne ilości korespondencji z powtarzającymi się pytaniami, gdzie — do cholery! — znajdują się moje książki i dlaczego w księgarniach
ich nie ma. Wzruszona, na pierwszych kilkanaście listów
odpisałam, lecz wkrótce okazało się, że spędzałabym resztę
życia tylko na odpisywaniu moim czytelnikom, nie mając
kiedy spać, jeść i popuszczać pasa. Zgarnęłam cały ten stos
korespondencji, zaniosłam go do prezesa Spółdzielni Wydaw-
niczej Czytelnik, pana Stanisława Bębenka, rzuciłam na stół,
proponując: — *Niech pan im odpowiada. Bo mnie pytania, kiedy
i gdzie będą książki Chmielewskiej, wychodzi już uszami, nosem
oraz czym pan jeszcze chce.*
Dostałam odpowiedź, tak, bardzo grzeczną, na piśmie... Że
kryminałów się nie wznawia.
Na palcach jednej ręki dadzą się wyliczyć takie wznowienia.
Na pewno któryś kryminał Macieja Słomczyńskiego pod postacią Joe Alexa. Podobno, tak plotkowali, wznawiano tylko
za łapówki. Obiecałam sobie wtedy święcie, że choćbym
z głodu miała umierać, szukając po śmietnikach kromki
chleba, łapówki nie dam. I nie dałam!
Nawet „Lesio", który nie pasował Czytelnikowi ani do serii
„z jamnikiem", ani w ogóle do kryminału, nie miał wznowień (aż do chwili, kiedy spiratowali mi powieść chłopaki
z Łodzi). Chociaż nie zakwalifikowano go do tego gatunku

i poszedł w Bibliotece Satyry. W dwudziestu tysiącach i ani grosza więcej!

T.L.: A co to za historia z chwackimi łodzianami?

J.Ch.: Otóż w okolicach końca lat osiemdziesiątych jakieś cwane chłopaki z Łodzi rzuciły się na pirackie wydanie, które cenili po cztery tysiące złotych egzemplarz. Dumna byłam nawet, gdyż spiratowany „Lesio" szedł łeb w łeb z „H.M.S. Ulisses" MacLeana. Duma dumą, lecz chętnie bym się jednak do piratów zwróciła: — *Słuchajcie, moi mili. Zarabiacie, pies was trącał, ale może by tak jakiś profit dla mnie?!* Zanim się jednak namyśliłam, by tych z Łodzi osobiście zaatakować, zostali przymknięci, więc przepadło. Na ogół zresztą piractwa książkowego nie lubię, bo nie lubię złodziei, którzy mnie okradają. Chłopaków z Łodzi mi w związku z powyższym nie żal.

CO TO JEST PROFESJONALIZM?

T.L.: Pani Joanno, co to jest profesjonalizm?

J.Ch.: Dobre pytanie, zwłaszcza że ja nie lubię partactwa, nienawidzę również braku profesjonalizmu.
Na przykład uważam, że pisarz powinien maniacko sprawdzać szczegóły i znać się na podejmowanej tematyce o tyle chociaż, aby nie popełniać kompromitujących błędów rzeczowych. Oraz by zachować wiarygodność. Napisać wolno każdemu każdą głupotę, lecz pod warunkiem, że ją stosownie uzasadni. Czytelnik musi uwierzyć, że ta pani, która w powieści porzuca swego męża, kieruje się jakimiś do pojęcia, niechby i mało prawdopodobnymi, racjami. Albo trzeba mu wskazać prawdopodobną motywację, w wyniku której dwie młode osoby przespały się ze sobą na zielonej łące, czy chytrze jakoś wytłumaczyć, dlaczego się ze sobą akurat nie przespały, choć powinny.
Tak postąpimy, umieściwszy akcję utworu w tematyce obyczajowości.
Oczywiście, wszędzie, nie tylko w tematyce obyczajowości, pierwsza dyrektywa prozaika brzmi: nawet najidiotyczniej-

sze twierdzenie przejdzie w pełni, jeśli się je rzetelnie, uczciwie uzasadni. Kryminałów owa dyrektywa powinna dotyczyć szczególnie intensywnie. W jakimś polskim kryminale, wydanym jeszcze za czasów minionego ustroju i ogólnie głupim, pewien facet, z rozpędu pragnący się szybko oddalić z miejsca popełnienia przestępstwa, zostawił otwarty samochód z kluczykiem w stacyjce. W t e d y tak postąpił?! Gdy każdy Polak wiedział, iż samochód stanowi dobro luksusowe, a złodzieje gremialnie ostrzą sobie zęby na co lepsze bryki?! Kiedy więc bohater tego kryminału wrócił do auta, już go naturalnie nie zastał. I... okazał zdziwienie. Co tu się dziwić?! Przecież byle jełop m u s i a ł b y przewidzieć oczywisty przebieg wydarzeń! Inaczej okazałby się skończonym idiotą! Autorowi, o którym wspominam, bynajmniej nie zależało na uzyskaniu komicznego efektu. Partaczem się okazał, po prostu. Gdyby postąpił sensownie, mógłby rzecz odpracować jak należy. Owszem, mógł kazać bohaterowi zostawić samochód z kluczykiem w stacyjce. Tylko że pod jednym nieodwołalnym warunkiem — uzasadniając rzetelnie celowość takiego postępowania. Sama podejmuję się podać nie mniej niż dziesięć rozmaitego rodzaju powodów.

T.L.: Na przykład?

J.Ch.: Właściciel auta zapomniał, co robi, ogłupiały z przejęcia wykonywanymi zadaniami. Powiedzmy, dojeżdżając na miejsce, usłyszał podejrzany trzask, który go zaskoczył, i wtedy umysł nakazał bezzwłoczną akcję. A właściwie proszę mnie zwolnić z obowiązku wymyślania dalszych dziewięciu innych uzasadnień, bo ja za to biorę na ogół pieniądze.

T.L.: Wypadki, i absolutnie prawdopodobne, i najbardziej nieprawdopodobne, przytrafiają się każdemu z nas; już sam rozkład statystyczny światowych zdarzeń entropijnych w populacji liczącej sobie sześć i pół miliarda osobników wskazuje, iż stać się może każdemu dosłownie wszystko. Dzieje się więc niejedno, „o czym nie śniło się filozofom". Mnóstwo zatem

osób posiada w swym życiowym bagażu faktów i takie, które
— jak sami sądzą — „są gotową powieścią".
Potem, już przeżywszy, co mieli do przeżycia, bardzo często
ambitni ludzie uznają się za kandydatów na twórców. Zwra-
cają się tedy do znanych pisarzy, aby ci skorzystali z ich
doświadczeń, a to w celu stworzenia wspólnego, bestselle-
rowego oczywiście, tekstu. Klasyczna propozycja brzmi
mniej więcej tak: — *Proszę pana (pani). Umie pan (pani) ładnie
po polsku (angielsku, niderlandzku), ja zaś przeżyłem (przeżyłam)
niesamowite zdarzenia. Łącząc siły, stworzymy dzieło na miarę
Joyce'a (Ludluma, Agaty Christie). Ja opowiem, pan (pani) opisze,
a forsą dzielimy się fifty-fifty.* Zdarzały się Pani podobne oferty?

J.Ch.: Nie ze mną te numery! Bardzo mi przykro, ja nie umiem
pisać na zamówienie. Zresztą — wymyślić fabułę wcale nie
jest zbyt trudno, nawet dla pisarzy o mentalności zbliżonej
do mojej, czyli reportażystów w gruncie rzeczy.
Moja natura reportażystki oraz fakt, że rozpoczynałam od
felietonów i właśnie reportaży, spowodowały zresztą, że później strasznie trudno mi było przejść na fikcję. Mojemu głu-
piemu charakterowi podoba się pisanie prawdy, autentyku,
faktu, stąd być może przynajmniej część akrobatycznych
sztuk, jakie wyprawiam z moją Joanną Chmielewską.
No, i z a w s z e starannie sprawdzam realia.

T.L.: To, „co Pani wyprawia ze swoją Joanną Chmielewską", oznacza w istocie koncept, pomysł, autorski podpis Pani powieści: wziąć osnowę faktograficzną, a nawet bohaterów
z własnego życiorysu, wymieszać jak ciasto z rodzynkami
w stylistycznej makutrze, dorzucić „zapach" w postaci fik-
cyjnej linii fabularnej — i wzbogacić całość o tło obyczajowe
oraz znakomity humor.
Potem, co prawda, dzieje się czasami tak, jak z pierwowzorem
książkowej Martusi. Stojąca u źródła tej postaci Marta Węgiel
wyznała mi kiedyś: — *Wiesz, Tadeuszu, rozumiem, że Joanna
ujawnia moją miłość do piwa. Akceptuję, że każe mi robić z siebie
idiotkę. Zgadzam się, aby mnie wyposażała w nader obfite życie
erotyczne. ALE DLACZEGO ONA MNIE OSKARŻA, ŻE PRAG-
NĘ WYJŚĆ ZA MĄŻ! Tego ukochanej pisarce darować nie umiem...!*

J.Ch.: Proszę nie przesadzać. Wielokrotnie zdarza się, że inspiracją dla moich utworów stają się zdarzenia nie moje, tylko cudze. Na nich się lęgnie cała reszta. Ale faktem pozostaje, że ja mogę z powieścią w każdej chwili uczynić, co mi się tylko spodoba. To zresztą istotna różnica między pisarzem a reżyserem filmowym lub teatralnym. On, reżyser, na podstawie zazwyczaj czyjegoś, choć niekiedy bywa że i własnego, p ó ł p r o - d u k t u, ma ukręcić w ł a s n y film. Otóż, ja jestem za kinem autorskim albo w każdym razie wykonywanym w oparciu o półprodukt, zamówiony s p e - c j a l n i e na potrzeby tego właśnie filmu. Natomiast nienawidzę, kiedy reżyser „ma koncepcję" i na własne filmowe kopyto naciąga Sienkiewicza albo Jane Austen. W rezultacie filmowcy potrafią do niemożliwości spaskudzić najgenialniejszych autorów, w tym szacownych klasyków, po wielekroć noblistów. O sobie samej już nawet nie wspomnę...!
Marzy mi się reżyser, który potrafi zmniejszyć się do roli odtwórcy adaptowanego tekstu. Stałby się przez to zmniejszenie — wielokrotnie powiększony. Ale jakaż to rzadkość...! Powinien przecież ten kinowy geniusz przeczytać uważnie tekst utworu, jaki bierze do adaptacji, następnie musi obowiązkowo z o b a c z y ć go oczami (bo reżyser myśli oczami właśnie), a potem — bagatela! — dochować wierności autorowi. Tylko że zazwyczaj dzieje się całkiem odmiennie, bo te łobuzy posiadają całkiem inny charakter. Sama tego intensywnie doświadczałam. Zjawia się taki buc u pisarza z deklaracjami sympatii, takoż miłości, po czym oświadcza, że — o n by t o jednak c a ł k i e m i n a c z e j napisał... No to, psia twoja morda, NAPISZ SOBIE WŁASNE COŚ CAŁKIEM INNE CAŁKIEM INACZEJ!!! A ode mnie się odczep!
Bo skoro ktoś, podobno twórca, otrzymuje ode mnie obrazy, jakie osobiście, sama, pisząc, wyrywałam z siebie, niech umie je dobrze pokazać. Wtedy uznam, że pracuję z fachowcem. Ja sobie, dajmy na to, napiszę: „Zamyślił się głęboko, stojąc przy oknie, i taki zamyślony stojał przez cztery godziny albo i dłużej...". Doskonale!

Reżyser, zwłaszcza nieinteligentny, może wrąbać wtedy w film nawet i dłużyznę, pokazując bez inwencji własnej, jak on, ów zamyśleniec, tak sterczy do uśmiechniętej śmierci. Z trudem, ale daruję. Przynajmniej się starał zachować uczciwość. Słońce zaszło albo wzeszło, obojętnie, a on stoi i stoi, akcji zaś mamy tyle, co w ruskim filmie socrealistycznym pod tytułem „Życie Gorkiego", w którym ktoś włazi nadzwyczaj długo, przez pół filmu mniej więcej, na niewysoki pagórek.

Jednak gdy filmowa scena z oknem i stojącym przy nim facetem przedstawia się na przykład zdaniem reżysera tak: „Zamyślił się głęboko, stojąc przez chwilę przy oknie, później szybko odszedł i zaczął obierać jabłko, plując przy tym dookoła i śpiewając", to u mnie w pierwowzorze ten efekt nie wystąpił przecież! Jemu się tak ubzdrzyło. Dysponuje swoimi upodobaniami, chęciami, ambicjami. I mnie je wtyka siłą! Otóż NIE!!!

Większość reżyserów, paskudzących w opisany sposób literaturę, nawet czasem przyzwoitą bardzo, zazwyczaj okazuje się niewyżytymi twórcami, marzącymi o pisaniu, tylko że im nie wyszło.

Niezbędne zastrzeżenie: myślę tu nie o wszystkich bynajmniej, wieszam psy wyłącznie na tych, którzy usiłują, strasznie pragnąc, prześcignąć wszystkich Simenonów świata. Osobników o rozszalałych w ich wnętrzach ciągotach do pióra.

Ode mnie jednak proszę się odczepić. Życzę im dowolnej ilości ciągot, ale — beze mnie. Mnie mogą pocałować w odwłok! Z kląskaniem!

Marta Węgiel, która potrafi widzieć obrazy tak samo jak ja, a posiada fachowe kompetencje reżyserskie, stanowi moją nadzieję, że ktoś wreszcie zdoła kiedyś okiem kamery pokazać mój tekst wiernie, zgodnie z tym, co mi się wykokosiło na ekranie komputera. Nie wiem, czy jej się uda. Będąc na jej miejscu, spróbowałabym.

T.L.: Proszę wybaczyć rubaszność, jednak ozór mnie świerzbi. Z szukaniem adaptatora prozy Chmielewskiej trochę jest

tak, jak z marzeniem rekruta długo niewypuszczanego z ko-
szar: „Wszystkich bab nie zaliczysz. Ale próbować trzeba...".
Cóż, miejmy nadzieję, że wreszcie albo Marta Węgiel, albo
ktoś inny, rozumiejący, o co chodzi Joannie Chmielewskiej,
zdoła spełnić Pani oczekiwania. Serdecznie życzę!

J.Ch.: Przecież ja nie wymagam rzeczy niemożliwych! Fachowiec
umiałby pokazać każde właściwie powieściowe zdanie. Owo
„stojenie przy oknie" da się wzbogacić, uszczegółowić na
typowo filmowe sposoby — ruchem, gestem, grymasem ust
aktora. Nie warto od razu obierać jabłka oraz pluć. Nawet
mój rozdydżany serek dobry reżyser potrafiłby sfilmować.
Talentu tylko odrobinę trzeba i szczyptę chęci...

T.L.: Ba! Jeśli aktor potrafi zrobić w stosownym miejscu odpowiedni do potrzeb scenariusza wyraz twarzy i jeszcze powtarzać
go sto dwadzieścia siedem razy w dublach, to on zazwyczaj
sporo kosztuje. Czyli jest fachowcem drogim w eksploatacji.

J.Ch.: Nic na to nie poradzę. Rzetelność istotnie kosztuje. Ale się
później zwraca.
Ku nam.
Przychylnie profitując.

KILKA UWAG O TECHNICE PISARSKIEJ
I WYNIKAJĄCYCH STĄD KŁOPOTACH

T.L.: Wielokrotnie wspominała Pani, że należy do tej grupy ludzi
pióra, którzy pisząc, widzą swych bohaterów wyraziście
przed oczami. W związku z czym śmieją się w głos nad
klawiaturą, prowadzą z postaciami książkowymi dyskusje,
osobiście angażują swe emocje w procesie tworzenia. Wielu
znanych mi literatów podkreśla, że postępuje identycznie.
A znów literaturoznawcy z upodobaniem przywołują anegdotę o Balzacu, który pewnego wieczora wypełzł ze swej
nędznej klitki straszliwie zapłakany. Znajomi w knajpie rzucili się na autora powstającej właśnie „Komedii ludzkiej"
pełni przerażenia. — Co się stało, Honoriuszu?! — wołali. Balzac wytarł drżącymi palcami zasmarkany nos. Z trudem wy-

krztusił: — *Wydarzyła się rzecz straszna. Ojciec Goriot umarł...!!!* Do tego więc stopnia można się identyfikować z tworami własnej wyobraźni.

J.Ch.: No, sam pan widzi. Ja też z tej gromady. Oglądam oczkami bardzo plastycznie to, co mam akurat w robocie. Powtarzam nieodmiennie: — *Ja nie akustyczna, ja optyczna!* Widzę ich tak, tych moich bohaterów, że nie daję rady nic zrobić z ich postępowaniem. Samo mi się lęgnie pod piórem i nie ma to tamto... Napisałam samą świętą prawdę we wstępie do „Wszyscy jesteśmy podejrzani". Oni mnie przerastają, całkiem zwyczajnie... Nie umiem sobie z nimi poradzić, bo są silniejsi ode mnie. Widzę i opisuję, zgodnie z Mickiewiczowską Inwokacją do „Pana Tadeusza". Natomiast nie dyskutuję z nimi, żadnych dialogów z klawiaturą nie prowadzę. Tak, Mickiewicz słusznie stwierdził: „Widzę i opisuję...". Albo znów, zajmując pozycję bohaterki w pierwszej osobie, ja, autorka, doskonale ją, bohaterkę, rozumiem, bo inaczej nie wiedziałabym, co rozumiała i odczuwała moja Joanna Chmielewska. Ona uwiarygodnia moje autorskie emocje. Trudno bowiem wyrzucić ze swojego wnętrza spontaniczny wrzask: — *KURWA MAĆ!!!!!!!!!!* (z przeogromnym mnóstwem wykrzykników!) bezosobowemu narratorowi trzecioosobowemu. Dlatego nawet, gdy z rozmaitych względów, oddaję obecnie w moich książkach pole do pierwszoplanowego popisu innym dziewczynom jako bohaterkom, to jednak przeważnie sama w nich, tych książkach, nie w tych dziewczynach, również intensywnie egzystuję.

T.L.: A dlaczego oddaje Pani głos innym dziewczynom?

J.Ch.: Przecież pan dobrze wie. Nawet jeśli osoba starsza posiada młode uczucia, to jednak łatwiej czytelnikowi przyjdzie utożsamić własne emocje z kimś młodszym. Zresztą te moje młodsze osoby widzę nadzwyczaj wyraziście. Są we mnie.

T.L.: One posiadają pierwowzory. Niektóre zresztą mógłbym nawet wskazać.

J.Ch.: Ale to tylko pierwowzory. Później, kiedy już je napiszę, żyją odrębnym życiem, wyskakują po prostu z mojej własnej głowy i sadowią się w tekście.

T.L.: Jak Atena z głowy Zeusa?

J.Ch.: Jeśli pan tak chce ująć sprawę, proszę bardzo. W każdym razie zawsze potrafię stwierdzić oraz opisać, co one odczuwają, bo spostrzegam je przerażająco dosłownie. Stąd zresztą biorą się moje dzikie awantury z filmowcami i telewizją. Reżyserzy na ogół chcą fundować mi swoje własne wizje. Niech się ugryzą, w co tylko chcą, razem ze swoimi najcudowniejszymi wizjami, skoro ja widzę moich bohaterów nadzwyczaj w y r a ź n i e! Właśnie tak samo, jak widzi się postacie na ekranie filmowym albo telewizyjnym, wśród akcji, która się toczy. Pisząc, oglądam, jak moja zbrodniarka podrapała się w ucho albo w głowę, jak się skrzywiła, jak teraz właśnie, zmieniła jej się twarz, jak robi zeza. Albo znów spoglądam, rzetelnie zaciekawiona, na inne dziwne jej sztuki. Nawet nie piszę wszystkiego, co ona wyrabia, bo czytelnik by takiej drobiazgowości nie wytrzymał i, tak jak kiedyś omijało się nudne opisy przyrody, omijałby miejsca, nad którymi ja bym porządnie musiała popracować. Czasu szkoda na głupstwa. Jednak każdego z osobna i wszystkich razem zapewniam: ja moje książki mam zawsze przed oczami! Ludzie, których wydobywam do tekstu, siedzą przede mną i się jakoś zachowują, prawda? Ja zaś, osoba prawdomówna, niełgająca, rzetelnie ich opisuję.

T.L.: Pewnie z takich natchnień później wynika wiele skreśleń?

J.Ch.: W młodości owszem, teraz już nie. Wiem, po tylu latach, co trzeba obowiązkowo napisać, a gdzie lepiej przyhamować. Bywa, że przeczekuję całą scenę, kiedy moja bohaterka, na przykład, rozmasowuje kolano, rozmyślając, i dopiero później wracam do klawiatury. Bo czuję, że dopiero dalszy ciąg stanie się *czytable* dla wszystkich innych.

T.L.: Teraz poproszę o zaspokojenie mojej osobistej ciekawości. Wiem, że pisząc „Harpie", przeżywała Pani prywatnie dość trudne momenty. Nie wnikam w szczegóły, lecz już wtedy pytanie cisnęło mi się na język.
Jak własne troski, kąsające duszę pisarza, wpływają na rozrywkową, bądź co bądź, literaturę?

J.Ch.: Oj tam! Przytrafiało mi się znacznie trudniej w życiu niż przy „Harpiach". Ale rozumiem, o co panu chodzi. Wyjaśnię. Kiedy mi trudno, właśnie pisanie okazuje się wytchnieniem od przeżywanych akurat kłopotów. Coś nie wyszło? Kłopoty zawodowe? Z facetami? Rodzinne? Pchałam się zawsze wtedy w książkę, właziłam czym prędzej w inny świat. Skoro mój świat prywatny, nadzwyczaj rzeczywisty, tu i ówdzie okazywał się zbyt okropny, ponadpruwany na szwach...

T.L.: Ucieczka wymaga dystansu. I opanowania. Bo tylko pewne rzeczy da się załatwić rutynowo, techniką pisarską nabywaną po latach pracy. To tak jak z zawodowym kierowcą. On potrafi prowadzić zupełnie instynktownie, nawet przy dużym znużeniu, nawet gdy zgaśnie mu na mały moment świadomość. Ale przy dłuższej rutynowej jeździe bez należytej uwagi — wpasuje się jednak w przydrożny mur.

J.Ch.: Na moje oko — łatwiej kierowcy niż pisarzowi. Bo pisarz, operujący tylko techniką, a w sobie mający akurat teraz, przy szturganiu w klawisze, coś całkiem innego niż własne opowiadanie, jednak nie napisze utworu dobrze. Jego skłamana prawda, wrzucona w tekst, nigdy nie dotrze do czytelników w sposób właściwy.

Bo czytelnik bezbłędnie wyczuje fałsz. Tekst, mimo starań autora, pozostanie jakby trochę z wierzchu... Z doświadczenia stwierdzam, zresztą z dużym zdziwieniem, iż prawda odautorska bezbłędnie dociera do ludzi czytających. Świat, który zazwyczaj jedzie na monstrualnym łgarstwie (nie aż takim, jak dawnej Związek Radziecki, ale prawie), jest spragniony prawdy. Prawdy ludzkiej, prawdy uczuć, prawdy przekazu i odbioru. Jeżeli dawca tekstu, nazwijmy to tak, umie wykombinować, aby wychodziła zeń prawda, trafi ze swoim przesłaniem do odbiorców. Mogą się sprzeciwiać, ale prawdę — odbiorą!

T.L.: Na ogół czytelnicy nie pamiętają, zresztą nie muszą, że pisanie książek to t a k ż e ciężka, fizyczna praca.

J.Ch.: Dla mnie nie. Jeżeli to, co wyłazi z mojej głowy, sprawia mi trudność przy przelewaniu na ekran, zajmuję się czymś innym. Pielę ogródek, układam w klaserach znaczki, splątuję zielska. Zazwyczaj jednak sam proces pisania lubię. Nawet kiedy tyłek drętwieje i kręgosłup łupie, to skoro tekst leci — ja to przetrzymam.

T.L.: Czy pisarz potrafi wchodzić w swe role niejako na życzenie, mówiąc sobie: — *Teraz będę gotował. A teraz pisał. A teraz coś innego zrobię.* Inaczej to ujmując: czy umie Pani pisać bez tak zwanego natchnienia?

J.Ch.: Otóż — NIE! Klapki w mojej głowie otwierają się oraz zamykają wtedy, kiedy same chcą. Niekiedy wiem doskonale, o co chodzi, co powinno się za chwilę w tekście wydarzyć, ale robię się zmęczona w palcach, a jeszcze bardziej w głowie. Pojawiają się błędy wtedy, gdy na siłę piszę dalej. Tekst niejako zaczyna się mi skracać nad klawiaturą. Kiedy później czytam napisane, czuję, że coś nie gra. Niekiedy wystarczy poprawić, coś uwzględnić, wstawić, gdzie należy, potem na ogół książka sama dalej poleci. Innym znów razem od pierwszego kopa widzę, że dalej jednak wtedy, w zmęczeniu, pisać nie powinnam była.

T.L.: Czyli pisze Pani świadomie i z przemyślaną premedytacją?

J.Ch.: W każdym razie pisząc, zazwyczaj mam świadomość, w czym dzieło. Choć nie użyłabym pańskiego słowa „przemyślane", tekst musi mi sam płynąć. Co najwyżej jedno sformułowanie zastąpię innym albo opuszczę jakiś fragment. Ot, zwykłe warsztatowe historie. W dodatku nadal, mimo sklerozy, pamiętam, co napisałam w poprzednich książkach. Pewnie moje szare komórki, nawet jeśli mnie opuściły, latają gdzieś w pobliżu, więc od czasu do czasu którąś łapię. I nie powtarzam się w wątkach, motywach, zwrotach, moje teksty, przy całej ich wspólnej charakterystyce, wciąż zachowują indywidualność. Tak w każdym razie w moim zadufaniu sądzę.

T.L.: Ja również. Bez zadufania. Zresztą, ćwicząc bezustannie mózg, nawet przy pięćdziesięciu kilku tytułach można się połapać, co, kto, gdzie i kiedy. Pani czytelnicy urządzają przecież na temat realiów u Chmielewskiej konkursy. Czyli jeszcze wszystko jest do ogarnięcia.

J.Ch.: Mam nadzieję, że nadal będzie.

T.L.: I będzie.
Pani Joanno, wykorzystujemy, przy największym nawet wysiłku intelektualnym, zaledwie dziesięć procent naszych szarych komórek. Zapasy więc istnieją spore.

J.Ch.: Te szare komarki, *pardon*, komórki, rzeczywiście latają przy osobach całymi stadami. Niektóre nawet osiadają w sklepach spożywczych w charakterze moli...

T.L.: Dziesięciu procent szarych komarków, *pardon*, komórek, starcza Pani, aby zachowywać w głowie właściwie każdą frazę z każdego tekstu Chmielewskiej.
Stąd zresztą, zdradzę, niektóre trudności z redakcją Pani tekstów. Pamiętanie łączy się u Pani z niechęcią do zmian. Na przykład z najwyższym trudem udało się Panią przekonać do formy tytułu „Romans wszech czasów", zamiast dawnej „Romans wszechczasów". Właściwie nie tyle pozwoliła się Pani przekonać, co przymknęła nieformalnie oczy na niecne intrygi redaktorek Julity Jaske i Anny Pawłowicz oraz moje.

J.Ch.: Bo komisje językoznawcze składają się ze stada tępych matołów i megalomanów. Profesorowie nie mają co robić i biorą się za zmiany absolutnie nieuzasadnione. Udają, że są niezbędni i coś powinni czynić? A zaś tam! Pisownia słów razem oraz oddzielnie zmienia się mniej więcej co trzy miesiące. W rezultacie ja mam co drugą książkę napisaną w zgodzie z aktualnymi zasadami ortografii, co drugą zaś — nie! Dosyć tego. Nie będą byle poloniści aż t a k rządzili językiem, wpadającym przecież człowiekowi do głowy optycznie, czyli przez oczy, nie przez regułki!

T.L.: Ale też należy pamiętać, iż Pani teksty weszły w skład zasobów Korpusu Języka Polskiego, służącego do opracowywania słowników współczesnej polszczyzny. Korpus przygotowują właśnie poloniści, specjalnie zaś — dobrej klasy językoznawcy. Zapewniam, że kompetentni, znam nieźle co poniektórych kolegów.

J.Ch.: W każdym razie najbardziej lubię, kiedy uczeni profesorowie od języka polskiego akurat się ze sobą kłócą, nie mogąc dojść do nijakiej zgody. Dzięki ich kłótniom my, zwykli użytkownicy języka ojczystego, zyskujemy choć chwilę spokoju.

T.L.: Nie przepada Pani za profesorami. A co z dziennikarzami? Bardzo się na ogół wszyscy Pani boją...

J.Ch.: Straciłam do dziennikarzy cierpliwość, gdyż rzadko kiedy trafia się na fachowca, rzetelnego specjalistę. Oni polubili przeprowadzać ze mną wywiady, tak jak pan... (Między nami mówiąc, nadal nie wiem, po co to panu!). Tylko że często nie potrafią porządnie zacytować, co ja powiedziałam w żywej rozmowie. Jakby mieli problemy z umiejętnością zamiany słowa mówionego na pisane. W rezultacie widzę w licznych wywiadach takie zwroty albo sformułowania, które nie przeszłyby mi przez usta pod karą szubienicy!!! Niekiedy sama więc muszę wszystko poprawiać i pisać wywiad całkiem od nowa. Dziękuję uprzejmie, mam własne zajęcia! No, przyznam, że i tak obecnie jest z tym lepiej, bo kiedyś fałszowali mnie nagminnie. Serdecznie mi się to już znudziło. Poza tym musiałam wciąż na nowo formułować za dziennikarzy pytania, bo dopytywali się co prawda rozmaicie, lecz bardzo często zupełnie idiotycznie. Sensu w ich pytaniach szukać ze świecą. Nawet przysiadłszy wygodnie w celu zastanowienia się, w czym rzecz, nie zdołałabym odpowiedzieć. Stąd zresztą — między innymi stąd — „Autobiografia": abym nie musiała pięćset siedemdziesiąty siódmy raz powtarzać w kółko, co jadam na śniadanie oraz ilu miałam mężów.
Wszyscy też wiedzą, gdyż informowałam wszem i wobec, że najlepszy dziennikarski tekst na mój temat to wywiad z sobą samą. Samoobsługowy poniekąd. Napisany jakby z konieczności, po odebraniu głosu zbaraniałemu kompletnie żurnaliście z *Expressu Wieczornego*, który nie wiedział, czego chce.

T.L.: Ujawnimy teraz ten tekst?

J.Ch.: Dlaczego by nie?! Niech pan ujawnia.

WYWIAD ZE MNĄ

Pytanie: bez znaczenia.

Odp.: Nie będziemy rozmawiali o żadnych głupstwach, tylko na tematy poważne. O wyścigach, tak jest. Życie bez namiętności nic nie jest warte.

Pytanie: b.z., jak wyżej.

Odp.: Początki mojej twórczości sięgają czasów zamierzchłych i nie warto ich wspominać. Istotny jest dzień dzisiejszy oraz świetlana przyszłość.

Pytanie: jw.

Odp.: Oczywiście, że widzę świetlaną przyszłość. Wszystko, z wyjątkiem ludzkiej głupoty, ma jakiś kres. Nawet te idiotyzmy, popełniane na wszystkie strony w naszym ulubionym miejscu rozpusty.

Pytanie: jw.

Odp.: Wszystkie, wyraźnie mówię. Skąd nam się wzięły udoskonalenia techniczne, wreszcie ostatnio wprowadzone, Bóg raczy wiedzieć. Opinia publiczna twierdzi, że ze złomowiska nowojorskiego, i jestem skłonna się z tym zgodzić. Już dziesięć lat temu grałam na karty komputerowe, przegrałam i wiem, co mówię.

Pytanie: jw.

Odp.: Jeżeli na całym świecie sens w tej maszynerii odnaleziono, moglibyśmy i my. Już wiadomo na pewno, że za mało jest maszyn i za mało jest kas. Tam, w tych gruntownie przegniłych krajach, wprowadzono całe lady komputerowe i wszystko leci jednym ciągiem, nawet pieniądze wyskakują, więc kasjer ma rajskie życie. Głowę daję, że znajdę poparcie u kasjerek. Optymistycznym akcentem jest fakt, że w ogóle się ruszyło.

Pytanie: jw.

Odp.: A czy ja mówię, że to jedyny mankament? A mafia?

Pytanie: jw.

Odp.: Z lekkomyślności to mówię. Bardzo dobrze wiem, że mogą mnie dopaść w ciemnej ulicy. Na wszelki wypadek będę unikać ciemnych ulic, chociaż nie wiem, w jaki sposób dojdę do domu. No dobrze, będę dojeżdżać taksówkami i nie wejdę do bramy, jeśli żarówka okaże się stłuczona. Cały tor wie, że mafia istnieje i płaci za spuszczenie gonitwy.

Pytanie: jw.

Odp.: Każdy inteligentny człowiek wie, że spuszczenie gonitwy oznacza przegraną konia, który powinien wygrać, a nieinteligentni w ogóle nie czytają. Mafia jednakże, nie do wiary, ale podobno tak jest, płaci niekiedy za konie bez żadnych szans. Albo gra na konie bez żadnych szans i to zjawisko jest już dla mnie całkowicie nie do pojęcia. Jeśli ktoś rozumie, niech mi wyjaśni.

Pytanie: jw.

Odp.: A skąd, to wcale nie wszystko. Od lat mówię, że te zakulisowe, szeptane typy pod tramwaj można podłożyć. Nawet prywatne przyjaźnie lepiej użytkować na przykład wokół porządnie zastawionego stołu. Powiem prawdę, a uczestnicy owych rozmów niech mi przebaczą albo nie. Sam trener przyjacielowi dał Pikardię. Cha, cha, na co mu to było? Ten przyjaciel nie umiał czytać? Pikardia, można powiedzieć faworyt dnia, miałam ją samą jedną i wymyśliłam w domu bez żadnych informacji dodatkowych. W oczy biła. Wielka mi informacja, za to potem przyjaciel wyrzucił kolejnego konia, bo trener miał wątpliwości, a koń oczywiście wygrał. W czasie wystawy rolniczej poleciałam obejrzeć mleko, spożyć mi się nie udało, i kiedy wracałam, usłyszałam kolejne tajemnice. Jeden facet mówił do drugiego: – *Spokojna czaszka, trójki ma nie być.* Konie już wychodziły z zakrętu i trójka wygrała, jak chcąc. Materac można zrobić z tych włosów, powyrywanych z głowy po gonitwie, *bo mówił, że będzie albo mówił, podlec, że go nie będzie!*

Pytanie: jw.

Odp.: Sami dżokeje nie wiedzą. Słyszałam o wypadkach, a nawet widziałam je na własne oczy, jak starali się z całej siły osiągnąć umówiony porządek i chała im z tego wychodziła. Albo koń stanął, albo koń przesadnie leciał i nie było na niego mocnych.

Pytanie: jw.

Odp.: W gruncie rzeczy Komisja Techniczna jest bezsilna. Owszem, słyszałam plotki, że sami grają i to zdyskwalifikują, co im wchodzi w paradę, ale wnioskować sobie można wszystko ze wszystkiego i nie w tym rzecz. Niechby reagowali jak należy i spieszali wszystkich, którzy nawalają, to co nastąpi? Pan będzie jeździł czy ja? Brakuje dżokejów, brakuje jeźdźców, bezrobocie w tym kraju polega na tym, że nie ma ludzi do roboty. Wyrzucą z pracy niesolidnych trenerów, odbiorą im stajnię? I co? Gdzie ta kolejka następców, spragnionych pracy?

Pytanie: jw.

Odp.: Wyścigi żyją z gry. Dwudziesty piąty raz to mówię. Powinno się to wszystko tak zorganizować, żeby gra leciała łatwo. Proszę bardzo, niech pchają swoje pieniądze do kasy, mniej to szkodliwe niż alkoholizm. Stadniny potrzebują pieniędzy. Jeżeli na skutek tłoku połowa graczy nie zdąży pozbawić się zasobów, to dla wyścigów czysta strata. Do czego to dąży? Do tego, żeby koń stał się wymierającym zwierzęciem pod ochroną?

Pytanie: jw.

Odp.: Owszem, wolę zwierzęta niż ludzi. Jak się dobrze zastanowić, człowiek jest najobrzydliwszym ssakiem na kuli ziemskiej. Opanował ją, co gorsza. Skoro ją opanował, jego psim obowiązkiem jest umożliwić egzystencję innym gatunkom, zadbać o nie. Inaczej w ogóle nie zasługuje na nazwę człowieka.

Pytanie: jw.

Odp.: No owszem, w dużym stopniu nie zasługuje od dawna. Ale konie powinien szanować we własnym interesie. I w tym samym stopniu psy.

Pytanie: jw.

Odp.: Oczywiście, że pies jest stworzeniem bez porównania szlachetniejszym od człowieka! Możliwe, że koń też. I to zaufanie, które koń okazuje! Z zasłoniętymi oczami pozwala się prowadzić tej ohydzie, człowiekowi. Wierzy mu. Zawieść tę wiarę i to zaufanie, to jest zwyczajne, odrażające świństwo!

Pytanie: jw.

Odp.: Istotnie, odbiegliśmy od tematu. Oczywiście, że napiszę dalszy ciąg o wyścigach, trochę inaczej, bo główną bohaterką będzie klacz.

Pytanie: jw.

Odp.: Zaczęłam. Napisałam pierwsze pół strony i brakuje mi materiału ze stadnin i ze stajni.

Pytanie: jw.

Odp.: Powinnam sobie odkupić samochód, żeby tam pojechać, ale nie mam za co.

Pytanie: jw.

Odp.: Nie, nie przegrywam na wyścigach. To znaczy, owszem, przegrywam, ale mało. Nie upadłam na głowę, żeby grać milionami, jak by nie było, mam płeć. Żeńską. O ile wiem, nie było wypadku, żeby jakaś baba strzeliła sobie w łeb w Monte Carlo.

Pytanie: jw.

Odp.: A owszem, kobiety też się dają narwać na zakulisowe wieści ze stajni, ale w znacznie mniejszym zakresie. Opamiętanie tracą tylko mężczyźni. Kobiety mają jakąś barierę biologiczną, która pozwala im zachować resztki zdrowego rozsądku.

Pytanie: jw.

Odp.: Możliwe, że jest to wniosek. Na wyścigi powinny chodzić głównie kobiety. Bardzo je do tego zachęcam.

Pytanie: Dziękuję bardzo.

Odp.: Drobiazg. Nie ma za co.

T.L.: Umberto Eco, odniósłszy sukces, zmęczony natarczywością mediów, opracował niewielką książeczkę, numerując najczęściej mu zadawane pytania oraz własne odpowiedzi. Później przestał odpowiadać, na przykład, ciekawskim: — *Kiedy Pan najlepiej sypia? A czy pisze Pan długopisem, czy flamastrem? Czy lepiej pracować rano, czy nocą? Jakiej muzyki Pan słucha?* Odsyłał żurnalistów po wiedzę do tej właśnie książeczki. Stosowne numerki cierpliwie podawał.

J.Ch.: Sam pan widzi, jakoś pisarze usiłują się bronić... Ja długo próbowałam odwalać robotę za dziennikarzy, aż któregoś razu uznałam, że jednak wolę pisać rzeczy własne.

Dziś, jeśli nawet przyjmuję u siebie prasę, najpierw zostaje sprawdzone, czy wiedzą, z kim rozmawiają, i czy zamierzają o coś ciekawego zapytać. Selekcja ograniczyła wizyty niekompetentnych reprezentantów prasy do mniej więcej pięćdziesięciu procent. Reszta, druga połowa, przynajmniej tyle się wysila, iż zna moje książki... Minęły więc czasy, mam nadzieję, że bezpowrotnie, gdy zjawiająca się dziewczyna potrafiła niewinnie zapytać: — *A co Pani w ogóle pisze? Bo mnie w redakcji kazali zrobić ten wywiad, ale nie wiem, dlaczego?*

T.L.: Właśnie, dziś styl Joanny Chmielewskiej jest znany i powszechnie rozpoznawalny. Pani zwroty weszły do potocznej polszczyzny i funkcjonują anonimowo. To chyba największa pochwała dla pisarza...

Tylko że — wrzucę szczyptę dziegciu do miodowej beczki — sława usypia czujność.

Nie korci czasem Pani, aby sprawdzić, czy to już aby nie rutyna głównie działa na czytelników i magia Pani słynnego nazwiska?

Różni głośni literaci próbowali się niekiedy dowiadywać, ile znaczą jako pisarze całkiem nieznani, poza szumem medialnym, napędzającym (zawsze w przypadku słynnych twórców!) koniunkturę. Wychodziło im to z rozmaitym zresztą skutkiem. Agata Christie pisywała średnie bardzo romanse jako Mary Westmancott, Romain Gary udawał Emila Ajara i w tym wcieleniu, owszem, zbierał nagrody.

J.Ch.: Czasem i mnie takie coś wpadało do głowy. Ale sądzę, że jednak zostałabym rozpoznana. Może gdybym ucapiła się tematyki historycznej?

Wie pan, to jest jakiś pomysł. Wreszcie — skoro używam do pisania nazwiska tylko jednej z prababek, jeszcze mi kilka ich zostało do wykorzystania w celach mało niecnych... Tylko że one wszystkie nosiły takie długie nazwiska... Czyli przy autografach znowu źle! Wolę już Ewę Puk. Zatem moi czytelnicy mogą spać spokojnie, nie będę ryzykowała pisania pod nazwiskiem Ledóchowska. Nie zamierzam się zresztą podszywać pod osoby święte do tego stopnia, że aż kanonizowane, jak ona.

Hmm... Skoro pan mówi do mnie takie dziwne rzeczy, może jednak i mnie skorci wściekłe szataństwo? Proszę więc uważać, czy nie pojawiają się książki historyczne autorstwa pani Szpitalewskiej. To będę być może ja.

T.L.: Tymczasem jednak kochają Panią czytelnicy. Tak, oni kochają Chmielewską, lecz poważnych opracowań krytycznych — jak na lekarstwo...

J.Ch.: Bo mnie włożono do szufladki z literaturą rozrywkową. Krytycy zaciekle dostrzegają tak zwaną literaturę poważną. O „niepoważnej" wstyd im pisać.

Ja natomiast dzielę książki na ciekawe albo nieciekawe. Na dobrze napisane i na napisane źle. Znam kilkadziesiąt książek z obszaru „gorszej" literatury, które są napisane ŚWIETNIE. „Gorszość" literatury bierze się stąd, że pisarze mordują atrakcyjne nawet tematy. Wściekle ciekawe fabuły można opisać dobrze albo fatalnie. Każdą zresztą treść da się podać interesująco. Lub nieinteresująco. Szekspir, ten pisywał kryminalne arcydzieła! Klasycy francuscy czy amerykańscy tworzyli coś, co dziś nazywa się kryminałem. Po co tu wydziwiać?

T.L.: Otóż, ja zaliczam się do grona miłośników trudnych książek, takich, po które sięga około dwóch procent wszystkich czytelników. Tylko iż sądzę również, że ktoś powinien wreszcie zauważyć Pani formalną sprawność. To są powieści, te wszystkie Chmielewskie, świetnie napisane. Krytycy nie dostrzegają na przykład całej gry masek, ukrytej pod płaszczykiem fabuły. Też nikt właściwie nie zauważył, jak bawi się Pani z czytelnikiem, mieszając fikcję prawdopodobną z realnym swoim życiem. Po lekturze „Autobiografii" powinno się to jednak dostrzegać.

„Produkcja" powieści Joanny Chmielewskiej przypomina mi działalność małża, wysnuwającego z siebie perły. Oto do żywego mięsa zostaje wprowadzone obce i uwierające ziarenko piasku, otaczane następnie warstwą ochronną, bynajmniej nie przynależną do normalnej egzystencji skorupiaka. I kiedy wydobywa się wreszcie z wnętrza muszli gotową perłę, po części tylko jest ona naturalnym składnikiem perłopławu. Po części zaś — koniecznym efektem obronnych procesów życiowych.

J.Ch.: Ładnie pan to wyłapał. Tylko mnie potrzeba nie jednego, a paru ziarenek... Co i raz następnego sobie szukam...

T.L.: Czy w ogóle posiada Pani w dorobku utwory całkowicie fikcyjne?

J.Ch.: No, niech pan nie przesadza z tym nadmiarem u mnie realizmu. Ja osobiście szydełkiem w fundamentach francuskiego zamku nie dłubałam, aby sprawdzić prawdziwość szczegółów do „Całego zdania nieboszczyka". W Brazylii też nie bywałam, choć szperałam bardzo rzetelnie we wszystkich realiach brazylijskich. A kiedyś w ogóle posłużyłam się całkowitym zmyśleniem, kiedy własną ręką, na maszynie, wystukałam wymyślone od A do Z słuchowisko pod tytułem „Niebo" z motywem katastrofy, po której zwarta ekipa trafia do lepszego świata... I tak dalej.

T.L.: Konstrukcje oparte na nieprawdopodobnym założeniu (bo nikt nie wie, jak wygląda niebo, jeśli w ogóle jakoś wygląda) to typowy obszar dominacji fabuł groteskowych. Jak u Gogola, u którego w noweli czyjś utracony nos sam biega po Petersburgu. Pani stosuje raczej inne zabiegi formalne.

J.Ch.: Bo podpisuję swoją prozę tłem realistycznym. Wszystko u mnie musi mieć racjonalną przyczynę oraz takież rozwiązanie. A najśmieszniejsze, że zdania w rodzaju: — *O! Tu już poszłaś za daleko z tą swoją fantazją!* — dotyczyły zazwyczaj jak najbardziej autentycznych, święcie prawdziwych zdarzeń... Wymyślone natomiast nie budziły wątpliwości co do swego autentyzmu.
Ogólnie rzecz biorąc, opieram akcję na prawdopodobnych ludzkich działaniach, stąd mój realizm. W kryminale zresztą nieusuwalny, z oczywistej mocy gatunkowych reguł. Zaczynam od zdarzeń możliwych albo istniejących, po czym je odpowiednio przetwarzam. Mam zresztą wielkie szczęście, bo przez całe swe życie przebywam w towarzystwie ludzi interesujących. Uważam, że ćwok ze mną by nie wytrzymał. Ja zresztą z ćwokiem również.

T.L.: Pewnie dlatego Pani świat powieściowy może być tak i n - t e r e s u j ą c o społeczny...

J.Ch.: Opieram akcję na biografiach wielu osób, tworzących nieprawdopodobną rozmaitość. Ludzie są zdolni do wszystkiego, naprawdę. Sama z siebie w życiu bym nie wymyśliła tego, co ludzie potrafią wykonać. Ludzkie uczucia się nie zmieniły od chwili, kiedy pierwsza małpa zlazła z drzewa, zatem wiecznie jest o czym pisać. I wiecznie będzie.
Opowiem to najlepiej po swojemu.
Siedziała kiedyś dziewczyna na tyłku. Czekała: — *Czy pocztylion doręczy mi liścik od n i e g o.*
Potem inna dziewczyna usadzała swój tyłek w pobliżu telefonu: — *Czy o n zadzwoni?!*
Teraz dziewczęcy tyłek rozsiada się przy ekranie komputera, wypatrując tęsknie maila z odpowiedzią. A tu: — *J e g o nie ma!!!*
Żadnych zmian mimo upływu wieków! I wtedy, bardzo dawno, przy pocztylionie, który do niej nie doszedł — j e g o nie było! I potem — j e g o nie było! I dzisiaj — j e g o nie ma...! W związku z czym jej uczucia będą teraz szalały dokładnie tak samo, jak uczucia jej pra-, i prapra-, i praprapra-babci...

Natomiast kiedy już j a, Joanna Chmielewska, własnymi oczkami na ludzkość popatrzę, to napiszę wyłącznie to, co ze mnie samej wychodzi, ulęgłszy się uprzednio w m o j e j głowie. Do widzenia — koniec moich pisarskich tajemnic! Nie muszę stosować żadnych specjalnych zabiegów. Na przykład upijać się, aby coś wyszturgać na komputerze. Niech Bóg broni, bo nie trafiałabym w klawisze... Nie latam wokół domu czternaście razy, aby siąść do ekranu. Panie Tadeuszu, pan sam wie, że tworzenie to w gruncie rzeczy prosta sprawa.

T.L.: Wcale nie. Nie mówię tu o skomplikowanych magiach pisarskich, takich jak zgniłe jabłka, które musiał mieć w pokoju Proust. Inaczej niczego nie był podobno w stanie wymyślić. Ale przecież nie należy lekceważyć twórczej weny, czynnika u każdego osobnika kreacyjnego, obojętnie, architekta lub literata, nie do przecenienia.

J.Ch.: Architektura i pisarstwo to dwa całkiem różne obszary. Architekt musi dysponować pełną koncepcją całej budowli, widząc równocześnie co najmniej i wnętrze, i elewację. Dobrze, jeśli spostrzega przy tym parę innych detali. Musi patrzeć na projekt całościowo. Jak i czym nakreśli tę wizję, nie ma w gruncie rzeczy znaczenia, choć dobrzy architekci nadal często szkicują ręcznie, ewentualnie zwalają techniczny aspekt projektu na komputer.
A pisarz? Ten może sobie pozwolić, aby jechać z tekstem, bez zielonego pojęcia, co się wydarzy p o t e m. Ileż ja tak książek napisałam, bez absolutnie żadnej wiedzy, co wprowadzę na następne strony! Samo mi się tworzyło. Tylko czekałam, co się objawi przed oczami.

T.L.: Jak to, całkiem bez planu?

J.Ch.: Wcale nie planuję. No, może niekiedy, ogólne zarysy: oto powstanie utwór kryminalny na temat spadkobierców, którzy się między sobą systematycznie wymordowali. Mam w planach (to na marginesie) taką miłą, krwawą opowieść. Tu jednak koniec planu. Ilu ich się wykokosi, jak się będą mordowali? Kto kogo najpierw? Kto kogo potem? Ciągle jeszcze nie wiem. Ale z pomysłem już mogę zacząć pisać. Powstaje brudnopis, który później podlega wygładzaniu. Bywa niekiedy, że pod koniec lęgnie się coś tak innego od założeń, iż wymaga zmian na samym początku. Przecież nie mogę wtrynić, ni z tego, ni z owego, bohatera na stronę pięćdziesiątą ósmą, jeśli z początku nic o nim nie pisałam. Takie, ni przypiął, ni wypiął, *deus ex machina*. Nie wolno. Jeśli więc osobnik włazi mi na pięćdziesiątą ósmą, jeśli trzeba, muszę wrócić z nim mozolnie na już dawno gotowy początek. Zresztą w tym względzie popełniałam, uczciwie przyznaję, rozmaite pisarskie grzechy. Przeważnie własne utwory po latach nie budzą, oględnie mówiąc, mojego entuzjazmu. Nawet „Lesio", jak uważam, został źle napisany (to wyznaję cichcem, bo skoro nikt nie zauważa...). Kusi mnie, aby coś zmienić, poprawić...

Ale nie byłoby to w porządku wobec czytelników. Już wolę robić za głupią niż za nieuczciwą. Po co — jak już w jakimś momencie panu wspominałam — kupować ten sam utwór po kilka razy?

T.L.: Autorski podpis Joanny Chmielewskiej — to specyficznie ujmowana tematyka kryminalna. Tu zasiada Pani na tronie w Polsce, a także w Rosji. Jako autorka „kryminału z przymrużeniem oka" uznawana jest Chmielewska za twórczynię całkiem specjalnego podgatunku literatury sensacyjno-kryminalnej, z tłem silnie obyczajowym. Czy w Pani powieściach historycznych też znajdzie się podobny w charakterze, kryminalny „podpis"?

J.Ch.: Niekoniecznie. Historia, sama w sobie, to jeden wielki, nieustający kryminał. Po cóż więc mnożyć byty?! Na ogół, co prawda, pisuję kryminały oraz sensacje, nawet historyczny poniekąd „Wielki diament" to kryminał, lecz moje powstające dzieło życia z zakresu historii alternatywnej wcale nie musi dotyczyć gatunku kryminalnego. Zobaczę, co się ulęgnie.

T.L.: Nie korci Panią, aby jakoś udowodnić krytykom, osobnym tekstem, szaleńczo wyrafinowanym, że mylą się, twierdząc, iż ta *Chmielewska całkiem nieambitna...*?

J.Ch.: Nie wiem, co znaczy „ambitna" w opinii krytyków. O czym miałabym niby pisać? O geologii?

T.L.: O samotności, o rozterkach duchowych?

J.Ch.: Może jednak lepiej zająć się tym, jak stanowisko zajmowane przez osobę odmienia i ją, i jej otoczenie? Jak z przyzwoitego dotąd człowieka robi świnię i ostatniego rzędu wieprza?! Może o tym, co?!!! Owszem, mogę, bardzo ambitnie. Wszyscy się poobrażają i zaskarżą mnie do sądu. Proszę bardzo!!!

T.L.: Pani się nie przejmuje głosami krytyków?

J.Ch.: Ja ich nie czytam. Chyba że coś samo mi w ręce wpadnie. Wtedy, dla świętego spokoju, przeczytam. Ale to rzadko. Ogólnie biorąc, nie mam pojęcia, co w ogóle krytyka o mnie wypisuje. Jeśli wypisuje... Bo, na całe szczęście, krytycy pisarzy niepoważnych jak ja zostawili w spokoju. Nie wiedzą, jak nas ugryźć. I DOBRZE IM TAK!
O czymś takim, jak moje powieści, wstyd im pisać...
Wie pan, zawód krytyka, jak każdy inny, gromadzi dobrych fachowców albo konowałów. Otóż, na ogół, fachowcy nie wiedzą, jak mnie traktować, jak tę Chmielewską zahaczyć? Mnie to nawet nie drażni, raczej ogromnie bawi. Sprawiam bowiem im trudność czymś, co dla mnie samej stało się wcale sensownym sposobem na życie. Poczuciem humoru przede wszystkim. Ktoś kiedyś powiedział: „Powaga to tarcza głupców". Zauważył pan, w jak poważnym kraju żyjemy? Najpoważniejsze przecież sprawy dadzą się podać, opisać, opowiedzieć — lekko. Niekoniecznie od razu trzeba walić we łby kamieniarskim młotem. Oczywiście, nikogo nie namawiam, aby sobie robił żarty na cmentarzu, nad grobem zupełnie świeżego nieboszczyka.

T.L.: Chyba że ktoś odznacza się usposobieniem przedwojennego Stańczyka środowiska literackiego Warszawy, Franza Fiszera. On to bowiem, zjawiwszy się, spóźniony, na jakimś ważnym pogrzebie znacznej persony, podbiegł do grobu i wrzucił tam pudło czekoladek. Po czym zwrócił się do żałobnej wdowy: — *Pani wybaczy, kwiatów nigdzie nie mogłem kupić...*

J.Ch.: Może jednak nie o t a k i rodzaj lekkości mi chodziło.

T.L.: Czy pisząc, z ogromnym dziś doświadczeniem, potrafi Pani przewidzieć reakcje czytelników?

J.Ch.: Nie, nie potrafię. Przez wszystkie te książki wydawało mi się wielokrotnie, że właśnie napisałam takie coś, co się im powinno podobać, a tamto właściwie — jest *nieczytable*. Tymczasem, bywało, że czytelnicy miewali zdania całkowicie odwrotne od mojego! Poddałam się więc, wcale się nie czepiam i nie usiłuję przewidywać.

Wola boska, co będzie, to będzie!

ROZDZIAŁ VI

O pasjach z pasją

HAZARD

T.L.: Na temat hazardu napisała Pani całą książkę, więc tu co najwyżej zatrącimy o te akurat sprawy, z których słynie Joanna Chmielewska.

A ja wyznam od razu czytelnikom, że zaliczam się do nielicznej grupy osób, które z bliska oraz bezkarnie obserwowały, jak Pisarka zachowuje się w kasynie.

J.Ch.: Owszem, przyznaję, siedział pan przy mnie kiedyś w trakcie kasynowego wieczoru po spotkaniach autorskich, organizowanych w hali Arena przez poznański Dom Książki. Zgodziłam się panu pokazać, o co w hazardzie chodzi, chociaż na ogół chwile, kiedy ktoś się na mnie gapi w trakcie gry, uważam za uczuciowo stracone. Bo każdy niech sobie siada osobno i gra dla własnej przyjemności. Skoro jednak pana zaprosiłam na stołek obok mnie, musiałam postradać zmysły. Albo działałam pedagogicznie, by się pan nauczył korzystać z dobrych rzeczy. Podejrzewam raczej to drugie.
(*Kiwam głową potakująco — uwaga T.L.*).
Tak? Spełniałam dobry uczynek? Skoro postępowałam wbrew własnym upodobaniom dla celów ściśle poglądowych, bo lubię pana, może więc jednak odwołam postradywanie zmysłów akurat w tamtym akurat momencie?

Posiady ze mną przy automacie to jednak sztuka na raz. Proszę nie liczyć, że znajdzie się pan jeszcze kiedyś w zbyt bliskiej asyście.

T.L.: Nie liczę na kolejną szansę. Zresztą akurat ja zaliczam się do osób, które do hazardu ani nie mają talentu, ani zamiłowania. Wolę ciężką pracę.

J.Ch.: Brednie. Mam własną, osobistą przyjaciółkę, osobę równie ostrożną, co pan. Przy tym hazardzistkę jak najbardziej. Ona lubi wszystkie gry. Brydż? Poker? Proszę uprzejmie! Ale w jaskiniach hazardu zazwyczaj nie bywa. Zaprosiłam ją pewnego razu do kasyna w warszawskim hotelu Grand. Zabrała ze sobą pięćdziesiąt tysięcy starych złotych, w danym momencie sumę raczej znaczną. Właśnie ona szturgnęła mnie nagle w łokieć: — Słuchaj — powiada — takie coś mi się zrobiło... Trochę nie rozumiem, co tu jest.

T.L.: Co miała?

J.Ch.: POKERA KAROWEGO!!! Wszystko się we mnie zmarszczyło. — Za ile ty grałaś, do cholery?! — pytałam w gorączce. Maria spojrzała na mnie zdziwiona: — Za pięćset złotych... O, Matko Boska!!! I tak wygrała w sumie pięćset tysięcy, stawiając kwotę mniejszą tysiąckrotnie. Gdyby postawiła wszystko, zacharapciłaby pięć milionów. W każdym razie wychodziła z Grandu całkiem, całkiem zadowolona...
Wypisz-wymaluj jak Tadzio, syn Maćka, mojego zmarłego już niestety przyjaciela. Tyle samo zabrał do kieszeni, idąc tylko niepotrzebnie do kasyna we własnym krawacie. Gdyby przyoblekł szyję inaczej, miałby jeszcze więcej szans... Ruszył do gry na byle jak płacącym automacie, zwykłym barachle. Stawiając jednak z miejsca pięćdziesiąt tysięcy, Tadzio zgarnął okrągłe pięć milionów. A przecież nie wyszedł mu, jak Marii, poker karowy... Popatrzył zadowolony, westchnął: — Aha! Miałem pięćdziesiąt tysięcy, mam pięć milionów. Za pierwszym razem się wygrywa. Doskonale. Więcej tu noga moja nie postanie...
Moja współwydawczyni, Julita, pokochała oko. Czyli Black Jacka, w którego ja zawsze przegrywam. Siadam do niego

tylko wtedy, kiedy już bardzo mnie zmęczą automaty lub ruletka. I kiedy jestem wygrana. Odpoczywam przy Black Jacku, z reguły niedużo przegrywając. Julita natomiast od Black Jacka wstaje wygrana.

T.L.: Często Pani grywa?

J.Ch.: Pan żartuje... Dłużej grywam w karty, niż umiem mówić! Miałam mniej więcej dwa i pół roku, gdy po raz pierwszy siadłam do kart. Moja rodzina zawsze umiała w nie grać. Nie, żeby zaraz szaleć hazardowo, lecz jednak one były w domu elementem doskonale znanym, chętnie używanym. Już jako małe dziecko grywałam w wojnę, w cygana. Karty mam w głowie z lat tak przeraźliwie wczesnego dzieciństwa, że nic wcześniej nie pamiętam, poza oczywiście aaronem, kwiatem, którego liść ugryzłam, kiedy miałam roczek (wiedzą to czytelnicy „Autobiografii"). Siadywałam na skraju stołu, po turecku, i rodzina ze mną grywała. Między innymi bawiłam się kartami z kuzynem Jurkiem, poległym później śmiercią lotnika w trakcie bitwy o Anglię. Z kim jeszcze grywałam? Rodzina była obfita, wszystkich wymienić nie zdołam. Ktokolwiek się zjawiał, musiał przeznaczyć jakiś czas na karty z mikrą małpą upiorną, czyli ze mną, jedynym bachorem w ostatniej linii kończącego się rodzinnego klanu po kądzieli (o ile istnieją, rzecz jasna, klany po kądzieli!). *(Komentarz z dalekiego potem: Tak, istnieją, w drodze wyjątku. Weźmy przypadek pięciu sióstr Saint-Cigne, na których kończył się ród. Ten ród szedł po kądzieli; facet, żeniący się z panną Saint--Cigne, przyjmował nazwisko Saint-Cigne. Sprawa załatwiona osobnym, specjalnym królewskim dekretem.)* Po dziecinnych grach nadszedł czas oka. Do oka zasiadłam od chwili, kiedy tylko nauczyłam się liczyć. Miałam wtedy cztery? Albo góra pięć lat. Wiedziałam, że najwięcej zawsze wygrywa bankier. Później, podczas wojny oraz po niej, aż do etapu wizyt w kasynie, zarzuciłam grę w oko. Lecz kiedy przyszło co do czego — z miejsca wiedziałam, jak się w to gra. Zmartwiłam się tylko zmianą znanych mi z dzieciństwa reguł. Bo podczas gier amatorskich bank przechodzi od gracza do gracza, w kasynie zaś bankierem jest zawsze krupier.

Skoro nie wolno mi trzymać banku, a więc wygrywać ze wszystkich najwięcej... Cóż, poddałam się. Zwłaszcza przeczytawszy świetną książkę o hazardzie, do której moja nawet się nie umywa... Tam znalazłam informację, że pani Chmielewska, mając dwie piątki, rozkłada je na dwa splity. Rzeczywiście, autor napisał całą prawdę. Moje ulubione gry to automaty oraz ruletka. Ruletka jest piękna. Tylko że ona wymaga świeżości, do koła ruletki nie wolno podejść, kiedy człowieka dopada zmęczenie. Ruletka żąda od gracza, aby czuł w sobie wigor, siłę. Tu bowiem mnóstwo znaczy instynkt, a on wiąże się ze zdolnością do dużego skupienia. Nawet stawiając na ulubione numery, niekiedy stale się przegrywa. I nagle, i nagle, i nagle — coś j e s t w osobistym wnętrzu człowieka!
Nie zapomnę (opisanej zresztą) straszliwej sytuacji w Krakowie. Zjechałam pod Wawel, dysponując ledwie pięciuset złotymi. Liczyłam wtedy, że od razu będą profitowały właśnie zakończone spotkania autorskie. Tymczasem okazało się, że forsę przyślą mi dopiero do Warszawy. Cóż w sytuacji awaryjnej począć? Mieszkałam w hotelu Pod Różą, tam egzystuje kasyno, zeszłam doń. Stanęłam przy ruletce. Jak się okazało, we właściwym momencie,
choć...
...
choć...
...
choć...
....i tym razem zadziałała wisząca nade mną klątwa. Oto ściskam w ręku pięćset złotych, kasa znajduje się na wyciągnięcie ręki, starczy tylko wymienić pieniądze na sztony. Zresztą nawet i sztony nie są przy ruletce potrzebne, dopuszcza się obstawianie banknotami. Tkwiła we mnie a b s o l u t n a pewność, że wyjdzie dwadzieścia osiem.

T.L.: Osobiście wobec a b s o l u t n e j pewności nieodmiennie wykazuję skrajną nieufność. Zawsze mi się przypomina dowcip o tym, jak pewien główny księgowy dużej firmy, obarczony potężną sumą, odebraną z banku na wypłaty dla całej załogi, korzystając z podpowiedzi głosu wewnętrznego, zdecydował się zamiast do kasy, ruszyć do Monte Carlo. Głos wewnętrzny, z a b s o l u t n ą pewnością szeptał natarczywie: — *Postaw na czwórkę, proszę cię, postaw na czwórkę!!!!* Księgowy, posłuszny nakazom głosu wewnętrznego, postawił wedle wskazań swego wnętrza. Przegrał z kretesem...! A wtedy głos wewnętrzny westchnął: — *O, cholera!!!*

J.Ch.: Dowcip stary, dobry, lecz mnie przeczucie raczej nie zawodzi. Wtedy, w Krakowie, wszystko zostało obstawione, poza numerem dwadzieścia osiem. I w i e d z i a ł a m, że wyjść m u s i dwadzieścia osiem!!! Wiedziałam!!! A mimo to sterczałam jakby wmurowana, jak pień, jak żona Lota, i nic nie potrafiłam uczynić...! Nie postawiłam banknotu na dwadzieścia osiem... Co wyszło? Oczywista sprawa, DWADZIEŚCIA OSIEM! Wyżyłam tylko dlatego, że nie po raz pierwszy ani ostatni dopadło mnie takie coś. Monte Carlo. Prawdziwe, nie takie z pańskiego dowcipu. Ledwie zdążyli na górze otworzyć ruletki. Trzymałam w ręku żeton pięćsetfrankowy, podeszłam do pierwszego stołu. W i e m, na pewno wiem, wyjdzie czerwone! Absolutnie, wyjdzie CZERWONE! Znowu — paraliż straszliwy. Skamieniałam. Nie potrafię wyciągnąć ręki z żetonem. Kulka okrążyła pole stosowną ilość razy, zatrzymała się... Gdzie? Na czerwonym... Pomyślałam: „Ładnie, dysponowałabym w tej chwili już tysiącem franków". Cóż, trudno, przeszłam do drugiego stołu. Tu znowu wszystko mi podpowiadało: CZARNE! Gdybym miała ów bezpowrotnie niewygrany tysiąc... Identyczna sytuacja. Było czarne... A to oznaczało, że stawiając od początku na obydwu stołach, aktualnie posiadałabym dwa tysiące franków. Szlag mnie trafił nieziemski! Rozmieniłam duży, pięćsetfrankowy żeton na drobne i — w furii — przegrałam całą sumę, obstawiając cokolwiek przy kolejnym stole. Wychodziłam wściekła na siebie jak jasny piorun.

I w ogóle nie wiem, skąd we mnie taka intuicja. Ani myślę tego rozwikływać. W człowieku coś się nagle robi, natchnienia w nim wybuchają. To trochę zapewne jak ze stawianiem kabały, o czym jeszcze za chwilę opowiem. W każdym razie, jeśli ja wiem, rzetelnie wiem, że należy obstawić w ruletce dwanaście, wychodzi wtedy dwanaście. Pewnie pojąć tę intuicję umiałby jakiś prawdziwy hazardzista...

T.L.: Czy po wszystkich kasynowo-wyścigowych latach jest Pani wygrana czy przegrana?

J.Ch.: W zasadzie kręci się to koło zera lub jestem nawet okruszynkę wygrana. Kiedy pisałam „Hazard", w celach poglądowych objechałam mnóstwo europejskich kasyn. I wyszłam z nich bez strat. Oraz, niestety, bez zysków. Za to przyjemności doznałam masę. Bez względu na fakt, że ja — osoba spod Barana — wiedząc, iż wyjdzie dwanaście, zamiast postawić jak normalny człowiek na dwanaście, nieodmiennie wrosnę sparaliżowana w podłogę tuż obok koła ruletki. Gwarantowane...!

T.L.: Przepraszam za zbytnią intymność kolejnego pytania, lecz mnie bardzo korci. Czy uczucie euforii, związanej z hazardem, da się porównać z uczuciami erotycznymi lub zgoła seksualnymi?

J.Ch.: Żadne takie! Ono porusza człowieka od pasa w górę. Nie w dół... Z hazardem trochę jak z wędkowaniem i z nadzieją na potwornie wielką rybę lub zgoła na wieloryba. Albo z myślistwem i pożądaniem gigantycznego łosiowego poroża. Gdzie zaś wędkarzowi, takoż myśliwemu, do seksu...?! Tu występuje szaleństwo zdecydowanie pozapłciowe.
Rzeczywiście, przyznaję, hazard od zawsze należy do moich dwóch wielkich namiętności. Ale z seksem ani z erotyką niech pan tego nie miesza.

T.L.: Więc ta druga namiętność?

J.Ch.: Praca. Zwykła praca zawodowa, polegająca na pisaniu książek. Przyznam się, jeśli dłużej pozostaję bez pracy lub bez hazardu, czegoś mi bardzo brakuje. Jeśli trzeba załatwiać coś, czego nie lubię, zawsze potem z ulgą siadam do komputera. A gdy skończę z pisaniem, chętnie wybieram się do kasyna. UWIELBIAM. Uwielbiam wszelkie ryzyko tego rodzaju, zawsze mi się ono nadzwyczaj podobało. Kobieta hazardzistka — to ja! Rzadka rzecz, przyznaję. Wyjątek potwierdzający regułę.

T.L.: Kiedyś opowiadała mi Pani o różnicach w stylach hazardowania się kobiet i mężczyzn. Mężczyzna otóż idzie w grach „do spodu", na umór, na zabój, gotów jest przegrać ostatni grosz. Kobieta w pewnym momencie złej passy raczej się zatrzyma.

J.Ch.: Jak pan myśli, dlaczego ja jeszcze żyję? Bo mam w sobie wewnętrzną miarę. Jak to baba. Chociaż... Znałam taką, która w kasynie zostawiła potężny majątek, po czym runęła w samobójstwo. Inna, znana mi osobiście, kiedyś bardzo bogata, też straciła opanowanie. Przegrawszy wszystko, wlokła się do kasyna, już nie mając forsy na grę, lecz jednak czekała, aby ktoś przynajmniej postawił jej drinka. Albo dał jakieś grosze na grę. Cóż, namiętność w ludziach trwa, nawet gdy nikną możliwości... Lecz te dwie niewiasty zaliczam do absolutnych żeńskich wyjątków. Przy czym proszę zwrócić uwagę, iż samobójstwo popełniła tylko jedna z nich. Skrachowani faceci często-gęsto strzelają sobie w łeb. Albo decydują się na bliskie spotkania z grzbietami skał w Monte Carlo.
Równocześnie obserwuje się mnóstwo kobiet, odwiedzających kasyna. Ja zresztą niczego zdrożnego w odwiedzaniu kasyn przez baby nie widzę. Niech się też nauczą, nie gorsze są od facetów. W dodatku mają w sobie na ogół wyczucie granicy, wewnętrzne hamulce, chroniące je przed otchłanią. One wykazują skłonność zwłaszcza do sal nieco gorszych, tych z automatami. Ruletkę, bakarata, pokera — wybierają chętniej mężczyźni. Nawet jeśli duńskie staruszki całe swoje emerytury przepuszczały w Tivoli, to nie tak znów całkiem bezmyślnie, tam istnieje świetny system opieki społecznej... Gra w kopenhaskim parku uciech Tivoli o tyle wszelako wydaje mi się bezsensowna, że nie da się odzyskać pienię-

dzy, nawet wygrywając. Za zdobyte żetony wolno dokonywać natomiast wszelkich zakupów, od pudełka zapałek po markowy samochód albo cenny naszyjnik. Fakt, iż w Tivoli egzystowały (za moich czasów) wszelkie absolutnie sklepy, sprawiał, że osoba wygrana zyskiwała wcale szerokie pole do zakupowego szału. Pamiętam na przykład faceta, który na trzech automatach wygrał tyle, że nie potrafił własnoręcznie unieść całego zdobytego metalu. Trzy wory żetonów. Które miał prawo zamienić na to, co mu tylko do głowy wpadło. Ale tylko w Tivoli. Musiał coś kupić, bo tę ilość sztonów przegrywałby około pięćdziesięciu lat. Sama, będąc kiedyś wbrew sobie jesienią w Kopenhadze (wbrew sobie, gdyż nie lubię tam jeździć w okresach zdecydowanego chłodu), wygrałam tyle, że z Tivoli wyniosłam wszystkie planowane i nieplanowane prezenty gwiazdkowe. Z radością później całym owym wygranym interesem obdarowywałam rodzinę.

T.L.: Często słyszy się twierdzenie, iż mężczyźni to zwierzęta, kierujące się rozumem, kobiety zaś — emocjami. Jak to się ma do hazardu?

J.Ch.: Nie mam pojęcia, o co w pańskim stwierdzeniu chodzi. Informuję natomiast, że w myśl poglądu, ponoć ugruntowanego, jeśli nie idzie w kartach, idzie w miłości. Zgoda, tak właśnie jest. Osobiście przeżyłam te chwile. Pojęcia zielonego nie mam, co wyczyniał mój chłop z niewiastą, która wraz z nim usytuowała się w pokoju obok, wcale mnie to nie obchodziło w momencie, kiedy karta w brydżu waliła mi jak szalona. W brydża umiem i lubię grać od piętnastego roku życia, oczywiście grywam na pieniądze. Wtedy gdy oni mi się zawieruszyli w sąsiedztwie, przegrodzonym ścianą, rozkładałam karty i rosła we mnie myśl: „A, róbże sobie, co tylko chcesz. Podrywaj ją także, ile tylko chcesz. Skoro do mnie akurat z talii przybiega coś fenomenalnego...". Tak się więc stało, iż karciana namiętność przebiła nawet uczucia do faceta.
No, zgoda, typowe to nie jest. Studia, jak na kobietę, też odbywałam nietypowe oraz nietypowy zawód wykonywałam.

Ale czy ja kiedykolwiek twierdziłam, że jestem typowa?! Poza faktem, że zaliczam się oczywiście do grona jednostek żeńskich i takież, zgodne z płcią biologiczną, są moje uczucia oraz doznania. Ani mi się śni ich wyrzekać! Wolę ugotować makaron z sosem niż wbijać gwoździe w ścianę. Przy tym jednak zastrzeżeniu, iż kiedy trzeba, umiem zastąpić pierdołowatych osobników płci męskiej. Zdarzyło się kiedyś następująco. Obok mnie, żądnej przytwierdzenia do muru źródła światła, pewnego razu sterczało dwóch takich matołów, którzy nawet nie potrafili oskrobać drewnianych kołeczków, a co dopiero umocować na ścianie kinkietu! Co było robić? Wzięłam się sama do roboty, odwaliłam, co należało. Zakołkowane i umocowane wtedy w ścianie kinkiety tkwią w niej mocno po dzisiejszy dzień.

Ot, słaba płeć...

JAK UŻYWAĆ UŻYWEK?

T.L.: Skoro zajęliśmy się przez dłuższą chwilę hazardem, nie sposób pominąć napojów towarzyszących. Jednak, dotykając alkoholicznej sfery życia, muszę stwierdzić, że u Pani, i pod piórem, i w życiu stosunkowo mało się pojawia trunków rzeczywiście mocnych. O tyle dziwne, że przecież Polacy przez całe stulecia zamiast z wodopojów krzepili się z wódopojów... A Polska była krajem nie tylko miodem, ale też wódą płynącym.

J.Ch.: Skąd nikła ilość trunków w moich utworach? Dla mnie ważny jest zawsze konkret autobiograficzny. Wódka zaś w moich wszystkich domach stanowiła obce ciało, obcy świat. Mój ojciec, wypiwszy dwa razy po dwadzieścia pięć gram, kładł się spać natychmiast, gdzie tylko popadło. Zasypiał, do widzenia! Matkę po tej samej dawce ogarniała głupawka, czyli ataki niepowstrzymanego śmiechu, zaraźliwego okropnie. Nawet podobał mi się ów śmiech, ale skojarzenia z wódką żadną miarą nie wywoływał.

Pisząc „Klin", nie brałam do ust nawet kropli alkoholu. Trwał właśnie kilkuletni okres, kiedy szkodziła mi każda kropla koniaku czy wódki. Owszem, mogłam sobie, ale popatrzyć. Wina dobrego w Polsce wtedy się nie uświadczyło, do ust bym wówczas nie podniosła także szklanki z piwem. To się odbijało na moim życiu towarzyskim. Lubiłam przyjęcia, czasami, z rzadka, w nich nawet uczestniczyłam, ale trochę jakby z boku. Kiedyś nawet ktoś warknął na poły żartobliwie: — *Cholery z nią można dostać. Trzeźwa jak świnia, a najwięcej rozrabia!* Tyle że bez alkoholu i tak doskonale potrafiłam wpasować się w ogólny nastrój. Zachowywać jako jedyna osoba w całym towarzystwie trzeźwość? Bardzo mi się podobał ów towarzyski status! Świetnie się bawiłam, otoczona kompanią na rauszu, na bani, pijaną w trzy dziewczynki, ubzdryngoloną w pestkę.

Dopiero przed rokiem 1970, w drugiej połowie mojego pobytu w Danii, polubiłam whisky. Nie, niech ręka boska broni, abyśmy obie z Alicją trąbiły whisky jak oszalałe, zresztą owo świństwo w Kopenhadze kosztowało okropnie dużo, więc nie sposób się było tak znów upijać. Za to sączyć szklaneczkę whisky podczas jakiegoś przyjątka u Joanny albo u Ewy — tak, zgadzałam się bez oporów. Nie od razu zresztą. Spróbowałam, raz, potem drugi... No, zwyczajny bimber! Owszem, w moim warszawskim domu bimber się pojawiał, choć ja w zasadzie nie piłam, lecz przecież Wojtek często przywoził kapkę, wracając ze swoich wiejskich rodzinnych stron.

Podchodziło mi to w smaku jakby pod benzynę. Whisky zaś w Danii okazała się szlachetniejszą odmianą bimbru. Strugaliśmy nawet z ludzi wariatów, nalewając bimbru do butelki i polecając im rozpoznawać gatunek kosztowanego alkoholu. Padały rozmaite propozycje, oczywiście — z wyjątkiem bimbru. W każdym razie whisky wtedy polubiłam, z tym że nie samotną, bo nadto ona intensywna, ale z wodą oraz z lodem, może być.

T.L.: Trudno podejrzewać, że kosztując whisky, nie chwyciła Pani za dżin.

J.Ch.: To znacznie później, całkiem ostatnio właściwie. Próbowałam brać się niedawno za dżin z tonikiem, wzorem brytyjskiej Królowej-Matki w nadziei, że żyć będę jak ona sto dwa lata. Jedyny problem, zresztą nie za duży, polegał na tym, że dżin w domu posiadałam, za to brakowało mi zawsze toniku... W takiej dramatycznej sytuacji angielskiej jałowcówki używałam w charakterze dolewki do schabu, nie zaś bezpośrednio serwując płyn do spragnionego wrażeń wnętrza. Kiedy wreszcie otrzymałam litrową butlę toniku, spróbowałam. Dobre, jednak koniecznie trzeba aplikować z lodem. Wcześniej, w Danii, po coca-coli, którą w końcu zniecierpiałam, używałam toniku, owszem, ale z sokiem grejpfrutowym. To się nazywało *grape-tonic* i to lubiłam zawsze.

Natomiast nigdy nie delektowałam się, do tej pory tego nie czynię, koniakiem. Jeśli zdarza mi się koniak pijać, to wyłącznie jako lekarstwo. Gdyż na zupełne zdechnięcie koniak okazuje się najlepszy. Pijam go tak, jak się pija krople walerianowe, za to lubię koniak wąchać. Także w wódkach nie gustuję. A już zwłaszcza, gdy one słodkie. Weźmy taki Goldwasser — dajcież ludzie spokój! Jedyna wódka, jaką pijałam z upodobaniem, to pijawkówka mojej matki. To było coś!!! Jakby likier waniliowy? W tym duchu. Jedno jedyne słodkie, co lubiłam pijać. Kiedyś, u mojej matki, więc jakby dawno już dosyć, obie z Tomirą, powinowatą mojej ciotki Teresy, córką siostry męża Teresy, Tadeusza, porządnie się urżnęłyśmy pijawkówką. Jakoś mi udało się wrócić bez problemów do domu, lecz Tomira, która postanowiła jeszcze po drodze odebrać czyste rzeczy z pralni, na oczach stęsknionego małżonka, wypatrującego połowicy z okna, gnana poczuciem obowiązku oraz szarpana wyrzutami sumienia, z całym tobołem się regularnie — wywróciła...

Bez alkoholowych upodobań przechowałam się do sześćdziesięciu lat. Stopniowo zaczęłam się płynach wyskokowych rozsmakowywać, najpierw w Danii polubiwszy tylko piwo. To się wiązało z wyścigami kłusaków. Dawniej, przed kłusakami, raczyłam się coca-colą, ale ona jest słodkie świństwo, obrzydliwe dosyć, więc przerzuciłam się na piwo. I piwo zaczęło mi smakować. W Danii okazało się napojem najtańszym ze wszystkich, tańszym nawet od wody mineral-

nej, w dodatku smacznym, więc z Alicją postanowiłyśmy posiadać zawsze w domu podręczny zapasik. Tyle że od piwa się tyje. Poza tym, nadużywszy piwa, zdechnąć można. Dziękuję, nie skorzystam. W ogóle, staram się nie nadużywać alkoholu zanadto, bo w nadmiarze jednak szkodzi.
Z czasem przerzuciłam się na wino. Lubię i białe, i czerwone. Do białego rwie mnie zwłaszcza przy ostrygach, krewetkach, a i ryby kochają tę słomkową winną barwę. One czerwonego nie tolerują, w każdym razie w moim wykonaniu. Białe wino pijałam podczas pobytów w krajach tropikalnych, lecz jako tak zwany szprycer: jedna czwarta szklanki białego wina, woda mineralna, lód. Na tym daje się przy upałach wytrzymać.

T.L.: Osobiście pod względem dobrych win nielicho się u Pani rozpuściłem! Sądząc z zestawu, jaki tu pijam, Joanna Chmielewska mogłaby kandydować do tytułu profesjonalnego bez mała enologa. Żartuję niekiedy, iż nawet we francuskich dobrych restauracjach nie uświadczy się win tej jakości, co na Pani stole.

J.Ch.: Iiii tam... Parę smaków mi zwyczajnie pasuje. Niekiedy pamiętam, w jakich one winach ukryte. Przeważnie zresztą nie pamiętam. Lecz kiedy wpadną mi w oko stosowne etykietki, staram się nimi nie wzgardzić. Tu nie chodzi o cenę, lecz o smak, choć, rzecz jasna, dobre wino musi trochę kosztować. Dbam, aby to, co pijam, nie posiadało nadmiernej kwasowości, chętnie akceptuję na dnie smaku goryczkę, także nieco cienia zapachu starych myszy, no i toleruję wyłącznie wina wytrawne. Osobiście polecam czerwony Pauillac oraz inne czerwone odmiany z okolic Saint-Emilion z apelacją *grand cru classe* oraz inne wina w tym stylu.
Natomiast na alkoholach jako takich raczej się nie znam, anegdoty zaś, które czasem przytaczam, pochodzą z drugiej ręki albo z kibicowania prawdziwym specom. Jak wtedy, gdy obserwowałam pędzenie bimbru w Afryce, wśród muzułmańskich Arabów, gdzie, poniekąd z konieczności, pędzili wszyscy Polacy. Wspominałam już kilkakrotnie, przy róż-

nych okazjach, próbę uzyskania koniaku z mandarynek, który okazał się *niepijable* do tego stopnia, że gdy wylano przyrządzone z zapałem świństwo do wychodka, to ono jeszcze przez trzy tygodnie silnie śmierdziało. Rezygnuję takoż od dzieciństwa z win domowej roboty, bo nieodmiennie boli mnie po nich brzuch. Kilkakrotne próby wystarczą. Więcej już nie zamierzam ryzykować.

T.L.: Zawsze mi się wydaje, że prawdziwi alkoholowi smakosze wykazują skłonność do popadania w uzależnienie.

J.Ch.: Alkoholizm? Mogę zrozumieć. Użytkowanie napojów procentowych sprawia frajdę. Zwłaszcza kiedy koniak albo whisky lubi się do tego stopnia, że te płyny wchodzą w nas bez mała niezauważalnie. O ile dysponujemy organizmem łatwo przetrzymującym kaca, bo inaczej skutki nadużycia okazują się straszliwe i uniemożliwiają, bez heroicznych poświęceń, rzetelne wciągnięcie osoby przez nałóg. Mnie gruntowne pijaństwo nie grozi, bo skutki nadużywania rzucają mi się nie na głowę, lecz na serce. Łatwo od tego umrzeć.

T.L.: Czy rozumie Pani narkomanów?

J.Ch.: A nie, to nie. Jak sobie można dobrowolnie wbijać igłę w żyłę? Rzekłabym, że człowieka spotkać mogą nieco większe przyjemności. Co się narkomanom w transie majaczy? Nie wiem. Niech będzie, że bywa im fajnie. Ale zespół odstawienia narkotyków w porównaniu z kacem to jak szaleństwo w obliczu zwykłego, banalnego zdenerwowania. Poza tym alkohol stanowi rodzaj rozrywki towarzyskiej, rzadko kto normalny siedzi samotnie, trąbiąc na potęgę. Rzecz jasna, poza mną, która w Sylwestra 2000 roku, siedząc zbolała bez ludzi obok w domu, wydudliłam całego szampana: — *Bo jak umierać, to honorowo!!!* Opisałam, jeśli ktoś ciekaw, niech sięgnie do moich książek.
Narkomania to pasja zdecydowanie indywidualna. Nawet zażywane w towarzystwie narkotyki oddzielają osoby od siebie, alienują je, zanurzając narkomana w świecie egotycznych całkowicie, dla reszty niedostępnych, przeżyć. Nie, tego ja, osoba towarzyska, nie pojmuję.

NO, TO JAZDA!

T.L.: Porozmawiajmy troszeczkę o sposobach przemieszczania się w przestrzeni.

J.Ch.: Zostawmy na boku takie banalne sprzęty jak rower, bo już się nimi w rozmaitych tekstach zajmowałam. Wyznam natomiast, że moja pierwsza fascynacja to statki. Uwielbiałam od młodych lat ten właśnie środek lokomocji. Podobnie jak samochód. Dyrektor mojego ojca dysponował automobilem służbowym. Przypadek sprawił, iż kierowca, udając się po dyrektora, przejeżdżał obok mojego domu i zmierzał potem w kierunku szkoły. Jako młody człowiek polubił tę ładną dziewczynkę, córkę jednego z szefów. Raz pozwolił mi nawet prowadzić po ulicy Różanej... Łaska boska, nic się nie stało. A co do statków. Jak dotąd choroby morskiej nie miewam, więc sztormy mi niestraszne. Tym więc chętniej wsiadałam na pokład. Bo od dzieciństwa marzyłam o podróżach i starałam się wymyślić zawód, dzięki któremu zyskam sposobność do dalekich odjazdów... A że podczas wojny dojrzewa się znacznie szybciej, jeszcze jako dziewczyneczka wiedziałam, na czym mi zależy. Ot, pracowały szare komórki w moim mózgu, pracowały! Jeśli dzisiejsza młodzież kończy szkołę i wstępuje na takie albo owakie studia, sama nie wiedząc, po co i dlaczego, to tuż po wojnie ze mną działo się absolutnie inaczej. Na dobrą zresztą sprawę cała właściwie młodzież z lat mojej młodości orientowała się z punktu, czego oraz z jakiego powodu chce. Pewnie bomby, spadające nam w wojnę na głowy, tak wstrząsały naszymi mózgami... Ja też nie byłam w ciemię bita. Planując podróże, postanawiałam dla siebie takie oto dwa zawody:
— lekarz okrętowy (pchali mnie na medycynę; jeśli więc już medycyna, której nie aprobowałam, to przynajmniej z pożytkiem własnym). Wsiada się na statek i zwiedza cały świat;
— dziennikarz. Nie ma siły, jeśli okazuje się sensowny i zawodowo przygotowany, również podróżuje po całym świecie.

Bo pragnęłam, a szczerze mówiąc i dziś jeszcze pragnęłabym, opłynąć calutką kulę ziemską.

T.L.: Cóż to dla Pani za problem?! Wziąć ze sobą laptopa, zamustrować się na jakiś statek i...

J.Ch.: Pan żartuje! Wtedy?! W 1946 roku? Kompletne poplątanie pojęć... A znowu dziś? Hmm... Widzi pan, ja dopiero od kilku maleńkich lat mieszkam we własnym domu. Z czego może nieco tylko ponad rok spędziłam u siebie, stale gdzieś gnając w rozjazdy. Dziesięcioleciami całymi marzyłam, na swoim trzecim piętrze przy ulicy Dolnej, aby definitywnie zejść ze schodów. Tymczasem teraz, już bez schodów, co najmniej pięć do sześciu miesięcy w roku spędzam poza stałym miejscem pobytu. Marzę więc intensywnie, aby posiedzieć nieco dłużej w moim cudownie chłodnym, wygodnym domu, wreszcie ograniczając się do płaszczyzn poziomych. Chociaż podróżne marzenia jeszcze się we mnie stale kotłują. O! Popłynęłabym sobie statkiem, gdzie popadnie, oczywiście — spokojnie!, spokojnie! — korzystając z prognoz meteorologicznych, gdyż w tajfuny wdawała się nie będę! No i wezmę w podróż mój kawał kory z dębu korkowego, ukradziony z algierskiego lasu, złożonego z takich dębów, stanowiący dla mnie, jakby co (tfu! tfu!), ogromną pociechę. Aby tylko nie trafić tam, gdzie żerują rekiny, bo wtedy i moja kora zda się psu na budę, a właściwie to owszem, zda się. Rekinowi na podwieczorek po obiedzie — w postaci mnie. Żywię nadzieję, że niekoniecznie mój statek rozbiłby się doszczętnie i w dodatku niekoniecznie tam, gdzie pętają się te cholerne żarłacze. Zresztą... ja pewnie i z rekinami bym się zaprzyjaźniła!

T.L.: Pyszny pomysł! Jakież to możliwości fabularne dla co najmniej dwóch zupełnie nowych Chmielewskich!!!

J.Ch.: Dla mnie perspektywa całkiem upiorna. Tylko że i tak chyba bym prędzej popłynęła statkiem niż poleciała samolotem, albowiem samoloty w zasadzie wykluczyłam definitywnie z mojego życiorysu.

T.L.: Czy lubi Pani żeglugę na jachtach? Łódki mniejsze niż transatlantyk budzą w Pani jakieś osobiste emocje?

J.Ch.: No, budzą, nawet dość silne, skoro ja nie umiem przecież pływać... Mam problemy i z oddychaniem w wodzie, i z kość-cem. Nawet bowiem jeśli nie przyjmuję do osobistej wiado-mości, że człowiek zawiera w sobie tak zwany szkielet i koś-ciotrup, jednak moja budowa kostna zalicza się do takich, jakie pchają człowieka raczej w głąb wody niż na wierzch. Pewnie za mało w życiu trzęsło się na mnie sadła. Bo gdy-bym ważyła sto pięćdziesiąt kilo, bez trudu utrzymywała-bym się na powierzchni. Przemyśliwałam nawet nad takim tłustym rozwiązaniem, tyle że ponieważ jakoś mi się z mor-skimi wojażami nie przytrafiło, więc...

Nawet kora z dębu korkowego stoi w domu smętna, nie używana.

Wiedząc zatem, co mi grozi na jachcie, tylko raz w życiu miałam zamiar wsiąść na takie coś, wspólnie zresztą z dużą grupą ludzi. To było na jeziorze w Mielnie, oddzielonym wąską mierzeją od morza. Liczyłam sobie wtedy dwadzieścia pięć lat, mój młodszy syn, Robert, miał akurat osiem mie-sięcy. Zapamiętałam tamten epizod, choć nic kompletnie się nie działo, piękna, bezchmurna pogoda, zero zagrożeń. Ale uznałam, że jednak diabli wiedzą, co ludziom do łba strzeli. Trudno przewidzieć, czego im się zachce. Rejs odbywał się na sporym jachcie i wielu chętnych paliło się do przejażdżki. Skoro więc okazało się, iż na ów jacht wlazło osiem albo dziewięć osób, radosnych oraz wysoce rozrywkowych, zre-zygnowałam z osobistego włażenia między nich. Uznałam, że pozostanę na brzegu, bez skazywania się na niepewność zbiorowego rejsu. I stałam sobie na brzegu, kiedy oni od-pływali. Na takim rejsie zależy się bowiem od innych.

Otóż wypraszam sobie stanowczo, abym od kogokolwiek kiedykolwiek zależała! O sobie samej będę decydowała wy-łącznie ja sama. Bo gdyby na przykład wtedy, w Mielnie, naraz wszyscy gremialnie rzucili się na jedną burtę, a w re-zultacie stateczek by się przewrócił? Co ja zdołałabym uczy-nić?

Czyli — żadnych jachtowych wygłupów...!

No, zgoda, jako siedemnastolatka uparłam się w trakcie wy-cieczki szkolnej sterować stateczkiem po mazurskim jezio-

rze. Na środku kapitan — odważny, mimo że jezioro było
rozległe — pozwolił kręcić kołem, lecz przed wpłynięciem
w kanał odpędził mnie od steru. Zatem okazał się nie tylko
odważnym, ale i rozważnym człowiekiem.
Na żaglówkach zaś kiedyś pływałam. Owszem, czemu nie,
lecz bez tłoku, w ilości sztuk trzech, w tym ja jedna. Poza
tym była to w zasadzie zwykła łódź na pagaje, przekształ-
cona domowym sposobem na żaglówkę. Żagiel wykonano
z mojego prześcieradła kąpielowego. Od pierwszego kopa
zresztą musiałam się wściekle awanturować, żądając powrotu, bo moi żeglarze niezbyt wielkie posiadali pojęcie na temat żeglowania.
To już wolę sama. Nie jestem taka wściekle mądra, potwor-
nej ilości rzeczy nie umiem, lecz pewien instynkt oraz pewną
wiedzę posiadam. Czuję w sobie jakieś tam możliwości,
umiejętności. Potrafiłabym dać sobie radę z żaglówką, gdyby
nie zatrzęsienie tych tam rozmaitych sznurków. Doskonale
natomiast umiem, zawsze umiałam, ustawić ster. W życiu
wolałam dobijać do brzegu bez żadnego halsowania, mimo
iż, wedle mojego oka, z tym również dałabym sobie radę.
Bo skoro zawsze doskonale umiałam wiosłować i sterować...? Pływanie na kajaku, znane mi od szesnastego roku
życia, to dla mnie równie banalna czynność, jak smażenie
jajecznicy. Prawda, w łódce-pychówce było nieco gorzej. Kiedyś na Bugu usiłowałam z kijem pychowym w ręku wywró-
cić łódkę pełną dzieci oraz mojego męża. No, na pych akurat
mi nie szło... Za to jako wioślarka budziłam podziw; wios-
łowanie to dla mnie czynność z gatunku łatwych, naturalnych. Wiedziałam nawet od zawsze, iż prawą rękę ma człowiek zazwyczaj silniejszą, co ma istotny wpływ na działania
wioślarki.
Każdy umie swoje, niech więc tak już zostanie. Przecież
wiele innych, łatwych, naturalnych dla rozmaitych osób
czynności w moim akurat wykonaniu okazywało się nieosią-
galnymi szczytami. Jak choćby sprzątanie, udręka mojego
życia. Do licha ze sprzątaniem!!! Przecież nie można od człowieka wymagać wszystkiego! Tak jak nie wolno żądać, żeby
okazał się idiotą wszędzie.

T.L.: O ile się orientuję, wodę Pani w ogóle lubi?

J.Ch.: Dziwne, skoro nie potrafię pływać, ale rzeczywiście, lubię.
(*Tu przesiadamy się do innego środka lokomocji.*)

T.L.: Samochodowe prawo jazdy zrobiła Pani bardzo dawno...

J.Ch.: W 59 roku. Przymuszono mnie wtedy siłą, abym poznała samochodowe bebechy. Tego wymagali podczas egzaminu. Umiałam więc wykręcić i przeczyścić świecę, wymienić bezpieczniki oraz zmienić koło w aucie. To ostatnie, wyłącznie teoretycznie. Bo co mi z faktu, że wiem, jak odkręcić śruby, skoro, aby dać sobie z nimi radę, musiałabym skakać po kluczu, lecz i wtedy skutek okazałby się żałosny. Po co wiedza techniczna kobiecie, której brakuje siły w rękach?! Gdybym jakoś, umordowawszy się, przykręciła, może w rezultacie poodpadałyby wszystkie źle umocowane koła? Nie zamierzam się wygłupiać z wprowadzaniem t a k i e j teorii do praktyki.

T.L.: Pani samochody zaczęły się w Danii?

J.Ch.: Wcześniej, od Skody 1000 MB, oczywiście pomijając jeszcze wcześniejszą, wypożyczaną warszawę. O skodzie napisałam mnóstwo, powtarzać się nie zamierzam.
Tam, w Danii, kupiłam sobie garbusa. Na moje upoważnienie wrócił nim Wojtek, ale kiedy ja wracałam, dokupiłam jeszcze drugi używany wóz, tym razem opla. Miałam rozum, bo jeden mogłam sprzedać, a drugim jeździć osobiście. Pewnie, że wolałabym nówkę, lecz gdybym ją nabyła, zostałabym albo bez grosza, albo bez samochodu, bo i tak musiałabym go sprzedać. Oba rozwiązania dość mi się nie podobały. Oplem pojeździłam krótko, oddałam go. Miał przepiękny kolor, sam lakier wart był jedną trzecią całej ceny. I później zaczęła się polka z garbusem, w wyniku której, nie wdając się w szczegóły, odebrawszy go Wojtkowi, już sama tym samochodem jeździłam. Potem nabyłam Volkswagena 1500 Limuzynę, typ podobno najmniej ze wszystkich wozów tej marki udany. Zrozumiałam, w czym rzecz, kiedy osobiście doń

wsiadłam i trochę poprowadziłam. Rzeczywiście, b y ł najmniej udany. Posiadał dwa bagażniki, Niemcy uklepali mu
silnik, aby się zmieścił drugi kufer i przez to miał ogromny
promień skrętu. Normalny samochód zakręcał w miejscu,
a ja — cholera! — by zakręcić, manewry rozmaite czynić
musiałam, głupią z siebie robiąc. Zupełnie odwrotnie niż
w garbusie, bo on gdzie wjechał, tam i wykręcił.
Po co jednak narzekać, skoro zdarzyło mi się kiedyś prowadzić samochód nieposiadający niczego, z wyjątkiem silnika
oraz kół? Pan wie, jak fajnie się jedzie, na przykład, bez
przedniej szyby, szczególnie przez miasto i za kopcącym autobusem? Westchnęłam nawet kiedyś, że jeśli w samochodzie wszystko działa — to ja w nim nie mam co robić...
Lecz garbus mi się sprawdził. Garbusem objechałam całą
Polskę, porządnie i dokładnie, wiele trzeba by gadać, w jakie
miejsca się udawałam... Chociaż nad Okminem byłam później, Limuzyną 1500. Zostawiłam wtedy za sobą dwadzieścia
cztery godziny jazdy non stop, z krótką przerwą przy bin-
dudze, więc kiedy już dojechałam i chłopaki mi nadmuchały
materac, zwaliłam się jak kłoda, w jednej sekundzie zasy-
piając.
Właśnie owym volkswagenem odpracowałam Związek Radziecki, inne demoludy, mnóstwo rozmaitych rzeczy. Dużo
roboty nim odwaliłam, podobnie jak wcześniej garbusem.
Po Volkswagenie 1500 w samochodach nastąpiła przerwa,
bo nie miałam pieniędzy. Trwało to ładnych parę lat... Aż
nastała era Toyoty Starlett, nabytej po tym, jak udałam się
z moją ówczesną synową, Iwoną, oraz jej córką, a moją wnuczką, Karoliną, do Eurodisneylandu.
Wyprawa do Eurodisneylandu to zresztą osobna historia.
Zdecydowałam się wieczorem, rano już ruszałyśmy. Iwony
fordem, ropniakiem. Czyli — samochodem bez zrywu. Ona
prowadziła. A co ja przeżywałam... Przy każdym hamowa-
niu, przy każdej konieczności dociśnięcia... itd. Nic nie mówiłam, siedziałam cichuteńko, bez czepiania się, żeby dziewczyny nie deprymować. Tuż po powrocie święcie sobie
obiecałam, że drugi raz czegoś podobnego przeżywała nie
będę i natychmiast kupiłam starletkę. Okazała się tak po-

dobna do volkswagena garbusa, że wsiadłam w nią jak do mojego poprzedniego samochodu. Rękawiczka po prostu! Znakomita samochodzica, jeździłabym nią aż do uśmiechniętej śmierci, gdyby nie fakt, jaki ujawnił się zaraz po zakupie: tam nie ma gdzie zamontować klimatyzacji. Tymczasem mnie w samochodzie potrzeba pięciu rzeczy: czworga drzwi oraz klimatyzacji. Zaczęłam w związku z tym kupować następne Toyoty: Carinę, a potem cholerne Avensis. Na myśl o tym ostatnim modelu niedobrze mi się robi.

Dlaczego złodzieje, decydując się kraść Toyoty Avensis, zaczęli wybierać tylko moje egzemplarze, nie bardzo dotąd rozumiem. Rąbnęli mi po kolei trzy sztuki, mimo że trzeciej pilnowałam już jak oka w głowie. Nawet *lojacka* jej zamontowałam, też nie pomogło, ukradli. Tyle mojego, że policji udało się prędko namierzyć tę Avensis i koniec końców wróciła.

I co mi z tego, skoro mnie i tak ciągle nie lubiła, odmawiała współpracy, kiedy tylko mogła, na domiar złego pozwalając się kraść. Dziwka, nie auto, przepraszam za wyrażenie. Mało tego, istnieją też inne dowody, że nie przypadłyśmy sobie z tym modelem do gustu. W Paryżu, proszę sobie wyobrazić, ona stoi w ogromnym szeregu zaparkowanych nielegalnie samochodów. Wychodzimy z moim synem, Robertem, ze sklepu Buchara, gdzie kupowaliśmy akurat rozmaite szmaty. Fakt, stał napis: „Stacjonowanie żenujące" [franc. *Stationnement gêneant*, tzn. „Parkowanie utrudnione" — uwaga T.L.], czyli strażnicy przyjadą i będą zabierać. Sznur długi samochodów, mój czwarty albo piąty. Cholera, akurat przy nas się zatrzymują, usiłując tę dziwkę wydłubać. Wrzasnęłam: — Robert, gazu! — więc dziecko poleciało. Czy zdąży, nim dotkną samochodu? Bo jeśli nie dotkną, a kierowca wróci, nic im zrobić nie wolno. Gdyby nie zdążył, no to przepadło, można się powiesić. Wywiozą samochód, nie wiadomo gdzie, potem trzeba go znajdować na obrzeżach Paryża, co zawsze trochę trwa. O mandacie w euro nawet nie wspominam, choć łupią solidne, nie ma zmiłuj. Dobrze, udało się, Robert zdążył, „żenujący" pojechali, więc zostawiłam dzieci, ruszyłam dalej. Wracam ponownie. I...

...i samochodu nie ma, „żenujących" nie ma, Roberta nie ma, jego żony Zosi z moją wnuczką Moniką też nie ma. Co prawda Zosia i ja dysponujemy komórkami. Dzwonię więc, okazuje się, że Zosia z Moniką gówno wiedzą. Roberta nie ma, samochodu nie ma... Co ja mam teraz robić? Usiadłam na tyłku, po czym zaczęłam udawać punkt kontaktowy. W końcu, założyłam sobie, któreś z nich wróci i przynajmniej się dowiem, gdzie jest moja rodzina, a także samochód.

I tym razem Robert, jak się okazało, zdążył przed „żenującymi", a następnie zaparkował w garażowych kazamatach podziemnych, których ja nie znoszę. Dzięki czemu samochodu nam nie zabrali. Lecz, bardzo przepraszam!, tyle w tym Paryżu samochodów, więc dlaczego ta idiotka akurat do siebie „żenujących" zwabia?!!! Co ona sobie myśli?! Nie, nie lubiła nas... Wszystkie trzy moje Avensis okazały się tak samo parszywe. Pan sądzi, że na „żenujących" skończyły się moje przeprawy z Avensis? A zaś tam!

Oto więc, machnąwszy ręką na nieudany model, zdecydowałam się kupić nowy samochód. Muszę dodać, że moje samochody, gdy ja z nich rezygnuję, bierze mój siostrzeniec, Witek. On pracuje jako taksówkarz, jeździ zatem bardzo dużo i każdy wóz, jakim go obdarzyłam, sprawdzał się doskonale. Ale nie Avensis! Chociaż Witek znał ją osobiście, można powiedzieć. Był nawet przy tym, kiedy, na autostradzie pod Rostockiem, moja złośliwa Avensis rzuciła się na jadącego przodem Niemca, w wyniku czego doprowadziła nas wszystkich do kolizji. Nie ma znaczenia, że ten Niemiec podstawił się mi, bo stanął na hamulcu w miejscu, gdzie kompletnie nie miał po co stawać. Z analizy wychodzi mi, że, gwałtownie hamując, postanowił wymusić odszkodowanie. Ja tego nie przewidziałam, do głowy mi nie przyszło, iż porządni na ogół Niemcy działają tak samo, jak nasi cwani rodacy. Zgoda — to ja nie przewidziałam, że spotka mnie coś, co w Niemczech jest podobno nagminne. Ale ona, Avensis, bądź co bądź przecież Japonka, to mądry naród, powinna była przewidzieć i się nie dać. Tymczasem, idiotka, skorzystała z pierwszej okazji i się rzuciła na niego. Wolała szkopa niż mnie.

Mimo wszystko jednak Witek zdecydował się na trzecią z moich Avensis. Wziął piekielnicę, przygarnął, zlitował się, aby już wkrótce stwierdzić, że ona jest generalnie nieżyczliwa człowiekowi. Zamienił więc dziwkę na opla... Bo samochód, jego emocje, kierowca wyczuwa. Albo wóz lubi go, albo nie. Jeśli lubi, to się osobą opiekuje. Lubił mnie opel, lubił garbus. Teraz lubi mnie volvo, którym jeżdżę i które pragnęłam posiadać od nieskończenie długich lat. Ono mi zwraca, kiedy trzeba, uwagę: — *Głupia jesteś czy jak?! Nie pchaj się tutaj, za ciasno!* Volvo to załatwia. Lecz Avensis? O, nie! Jeśli tylko mogła zrobić złośliwość, nie darowała sobie, zrobiła. Dlatego chcę już przy volvo pozostać, mimo że kiedyś pragnęłam jaguara. Dziś się wcale nie upieram. Volvo zresztą chciałam mieć od 1977 roku, więc skoro po latach już go dopadłam, pożyjemy sobie trochę razem. A jaguar? W dwa lata temu widzianym modelu natknęłam się na kierownicę, która cofa się sama podczas wsiadania kierowcy, a później, także sama, wraca na stosowne miejsce. Idealne dla grubych osób! Kupię takie coś, kiedy stanę się taka bogata, że będę miała dwa samochody. Oraz garaż, w którym się oba mi zmieszczą. Teraz na volvo muszę uważać, wjeżdżając, bo każdy wjazd do mojego zbyt wąskiego garażu to ćwiczenia praktyczne z parkowania. Nawet jeśli już się wprawiłam, wciąż mi niewygodnie! Tyle że volvo w trudniejszych momentach podpowiada. — *Spokojnie, bez obaw, nie zaczepimy! Tylko pomanewruj! Tu troszeczkę skręcimy, tam naddamy, będzie dobrze...* Biorę go głównie w dłuższe trasy, gdyż Warszawa zrobiła się niemożliwa do parkowania. Skoro więc okolicę, gdzie zmierzam się udać, musiałabym pięć razy objeżdżać w celu znalezienia miejsca parkingowego, wolę poruszać się na co dzień taksówką. To się opłaca, gdyż zaoszczędza nerwy oraz czas.

T.L.: Ale namiętność do samochodów w Pani wciąż kwitnie?

J.Ch.: Ja bym tego namiętnością nie nazwała. To uczucie normalności. Owszem, nie mam daleko do sklepu, doszłabym piechotą. Kiedy jednak coś tam kupię, mam później nosić ładnych parę kilogramów? Nie na moje siły, zaś perswazji w rodzaju: — *Proszę, marsz do domu!* — zakupy słuchać nie chcą. Może ja dla nich zbyt uprzejma jestem? Straciłam zdolność do wysiłków fizycznych, samochód służy mi do celów jak najbardziej praktycznych. W samochód wszystko wetknę sama albo jakąś silną osobą, dojadę sobie, gdzie mi trzeba, wyjdę z kluczykami w ręku, tam podejdzie ktoś, kto opróżni samochód ze wszystkich moich rzeczy i do widzenia, koniec zabawy.

Przeżyłam pewnego razu bardzo ciężkie chwile w Trouville. Mieszkałam w hotelu Mercure, a jakże, z klimatyzacją. Podchodzę do recepcji i co się okazuje? Tam tkwią same szczuplutkie, młodziuteńkie panienki. Mało trupem nie padłam, jak te panienki chwyciły moje bagaże i popruły z nimi do pokoju. Bo dla mnie do noszenia bagaży istnieje tylko mężczyzna. Ale żeby ciężkie klabzdrony taszczyła szczuplutka, subtelniutka *mademoiselle*? Wolałabym może nawet nic ze sobą nie brać, przysięgając, że nie posiadam żadnych bagaży. W każdym razie na tę francuską potworność oko mi zbielało. Wyrafinowany, psiakrew!, naród.

T.L.: Nie przesadzajmy, skoro same kobiety pragnęły równouprawnienia...

J.Ch.: CO??!!! A gwizdnąć pana w równouprawnienie?! I to zaraz?!

T.L.: Zostawmy więc na razie równouprawnienie. Ani myślę być gwizdnięty.

Zapraszam na dworzec.

W Pani życiu istotny okazywał się nie tylko samochód, ale i pociąg. Sporo Pani napisała o eskapadach kolejowych.

J.Ch.: Ale niekoniecznie przepadam za pociągami. Nie tak dawno zostałam zaproszona do Krakowa. — *Zostaw samochód, po co ci, jedź pociągiem, wygodniej. Nie obchodzą cię mgły, zwariowani kierowcy, nic. Żaden problem, nawet zrywać się nie musisz zanadto, bo odjeżdża o dziesiątej. Weźmiesz tylko torebkę — i wszystko!* Dobrze. Udałam się na dworzec, zaparkowałam toyotę, nawet bardzo łatwo, przed samym wejściem, miałam mnóstwo czasu, bo nie podróżując od dawna pociągami, straciłam orientację czasową i wolałam sobie zostawić troszkę luzu. „Kupować bilet? — myślę — a może raczej na gapę, nieraz

jeździłam, umiem". Ale przed kasami żadnej kolejki, czasu
mam od cholery i trochę, więc jest cudownie. „Połażę sobie
po dworcu", postanowiłam. I właśnie to mnie wykończyło.
Bo się okazało, że na dole Dworca Centralnego mają księgar-
nię... Kiedy więc wyszłam z tej księgarni, pociąg już warował
na peronie, o mało się nie spóźniłam. Poza tym, miałam ze
sobą d w i e torby z książkami. Z całym nabojem wsiadłam
do cholernego pociągu, bo już nie zdążyłabym na górę, aby
zostawić książki w samochodzie. W Krakowie okazało się,
że trzeba lecieć przed siebie chyba ze cztery kilometry, coby
dworzec opuścić. Na szczęście ktoś na mnie czekał, razem
odpracowałyśmy marsz, niech będzie. Tak, tylko że ja z Krakowa jeszcze w r a c a ł a m! Targając dwie torby książek,
nabytych w Warszawie, torbę z książkami z Krakowa, torebkę, obraz pod pachą, ogromny bukiet kwiecia i już nie zważę,
co więcej. I żebym wtedy pana, panie Tadeuszu, nie wy-
dzwoniła, aby mnie pan z całym nabojem odebrał, do dziś
dnia bym tym pociągiem w kółko jeździła, ponieważ brakowało mi czwartej ręki, już nie tylko trzeciej, a gdybym ze
wszystkim gramoliła się z pociągu w pantoflach na szpilkach, jak się należy, wleciałabym chyba pod spód. Na litość
boską, to nie są eskapady dla starych paralityczek, tylko dla
młodych sportowców! Więcej żadnymi pociągami nie jeżdżę, powiedziałam sobie, dosyć tego dobrego. Obiecywano
mi: — *Pojedziesz z torebką, wrócisz z torebką.* Niby można, lecz
pod warunkiem, że po drodze żadnych księgarń nie będzie.
Pan naleje!
(*Rozzłoszczona Joanna Chmielewska uznała, że należy się nam
pokrzepienie kieliszkiem czerwonego wina.*)
Bo, trzeba to ująć w postaci prawdy ogólnej. Problemy z pociągami na tym polegają, że żaden bagaż nie chce wsiąść ani
wysiąść sam... Odmawia zazwyczaj. I już.

T.L.: Bez przesady, istnieją bagażowi!

J.Ch.: Jacy bagażowi? Gdzie pan ich widział? Chyba że w Algierii,
tam tak, oni mają spółkę z celnikami. Kiedy wynajmuję ba-
gażowego, celnik nie patrzy, co się przewozi, tylko stawia
krzyżyki, gdzie trzeba. Polecam, problemy z głowy. Bagażo-

wi z celnikami dzielą się forsą, jaką im wręczamy, no i po krzyku. Proszę bardzo, tak może być. Ale nigdzie indziej tak cudownie komfortowej sytuacji nie spotkałam. Jeśli zna pan takich u nas, niech im Pan Bóg da zdrowie, chętnie się z nimi zobaczę.

ELEKTRONICZNY AMBARAS

T.L.: Czy w sytuacji wyboru między obrazem i tekstem pisanym zawsze wybrałaby Pani tekst?

J.Ch.: Bezwzględnie! Zawsze będę wolała pisane. Tekst uważam za niezbędny do życia, a ekran daje coś zaledwie dodatkowego, rozrywkę głównie.
Chociaż przyznać trzeba, że i obrazowanie przydaje się oczywiście czasami nadzwyczajnie. Z kartki nie dowiem się, jak konkretnie ten krokodyl pożera tamtego węża albo jakąś inną zarazę.

T.L.: Co Pani sądzi o nowych technikach przekazu, współczesnych mediach, w tym elektronicznych?

J.Ch.: Ja w tej sprawie osobiście protestuję! Jak dla mnie rozwój mediów poszedł znacznie za daleko i wszystko popadło w ogólną przesadę. Mój protest wynika zresztą z zupełnie innych przesłanek niż bunt dziewiętnastowiecznych robotników, którym maszyny odbierały chleb. Mnie moich dziewiętnaście stale używanych pilotów chleba nie odbierze. Natomiast niesłychanie one zatruwają życie. Wciąż zapominam, który służy do czego i jak się nimi detalicznie posługiwać. Ja już jestem inne pokolenie, inaczej wychowane, w dzieciństwie umiałam jeszcze liczyć na liczydłach.
Dawno, dawno temu, idąc do szkoły, zaczynało się od nauki pisania. Poczynając od laseczki, zagiętej w prawo albo w lewo. Dzieciak edukowany w moich młodych latach nauczył się więc pisać bezproblemowo zazwyczaj. Nauczył się także liczyć.
Teraz dzieci zaczynają od komputerka oraz kalkulatorka. Czy one w ogóle znają tabliczkę mnożenia? Nadto przywykły

do ułatwień. My, ludzie współczesnej cywilizacji, posługujemy się światłem elektrycznym, używamy latarek, wiemy, do czego służą zapałki. Lecz kto z nas umie własnoręcznie rozniecić ogień? Przywykliśmy do udogodnień technicznych. Zabijamy w sobie naturalne umiejętności. To samo się wyrabia z elektroniką. Ona ułatwia, przyśpiesza. Tak. Lecz użytkownicy komputerów nierzadko p r z e s t a j ą c o k o l - w i e k u m i e ć. Oni na ogół tylko s i ę p o s ł u g u j ą. Posługant, co on zrobi, znienacka pozbawiony komputera? Człowiek z dawnych czasów, taki jak ja, i policzy, i napisze rączką własną, i przypomni sobie we własnej głowie. I w y - m y ś l i. Ten zaś, który przy byle okazji sięga do klawiatury komputera oraz do jego zasobów pamięci, przyznaję, niezgłębionych, w jakimś momencie zapomni, jak się nazywa... Drażni mnie również ustawiczne wprowadzanie rozmaitych nowości i modyfikacji tylko po to, aby ludzie musieli bezustannie kupować kolejne elektroniczne duperele. Komputer, uszkodzony lub zepsuty, właściwie nie daje się naprawić, choćby człowiek doń kamiennie przywykł i nie wiem jak próbował reperacji. Musi kupować całkiem nowy sprzęt oraz wszystko poznawać na nowo. Irytujące! Zwłaszcza dla osób starszych, które w związku z komputerem bez przerwy muszą się uczyć mnóstwa całkiem obcych im rzeczy. Firmy komputerowe na siłę doją z ludzi pieniądze, a jeszcze na dokładkę utrudniają im życie.

Chciał, nie chciał, tego się jednak trzeba nauczyć, przynajmniej w ograniczonym zakresie.

Komputerowego ścierwa należy się również nauczyć, całkiem tak samo.

Tego i owego, tak na boku, powolutku, stopniowo się dowiaduję. Na ogół ze słuchawką przy uchu, a na drugim końcu wisi jakaś osoba zorientowana w komputerach. Na ogół Sławek Choromański, cudo zupełne!

A potem i tak zapominam...

Jakoś się w rezultacie komputerem jednak posługuję.

No, dobrze, niech panu będzie, przyzwyczaiłam się do używania komputera. Może i nie rwałabym się zanadto, aby porzucać maszynę do pisania, gdyby nie kwestia korekty po składaczu. Ostateczną decyzję o pisaniu na komputerze podjęłam wówczas, kiedy zdałam sobie sprawę, że w składzie trzeba przepisywać po raz kolejny cały tekst. A wtedy, oprócz moich błędów, do tekstu wdzierają się ponadto błędy składacza. Korekta okazuje się nieporównywalnie łatwiejsza, jeśli zawiera błędy tylko jednej osoby. Dlatego obecnie do składu przekazuję dyskietkę z tekstem autorskim, którego nikt już nie musi wklepywać. Zostają tylko moje błędy. Pomijam oczywiście sytuacje specjalne. Kiedyś na przykład wynikło takie obrzydliwstwo, że składacz posiadał we własnym komputerze wirusa. I w korekcie usuwał co prawda błędy moje, ale w ich miejsce pojawiały się błędy całkiem nowe! Z Julitą Jaske, moją od lat redaktorką, sprawdzałyśmy sześć razy poprawność, mało zresztą od tego nie wariując kompletnie. Sięgamy do poprzednich wydruków. Nasz błąd?!!! A skądże, wcale go dotąd nie było! Zbliżyłyśmy się do granicy absolutnego obłędu. Wreszcie moja wnuczka Karolina, przypadkowo pewnego razu obecna, jakeśmy sobie, rwąc włosy z głów, obie półprzytomne, z obłędem w oku, z krzykiem pytały się wzajem: — CO TO JEST?!!!, stwierdziła spokojnym głosem: — Wirus. Po czym składacz zmienił komputer i skończyły się problemy.

Ze względu więc na korekty zdecydowałam się przejść na komputer. Który uważam za urządzenie z duszą, w 25% dla mnie złe, ale w 75% dobre. Złe w komputerze dla pisarki takiej jak ja oznacza, że nie przepisuję osobiście na nowo całego tekstu. Kiedyś, gdy brudnopis człowiek przepisywał w całości, zmieniało się ogromną ilość naprodukowanego materiału. Bywało, że oprócz formy zmianie ulegała nawet treść. To było dobre, miało swój sens. W procesie obróbki poprawiało się bowiem własną powstającą książkę. Teraz zniknął powód przepisywania, gdyż łatwo się zmienia zdanie, akapit, stronę. Tyle że to jednak nie to samo... Nawet jeśli uznałabym, że obróbka komputerowa nie jest całkiem potwornie zła, przepisywanie było słuszniejsze. Uważam, iż wiele z moich książek miałoby szansę stać się lepsze, gdybym je przepisywała na maszynie. Z drugiej znowu strony... Jezus, Mario! Te korekty...!

T.L.: Zaryzykuję twierdzenie, że kiedy przeszła Pani z maszyny do pisania na komputer, zwiększyła się wydajność Chmielewskiej.

J.Ch.: E, chyba nie, w końcu szturga się w te klawisze z taką samą szybkością.

T.L.: Skoro odpada niezbędność przepisywania, wzrasta tempo powstawania tekstu.

J.Ch.: Tylko do pewnego stopnia. Wszystko napisane na komputerze czyta się przecież ponownie, zmieniając. Niekiedy leci cały gotowy akapit. Choć teraz łatwiej zmienić albo przenieść część tekstu w inne miejsce. Czasem zresztą zbyt łatwo... Lecz odpadła, na przykład, konieczność używania nożyczek, którymi należało wycinać, przylepiając gdzie indziej napisany kawałek, przez co niektóre stronice osiągały nawet i metr długości! Bardzo uciążliwe, zapewniam wszystkich. Teraz mam więc łatwiej, choć łatwość niekiedy się mści... Silnie podejrzewam, że pisząc drugi raz, ujęłabym jakiś temat lepiej. No, co prawda głowy za to na pieńku nie położę... Lecz piszę chyba tak samo szybko. Bo samo myślenie, wyrzucić?, nie wyrzucić?, zajmuje mnóstwo czasu. Poza tym trzeba uczynić tekst spójnym, jakoś połączyć różne fragmenty, a to też wymaga czasu.

T.L.: Czy więc ze „starych" niekomputerowych książek jest Pani zadowolona?

J.Ch.: Pan da spokój, niektóre włosy na głowie dęba stawiają! Patrzę i myślę: „Chryste Panie, jak ja mogłam tak potwornie głupio napisać?! Pozmieniałabym wszystko".

T.L.: Nie tylko krytycy, również i liczni pisarze twierdzą, że komputer wpłynął na ich styl.

J.Ch.: Rozumiem ich doskonale. To jak z pismem technicznym, a miałam je niegdyś opanowane doskonale. Nawet szybko pisałam. Lecz tylko do chwili, gdy uszkodziłam sobie rękę. Ponieważ przecięte w prawej — niestety! — dłoni miałam wszystko, z wyjątkiem kości, lekarz-artysta absolutny, o którym rozmawiam zawsze z bezustanną przyjemnością, pan doktor Węgrzyn, półtorej godziny się męczył, aby mi w ogóle tę dłoń uruchomić. Zaszył, załatał, załatwił, co trzeba.

Tak, że później inni medycy podkreślali, iż zajmował się mną
Leonardo da Vinci chirurgii, który uprawia nie operacje chi-
rurgiczne, ale artystyczne arcydzieła. Jednak wszystkiego nie
dał rady naprawić, musiał zszyć wspólnie dwa ścięgna przy
dużym palcu prawej ręki, w związku z czym pozostał mi
niedowład tego palca. Mogę dziś robić wszystko, haftować,
szlifować bursztyny, malować siebie oraz obrazy. Wszystko!
Z wyjątkiem dwóch rzeczy. Po pierwsze — nie dam rady
podnieść do góry ze stołu nawet popielniczki, okrągłej albo
kwadratowej, bez znaczenia. Kiedyś, demonstrując w kawiarni, jak to ja nie dam rady podnieść owego przedmiotu, stłuk-
łam szkło na kawiarnianym stoliku. No i — po drugie — nie
dam rady pisać. Bo ten układ ręki, jej ruch przy pisaniu, ten
gest, jak się okazało, został mi odjęty. Od tamtych czasów,
kiedy zajmował się mną pan doktor Węgrzyn, a — chwalić
Boga — minęło prawie czterdzieści lat, udało mi się jedno
wielkie osiągnięcie. Oto znalazłam się, dzięki kumoterstwu,
na zamkniętej rozprawie sądowej, której przebieg i treść
zeznań chciałam zapisać. Rzeczywiście, przez jeden i drugi
dzień rzetelnie siedziałam, w sumie około dziesięciu godzin,
notując. Rękę miałam spuchniętą jak balon. Bolała mnie
wściekle, potwornie! Duża rzecz, że udało mi się, co prawda
po nielichych wysiłkach, odczytać zapisane...
Tamta rozprawa sądowa, w Płocku, wciąż stanowi moją
zgryzotę, gdyż nadal chętnie bym coś ze zgromadzonym ma-
teriałem zrobiła. Na razie napisałam scenariusz, tyle że to
za mało.
Więcej się na pisanie ręczne nie porywałam. Przy zapisie
ręcznym wychodzi mi wyłącznie bazgroł, którego sama od-
cyfrować nie potrafię. Powiedzmy tak, zapisać prawą dłonią
jedno zdanie — jakoś je zniosę. Drugie jednak zaczyna już
być nie bardzo dobre. Od tamtej rozprawy sądowej zaczęłam
więc pisać wyłącznie na maszynie.

T.L.: Wiem, że z tym właśnie osobistym egzemplarzem Pani maszyny do pisania wiążą się wspomnienia.

J.Ch.: Dał mi ją w prezencie Marian Eile, twórca i przez dziesięciolecia redaktor naczelny *Przekroju* z czasów świetności tego

krakowskiego tygodnika. Bez jego hojności wcale nie jestem pewna, czy w ogóle pisałabym książki... Eile więc odpowiada za moje pisarskie wariactwa. Jeśli się komuś one nie podobają, proszę się czepiać Mariana Eile!!! Jak dla mnie — anioła!

Bo co prawda dotąd pisywałam na maszynie pożyczanej od ciotki Lucyny, jednak ona też potrzebowała coś zawodowego na piśmie wykonywać. A wtedy mi sprzęt odbierała. I tak sobie wzajemnie tę maszynę z pazurów wydzierałyśmy. Maszyna ciotki, a napisałam na niej „Klin" oraz wiele fragmentów rozmaitych tekstów, później została mi ofiarowana. Wreszcie w ostatnich latach razem z Martą Węgiel, czyli Martusią, ona na maszynie po Lucynie, ja na komputerze, płodziłyśmy rozmaite scenariusze dla telewizji. Wiosną 2005 roku zwróciła się do mnie jedna z członkiń Towarzystwa Wszystko Chmielewskie i na jej prośbę przeznaczyłam zabytkowy mechanizm na aukcję ku pożytkowi biednych dzieci z rodzin wielodzietnych. Może niech mają ze mnie trochę korzyści...

Po maszynach Lucyny i Eilego przeszłam na elektryczną cholerę. Już pisało się znacznie łatwiej.

W ogóle, ja bardzo lubiłam maszynę, zaczynałam stukać w wieku lat dziesięciu w biurze u ojca, o czym już opowiadałam panu. Strasznie mi się spodobało szturganie w klawisze! Nawet się wiele nie musiałam uczyć, bo kiedy dla koleżanek szkolnych przepisywałam dobrowolnie na rzetelnym potworze biurowym za każdym podejściem trzy razy po osiem kopii, wyedukowałam się zacnie. Klawiaturę posiadałam w pamięci. Klawiatura maszyny do pisania kojarzyła mi się z instrumentem muzycznym. A że w dzieciństwie nie miałam szans na naukę gry choćby na fortepianie, bo wojna i inne dyrdymały ogólnożyciowe oraz społeczne skutecznie mi to z głowy wybiły, więc maszyna okazała się niezłym substytutem.

T.L.: Przecież, jako panienka z dobrego przedwojennego domu, właściwie skazana Pani była na muzyczną edukację, w zakresie domowym co najmniej?!

J.Ch.: Wojna, proszę pana, wojna... Bez wojny z pewnością i matka, i ojciec najmarniej pianina albo nawet fortepianu by mi nie darowali. Poza tym, owszem, zetknęłam się po wojnie z fortepianem. Ćwiczyłam przez trzy miesiące. Moja nieszczęsna nauczycielka na samym początku zbadała mój muzyczny słuch. I oko zbielało jej doszczętnie na moją niezdolność! Skoro jednak dali jej uczennicę, opłacili lekcje — czort bierz! Tylko że po trzech mniej więcej miesiącach zwróciła się do mnie, pełna niedowierzania: — *Słuchaj, przecież tyś się już uczyła grać...* Zaprzeczyłam. Usłyszałam wówczas: — *W życiu, niemożliwe!* Bo przez te miesiące przeszłam taką drogę, jaką normalni uczniowie przechodzą w rok albo i dłużej. Tylko że postępy nie miały nic wspólnego z moim muzycznym słuchem... Bo słuchu ani nie miałam, ani mieć nigdy nie będę.

Otóż dysponowałam dwoma elementami: znakomitą pamięcią wzrokową, dzięki której zapamiętywałam natychmiast nuty, więc mogłam grać z pamięci, oraz poczuciem rytmu, jakim odznaczałam się przez całą moją egzystencję. Niby grałam z pamięci, ale przed oczami widziałam te wszystkie czarne gzygzoły. W czasach późniejszych przepisywałam nuty dla domów kultury. Wtedy już polubiłam szturganie w odpowiednie klawisze.

A maszyna do pisania jeszcze moje lubienie pogłębiła. Aż do szczęścia absolutnego, jakie osiągałam, szturgając, gdzie należy. Dokładnie to samo poleciało później na komputerze. Do tej pory to mam. Odkąd nauczyłam się szturgania w klawisze komputerowe, samo leci! Tyle że inny w maszynie do pisania niż w komputerze układ literek „y" oraz „z" może przysparzać pewnych problemów. Pamiętam przerażające zupełnie sceny w Danii, kiedy usiłowałam stukać w maszynę duńską, posiadającą układ klawiatury taki, jak dziś komputer, więc sprzeczny z moimi ówczesnymi nawykami. Ponieważ potrafiłam pisać na maszynie, waliłam odruchowo. Po czym mój tekst czytałam na głos karmiącej dziecko Joannie Keller-Larsen, która przetwarzała go na duński. Pomyłki, jakie wynikały z przestawienia „y" oraz „z" okazały się nadzwyczaj groźne, gdyż kiedy Joanna Keller-Larsen usłyszała, co do niej dochodziło, dostała tak upiornego ataku śmiechu, że własną matczyną piersią dziecka o mało co nie zadusiła... Trochę potrwało, nim nauczyłam się operować duńską klawiaturą. No, niech pan sam napisze „jeszcze" z przestawkami... Wychodzą upiorstwa, prawda? Za to dziś, przy komputerze — jak znalazł!

Pod warunkiem, że nie chodzi o te internetowe wymysły, bo na nie jestem już jednostką całkiem za starą!

T.L.: Telefony komórkowe posiadają również klawiaturę, dzięki której, na przykład, łatwo wysyłać oraz odbierać SMS-y.

J.Ch.: SMS-y? Proszę bardzo, miła rzecz. Tylko że dla mnie cokolwiek uciążliwa dyrdymała. Już wolę zadzwonić, mniejsza strata czasu. SMS-y dla mnie nie istnieją. Jeśli ktoś poweźmie zamiar alarmować moją osobę SMS-ami, równie dobrze niech sobie wysyła wiadomości w przestrzeń kosmiczną...

T.L.: Nie lubi Pani także e-maili, czemu się zresztą srodze dziwię, gdyż akurat one znacząco ułatwiają życie.

J.Ch.: Niech sam pan sobie ułatwia, dobrze?! Nie lubię małpiej poczty.

T.L.: Dlaczego nazywa Pani e-mail „małpią pocztą"?

J.Ch.: Bo przecież w jakimś momencie wpisywania każdego adresu pojawia się — „małpa". Ja @, Martusia @, pan @, każdy @@@@. Wszyscy więc jesteśmy „małpa". Owszem, przyjemne, tylko że ja nie umiem się tym posługiwać. Nawet jeśli małpia poczta okazuje się łatwiejsza niż Internet, ja osobiście dziękuję! Zwłaszcza że istnieje takie dziwne, niezwykłe, dziś już uznawane za osiągnięcie praprzodków urządzenie — nazywa się ono telefon. Dzwonię do kogoś i w ciągu jednej minuty się z nim całkowicie porozumiewam. Nawet jeśli dużo drożej, jednak znacznie wygodniej. Jeśli mam tracić nerwy na oszczędzaniu tam, gdzie nie zaoszczędzę i tak, to wie pan, gdzie takie oszczędzanie mam...?! Z pieniędzmi do grobu mnie nie położą, a na skutek zdenerwowania — to się mogłoby przytrafić. Poza tym dzięki szybkiemu porozumieniu ileż daje się zaoszczędzić... Zastanówmy się, na czym trzeba robić oszczędności. Oszczędzając na narodzie, załatwili nas już i Gomułka, i Gierek. Dosyć, wystarczy źle pojętych oszczędności! Ludziom rozmaite techniczne nowe pierdoły wydają się takie piękne, jak malutkiemu chłopczykowi samochodziki, którymi się bawi. Ja dziękuję, bawcie się sami! Poza tym przez telefon da się wszystko załatwić od razu i krótko. No, jeśli dzwoni jedna przyjaciółka do drugiej, aby opisać, jak też on ją porzucił, ma pan oczywiście przed sobą półtorej godziny paplania, jak w banku... Ale ja, na szczęście, tak nie muszę. Rozmawiam zwyczajnie: zadaję pytanie, otrzymuję odpowiedź. Ileż to trwa? Zawsze poniżej trzech minut. Ględziłam przez telefon raczej w moich znacznie młodszych latach. Tyle że już z tamtych emocji wyrosłam.

T.L.: Pani Joanno, do czego Pani służy rozmowa? Przez telefon woli się Pani raczej komunikować niż rozmawiać naprawdę porządnie, fakt. Lecz rozmowę jako taką Pani przecież lubi?!

J.Ch.: Nie zawsze. Niekiedy wybieram samotność. Zbyt wiele hałasu dokoła.

Rozmowa może przeszkadzać w skupieniu. Ona służy niekiedy do wzajemnych zwierzeń, do wywalenia z siebie straszliwych emocji oraz nieszczęść, z drugiej strony pomaga w uspokojeniu i wyjaśnieniu problemu. Takie rozmowy trwają długo. Telefon bywa przydatny w gadaniu istotnym, jeśli mus wywalić z siebie zgagę, a jeden rozmówca, siedząc w Wiedniu, musi absolutnie pogadać z Warszawą.

Taka rozmowa porządkuje, wielokrotnie pozwala zbierać do kupy myśli. Jeśli usunie pan z siebie stres, łatwiej się Pan poukłada. Bywają rozmowy ważne, nawet przez telefon. Jeśli jednak chcę spytać Alicję: — *Słuchaj, czy ty kiedykolwiek zetknęłaś się z pangolinem. Jaki on długi?*, by w słuchawce usłyszeć: — *Osobiście nie, tylko na obrazie. Ale ma półtora metra, to ile nam trzeba?*

T.L.: Pangolinem zajmowała się Pani już w książkach, ale wyjaśnijmy, cóż to za zwierz?

J.Ch.: Stworzenie niezwykłe, afrykańskie, z Kenii. Tak nadzwyczajne, że gdybym na własne oczy zobaczyła pangolina, to nawet ja, nieskłonna do nieruchomienia z byle powodu, skamieniałabym doszczętnie! Co by zrobił pangolin — pojęcia zielonego nie mam. Ale że ja bym nie drgnęła — to jest pewne. Zwłaszcza że mało o pangolinach wiem, poza wizerunkiem oraz informacją, że dochodzą wzdłuż do półtora metra. Sądzę, ale tylko sądzę, że pangolin konsumuje raczej trawkę niż lwy, bo na mięsożerne stworzenie jakoś tak mi nie wyglądał. Chyba nie potrafi się rzucać znienacka, cały czas oceniam pangolina z wyglądu, jak czarną panterę albo geparda.

T.L.: Założymy się, że w Internecie znajdę Pani więcej na temat pangolina?

J.Ch.: Załóżmy się o sto dolarów. Tylko niech szuka moja wnuczka Monika, syn Jerzy lub Julita. Im z Internetem skłonna jestem uwierzyć. Panu nie, bo pan, jako humanista, zaraz mi coś popsuje... Brakuje panu odpowiednich bioprądów. *(Uwaga dla czytelników tej książki: sto dolarów, jakie wygrałem od pani Joanny Chmielewskiej, żerując na pangolinie, stanowi sam początek mojego honorarium za niniejszą książkę...)*

T.L.: Czy Pani używa terminu „humanista" z intencją uwłaczającą rozmówcy?

J.Ch.: Panu akurat nie. Rezerwuję je dla ignorantów, których coś pcha niepotrzebnie w głąb techniki. Pan natomiast jest jak chłopiec z Internetem w charakterze zabawki. Zacytuje pan z pamięci całego Mickiewicza, ale do byle gówna, co świeci i warczy, oczka się same panu świecą. Zna się pan na nim, jak ja na śpiewie mniej więcej. Ale ma pan, do licha ciężkiego!, jakąś płeć. Każdy normalny chłop będzie przyciągany przez te zachwycające dla chłopca rzeczy. Niestety, proszę jednak przyjąć do wiadomości, że pańskie górne jestestwo, to rozumowe, pcha się raczej do Szekspira. Jednak że musi się pan jakoś przez Internet porozumiewać w moim imieniu ze światem, daruję panu, niech już będzie moja strata.

T.L.: Pozostańmy jeszcze przez chwilę w obrębie znienawidzonej przez Panią techniki. Kiedyś zaproponowałem ułatwienie w postaci dyktafonu. Skoro bowiem odmawia Pani dźwigania laptopa, a pisanie ręczne sprawia pewną trudność ze względu na kłopoty z uszkodzonym ścięgnem, kwestię notowania *ad hoc* przychodzących do głowy pomysłów — co jest ważne, gdyż wiele dobrych konceptów umyka bez utrwalenia — może dałoby się rozwiązać właśnie dzięki dyktafonowi?

J.Ch.: No, namówił mnie pan...! Kupiłam sobie więc dyktafon, poddając się fenomenalnym pomysłom technicznym humanisty. Trafiającego zgoła bezbłędnie w moje techniczne potrzeby... Zgoda, argumentował pan może i właściwie. Bo jadąc samochodem w długie trasy po Europie, wielokrotnie podczas samotnej podróży nie mam co robić. Wtedy przychodzą rozmaite pomysły, układają mi się teksty. Starałam się więc włączać dyktafon, wgadując weń, co tylko mi przychodziło do łba. Tylko co się okazuje? Jeśli mówię to, co mi przychodzi do głowy, ono mi przestaje przychodzić do głowy! Dyktafon cosia stopuje. Jednak stwierdzam, że wypowiadanie głosem tekstu niszczy mi go. A nawet jeśli... Kiedyś, na ruchliwym, wielkim skrzyżowaniu, kiedy mnóstwo się we mnie ulęgło, spróbowałam część nagrać, gadając do dyktafonu, a część — na całe szczęście! — zapisałam. Po czym, zajechawszy, gdzie należało, spróbowałam odtworzyć nagranie. Znakomicie mi wyszły na taśmie wszystkie dźwięki silników wszelkich pojazdów mechanicznych, tych dookoła, a i mojego również. Tylko nie miałam na taśmie żadnych po ludzku rozróżnialnych słów... Ile słyszałam? Pół procent? Jakieś rzęcholenia się od czasu do czasu odzywały, reszta zaś stanowiła wielkiej urody prezentację odgłosów, towarzyszących jeździe. Czyli w moim przypadku dyktafon jako narzędzie wspomagające proces powstawania tekstu możemy sobie spokojnie o kant tyłka potłuc. Należę poza tym do wzrokowców i gadanie w celach pisarskich niekoniecznie u mnie zdaje egzamin.

T.L.: A Internet?

J.Ch.: Zupełnie co innego, dla mnie w każdym razie. Po polsku posiadam znacznie więcej informacji niż on, zwłaszcza kiedy używam normalnej, papierowej encyklopedii. I dodam jeszcze, iż, nie chwaląc się, w obliczu wszystkiego, co ja wiem, a w każdym razie, co ja ewentualnie potrafiłabym z Internetu wyszturgać, to on nawet szkoły podstawowej nie skończył! Innym być może potrafi więcej przekazać, mnie jakoś nie... No nie, naprawdę dziwię się sobie, że chociaż troszeczkę pana nie zabiłam przy tych pańskich szaleńczych pomysłach. Pan jest człowiek obłąkany! A mnie opanowała jakaś całkiem niestosowna łagodność.

Nic znaleźć w Internecie nie umiem. Prędzej mazura zatańczę, niż się Internetu nauczę! Wszystkie informacje w języku angielskim. Dlaczego akurat tylko w angielskim? Bo na przykład mnie po francusku byłoby łatwiej. Czyli należy się uczyć mnóstwa tej internetowej angielszczyzny, w dodatku fachowej, włącznie z techniką zadawania Internetowi stosownych pytań.

Bo w Internecie trzeba przecież pytać samemu i w dodatku rozumieć, o co Internet człowieka pyta. Jego angielskojęzyczne pytania, zwłaszcza zaś w połączeniu z terminologią czysto matematyczną i obowiązkiem odpowiadania również po angielsku, o!, duża to jest sztuka! Na ogół rzecz biorąc, ludzie łapią się za naukę w dzieciństwie, a dobrze pan wie, że ja z dzieciństwa już jakiś czas temu wyskoczyłam. Ja jestem po prostu inne pokolenie. Na komputer, nawet jeśli to stwór obcy mojej duszy, starczyło mi siły. Na Internet już nie. Mnie się internetowe określenia kojarzą z matematyką wyższą, od całek w górę poczynając. Matematyki dla siebie nigdy nie chciałam i nadal nie chcę. Podobnie jak nie chcę rozebranych panienek, które mi się ukazują, kiedy ktoś nieodpowiedzialny klika w jakieś ikony mojego komputera. Nie, nie mam najmniejszego zamiaru poświęcać, razem do kupy zgromadziwszy, roku albo i półtora z własnego życia, aby się uczyć Internetu.

Może zresztą do rozmowy o nowych mediach wybrał pan sobie nieodpowiednią osobę? Bo j a   n a p r a w d ę   j e s - t e m   i n n e   pokolenie i mam dosyć obecnego stopnia nasycenia mojego świata elektronicznym gównem. Akceptuję oczywiście wynalazki techniczne, one rzeczywiście potrafią ułatwić działanie. Lecz często w nadmiarze, gdy się to na mnie wali, zatruwa mi życie. A za jakie grzechy, ojca i matki nikomu nie zabiłam! Dziękuję, już nie chcę, pożyję sobie trochę spokojniej, po swojemu. A panu w życiu nie zapomnę, że na zainstalowanie Internetu to pan głównie mnie namawiał.

T.L.: Ba! Kiedy ograniczamy się do deklaracji natury ogólnej, wszystko wygląda prosto. Ale proponuję wejść w szczegóły. Pogadajmy o pojedynczych technicznych wynalazkach elektronicznego szatana. Radio?

J.Ch.: Zjawiło się u mnie wcześniej niż telefon, to z całą pewnością. Pies się kładł zawsze pod stolikiem, na którym stało radio, radio grało, pies szalenie wył. Nieważne, że on wył, ale przecież dla mnie radio od zawsze było czymś absolutnie normalnym. Obecność radia w moim życiu nigdy nie stanowiła żadnego ewenementu, ani nie zaskakiwała. Na samym początku okupacji Niemcy radia wszystkim Polakom pozabierali. Nie pozabierali nam jednak telefonów, dzwonić mógł każdy, kto takie urządzenie posiadał. Ja się bałam podnieść słuchawkę, wyczyniałam dzikie krzyki. Bez nakłaniania, przez pół dnia co najmniej, nikt mnie nie zmusił, bym wypowiedziała w słuchawkę: — *Bitte nummer zweiunddreißig.* Tylko tych kilka prostych niemieckich słów... Dzięki zaś numerowi trzydzieści dwa mogłam uzyskać połączenie z bankiem ojca. Natomiast, przyznam ze wstydem, całą skomplikowaną radiową klawiaturą — gałki, przyciski, pokrętła — nigdy się posługiwać nie potrafiłam i do dziś dnia mi to zostało. Kiedyś zresztą radio było w użyciu prostsze. Tu się przekręciło, tam pokręciło i z głośnika leciał komunikat: — *Warszawa pierwsza, druga, trzecia...* Fale średnie, fale krótkie i inne dyrdymały. Jeszcze w dodatku z grubsza wiedziałam, o co w całym tym radiowym interesie chodzi, ze względów rodzinnych. Za to radiem, jakie dziś stoi w moim domu, ja się w ogóle nie umiem posługiwać! Podobno trzeba tylko wciskać odpowiednie guziki. Dobre sobie...! Które guziki? Do czego guziki? Zawracanie głowy! O tyle mam lżej, że radio nigdy nie okazało się dla mnie dyrdymałą pierwszej potrzeby, bo ja nie jestem słuchowiec. W moim domu, to znaczy w mieszkaniu moim i męża, aż do roku 1960 nie posiadałam radia. Matka — ona tak, miała odbiornik, my z mężem nie. Znajdowały się tylko przyniesione z Polskiego Radia słuchawki, które osoba żądna słuchania programu musiała sobie na uszy natykać. A czasami udawało się te słuchawki nawet tak podgłośnić, że się z nich wydobywały na zewnątrz dźwięki, dzięki czemu dwie osoby naraz mogły w misterium radia uczestniczyć. Mój mąż był radiowiec, pewnie dlatego w domu nie istniał normalny radioodbiornik. Wiadomo — szewc bez butów chodzi. Słuchawki, na których się nie znałam, jakoś tam grały. Diabeł jeden wie jakim cudem i dlaczego. Radio własne kupiłam sobie dopiero w ramach protestu przeciwko rozwodowi. Kiedyś mój mąż przyszedł, akurat w trakcie naszego rozwodzenia się, i pierwszą rzeczą, jaką odruchowo wykonał, było ustawienie poziomu oraz jakości dźwięku, by wszystko brzmiało, jak należy. On pewnie nawet nie wiedział, że coś przy odbiorniku pogmerał, dla radiowego fachowca wiele radiowych czynności stanowiło oczywistość. I moje, już niestety tylko moje, radio zaczęło brzmieć anielsko czysto, dźwięk wylewał się z niego krrrystaliczny. No tak, ale mój mąż posiadał słuch absolutny... I był łącznościowcem od prądów słabych. Mówił o sobie „radioidiota".

Ja też mam wkład w rozwój Polskiego Radia. Jeszcze kilka lat wstecz, zaproszona do jakiegoś radiowego programu, siedziałam w studiu przy ulicy Malczewskiego w Warszawie, oglądałam głośniki obciągnięte osłonkami z materiału, który ja osobiście w pięćdziesiątych latach kupowałam, latając po mieście jak z piórkiem, bo nigdzie nic nie udawało się dostać.

T.L.: Znam, znam, materiał w brązowe mazańce. Do dziś funkcjonuje, pozostawiony na głośnikach w studiu rezerwowym, umieszczonym w podziemiach radiowego gmachu.
Pani dla radia sporo pisywała, bywała w tej instytucji od czasu do czasu. Nie interesowały Panią radiowe bebechy?

J.Ch.: A co mnie one obchodzą? Dla mnie do dziś dnia radio stanowi gatunek owada. Wiedziałam wiele, ale tak jakby ktoś wiadomości wpychał we mnie siłą. Odpychałam je zawsze i odpycham do tej pory.

T.L.: Jak zaczęła Pani pisać słuchowiska radiowe?

J.Ch.: Na papierze, polskimi literami. A odpowiadając serio na pana głupie pytanie, wyznam, że za pierwszym razem to było mi zaproponowane. Drugi znów raz wzięłam udział w konkursie. Z własnej nieprzymuszonej woli, w każdym zaś razie nikt mnie wołami nie ciągnął. I w innych konkursach też się udzielałam. Za słuchowisko dla dzieci pod tytułem „Jaskółki" otrzymałam nawet wyróżnienie. Zrealizowano je, owszem, może być. „Nawiedzony dom" też z inicjatywy radia napisałam jako słuchowisko, potem dopiero zrobiłam z tego książkę.

T.L.: Informacje dla dociekliwych. Kiedy powstały i zostały wyemitowane „Jaskółki", źródła nie informują. „Nawiedzony dom" drukowało *Radio* w roku 1976. Rok wcześniej ten sam periodyk opublikował „Boczne drogi", a w 1981 roku na łamach *Radia* ukazał się „Duch". Z rzeczy ściśle radiowych, nieznanych osobno, trzeba wymienić „Bajkę o Klimku" (*Radio*, 1977) oraz „Przeprowadzkę" (tamże, 1978).

J.Ch.: Wspomnę o pewnej nader ważnej radiowej ciekawostce. Słuchowisko pod tytułem „Nawiedzony dom" zostało nagrane, poszło. Wysłuchałam i... rozchorowałam się na śmierć przez tę cholerę. W jakiś czas później trafił mnie nawet zawał, na pewno również w związku z radiowym „Nawiedzonym domem". Co prawda głosowo słuchowisko brzmiało znakomicie, aktorów dobrano fenomenalnie. Tylko jeden głos... Za to — należący do głównej bohaterki, Janeczki...! U mnie ona była dziewczynką, okazującą rozsądek, zimną krew, spokój. W radiu rolę Janeczki grała jakaś pani o niesłychanie piskliwym głosie. Od początku do końca rozlegały się z głośnika histeryczne kwiki, z których co drugie dające się wyłowić słowo to: — *Ojej!* Wściekły jakiś pisk, którego nawet naśladować nie potrafię. Żadnego — *Ojej!* nie znajdzie się u mnie z całą pewnością. Mało mnie szlag jasny na miejscu nie trafił! Rozwścieczona dziko, płakałam, że mi jednym jedynym ścierwem spaskudzili cały utwór, świetnie poza tym zrealizowany. No..., wtedy się zezłościłam! I obiecałam sobie, że napiszę ciąg dalszy, gdzie wystąpi kwikliwa dziewczynka, bez przerwy wyrażająca się: — *Ojej!* Zobaczymy, co wykonają z owym fantem... Tyle że radiowcy nigdy już nie chcieli nagrać „Wielkich zasług". Do dziś dnia mnie to gryzie, aż nawet po latach dałam w „Autobiografii" upust emocjom. Może jednak nie ma tego złego... Skoro przez spieprzoną Janeczkę napisałam cały, duży i popularny, cykl dla dzieci?

T.L.: Tak, chyba się opłacało, skoro w 1989 roku przyznano Chmielewskiej za twórczość dla młodych nagrodę Prezesa Rady Ministrów. Czytelnicy bardzo żałują, że Janeczkę i Pawełka, że tak powiem, zawiesiła Pani na kołku.

J.Ch.: Bo nie da się kontynuować wszystkiego. Zmienia się i wiek bohaterów, i sytuacje, i czasy, i wszystko inne. Nie da rady, teraz cykl musiałby przybrać formę kilku powieści historycznych. Nie tylko czytelnicy, sama trochę tych dzieciaków żałuję...

T.L.: Co Pani powie na temat techniki telewizyjnej? Lubią tam Panią, choć bez wzajemności.

J.Ch.: Lepiej niż początki telewizji pamiętam debiut radiowej stereofonii. Ona się ulęgła w moich oczach i uszach. Podczas pierwszej prezentacji programu stereofonicznego, jaki zorganizowano dla osób włączonych w ten interes, pracowników, techników itd., asystowałam osobiście. Pamiętam, jak każdy starał się tak usiąść, aby najlepiej łapać dźwięk. Poszło. Słyszeliśmy pociąg, jak przejeżdża z lewej na prawą oraz inne takie szalone sensacje. Naprawdę trzęsły nami emocje.

Telewizora mieć nie chciałam. W ogóle go w domu bardzo długo nie miałam. Kupiłam mniej więcej w połowie lat sześćdziesiątych aparat mojej matce, najpierw czarno-biały. Już produkowali z ekranem trochę większym, nie takim maciupcim jak w pierwszych modelach. Pracowałam wtedy w BLOKU-u, zatem była to epoka sprzed marek telewizorów nazywanych od kamieni półszlachetnych: Szmaragd, Ametyst, Beryl, Topaz. Kiedy zapragnęłam coś obejrzeć, leciałam do mojej mamusi. Lecz, obejrzawszy kilka programów, uznałam, że — dziękuję bardzo — nie mam zamiaru czegoś

podobnego ustawiać w domu. Po co mi gapić się w polityczne różne dyrdymały oraz same głupoty? Znacznie później,
w latach siedemdziesiątych, kupiłam matce telewizor kolorowy, bardzo porządny. Niech ma.

T.L.: A „Kobry"?! Przecież spektakle Teatru Telewizji z „Kobrą",
bodajże we czwartki, wyludniały miasta i wsie. Wszyscy po
mieszkaniach gapili się na kolejne spektakle, rozpoczynane
od zabawnego animowanego filmiku z gadem, który najpierw się uważnie rozglądał, później rozwijał, a wreszcie do
widowni zgromadzonej przed ekranem puszczał perskie
oko. Pod wtór śmiesznie przetworzonej elektronicznie mu-
zyczki.

J.Ch.: „Kobrę" oglądałam raz w życiu. Popularnego zaś „Tele-
-echa" z Ireną Dziedzic nie zaszczyciłam ani razu własnym
spojrzeniem. „Wielką grę", inny hit telewizyjnych lat sześćdziesiątych, obejrzałam pierwszy raz w Kanadzie, spodobała
mi się dosyć, więc kiedy wróciłam do kraju, popatrzyłam na
wersję krajową. Na inne rozmaite śmieszniejsze telewizyjne
gry nawet zerkałam z zaciekawieniem: — Co oni teraz zrobią,
rany boskie...? Kto tu wygrywa albo nie...?
Ustawicznie, maniacko chadzałam wtedy do kina, na telewizor, ogólnie rzecz biorąc, nie życzyłam sobie patrzeć. Po
co miałam podziwiać, dajmy na to, rozrywkowe programy
z Katowic... Oraz wszelkie tego rodzaju głupoty kompletne.
Dlaczego akurat ja mam zgłupieć doszczętnie... Dlaczego
mam się pochorować na żołądek... Żeby tak otworzyć telewizor — siup, i już! — przecież od tego się człowiekowi
wątpia skręcały, kiedy pomyślał, ile czasu traci. Nawet wtedy jeszcze, kiedy nie dawali reklam.
A propos reklam. Przywykłam do nich w Kanadzie. Reklamy
w trakcie oglądania znałam już z Danii, bo je puszczali, jak
się szło do kina. Nawet mnie zainteresowały, bo starałam
się dociec, co — na litość boską — oni mogą reklamować?!
Widzę oczkami jakieś fale morskie, tłuką o kamienisty brzeg
spienione bałwany. — Hmm... Co to może być...? Łodzie re-
klamują? A zaś tam! Reklamowali lakier do włosów... Idzie
facet, przedziera się przez dżunglę, pot po nim spływa, na

łbie nasadzony posiada jakiś kask czy kapelusik. — *No, jasne!*
Broń palna na dzikiego zwierza! Albo inaczej, zachwalają korkowe
kapelusiki... Myśli pan, że zgadłam? Nie, reklamowali akurat
coca-colę... Po co mi ją reklamować, skoro i tak w Danii
pijałam ten u nas zakazany wówczas płyn...? Nie używałam
wtedy alkoholu, nawet łagodną whisky z wodą i lodem polubiłam dopiero gdzieś w okolicach siedemdziesiątego roku.
Na piwo przeszłam dopiero po sześćdziesiątym roku życia.
Do dziś coca-colę lubię, ale że nie trzymam w domu, to i nie
pijam. Tak, coca-cola mi odpowiadała. Później przerzuciłam
się na sok grejpfrutowy z tonikiem, w Danii zwany *grape-*
-tonic. Colą się przesłodziłam, obrzydła mi. Podobnie jak
banany, kiedy na początku duńskich pobytów, z nędzy, żarłam tylko banany oraz sardynki. Do dziś tych produktów
zanadto nie uwielbiam, choć teraz przynajmniej mogę od
czasu do czasu spróbować.
Natomiast pierwszy moment z reklamami w telewizji zdzi-
wił mnie mocno. — *Dzieci, co to jest, do cholery?* — zaczęłam
wypytywać Roberta i Zosię. — *Co się dzieje?!* Robert westchnął: — *Reklamy, mamunia, reklamy...*
Zresztą, poza wszystkim innym, na oglądanie telewizji miałam za mało czasu. Nawet „Kabaret Starszych Panów" widziałam tylko kilka razy. Siadałam przed ekranem głównie
wtedy, gdy dotarła do mnie usilna informacja, że jakieś coś
akurat powinnam zobaczyć. Inaczej miałam telewizję w...
głębokim poważaniu.
Posiadam telewizor od końca lat osiemdziesiątych. Weszłam trochę głębiej w media i pewne rzeczy musiałam jednak
obejrzeć w celach zawodowych. Nadal zresztą nie lubię pa-
pki, jaką mi prezentują. Oglądam nienachalnie.

T.L.: Napomykaliśmy już o telefonie. Jaką rolę w Pani życiu ode-
grało to urządzenie? Jan Batory w „Lekarstwie na miłość"
z upodobaniem telefon wtykał w dłonie Pani postaciom
z „Klina".

J.Ch.: I dla mnie samej w życiu telefon okazał się kolosalnie ważny.
Poczynając od tego, że mój mąż był łącznościowiec. Teść
również telefoniarz. Wiedzę, jak działa telefon, miałam

w małym palcu jeszcze wtedy, gdy u nas obowiązywała licencja Ericssona. Telefonem potrafiłam posługiwać się w sposób absolutny. Aparatami kolejowymi umiałam operować lepiej niż kolejowa telefonistka. Miałam o telefonie pełną wiedzę, umiałabym z nim zrobić wszystko. Mało, trzymając słuchawkę przy uchu i wykręcając numer, od razu wiedziałam, co się wyprawia po drugiej stronie, każdy dźwięk mnie o tym informował. Co prawda wiedza wiedzą, a wyobrażenia miewałam rozmaite. Na przykład „rejestr buforowy" kojarzył mi się — jakżeby inaczej! — z buforami pociągów. Numery inwentaryzacyjne malowałam na wszystkich aparatach telefonicznych, należących do Politechniki Warszawskiej. Dosyć długo tam siedziałam, tłukąc prace zlecone przy centrali Ericssonowskiej. Na własne oczy widziałam, jak pracują wybieraki, te, co to one klepią w tę i z powrotem oraz przeskakują. Potem już wiedziałam, skąd biorą się przedziwne rzeczy, kiedy w rozmowę z kimś tam włącza się panu całkiem osobny człowiek. Rozumiałam, dlaczego czasami pięć kompletnie nieznanych sobie postaci, zupełnie przypadkowo połączonych, prowadzi niekiedy wspólną ożywioną konwersację telefoniczną.

Pamiętam, kiedy przechodziliśmy w Polsce na licencję francuską, która obowiązywała u nas długo, nie wykluczam, że nadal obowiązuje, mój teść protestował do ostatniego tchu, bo uważał, że Francuzi zrobili barachło. W szczegółach licencji francuskiej połapałam się jednak bez pudła, bardzo wiele o nich wiedziałam. Co więcej, z telefonów nawet mój starszy syn robił na politechnice dyplom, a ja osobiście jego pracę dyplomową przepisywałam.

Przyznałam się w „Autobiografii", że na otrzymanie telefonu nie czekałam właściwie ani sekundy. Przy całych ówczesnych trudnościach, kiedy ludzie za byle aparatem tęsknili po dwadzieścia pięć lat! Wszystko dlatego, że mojemu teściowi pragnął się zasłużyć pewien powinowaty Ericssona. Teść miał go w nosie, ale zupełnie nie szkodzi. Telefon miałam od ręki!

Mogłam przez całe życie obserwować, jak ten sprzęt ewoluował, od maszynki na korbkę, jaką posługiwaliśmy się w domu podczas okupacji, poprzez aparaty przenośne, do których dość łatwo się przyzwyczaiłam, aż do dzisiejszych komórkowców; mam ich zresztą dwa. Cieszę się, że telefonowanie z prywatnych aparatów stało się wreszcie w Polsce normalnym sposobem porozumiewania się, a do tego czymś znacznie przyjaźniejszym niż jakieś tam nowomodne małpie poczty, maile, śmaile itd. Biorę słuchawkę, dzwonię, w ciągu dwóch minut mam sprawę omówioną. Nie wiem tylko, czy jeszcze kiedyś uczynię telefon rekwizytem powieściowym. Skoro bowiem zezwyczajniał... Za to, jak wspominałam, nie uznaję SMS-ów. O nie! Telefon służy, by do kogoś zadzwonić, zwłaszcza że mam maksymalnie dużo wklepanych do pamięci numerów, nie muszę latać i sprawdzać co chwila. Przez wklepywanie numerów już nie pamiętam żadnego na pamięć, ze swoimi numerami włącznie.

T.L.: Jak na porządną konserwatystkę przyjęła pani telefonię komórkową z nadzwyczajnym entuzjazmem. Do tego stopnia, że zażądała Pani stanowczo, abym i ja zafundował sobie to cudo, choć długo się broniłem.

J.Ch.: Musi pan mieć telefon gotowy do użycia we wszelkich okolicznościach. Ktoś, kto postanowił się ze mną męczyć, powinien się także liczyć z ewentualnością, iż kiedy mi się coś przydarzy — powiedzmy — w środku lasu, będzie mnie właśnie on stamtąd wydłubywał. Moje dzieci, jeśli się porozłażą, zwołuję z komórką w ręku. Pewnego razu z wyścigów konnych w Warszawie zadzwoniłam do starszego syna, Jerzego. Pytam go: — *Gdzie, do cholery ciężkiej!, jesteś?* Usłyszałam: — *Stoję koło ciebie, mamunia...* Tak samo egzotycznie szukałam się z moją przyjaciółką, Anią, pod wieżą Eiffela. Ona zjeżdżała właśnie z góry, ja dotarłam akurat pod to żelazne cudo i należało ustalić, pod którą nogą się spotkamy. Chwilę trwało, nim uzgodniłyśmy szczegóły, bo należało zorientować nogi wieży wobec biegu Sekwany. Wreszcie Ania rzuciła w telefon: — *Ja stoję tu. Kiedy się odwrócisz, to mnie zobaczysz.* No, więc się odwróciłam. Informując Anię natychmiast, że jej nie widzę! — *Tak* — sapnęła — *bo odwróciłaś się tyłem do mnie...*

T.L.: Utrapienie z komórkowcami bierze się z zalet komórek. Żądni rozmowy dopadają bowiem człowieka wszędzie i w każdej sytuacji, od teatru do sedesu.

J.Ch.: Przecież nie muszę odbierać, prawda? Tyle że kiedyś wyłączałam telefon, jeśli nie chciałam, aby dzwonił, a teraz jakoś mi trudno wyłączyć naraz pięć numerów, bo tyloma się mniej więcej posługuję. Boję się dotykać wtyczek, diabli wiedzą od czego jest która. Posiadam czternaście gniazdek, w każde coś innego wetknięte. Które od komputera? Które od telefonu? Które od faksu? Za dużo tego! Wybieram więc inne rozwiązanie. Nie zwracam uwagi — i cześć pieśni... Z nowinek polubiłam faks. Podobno faks już wychodzi z użycia, pal diabli, mnie się przydaje. Jeśli muszę posiadać natychmiast w domu jakiś papier, otrzymuję go przez faks. Jeśli mi pan będzie znowu gadał, że mogłabym skorzystać z małpiej poczty zamiast z faksu, wyrzucę przez okno! I pana, i małpią pocztę! Nie umiałabym otrzymanego e-mailem wydrukować. Za dużo komplikacji z tym e-mailem, z Internetem. Poza tym nie życzę sobie, aby byle kto, w dodatku nieproszony, za pośrednictwem komputera właził mi do domu. O!

T.L.: Hmm. Bardzo często powtarza Pani, aby się wszyscy odczepili, gdyż zamierza Pani pędzić żywot emeryta. Tylko że, obserwując Joannę Chmielewską, widzę najmniej emerycki tryb spędzania czasu, jaki znam.

J.Ch.: O Jezu, co też pan! Na emeryturze mam znacznie więcej roboty niż wcześniej!

T.L.: Sama Pani wybrała dla siebie taki los...

J.Ch.: Bo ja wiem? Nie. Naprawdę marzę, aby zasiąść sobie przy klawiaturze...

T.L.: Przy klawiaturze?!

J.Ch.: Przy klawiaturze komputera...

T.L.: ...na który Pani bezustannie wyrzeka!!!

J.Ch.: Wszystko jedno, przy jakiej klawiaturze! Zniosę równie dobrze klawiaturę maszyny do pisania. Ale na razie siadam do

klawiatury komputera, ekranu komputera i do komputerowej myszy.

T.L.: Mysz to mysz, chciałoby się rzec...
(*Mruczę sobie po cichutku znaną piosenkę „Czerwonych gitar".*)

J.Ch.: Słucham?
Nie, ja myszy się nie boję...

ROZDZIAŁ VII

O zacnych
pożytkach
z podróży

T.L.: Weźmy teraz na warsztat Pani podróże. Czy są takie, o których Pani nie wspominała w „Autobiografii"?

J.Ch.: Nie pamiętam, czy gdzieś napomknęłam o mojej podróży do Rylskiego Monastyru, na durch przez całą Bułgarię, bez amortyzatora wstrząsów kierownicy. Jechaliśmy wtedy przez Czechosłowację, Węgry, Rumunię, dotąd wszystko w porządku, ale w Bułgarii poleciał nam ten amortyzator. Jedzie się wtedy tak mniej więcej, że ja, osoba lubiąca przecież prowadzić i siedząca za kółkiem przez większą część trasy, w końcu przesiadłam się z fotela kierowcy na miejsce pasażera, częstując Wojtka dziką awanturą pod tytułem „Chciałeś? To teraz jedź!". On stanął, a raczej siadł, na wysokości zadania i odpracował, co należy, udając, że mu to nic a nic nie przeszkadza. Bo przecież nie miał wyjścia. Rzeczywiście, sam chciał... Milczał z konieczności, gdyż jednak sobaczyć siebie samego dość trudno... Niechbym to ja go namówiła! Kierownica by zwiędła od komentarzy w drodze po najrówniejszym nawet asfalcie.

T.L.: Czy Pani lubi podróżować?

J.Ch.: Ogólnie rzecz biorąc, zawsze lubiłam. A moim cudownym, najpiękniejszym sposobem podróżowania było znaleźć się w obcym kraju, którego języka kompletnie nie znam. Bardzo mi się to podobało. Gdy miałam trochę mniej lat, wyczyniałam oczywiście takie dziwne sztuki, na przykład w Skandynawii. Jak Boga kocham, ani po duńsku, ani po szwedzku ja nie mówię dobrze, przeciwnie, raczej tak niespecjalnie władam językami wszelkich Germanów. Jednak porozumiewałam się w zasadzie zawsze. To samo działo się we Włoszech. Włoski uważałam i do dziś uważam za język cudowny, zwłaszcza kiedy po ośmiu dniach zaczęłam się nim z tubylcami komunikować. Jedna jedyna rzecz w podróżach tego rodzaju okazuje się potrzebna — pieniądze. Trzeba ich mieć przynajmniej tyle, co na podróż. Muszę przyznać, że mimo wszystko nie spróbowałam takiego doświadczenia, aby znaleźć się w całkowicie obcym kraju bez języka i bez pieniędzy. Nawet jak dla mnie, to ciut za dużo...

T.L.: Jednak wszędzie chyba można się porozumieć, jeśli się zna przynajmniej jako tako któryś z kluczowych języków europejskich. Pani mówi po francusku...

J.Ch.: Mówię, *comme un vache espaniol...* Jak ten krowa hiszpański.

T.L.: *Mais avec succès. Efficacement.* Czyli, po naszemu rzecz ujmując, z powodzeniem, skutecznie. Wielokrotnie miałem okazje obserwować, jak Pani rozmawia po angielsku albo po niemiecku. I to przez telefon, a rozmowa telefoniczna, kiedy rozmówca nas nie widzi i nie sposób pomagać sobie rękami i mimiką, jest najtrudniejsza.

J.Ch.: Bo w dramatycznych chwilach życiowych w człowieku wspinają się na wyżyny wszystkie władze umysłowe. Nagle do głowy wpada mi coś, o czym nie przypuszczałabym, że to znam. Jak ja rozmawiałam „po tubylczemu" w różnych okolicznościach, w Niemczech czy w Anglii, sama wciąż nie rozumiem. Dość że odbywałam nieraz całą dużą rozmowę w obcym, nieznanym mi na co dzień języku. I zastanawiałam się później, jakim cudem rozmawiałam, skoro nie znam słów, które tam musiały przecież padać. Tylko dobry Bóg wie, dlaczego ja rozumiałam ich, a oni mnie. Pewnie w dużej potrzebie przypominało mi się coś z dawnych lat, kiedy przez rok uczyłam się niemieckiego w szkole powszechnej. Angielskiego też się uczyłam, tyle że pi razy oko, jeden rok przed wojną i również za okupacji, u prywatnego nauczyciela. Praktyczny kurs włoskiego brałam u nich, na miejscu, jak wspominałam, przez całe osiem dni. To co ja mogę umieć mówić po zagranicznemu? Tyle że się przynajmniej dogaduję w potrzebie. Zupełnie mi natomiast nie poszedł hiszpański na Kubie. Mimo bowiem pewnej bliskości włoskiego i hiszpańskiego są one w gruncie rzeczy tak do siebie podobne, jak — zdaniem przeciętnego Amerykanina — rosyjski i polski. Czyli nijak lub co najwyżej pobieżnie. Owszem, próbowałam z Kubańczykami gadać po włosku, nawet jednemu z błędem wyznawałam: — *Io te amo*. Z nadzieją, że go wzruszę. Lecz albo szło o mój ówczesny wiek metrykalny, albo o nieznajomość języka, bo mimo miłosnych deklaracji patrzył na mnie jak tępy pień.

Fakt jednak, że nawet jeśli z problemami to dogadywałam się zawsze i wszędzie. Czasem coś mi z odległej przeszłości błyska, a potem znów gaśnie i nawet nie wiadomo, że się na chwilę pojawiło. Taka prawidłowość znana nie tylko z nauki języków obcych.

T.L.: Pracowała Pani bez mała trzy lata w Danii. Bez duńskiego lub przynajmniej angielskiego tam trudno dość...

J.Ch.: W biurze architektonicznym językowymi zagwozdkami się zanadto nie przejmowałam, okazało się bowiem, że to jest zwykła mięta z bubrem, kiedy wszystko przecież polega na rysunku. Z opisami technicznymi w zasadzie nie miałam kłopotu, bo oni już wtedy znali letrasety, czyli odbijane na papierze literki, które zachwyciły mnie absolutnie, gdyż miałam tyle przecież rozumu, że pisowni podstawowych słów i zwrotów budowlanych się nauczyłam i mogłam bez żadnego problemu je wprowadzać na papier czy kalkę, korzystając z letrasetów. Co prawda okazało się kilka razy, iż znajomość języka duńskiego w Danii od czasu do czasu się przydaje. Mój rekord błędu to wprowadzenie do opisu rysunku technicznego przy projektowaniu okolic ratusza, gdzie przecież musiały parkować samochody, zwrotu *parkering forbuten*, czy „parking wzbroniony". W pracowni dostali szału szczęścia, widząc efekty mojej radosnej językowej twórczości... Z początku nie umiałam pojąć, dlaczego się śmieją.

Potem zrozumiałam. Kalkowałam po prostu bezmyślnie napis *fiskering forbuten*, czyli „łowienie ryb wzbronione", zapamiętany nad małym, leśnym jeziorkiem. Tablica z zakazem wędkowania w kompletnej głuszy wydała mi się tak upiornie śmieszna, że utrwaliła się we mnie na amen. W dodatku wszędzie wokół mnie pełno było napisów *parkering forbuten*. To *forbuten* wydało mi się tak oczywiste, że już nie zwracałam na nie uwagi. Wpisując więc odruchowo do projektu *parkering forbuten*, zabraniałam parkować tam, gdzie czynić to należy.

Tak, może i bywało śmiesznie, ale dałam sobie radę. Oni, Duńczycy, nauczyli się trochę po polsku, ja się nauczyłam nieco po duńsku, zresztą niektóre określenia są podobne. Na przykład polska „belka" po duńsku nazywa się *bielke*. Do dziś dnia nie wiem, jak jest po duńsku „słup", ponieważ oni się nauczyli mówić *slup*. Gadaliśmy mieszaniną angielskiego z duńskim plus te trochę polskich słów, które oni ode mnie złapali.

Jeszcze śmieszniej było z Alicją, która początkowo duńskiego nie znała, za to po niemiecku mówiła tak samo jak po polsku. Duńczycy zatem uczyli się od niej niemieckiego. Ale za nic nie mogła sobie kiedyś przypomnieć, jak jest po niemiecku „parapet". Więc powiedziała *der Parapet*. I oni uwierzyli, że tak właśnie podokiennik nazywa się po niemiecku. I później mówili *der Parapet*. Dziś Alicja się wypiera, zwalając całe lingwistyczne *qui pro quo* na mnie. Ale cierpliwie jej tłumaczę: — *Ty głupia, jakim cudem ja miałabym się tak wyrażać, skoro ja nicht verstehen, więc nie ode mnie oni się mogli nauczyć niemieckiego!*

T.L.: Pani Joanno, zapachy. Rzadko kto zwraca uwagę na zapachy w podróży.

J.Ch.: Zapachy, zapachy... Zapachy są charakterystyczne raczej dla poszczególnych miast. O zapachu charakterystycznym dla krajów mówić trudniej, bo to się tak w nos nie rzuca. Natomiast istotnie, każde miasto pachnie inaczej. Lubię zapachy miast i ich odmienność. Woń Kopenhagi jest zupełnie inna niż woń Paryża. Kiedyś znów przyjechałam do Sozopola w Bułgarii na wczasy. Zbliżyłam się na parę metrów do przydzielonego nam domku i stwierdziłam: — *Nie, przykro mi bardzo, ale ja wolę mieszkać w samochodzie lub na plaży, ale nie tutaj.*

T.L.: Niech zgadnę. Znienawidzony przez Panią zapach czosnku?

J.Ch.: Owszem. Gdy runął na mnie ten czosnek, zrozumiałam natychmiast, że nawet jednej godziny bym tam nie wytrzymała. Jakimś sposobem wytłumaczyłam Bułgarom, że czosnek i to miejsce odpadają. Dostaliśmy więc skierowanie do innego domku, w samym końcu Sozopola, gdzie czosnek prawie nie woniał. Gospodarze i lokum okazały się przeurocze i tam już mieszkać oczywiście mogłam.

T.L.: Pani lubi Śródziemnomorze, a tam czosnek należy do zasadniczych przypraw. Jak więc radziła sobie Pani na przykład we Francji lub we Włoszech?

J.Ch.: U nich wtedy za bardzo czosnkiem nie śmierdziało. Najgorzej miałam we wspomnianej Bułgarii. Nie zawsze jednak czosnek wychuchuje mi w nos całą swą upiorność. Opisałam w „Autobiografii", jak odwiedziłam w Marsylii targ czosnkowy. W życiu moim czegoś podobnego nie widziałam! Boże mój, kilkadziesiąt straganów i na każdym inne gatunki czosnku. Wiedziałam, że istnieją różne odmiany cebuli, ale żeby czosnek...? W życiu by mi do głowy nie przyszło podobne czosnkowe urozmaicenie.

T.L.: A dźwięki z rozmaitych stron?

J.Ch.: Najsympatyczniej wspominam dźwięki Włoch. Kiedy, dawno już temu, wyruszałam w podróże do Włoch, czasy były mniej hałaśliwe. Na plaży sycylijskiej tubylcy grali swoją starą muzykę, znaną mi jeszcze z dzieciństwa, więc na duszy robiło się błogo. No i bardzo ładnie śpiewali, jak choćby taki jeden, który, pływając w morzu, wyśpiewywał arie operowe. Za to w małych paryskich lokalikach, zwłaszcza turystycznych, ze szczętem ogłuchnąć można było już wtedy. Całkiem nie do wytrzymania! Do Paryża z kolei mam największy sentyment wzrokowy. Bo ja Paryż przez lata znałam wyłącznie teoretycznie, z lektur i ze studiów. Kiedy zaś w końcu pojechałam cały ten sławny Paryż zobaczyć, okazał się dokładnie taki, jaki powinien być. I nawet jeszcze troszkę lepszy... Tak, Paryż lat sześćdziesiątych naprawdę pokochałam. Potem zlikwidowano Hale, wzniesiono nieludzką dzielnicę La Defénse, a Luwr, mój Luwr, zeszpecono piramidą do tego stopnia, że, widząc ją pierwszy raz, o mało trupem nie padłam. Ale, ogólnie rzecz biorąc, nadal bardzo lubię patrzeć oczkami na Paryż. Siaduję w kawiarni obok hotelu, w którym zazwyczaj mieszkam, i gapię się na cały ten ruch, jaki się wokół mnie toczy. Przy czym nie w każdym miejscu tak samo mi się podoba. Nie wiadomo dlaczego, lecz najbardziej lubię stolik u patrona, w kawiarence przy samym wylocie avenue Mc Mahon do rue Tilsit, wypadającej już za chwilę na plac De Gaulle'a. Niby nic atrakcyjnego, ot!, zwyczajne skrzyżowanie, ale... J a k j a j e l u b i ę!!! Zwykle Francuzi eksponują knajpki w okolicy *Galeries Lafayette*, tuż przy Wielkich Bulwarach. Lecz to już nie to... Nawet punkt, gdzie z wylotu Pont-Alma widać wieżę Eiffla, nie może się równać z moim patronem. U niego czuję się przyjemnie, swojsko. Może dlatego, że kiedy pierwszy raz po latach osobnych, bez syna bardzo długo niewidzianego naocznie, właśnie w Paryżu spotkałam się z Robertem i jego rodziną, siedzieliśmy u patrona razem...

Zaraz, pierwszego wspólnego z dziećmi wieczoru, Paryż na skrzyżowaniu obok patrona zafundował uprzejmie mojej wnuczce, Monice, osobliwą rozrywkę, mianowicie dwie stłuczki, jedną po drugiej. Zachwalałam więc z czystym sumieniem: — *Patrz, Monika, jaką ci tu robią przyjemność i jakiej dostarczają rozrywki.* Mogłam sobie pozwolić na pewną niefrasobliwość, bo kierowcy w tych stłuczkach tylko się trochę pognietli, bez żadnych dalszych przerażających konsekwencji.

Pięknie też została mi w oczach Taormina. Niedawno jakiś mój czytelnik specjalnie pojechał na Sycylię, aby odszukać hotel Minerwa, który opisywałam, a później dopytywał się, spotkawszy mnie przy okazji podpisywania książek, czy Minerwa rzeczywiście istniała, bo on jej, mimo starań, nie znalazł. Wytłumaczyłam, że chodzi o hotel na samej górze, osiągalny tylko na piechotę, więc najtańszy. Może i najtańszy, lecz widok z balkoniku hotelu Minerwa okazał się tak przeraźliwie piękny, że własnym oczom nie mogłam uwierzyć. Wstrząsająco upojny pejzaż roztaczał się w promieniu szerszym niż sto osiemdziesiąt stopni.

T.L.: Szkoda, że taki pilny fan Chmielewskiej musiał się obejść smakiem...

J.Ch.: Za to czytelnik ów stwierdził osobiście, iż miasto jest absolutnie przecudowne i odżałować nie mógł, że Minerwy jednak nie odszukał.

T.L.: W Taorminie, jak słyszałem, jest tak pięknie, że przyjeżdżają tam bardzo chętnie ludzie o szczególnie wyrafinowanym guście estetycznym. Opowiadano mi na przykład, iż Taormina to od dziesięcioleci europejska Mekka gejów, zazwyczaj wyjątkowo czułych na urodę miejsc i przedmiotów. Tam zresztą Jarosław Iwaszkiewicz napisał libretto do opery „Król Roger" swego kuzyna i bardzo bliskiego przyjaciela, Karola Szymanowskiego. Znając upodobania erotyczne obu twórców...

J.Ch.: Gejów osobiście nie zauważyłam. Z trójki Włochów, którzy mnie podrywali, na pewno żaden nie prezentował tej orientacji.

T.L.: Wędrujemy w naszej gawędzie po całym świecie, ale on, ten wielki świat, piękny jest przecież dla każdego nieco inaczej. Każdy ma własne preferencje widokowe, gdyż — „nie to ładne, co ładne, lecz co się komu podoba". Ustalmy zatem, jakie są najpiękniejsze widoki wśród tych, które Pani w życiu swoim oglądała.

J.Ch.: Po pierwsze, pejzaż Ottawy z okna mojej ciotki, Teresy. Miasto wieczorem, z perspektywy czternastego piętra, przypominało wystawę upiornie bogatego jubilera. Wychodziłam na balkon, spoglądałam na peryferyjną dzielnicę jednorodzinnych domków, na autostradę, lecącą w dole nieco dalej. No, cud, po prostu! Jednak... Jednak przeżyłam w Kanadzie także spory estetyczny wstrząs. Przed domem mojej ciotki

mianowicie ciągnęły się skupiska domków jednorodzinnych. Podobno slumsy. Cóż, niech będzie, że slumsy, rozumiem doskonale. Natomiast po drugiej stronie autostrady, zresztą tak sprytnie wkomponowanej w krajobraz, żeby nie przeszkadzała w codziennej egzystencji okolicznych mieszkańców, mieściła się dzielnica eleganckich domków jednorodzinnych. Nie wytrzymałam, poleciałam i do slumsów, i do szykownych willi. Wie pan, czym się w gruncie rzeczy różniły? Śmietnikami. W slumsach, zamieszkałych po większej części przez ludność kolorową, na trawniczku, na leżaczku, spoczywała sobie facetka, obok bawiły się dzieci, a wokół walało się wszystko, co pan tylko chce. Opakowania po wszelkich płynach, skóry od bananów, słowem: jeden potworny śmietnik. I nic on tej facetce nie przeszkadzał. Natomiast po stronie drugiej czyściusieńko, żadnych śmieci, kręcący się dyrdymał do podlewania trawy w ogrodzie, trawniczki wypielęgnowane, ktoś się przy domku krząta. Wszystko razem wziąwszy — na pokaz. W głąb domostw starałam się nie zaglądać, pomna na usilne prośby mojej ciotki, obawiającej się konsekwencji ewentualnego wścibstwa. Jednak straszliwie przecież chciałam obejrzeć własnymi oczkami zaplecze owych willi. Bo od frontu gazon jak aksamit, kaskady wodne i tak dalej. No i jednak wypatrzyłam wreszcie tę część nie na pokaz jednej czy drugiej eleganckiej posesji. A tam budy gorsze niż dziś u mnie dla kotów...! Może to i były szopki na narzędzia, lecz straszliwie brzydkie. Nawet roślinność od tyłu domu okazywała się zwykłym barachłem. Posesje nie ogrodzone, bo grodzić się im nie wolno, a roślinność muszą sadzić nieuciążliwą dla sąsiadów. Ja bym im zaproponowała fasolę Jaś... W dodatku oni pragną pokazywać się z nie wiadomo jakiej strony. Kiedy facetka z „eleganckiej" willi wyłazi rankiem po gazety, które jej posłaniec rzucił, już musi być „zrobiona". Nocna koszula nie wchodzi w grę, przecież wszyscy obserwują. Zatem, uogólniając, wyznam, że do tego, by zachować dobrą pamięć o Kanadzie, potrzebny jest dystans oraz niezbyt wścibskie oko.
Drugi widok z gatunku najpiękniejszych pochodzi z samolotu. Przecież ja, udając się do Kanady, przeleciałam nad

połową kuli ziemskiej, w dodatku przy wymarzonej pogodzie. Od horyzontu po horyzont przejrzystość jak kryształ, zero chmur. Dzwon, nie pogoda! Oglądałam wtedy z pułapu dziesięciu tysięcy metrów to, co przesuwało się w dole. Nowy Jork zrobił na mnie wrażenie okropnego, kamiennego potwora. W morze wrzynał się Manhattan, cały z kamienia, który kojarzył mi się z oglądanym znacznie wcześniej polskim miasteczkiem Czaplinek, równie kamiennym, bez zieleni. Dziwne skojarzenie, przyznaję, ale prawdziwe. Potem... Potem zaczęło się zmierzchać, ściemniać. I już Kanada z powietrza. Kanadyjskie miasta, nie tylko Toronto, świecą na diamentowo, wie pan? Srebrny blask, jakby ktoś rozsypywał kruszyny brylantów, jeszcze je dodatkowo oświetlając. Inaczej niż w starej Europie, która świeci na złoto. Kiedy spoglądałam na rodzinny kontynent z góry, dostrzegałam przepiękne rozgwiazdy, koniki morskie. Tak właśnie prezentują się stare miasta Europy. Coś fenomenalnego!

T.L.: Jak Pani sobie radziła w Kanadzie?

J.Ch.: Nie miałam przeważnie czasu o tym myśleć, zajęta matką, ciotką, dziećmi. Wszystko przebiegało bez większych problemów, także podczas wizyt na targach książki czy w trakcie kongresu pisarzy. Zaraz, na kongresie akurat coś mi się wydarzyło. Jestem absolutnie przekonana, że tam nastąpiła jakaś pomyłka. Bo ja zamówiłam pokój jednoosobowy. Tych rzeczy bardzo pilnuję, bo nie znoszę mieszkać z kimś. Wyjaśniono mi, że, owszem, mogę mieć jedynkę, jednak trzeba dopłacić czterysta dolarów. Wobec tego wyprowadziłam się z hotelu całkiem i pomieszkałam sobie troszeczkę u mojej kuzynki. Później, kiedy już wróciłam do hotelu, problem dopłaty jakoś zniknął.

T.L.: Tylko żałować, że porzuciła Pani wojaże samolotami...

J.Ch.: Ja potrafię nawet uciec z samolotu. Kiedyś naraziłam się w SAS-ie, zwiewając im. Od tamtego czasu SAS-em nie latałam, może mnie mają w komputerze?

T.L.: Pocieszę Panią. SAS co prawda wciąż istnieje, ale w tym przypadku już zadziałało przedawnienie. Ma więc Pani z nimi święty spokój.

J.Ch.: No, całe szczęście. Ale i tak nie zamierzam już latać, gdyż obowiązujące teraz obostrzenia dybią na moją osobistą wolność. Chyba że w grę wchodziłby prywatny samolot, w którym wolno będzie koziołki fikać lub palić ognisko, jeśli mi przyjdzie ochota. W każdym zaś razie przynajmniej papierosy. Z palenia w samolocie nie zrezygnuję!

T.L.: Oglądaliśmy dotąd Pani oczami wytwory kultury euroatlantyckiej. A co Pani powie na urbanistykę arabską?

J.Ch.: Dobrze, że pan spytał. Jakież tam są cuda! Weźmy Algier, z jego dominującą kolorystycznie bielą. Albo Oran. Camus napisał w „Dżumie", że to ohydne miasto, on zwariował chyba! Sam musiał być, kiedy to pisał, zadżumiony i w oczach mu się mąciło. Ja Oran oglądałam dużo później niż Camus, więc budownictwo mogło się oczywiście zmienić. Ale malowniczość przecież pozostała, nikt tamtejszych wzgórz nie rozkopał w międzyczasie. Gdy na nie spoglądałam z pewnej dość wyniosłej góry, na szczycie której pełno było jakichś ruin, wzdychałam z zachwytu. Co prawda nawet eleganckie osiedla w Oranie pełne były walających się wszędzie śmieci, co także porządnie opisałam. Lecz to drobiazg w zestawieniu z ogólną malowniczością.

T.L.: Z moich podróżniczych doświadczeń wynika, że zły szczegół, pojedyncze brzydkie budowle, odcinające się kontrastowo od pięknej okolicy, jakby owoce robaczywe i sparszywiałe wśród zdrowych, potrafią zepsuć ogólne dobre wrażenie. Obserwowałem to i w miastach arabskich, i w Brukseli schyłku lat osiemdziesiątych, patrząc na rudery, spokojnie rozkraczone, rozchełstane jak kloszardki, tuż obok okazałego gmachu Parlamentu Europejskiego.

J.Ch.: Specyfika Oranu, jaki znałam, polegała na współistnieniu *villages socialistes* oraz *villages capitalistes*. Te pierwsze stanowiły już wytwór ustroju, zaprowadzanego stopniowo w Algierii po wyzwoleniu spod kolonizacji francuskiej. Tu wszystko z miejsca wiadomo, nic dodawać nie warto. Natomiast stare algierskie miasteczka robiły z daleka naprawdę zachwycające wrażenie. Kiedy jechaliśmy pewnego razu do wodospadu, obok pełnej ryb rzeki, a rzek w ogóle jest mało w pustynnych pejzażach arabskiej Afryki, po drodze zauważyłam coś, co sprowokowało mnie do wydania z siebie okrzyku: — *Och! Widzę na żywo baśń z tysiąca i jednej nocy!* Marzenie! Wszystko zbudowane jak należy, ze smukłymi minaretami, z baniastymi kopułkami, z pocztówkowej urody murkami pozbawionymi okien, z wylewającym się zza tych murków kwieciem i z tymi nader licznymi koronkowymi dyrdymałkami, jakie składają się na wysmakowany arabski detal architektoniczny. Dopiero całkiem z bliska, już w środku, algierskie miasteczka niestety traciły urok. Za wiele brudu, biedy, obdrapanych domostw.

T.L.: Czy wygląd krajów i miast odzwierciedla charaktery narodowe ich mieszkańców?

J.Ch.: Chyba tak. Na pewno dotyczy to krajów arabskich. Ulubiony styl życia odbija się tam w całym wyglądzie otoczenia. Dla Araba jedyna praca godna szacunku to handel, wszystkie inne zatrudnienia oznaczają przekleństwo Allacha. Przyglądałam się Algierczykom, pracującym w kamieniołomach, Arabom za kierownicami ciężarówek, robotnikom, drążącym rowy kanalizacyjne. Uff, duża rzecz! Do tego stopnia nic nie robić lub partaczyć robotę, pracując... Ponadto oglądałam najelegantsze budowle w Tiarecie, które zamieszkiwali bonzowie partyjni oraz państwowi. Prześliczna dzielnica, domeczki kremowe, bladoróżowe, bladoniebieskie. Koronkowe balkoniki, balustradki, mnóstwo kwiatów. I w całym tym otoczeniu ż a d e n dom nie trzymał ani jednego pionu, ani jednego poziomu...! Długo stałam, przyglądając się, niech mi pan uwierzy, i nie zauważyłam naprawdę żadnej pionowej, żadnej poziomej linii. Wille kacyków nie przewracały się tylko dlatego, że było to budownictwo niskie. Pod algierskie niebiosa krzyczała również najdoskonalsza obojętność konstrukcyjna przy opracowaniu całego tego koronkowego detalu. Tak się niczym nie przejmować — chyba Europejczycy nie potrafiliby. Dlatego bardziej skomplikowane budowle wznoszą Arabom specjaliści z innych kontynentów. Stąd całe rzesze fachowców, zatrudnionych na kontraktach w krajach arabskich, wszyscy ci Hiszpanie, Polacy, Niemcy,

nawet Rosjanie. Ale nie rdzenni Arabowie. Charakter naro-
dowy tutaj wyłazi z ludzkich osób w pełni. Za to gdy w grę
wchodzi handel... Bożeż ty mój, nawet najdoskonalej hand-
lowy przedwojenny europejski Żyd do pięt Arabom nie sięgnie!

T.L.: Może wyraża Pani zbyt obcesowe sądy. Nie obraża Pani Arabów?

J.Ch.: Pan zwariował, jakie obraża!? Ja żywię dla nich podziw bez-
graniczny! Jakimiż oni okazują się genialnymi psychologa-
mi... Pan chce coś kupić? Pan ośmieli się błysnąć, raz jeden,
okiem w jego stronę? On już pana ma! Mało, Arabowie przy
negocjacjach handlowych świetnie się bawią. Mojego Roberta po prostu ukochali! Bo on się z nimi kłócił, handryczył,
targował, włosy z głowy darł, aż miało się wrażenie, że za
chwilę wybuchnie międzynarodowy konflikt zbrojny. A potem? Padali sobie w objęcia, za rączkę się trząchali, trącali
się filiżankami z kawką i kochali się bez granic. Mieli bowiem, Arabowie oraz Robert, swoją uciechę. Handel to właśnie jest ich praca i zarazem szczęście. Algierczycy, jako nacja,
okazali się genialni. Bowiem potrafili wyszukać dla siebie
pracę ogólnonarodową, która zarazem okazuje się namiętnością duszy. Przecież takiemu zdolnemu narodowi można
tylko pozazdrościć!

T.L.: A Pani obserwacje Arabek w ich domowym otoczeniu?

J.Ch.: Opisałam w „Autobiografii", jak w domu Sasiego poznałam
jego mamusię oraz siostrę. Ogólnie rzecz biorąc, nie różnią
się zbytnio od naszych. W domu one są prawie Europejkami.
Mamusia Sasiego mówiła po francusku znacznie lepiej niż
ja, telewizor — przysięgam Bogu — zajmował całą ścianę,
ale... Ale obiad gotuje się na żywym ogniu, na klęczkach, na
klepisku. Są do tego tak przyzwyczajone, że nawet im do
głowy nie przychodzi inne zachowanie. Pewnie tradycyjnym
Arabkom byłoby niewygodnie w naszych kuchniach, tak samo jak nam, siedzącym w kucki przy ich paleniskach. Wiele
razy dopytywałam się, czy im aby na klęczkach wygodnie.
Odpowiadały: — No, przecież tak jest normalnie! Im się to
nawet podoba.

Do islamu podchodzą tak, jak my w Polsce do religii katolickiej. Szanują prawa Koranu. Mamusia Sasiego wyznała
mi, że w gruncie rzeczy przyzwoita arabska kobieta z domu niech nie wychodzi, chyba że do lekarza. Nawet zakupy robić powinien mąż. Gdy przyzwoita arabska kobieta
potrzebuje kiecki, mąż udaje się do kupca, przynosi ogromne naręcze szmatek do wyboru, a przyzwoita arabska
kobieta wybiera, co chce, resztę zaś się kupcowi odnosi.
Co ciekawe, kiedy ja bywałam w Algierii, miejscowe dziewczyny przed ślubem latały po europejsku, w dżinsach,
w bawełnianych bluzkach, z odkrytą twarzą. Europejska
młodzież, zdawałoby się, tyle że bardziej kolorowa. Dopiero kiedy wychodziły za mąż, wszystko się radykalnie zmieniało. I już widywał pan wokół tylko przyzwoite arabskie
kobiety.
Miałam śmieszną okazję do rozmowy z arabską panną na
promie, kiedy już wracałam z Algierii do Francji. Siedziała
obok mnie dziewczyna, ze stroju sądząc, Europejka absolutna, Algierka, pracująca od wielu lat w Paryżu. Wracała z wizyty u rodziców. Pogawędziłyśmy sobie trochę przy stole,
na którym, francuskim zwyczajem, stało wino gaszące pragnienie jak u nas woda mineralna. Kiedy chciałam jej nalać
tego wina, grzecznie podziękowała z komentarzem, że *arabska kobieta nie pije wina*. Podkreślam, wtedy już znajdowali-
my się na wodach międzynarodowych, opuściwszy szmat czasu wcześniej algierski szelf. Wymówiła się od szklaneczki,
nie pilnowana przez nikogo, zatem z własnej woli.

T.L.: Co Pani w ogóle sądzi o traktowaniu kobiet w kulturze arabskiej?

J.Ch.: W tym względzie mam do Arabów pretensje, a ściślej biorąc
— do Mahometa, świeć Panie nad jego duszą! On dyskry-
minował kobiety, zapomniawszy, że bez kobiet w ogóle by
go nie było. Bo kto by go urodził? Wielbłądzica?!!! Albo jakiś
kolega?!

T.L.: Stosujemy przy ocenianiu roli kobiet w islamie kryteria eu-
ropocentryczne. Tam po prostu inaczej określa się znaczenie
płci żeńskiej dla funkcjonowania tkanki społecznej. U Ma-

hometa nie znajdujemy żadnej dyskryminacji. Zdaniem Arabów, rzecz jasna.

J.Ch.: To i c h zdanie! Zdanie mężczyzn, umieszczających kobiety poniżej wielbłąda, poniżej osła, poniżej kozy. Byłam tam, widziałam, jaki u Arabów obowiązuje stosunek do kobiet, jak oni na co dzień baby traktują. Co prawda przyznam, iż w przypadku przyjezdnych Europejek arabska nierównoprawność płci niekiedy nawet się opłaca. Pewnego razu ustawiłam się w algierskiej kolejce po coś. A stało tych kolejek dwie; w jednej nudziło się czterdziestu mężczyzn...

T.L.: ...czterdziestu rozbójników?

J.Ch.: Nie wiem. W każdym razie Ali Baby wśród staczy nie dostrzegłam.

W kolejce drugiej oczekiwały cztery kobiety. Ponieważ obsługiwano na zmianę, raz osobę z jednej kolejki, później osobę z kolejki drugiej, bardzo mi się spodobało. Traktowana byłam na podobieństwo inwalidów w polskich aptekach, co akurat w algierskim upale przyjmowałam z entuzjazmem. Poza tym kobiecie na ulicy wolno nie posiadać przy sobie dokumentów i pieniędzy. Może również całkiem nie pojmować, co się do niej mówi. W trakcie kontroli celnej — podobnie. Bo kto by żądał rozumnego zachowania od owcy...?! Wygodnie, owszem. Bardzo lubię.

Ale wszystko posiada plusy i minusy. Przy rozmaitych ułatwieniach, w krajach arabskich uznaje się za rzecz straszliwie wstydliwą przenosić za kobiety jakieś ciężary. Jedno maleńkie utrudnienie w radosnym życiu Arabek — to im wspaniałomyślnie przebaczam.

T.L.: Nie zmuszano Pani do noszenia kwefów, galabiji albo innych elementów rynsztunku arabskiej niewiasty?

J.Ch.: Absolutnie nie. Za to obowiązywał również i mnie zakaz pojawiania się publicznie w plażowym stroju lub prześwitującej sukience. Gdybym wystąpiła z dużym dekoltem, rzucaliby we mnie kamieniami, rzecz kamiennie gwarantowana. Szłam zatem na kompromis, przywdziewając letnią kieckę, ale wyposażoną w coś na kształt skąpych rękawków. Przynajmniej tyle.

T.L.: Wspominała Pani, że Arabki zdecydowanie odmawiają spożywania alkoholu, nawet kiedy nie grozi to żadnymi konsekwencjami. Jak jednak konsumpcja trunków przedstawia się wśród algierskich mężczyzn? Czy w trakcie Pani pobytu oni, u siebie w kraju, pijali, choćby pokątnie, alkohol, zarezerwowany przez muzułmanów dla mieszkańców mahometańskiego raju?

J.Ch.: Oficjalnie nie, ale widywałam, jak wino kupowali. Sasi trąbił nie tylko wino, lecz nawet i wódkę, tyle że będąc w Warszawie.

T.L.: Zgodnie z tłumaczeniami, jakie sam kilka razy od mniej ortodoksyjnych muzułmanów słyszałem, uzasadniają to tak:
— *Kiedy jesteśmy u was, Allach nie widzi, więc wolno.*
Jeszcze zapytam o Pani wrażenia ze słynnych arabskich łaźni?

J.Ch.: Co też pan, miałabym w nich się pluskać...? Ja ich unikałam, bo mi życie miłe. Nie radzę Europejkom korzystać z arabskich łaźni, gdyż cała sprawa polega na elementarnych rygorach higienicznych. Ze względu na afrykańską florę bakteryjną, inną niż tolerowana przez nasze europejskie organizmy, łaźnia w Afryce niekoniecznie Europejce posłuży. Po co mi sraczka albo egzema? Nawet najczystsza woda nie jest tam dla nas bezpieczna. Widziałam, jak po skalnej ścianie spływa krystaliczny strumień, nieskalanie czysty. Gdyby napił się tej wody tuziemiec, nic by się nie wydarzyło, pan za to, napiwszy się, mógłby szybko zejść z tego świata.

T.L.: Jeszcze jedno pytanie „algierskie". Czy Pani w Afryce pracowała jako architekt?

J.Ch.: Nie. Chociaż mogłam natychmiast zostać zatrudniona. Bo Arabowie cenią sobie wiek; osoba młodsza otrzyma niższe uposażenie niż osoba starsza. Fakt, że dysponowałam płcią żeńską nie miał znaczenia, gdyż rozmawiamy o ucywilizowanej, francuskiej bez mała jeszcze, Algierii. To nie Syria, gdzie od Hani Dobrzyńskiej nie chcieli poleceń przyjmować.

T.L.: Przecież pani Hanna Dobrzańska, jedna z najbliższych Pani osób, wykonywała zawód sędziego?

J.Ch.: Myli pan osoby. Wspominam teraz Hanię Dobrzyńską, moją koleżankę ze studiów, zatrudnioną na kontrakcie syryjskim z Polserwisu. To z nią wiążą się dramatyczne sytuacje, opisane w „Szajce bez końca", że oto spadł na mnie nagły komunikat. Hania jedzie do Syrii. Ja zaś — znajduję się w połowie opracowywania technologii... O! Mało mnie szlag nie trafił! Przymusiłam Hanię, aby odwalała robotę do ostatniej chwili! Wyruszyła, wściekła na mnie do szaleństwa. Ale jej wściekłość nie przeszkodziła mi zapytać: — *Hanka, ileś dała łapówki w Polserwisie?* Warknęła w odpowiedzi: — *Do końca życia ta suma nie przejdzie mi przez usta!!!* Kiedy Hanka, główny projektant, magister inżynier architekt, znalazła się na miejscu, okazało się, iż kreślarz arabski, więc z zawodowego punktu widzenia ktoś stojący w hierarchii służbowej o dwa szczeble niżej, nie przyjmuje od kobiety poleceń... I już! Kiedy Hania mówiła, przestawał natychmiast rozumieć słowa, wypowiadane w jakimkolwiek języku. Stawał się głuchy, niedorozwinięty. Dobrzyńska musiała przekazywać mu polecenia przez posły płci męskiej. Dopiero po kilku miesiącach kreślarze arabscy się przed Hanką ugięli. W Algierii takie problemy nie występowały. Dostałabym szansę, proponowano mi wreszcie etat. Podczas pierwszego afrykańskiego pobytu miałam już za sobą kilkanaście przepracowanych lat, a i wiek ponadbalzakowski zdążył mnie w międzyczasie dopaść. To, w porównaniu z przyjezdnymi trzydziestolatkami, dawało mi z miejsca punkty for, szanse na lepszą i godziwej płatną pracę. Tylko że pisałam już książki, od zawodu architekta z premedytacją odskoczyłam. Miałam wracać do rajzbretu? Trudna decyzja. I podjęłam ją.

T.L.: Ze zmysłów, którymi poznaje się świat, ani słowem nie zatrąciliśmy jeszcze o smak.

J.Ch.: Rozkosze smaku to dla mnie zdecydowanie Polska oraz Niemcy. Kuchnia ciężka, fakt. Tylko że ja jestem s t ą d.

Wyrosłam na kotlecie schabowym oraz na kluchach. Do dziś stanowią one moje ulubione pożywienie. Jedno mnie tylko skłania do wyrzeczenia się najukochańszego żarcia. Nie pragnę mianowicie ważyć dwieście osiemdziesiąt sześć kilo. We Francji, na przykład, niby niczego mi nie brakuje, skoro mam moje wspaniałe ostrygi, lecz gdybyż tam spożyć się jeszcze dało niemieckie kluchy oraz polskie smażone mięsiwo...! Nawet bardzo dobra smażona ryba, powiedzmy sola, nie zastąpi rzetelnego kawałka chabaniny. Bywałam w Paryżu, w Normandii, na południu Francji, ale tłuszczu tam ani uświadczysz, mimo rozbuchanej tradycji francuskiej kuchni. Tłusta wieprzowina u Francuzów, poza *pieds de cochons*, właściwie nie istnieje. Mięso w ogóle Francuzi przyrządzają tak twardo, że musiałabym mieć mordę psa, aby sobie z nim poradzić. Paryskie knajpy Hippopotamusa, sieci restauracji słynących z tego, że serwują właśnie mięsiwa, powinny trzymać buldogi, które by najpierw to mięso pogryzły, abym ja później zdolna była je zjeść. Do gryzienia mięsiw *à la française* trzeba by chyba ze trzech sztucznych szczęk. We Francji, oprócz rzecz jasna ostryg, zdecydowanie bardziej od mięs wolę sałatki oraz szynkę z melonem. Zwłaszcza w Bayonne lub w Amboise, okolicach słynnych z przepysznych szynek. Tylko że współcześni Francuzi nie zawsze przestrzegają zasad podawania tej szynki i wtedy robi się głupio. Dostałam kiedyś, zamiast szynki krojonej „kanonicznie”, czyli na grubość listka papieru, coś grubaśnego jak połeć słoniny. Ależ się z tym czymś szynkopodobnym umęczyłam, ludzkie pojęcie przechodzi! Zresztą, co region to inna tam kuchnia. Lubię kulinarne niespodzianki i chętnie ich doświadczam. Weźmy choćby Niceę. Otóż w Nicei jada się rodzaj wytrawnych, chrupiących racuszków. Spożywałam je w restauracji „La griotte”. Nadzwyczajnie dobre, konsumowane z różowym winem.

T.L.: Z nazwy bardzo pasuje, bo *griotte* to po francusku nazwa wiśni, tak zwanych łutówek, ale też, w drugim znaczeniu, czerwono-brunatnej odmiany marmuru. Kojarzy się więc z *du vin rosé*, odrobiną różowego wina.

J.Ch.: Ja najczęściej pijam wina czerwone, ewentualnie białe.

T.L.: Pogardza Pani winem różowym?

J.Ch.: Różowych nie pijam właściwie nigdy. A wtedy, w Nicei, zaczęłam pić właśnie wino różowe. Ono mi tak tam doskonale wchodziło, że skończyłam z *du vin rosé* właściwie dopiero w Polsce. W Polsce natomiast takich racuszków nie próbowałam przyrządzać, bo nie umiem. Zresztą i we Francji nie są one czymś codziennym, na specjalne racuszki trzeba trafić. Serwują je w dwóch miejscach tylko i tylko do osiemnastej. Ale skoro panu zależy, specjalnie udam się do Nicei, aby podpatrzeć, jak oni to robią.

T.L.: Wielkie dzięki, pani Joanno, polecam się! Nigdy nie wątpiłem w Pani szlachetność.

J.Ch.: Niech będzie, sprawdzę także, na czym polega sekret pysznej zupki, jakiej kosztowałam w „Pieds de cochons".

T.L.: Tym bardziej że przypomina mi się stary dowcip o koniaku i opowiem go Pani.

J.Ch.: No?

T.L.: Czy wie Pani, co to jest koniak?

J.Ch.: Słucham.

T.L.: To jest taki specjalny pyszny płyn, który klasa robotnicza spijała ustami swoich najlepszych przedstawicieli.
(Szefowa wprawia wrażenie, że chyba dowcip chwycił.)
Czy wolno spytać, jak poznaje Pani szorstkość oraz miękkość różnych stron świata za pomocą dotyku?

J.Ch.: Wie pan, kiedy jadę przez wszystkie te mijane okolice, macaniem sprawdzam głównie fakturę kierownicy mojego auta. Krzeseł i im podobnych płaszczyzn na przykład nie macam, chyba że koniecznie muszę gdzieś usiąść.
Ale, chcąc poważniej panu odpowiedzieć, spróbuję pomyśleć. Zaraz, owszem, zdarza mi się, że macam rośliny, aby się przekonać o ich prawdziwości lub sztuczności. Kiedyś już opisałam, jak dopiero pomacawszy palmę, przekonałam się, że ona jest prawdziwa.

Na ogół jednak biorąc, ja żyję wzrokiem. Gdybym oślepła — odpukać! odpukać! odpukać! — proszę mnie zabić od razu, nie zwlekając...

T.L.: Do najważniejszych zdarzeń nie tylko w podróżniczej egzystencji Joanny Chmielewskiej zaliczam, rzecz jasna!, pobyty w Danii. Pogadajmy przez kilka stron o Pani duńskich wrażeniach. Może nawet uda się nam wygrzebać coś, czego nie ma w „Autobiografii"?
Gdzie więc właściwie zamieszkała Pani, przybywszy do Danii, skoro nie u Alicji? Pomijam tu nader malowniczy zestaw epizodów w zasiedlonej przez Panie wspólnie pralni u von Rosenów.

J.Ch.: Państwo von Rosen już, niestety, nie żyją, lecz do dziś z sentymentem ogromnym wspominam ich niezwykłą zupełnie gościnność. Pani von Rosen mówiła po francusku, więc, chcąc nie chcąc, z konieczności doskonaliłam ten język. Za to z panem von Rosen rozmawiałam we wszystkich językach, jakie mi wpadały wtedy do głowy. Alicja twierdziła, że, słuchając mnie, on się gubił. Choć, jak uczciwie dodawała, tylko dlatego, iż nie potrafi dostatecznie szybko wyłapywać momentu, w którym ja zmieniam język. U Alicji natomiast, w jej domu, podczas dłuższych pobytów w Danii nie mieszkałam nigdy. Zajmowałam duży, bardzo piękny pokój, wynajmowany u *fru* Skifter, naprzeciwko parku Tivoli. Za następnym pobytem mieszkałam już gdzie indziej, przy bulwarze Å, u *fru* Harrebye, a tam urzekła mnie prześliczna, biała pudliczka. Kiedy układała się na niebieskim dywanie, przypominała posążek, figurynkę, sztuczne piękno jednym słowem. Tylko że, za pana przeproszeniem, ta pudliczka srała wciąż pod moimi drzwiami...! Podobno tym sposobem pies okazuje zaufanie człowiekowi. Wyznam panu, iż wolałabym, aby obdarzała mnie nieco mniejszym zaufaniem... Sprzątałam po niej dyskretnie, cichutko, sama nie wiem dlaczego w takiej tajemnicy. Wreszcie — to nie ja... Kupowałam jakieś silnie śmierdzące produkty kosmetyczne, psikałam pod te drzwi i na trochę starczało. Mijało kilka dni, zapach wietrzał i suczka znowu „okazywała mi zaufanie".

Tę cichą walkę z cholerną suczką *fru* Harrebye toczyłam
przez cały czas, obejmujący drugi mój duński pobyt.
Z moimi gospodyniami rozmawiałam metodą niepojętą dla
nikogo. *Fru* Skifter mówiła po angielsku, dało się z nią od
biedy porozumieć. Jak jednak rozmawiałam z *fru* Harrebye?
Czy ona znała jakiś obcy język? Nie jestem pewna. W każdym razie nie dogadywałam się z nią dostatecznie, by omó-
wić kwestię suczki. Zatem rozmów o suczce unikałam.
Natomiast o swoją niekompetencję lingwistyczną dopytywałam się u Ingi, sekretarki w moim biurze architektonicznym: — *Inga, ja nie umiem po duńsku, nie znam angielskiego,
bardzo źle w tym języku mówię. Jakim więc cudem ty rozumiesz,
co ja wypowiadam do ciebie?!* Na co Inga wzdychała: — *Nie
wiem, ale ty tak jakoś gadasz, że wszystko można wywnioskować.*
Proszę sobie wyobrazić, ona mi odpowiadała na zadawane
pytania, w dodatku z sensem! Czyli musiała wiedzieć, co do
niej bredzę! Przeciwnie niż w drugą stronę, bo tego, co ona
mówi do mnie, nie rozumiałam zupełnie. Kazałam jej powtarzać kwestię, upewniałam się co do znaczenia, dopiero
później pojmowałyśmy się już doskonale.

т.L.: We „Wszystko czerwone", a też i w „Kocich workach", powieści kontynuującej wątki tego pierwszego, jakże słynnego
utworu, dom Alicji trzęsie się od natłoku gości, zwłaszcza
z Polski, co zresztą ma dość fundamentalne znaczenie dla
rozwoju kryminalnej intrygi. Czy Pani również okazywać
musiała rodakom podobną gościnność?

J.Ch.: Ja nie. Przez cały okres duński przyjęłam zaledwie cztery
osoby, przedtem, rzecz jasna, starannie omawiając sprawę
z właścicielką mieszkania. Wie pan, w ówczesnej Danii nie
było przyjęte, aby sublokatorzy zapraszali do siebie jakieś
dalsze osoby. Nawet jeśli zważyć, że ja miałam biały kolor
skóry, nie odważyłabym się na tak niesłychaną niesubordy-
nację, urągającą miejscowym zwyczajom. A respekt dla duńskich przyzwyczajeń nie był bez znaczenia, Dunki bowiem,
za moich czasów, nie wynajmowały na przykład Turkom,
ponieważ się wielokrotnie na nich sparzyły. Oto bowiem
zjawiał się kolejny Turek, osobnik robiący sympatyczne wra-

żenie, na pierwszy rzut oka rozsądny. Kiedy jednak duńska gospodyni jemu jednemu wynajmowała lokum, po dwóch tygodniach okazywało się, że mieszka tam już Turków czternastu. Jako że Duńczycy nie lubią awantur, więc, nie chcąc się kłócić, kolorowym przestali wynajmować w ogóle.

Mnie odwiedziła moja przyjaciółka, Ania, choć podczas jej wizyty dysponowałam jeszcze do pewnego stopnia pralnią państwa von Rosen, więc po stosownych uzgodnieniach z właścicielami tej pralni — którą z całych sił usiłowałam wśród moich czytelników rozsławić — Ania zamieszkała tam właśnie. W lokalu, wynajmowanym osobiście przeze mnie, Ania spędziła wyłącznie jedną noc, a i to w okolicznościach tak zwanych nadzwyczajnych, gdyż tylko bezpośrednio po przyjeździe i wyłącznie wskutek zbyt długo przeciągniętego wieczoru powitalnego. Poza tym wspomnę, iż Ania została przez Kopenhagę przywitana nader uroczyście, bo dwoma wspaniałymi katastrofami drogowymi, w których poległy aż cztery samochody. Stało się więc coś podobnego, jak po latach z moją wnuczką Moniką, zupełnie innym razem i gdzie indziej, w Paryżu, o czym już panu wspominałam. Nic więc dziwnego, że Ania wyjątkowo serdecznie westchnęła u schyłku swego debiutanckiego dnia w Kopenhadze: — *Dziękuję ci bardzo za tak nadzwyczajnie rozrywkowy wieczór...!*

Przyjechały też do mnie dwie inne przyjaciółki, oczywiście za zgodą *fru* oraz za dopłatą kilku groszy. Jedna zamieszkała właściwie osobno, gdyż w dodatkowym pokoiku, takiej służbówce, druga ze mną w pokoju. Kiedy zjeżdżał Jerzy, *fru* na pobyt syna zgodziła się również; widać myśmy wszystkie uprzednio nie nabroiły zbytnio, więc *fru* uznała, iż sprawa jest bezproblemowa. Jerzy zajął wspomnianą służbówkę na trzy tygodnie i po krzyku, żaden problem.

T.L.: Ojciec nauczył mnie, żebym — chcąc poznać oglądę cywilizacyjną rozmaitych ludzi i ich nawyki — oglądał w pierwszym rzędzie nie salony, lecz łazienki i toalety, ich bowiem stan świadczy o prawdziwej klasie oraz kulturze właścicieli lokalu. Jak przedstawiały się na przełomie lat sześćdziesiątych i siedemdziesiątych duńskie łazienki?

J.Ch.: Ja miałam łazienkę oddzielną. Żadnego problemu „łazienko-
wego" sobie nie przypominam, wyjąwszy „cytowaną" już
suczkę *fru* Harrebye, a kłopoty wystąpiłyby z pewnością,
gdyby coś okazało się nie w porządku. Kwestia łazienki miała
natomiast spore znaczenie w powiązaniu z pralnią państwa
von Rosen, gdzie wychodek usytuowany był cztery piętra niżej
niż wspomniana pralnia. Tam dysponowałyśmy tylko prysznicem z kratką odpływową oraz „umywalką", czyli zlewem
w kuchni. Cóż, w potrzebie trzeba było latać w górę i w dół!
Ale zgodzę się z panem, że w pewnym stopniu kraje, prędzej
nawet niż indywidualnych ludzi, poznaje się przez łazienkę.
Dla przykładu: z radzieckimi łazienkami, nie licząc hoteli,
miałam mało do czynienia, za to radzieckie wychodki... O!
To już cała epopeja! W Danii rzecz miała się całkowicie
odwrotnie. Duńskie łazienki okazały się dla Polki z tamtych
minionych czasów zwyczajnym niebem. Ja w moim mieszkaniu przy ulicy Dolnej, które zajmowałam ponad czterdzieści lat, posiadałam dużą, jak na warszawskie warunki, łazienkę. Lecz gdy powróciłam z Kopenhagi i wkroczyłam do
własnego przybytku higieny, na ustach wykwitł mi okrzyk:
— *O matko moja ukochana, jak ja się tu w ogóle zdołam pomieścić,
w tej kuczce przerażającej!*
Prywatnych łazienek francuskich nie znam, bo w nich nie
bywałam. Natomiast mogę sporo powiedzieć o tamtejszych
hotelach, także o ich wyposażeniu sanitarnym. Choć,
w gruncie rzeczy, o czym tu gadać? Zwykłe łazienki, na normalnym cywilizacyjnym poziomie, przyjętym w Europie
Zachodniej. Czasami tylko zdarza się coś ponadstandardo-
wego, jak w hotelu w Cabourg, gdzie ogrom łazienki umoż-
liwia tańcowanie czterem parom krakowiaka z hołubcami.
Nie próbowałam, a właściwie szkoda.

T.L.: Hmm, co do poziomu francuskiej higieny mam swoje własne
obserwacje. Opowiem o osobistych przeżyciach, posługując
się barwnym przykładem i stylem mocno rozbuchanym. Temat, nieco krępujący, usprawiedliwia kwiecistość.
Kiedyś, będąc w samym centrum Paryża, przy placu
Vendôme, gdzie mieszczą się najsłynniejsze firmy jubiler-

skie oraz kapiące od złota wysokiej próby banki, gdzie na środku pyszni się brązowa kolumna zwieńczona posągiem Napoleona I, odlana z dwustu pięćdziesięciu przetopionych austriackich oraz rosyjskich armat-trofeów spod Austerlitz, przy tym placu, gdzie najbogatsi turyści zatrzymują się w budynku, zaliczanym do arcydrogich i supersnobistycznych, czyli we wzniesionym ponad sto dwadzieścia lat temu przez Césara Ritza hotelu, przy owym placu, gdzie mieszkał pod koniec życia i w 1849 roku zmarł Szopen — przy tym więc sławnym placu ja, skromny turysta z biednej Polski, pewnego razu musiałem nieodwołalnie udać się na stronę. Trwał właśnie wrzesień roku 1986, zatem owo wiekopomne parcie na mój pęcherz działo się nie tak znów odlegle, a Francja przecież już od bardzo, bardzo dawna zaliczała się do czołówki higienicznej kontynentu, o czym doskonale, rzecz jasna, wiedziałem. Nie miałem wówczas prawie wcale gotówki, a jedno skorzystanie z publicznej toalety — za *un franc* — kosztowało w przeliczeniu tyle, ile moje wysokie honorarium naukowca, pobierane za pół godziny korepetycji, jakich udzielałem w kraju, by wyjechać po raz pierwszy na Zachód. Zresztą akurat przy placu Vendôme publicznej toalety nie uświadczysz. Na paryskie toalety opracowałem sobie metodę generalną, mianowicie wkraczałem nader pewnie, z miną butną, do różnych miejsc publicznych, jak choćby sklepy albo urzędy, po czym najpierw stąpałem z dostojeństwem, a później już tylko chyżo mknąłem ku wiadomym przybytkom. Tak też zamierzałem postąpić wtedy przy placu Vendôme. No i, proszę sobie wyobrazić, kiedy wszedłem, turysta schludnie odziany, żaden menel czy inny *clochard*, do jakiegoś Cartiera, Boucherona, Maubussine'a albo innego Van Cleefa w celach wiadomych, okazało się, że — nic z tych rzeczy... Nie dla psa kiełbasa! Toalety niedostępne. Pogalopowałem zatem do jakiegoś banku, to samo. Ale tutaj przynajmniej *gardien* w wykwintnie szamerowanym płaszczu okazał się litościwy i szepnął, bym wślizgnął się w poboczną elegancką bramę i skręcił w głąb podwórza, tam bowiem coś dla siebie znajdę. Owszem, znalazłem. Za ordynarnymi drzwiami, zamykanymi na byle jaki pogięty haczyk, ukrył się

zniszczony, kucany prewet z zardzewiałym do cna rezerwu-
arem, jakich w Warszawie już prawie wówczas się nie spo-
tykało, chyba że gdzieś w głębi szemranej Pragi. Lecz przecież nie w samym reprezentacyjnym centrum miasta!
Zatem, nawet jeśli pamiętać, że Paryż posiada infrastrukturę
sanitarną czasami jeszcze rodem z XIX wieku, kiedy to Fry-
deryk Szopen gasł w lokalu przy placu Vendôme 12, to przecież, zważywszy charakter miejsca, miałem jednak prawo
być solidnie zdziwiony. I byłem.
Chyba Zola, kiedy pisał o Halach jako o „brzuchu Paryża",
nie takie miejskie trzewia miał na myśli. Ale zyskałem na-
macalny i wyczuwalny nosem dowód, iż jego wizjonerstwo
sięgnęło aż po schyłek XX wieku.

J.Ch.: Tak, Francja jest w Europie uważana za kraj brudny, zwłaszcza w sprawach łazienkowych. Mówią ci z Niemiec, że kiedy
wjeżdżają od siebie do Francji, usiłują w miarę możności
dłużej wytrzymać bez użytkowania toalety, łazienki i innych
sanitariatów, wypatrując miejsca budzącego choć cień zaufania. Owszem, dla Polaków do niedawna Francja była prze-
cudowna pod każdym względem, ale przytrafiają się tam
przecież zdarzenia absolutnie niezwykłe. Ja mieszkałam
w rozmaitych hotelach i doświadczeń mam mnóstwo. Gdy
przyjechałam z Algieru, wynajęłam pokój w hotelu przy placu Republiki. To okolice tradycyjnie mocno uczęszczane
przez kolorowych Francuzów oraz przez takichże imigran-
tów. Fakt, że otacza mnie mrowie Arabów, po dłuższym
przebywaniu w Algierii wydał mi się całkowicie naturalny.
Nawet ich odmienności nie zauważałam. Okazało się natomiast, że mój pokój był tak ciasny, iż, postawiwszy bagaże,
już nie znajdowałam miejsca na własne nogi. Co najwyżej
mogłam zlec na „łożu" — cha! cha! cha! — „w ogromie
swym wspaniałym"... Ale, oczywiście, dysponowałam na
wyłączność wychodkiem, prysznicem, umywalką, nawet i bi-
detem! Co prawda, aby skorzystać z sedesu, należało go
uprzednio wysunąć spod umywalki, później znów wsunąć,
żeby się móc poruszać, lecz to już tylko drobny szczegół.
Owszem, prysznic był taki, że gdyby osoba grubsza ode mnie

z tamtych lat zapragnęła nie wciągać brzucha, toby wystawała spod prysznica na wszystkie strony. Winda znów w jakimś hotelu pozwalała wejść dwóm osobom, ale pod warunkiem, że ciasno rozpłaszczą się na tylnej ścianie.

T.L.: I jak tu się dziwić, że na Zachodzie często zdarzają się oskarżenia o gwałty. W podobnych okolicznościach...

J.Ch.: Tutaj myli się pan absolutnie i gruntownie! Zlustrowawszy ową windową puszkę dla sardynek, każdy sąd doszedłby do wniosku, że gwałt w niej nie jest możliwy z powodów obiektywnych. Gwałcić się bocznie? Trochę dziwne pozycje pan wynajduje...

Wychodków angielskich zbyt wiele nie zwiedzałam, małą ich część zaledwie i bez historii. W Niemczech również nie tak znów strasznie dużo odbywałam stosownych „wizytacji", najwięcej zdecydowanie wiem o Francji. I tam właśnie, we Francji, spotkałam ustępy kucane. O jednym takim już pan przed chwilą wspominał, ja je nazywam „łapy kolejowe". U nas one stanowiły kiedyś część wyposażenia pociągowych toalet i wymagały przysiadu w wiadomych celach. Świetnie, niech będzie, póki osoba jest młoda oraz szczupła. Lecz niech pan sobie wyobrazi starego, tłustego pryka, sto czterdzieści kilo żywej wagi, korzystającego z takich „łap"... Ohyda!

Z powodu „łap" doszło kiedyś do tego, że gdy wraz z dziećmi włóczyłam się po Paryżu, najpierw na zwiady wypuszczaliśmy moją wnuczkę Monikę, by wywęszyła — *excusez le mot!* — na jakim poziomie są tu albo tam wychodki, ile schodków do nich prowadzi oraz czy są wzmiankowane łapy kolejowe, czy też — na szczęście! — normalne sedesy. Nie wspomnę już, jak śmiesznie te urządzenia nazywała, nie pamiętając zwrotu „łapy kolejowe", ale to naprawdę było bardzo śmieszne. Rzekomo „łapy" są higieniczne, więc stosowane przez Francuzów, ale w żadnym innym kraju ich nie spotkałam. Mają one tyle sensu, co nazywanie mnie szachem perskim. Biorą się zapewne z faktu, że Francja to kraj starego, niezrujnowanego budownictwa, więc z powodów dawnych usterek higieny trzeba było szukać rozwiązań pośrednich.

T.L.: A kraje arabskie, czy lustrowała Pani tamtejsze urządzenia toaletowe?

J.Ch.: Co też pan, nie byłam w nich ani razu! Może i chowam w sobie skłonności do hazardu, ale nie aż do tego stopnia! Zwierzę się tylko po cichutku, iż w krajach arabskich, *pardonnez-moi*, wykorzystywać się dają także plenery... U Ruskich również zagustowałam w plenerach. Odbadałam jeszcze — czemuż by nie? — pod tym samym kątem Kubę. W pokojach hoteli pohiltonowskich znajdował pan wannę wpuszczoną w podłogę, klimatyzację i wszelki inny szał. Kiedy jednak — ot! tak sobie, na próbę — udałam się do wychodka, usytuowanego obok klimatyzowanej sali restauracyjnej, natknęłam się na przybytek wypisz-wymaluj taki, jaki u nas w latach sześćdziesiątych egzystował na terenie warszawskiego Supersamu, konkretnie zaś w barze Frykas, obskurnym i chętnie nawiedzanym przez meneli. Kropka w kropkę to samo.

T.L.: Młodszym czytelnikom wyjaśnijmy, że Supersam (przez młodzież zwany czasem Supersamcem), prekursor dzisiejszych supermarketów, to wybudowany we wczesnych latach sześćdziesiątych pierwszy naprawdę duży, nowoczesny sklep, ongiś wzorcowy i słynny w całej Polsce. Wciąż do obejrzenia w pobliżu placu Unii Lubelskiej w Warszawie. Uznawany był przez wiele lat za wyjątkowo elegancką placówkę handlową, uwieczniany na niezliczonych pocztówkach z najważniejszymi widoczkami Warszawy. Co nie zmieniało faktu, że we wspominanym przez Panią samoobsługowym barze Frykas (*dziś na tym kawałku Supersamu egzystuje restauracja Mc Donalds'a*) kibel prezentował się wyjątkowo obskurnie. Jak i, z czasem, cały ów Frykas.

J.Ch.: Wówczas, w Hawanie, myśląc o barze Frykas, westchnęłam sama do siebie: — *Cholera, jest coś wspólnego w całym tym socjalistycznym ustroju.* Bo skąd inaczej brałoby się uderzające podobieństwo dwóch funkcjonalnie tożsamych przybytków, usytuowanych w całkowicie innych punktach kuli ziemskiej? My naprawdę nie graniczymy z Kubą. Do dziś się zastanawiam, dlaczego miniony, na szczęście, ustrój tak strasznie niszczył urządzenia sanitarne? Może Lenin nie posiadał w życiu swoim przyzwoitego wychodka?

T.L.: On dość długo mieszkał w Szwajcarii. Tam wychodki mają jak należy. Sądzę więc, że chodzi raczej o spadek po kulturze dziewiętnastowiecznej. Wszystkie właściwie stare domy mieszczańskie Warszawy, Wrocławia czy Krakowa posiadają „wstydliwe przybytki" w miejscach zadziwiająco ustronnych, dyskretnych i bynajmniej nie reprezentacyjnych. Jakby chciano przez geografię dawnych wnętrz poinformować wszelaką ludność, że *naturalia* jednak *sunt turpia*. Dopiero dwudziesty wiek zaczął się pysznić luksusowymi urządzeniami toaletowymi, które nierzadko przypominają salony. Ale przecież władcy socjalizmu wychowali się na kulturze mieszczańskiej lub chłopskiej (też niezbyt dbającej o wychodki), zatem w swym obyczajowym konserwatyzmie nieświadomie powielali wzory stareńkiej zachodniej Europy. Tyle iż bez pamiętania, że tam szybko odchodzą one do lamusa historii.

J.Ch.: Kwestia kanalizacji w jakimś momencie, tu wcześniej, ówdzie później, pojawiła się na świecie. Zdarzały się i takie epoki, że ludzka jednostka pytała z przerażeniem: — *Jak to, ja miałabym posiadać takie coś w swoim własnym mieszkaniu?!* To dla dawnych osób byłoby tak, jakby dla pana wyrąbać siekierą kawałek posadzki w salonie, a to w celu pochowania trupa dziadka. Puknijmy się w głowę; o b r z y d l i s t w o posiadać w domu! Kompost produkuje się w ogrodzie, nie w pokoju albo w kuchni. Zatem — porządni obywatele nie chcieli wychodków u siebie. Lecz to działo się dawno, bardzo dawno temu. Potem zaczęto sobie przypominać, iż kanalizację znali świetnie nawet starożytni Rzymianie. Ludzie szybko zrozumieli, że to, co poniekąd produkują, nie będzie zalegało w mieszkaniu, tylko spłynie. Przystosowali się więc raczej bez ociągania. Zwłaszcza w co bardziej oświeconych społeczeństwach. Tam, jeśli pojawiają się jakieś uzasadnione potrzeby, to się je zaspokaja. Natomiast w społeczeństwach mniej oświeconych wystarczyło iść za stodołę, i już. Istnieje zresztą chyba zależność między stanem sanitariatów a temperamentem ludzi na określonej szerokości geograficznej. Cóż, prominenci minionego ustroju musieli się chyba wychowywać na bardzo głębokim południu, skoro Polskę i Kubę w czasach sowieckiego reżimu dzieliło pod kątem wychodków tak niewiele. Jak by nie patrzeć, poruszyliśmy problem szalenie złożony i ważny. Dziwię się trochę, że jeszcze się nikt za niego solidnie nie zabrał.

T.L.: No, może Niemcy lub Skandynawowie. Widziałem kiedyś podczas frankfurckich targów książki stosowne niemieckie publikacje. Na przykład specjalne albumowe zbiory fotografii, utrzymanych w manierze artystycznej, ilustrujących sposoby damskiego siusiania.

J.Ch.: Niewykluczone, ich stać na wszystko. Alicja, moja duńska przyjaciółka, posiada ogromną naukową księgę, poświęconą gównom wszystkich zwierząt oraz ptaków. A jakże, ze stosownymi fotografiami oraz precyzyjnymi informacjami. Kiedy musiałam się dowiedzieć, jak wygląda łajno jeża, łapałam za słuchawkę i dzwoniłam wprost do Alicji, ta brała wspomnianą księgę, informując mnie następnie po porządku o wszystkim, co dotyczyło pasjonującej mnie kwestii, silnie związanej (czy może raczej: rozwiązanej?) z jeżem. Absorbowałam ją zapytaniami głównie przez moje wrodzone lenistwo, bo nie chciało mi się latać po lesie, wyszukiwać jeża, a następnie sprawdzać, co ma to bydlę do zaproponowania w przytaczanej materii. Ogromnego tomiszcza Alicji nigdzie indziej w świecie nie spotkałam. A oni to wydali. Bardzo pouczające. Ludność krajów nordyckich rozumie, że człowiek to takie coś fizjologicznie określone, posiadające swoje potrzeby, i że człowiekowi należy umożliwić zaspokojenie aż tak oczywistych potrzeb. Oni od dawna rozumieją, lepiej niż reszta świata, że trzeba i pić, i jeść, i spać, i ubierać się, i — pardon — srać.

T.L.: Rzekłbym, że Skandynawowie ponadto wykazują większą otwartość na całą sferę seksu. Chociaż temperament skandynawski trudno by nazwać płomiennym.

J.Ch.: Zdecydowanie. Oziębłość seksualna w tamtej części Europy stanowi nie lada problem, i to bardziej w przypadku mężczyzn niż kobiet. Przebywając kilka lat na co dzień wśród Duńczyków, wiele się o tym dowiedziałam. Na przykład pary duńskie podobno najczęściej sypiały ze sobą w piątki. Bo potem następuje weekend, można więc odpocząć. W zwykłe dni nie zamierzali się wygłupiać. Poza jednym profesorem historii, który wpadł w szał akurat na moim tle. Lecz ja przecież byłam z Polski. Czyli, dla niego, z Południa... Zresztą podejrzewam, iż ów profesorski szał, na pierwszy rzut oka nie do powstrzymania, w praktyce dotyczyłby głównie początków naszej znajomości. Gdyby istotnie coś nam z tego wyszło, to z czasem i on przeszedłby na piątki.

Znajome Dunki głowiły się, skąd brać temperamentnych facetów? Między innymi dlatego Polacy są tam całkiem dobrze widziani. Podejrzewam nawet, że tak naprawdę właśnie z owej przyczyny, tak dyskretnej, acz istotnej, już w latach sześćdziesiątych przyjmowano w charakterze kandydatów na obywateli Danii chętnie ludność płci męskiej narodowości tureckiej. Także Korsykańczyków i jakich pan jeszcze zapragnie południowców. Mnóstwo w Danii małżeństw Dunek z południowymi mężczyznami. Wykazywały ogromny entuzjazm, jeśli tylko zabierały się do podrywania chłopaków bardziej energicznych niż przeciętni rodacy.

Pigułki pobudzające temperament mężczyzn, jakie wtedy Duńczycy łykali, wywoływały naoczny skutek, który osobiście obserwowałam. Z tego rodziły się bardzo często bliźniaki, więc podwójnych wózków krążyło po całej Kopenhadze mnóstwo.

Co mi tam, powiem jeszcze więcej. Ja jestem ze środka Europy, prawda? Jednak zupełnie inaczej czułam się w Danii, a zupełnie inaczej na Sycylii. *Temperamento* się we mnie odzywało na Sycylii, w Danii jakoś nie chciało. Nie, nie znaczy to, że w Taorminie wpadałam w szał, rzucając się na wszystkich facetów, jacy mi podchodzili pod rękę. Po prostu — mój stosunek do rzeczonej kwestii przedstawiał się zupełnie inaczej w Danii niż na Sycylii. No, gdybym przebywała dłużej na Południu, możliwe, iżbym popadła w jakieś praktyczne zapały erotyczne, jednak, jadąc tam na osiem zaledwie dni, byłam akurat tak śmiertelnie zmęczona, że mogłam co najwyżej to lub owo stwierdzić czysto teoretycznie. I już, koniec, trzeba było się zbierać z powrotem na Północ. Może na całe szczęście? A może na nieszczęście? Cholera wie.

T.L.: Zmieniam temat, przybliżając się do dnia dzisiejszego. Tkwi w Pani ogromna potrzeba wolności, nienawiść do wszelkiego skrępowania. Ciekawe, jak więc zniosła Joanna Chmielewska pierwszą, absolutnie triumfalną, podróż do Moskwy, kiedy do Pani dyspozycji oddano co prawda auto, lecz w asyście drugiego, z szóstką krzepkich ochroniarzy, a protokół spotkań, po wielekroć nadzwyczaj oficjalnych, kojarzył się z podróżą koronowanej głowy. Czyli — zero wolności. Rosjanie nazywają zresztą Chmielewską „stwórczynią i królową kryminału z przymrużeniem oka", a monarchinię obowiązuje sztywny ceremoniał. Na nic prywatnego tam nie było czasu. Ciężkie miała Pani życie...!

J.Ch.: Panu to przecież zawdzięczam...

T.L.: Dziękuję bardzo! Starałem się. Bardzo. Ironię przyjmuję. Z dumą. Nie każdego tak fetują. Lecz faktem pozostaje, że doskonale radziła sobie Pani w sytuacji nietypowej z punktu widzenia własnej niezależności. Jak zniosła Pani ów moskiewski przymus?

J.Ch.: Moskwę my, architekci, znaliśmy ze studiów. Rysowaliśmy z głowy rozmaite miasta, w tym również Moskwę. W latach pięćdziesiątych — Moskwę przede wszystkim. Budynki, ulice, perspektywy — ja to znałam na pamięć. Przyjechałam wtedy z panem do Moskwy pierwszy raz, lecz już w miejsce absolutnie znajome. Co nie zmienia faktu, że znalazłam się w potwornym, ogromnym molochu. W dodatku, dzięki „zajęciom kulturalnym", jakie mi pan wraz z Rosjanami zafundował, byłam solidnie uchetana. W rezultacie wolałam, żeby mnie wieźli.
(Przez chwilę pani Joanna wstrząsa się i spogląda na mnie z dezaprobatą.)
Też coś, przy straszliwie napiętym programem oficjalnym jeszcze miałabym się zastanawiać, dokąd mam jechać? Pan się puknie w umysł.

T.L.: Oglądaliśmy wspólnie wiele najatrakcyjniejszych turystycznie miejsc stolicy rosyjskiego imperium. W tym kremlowski *Ałmaznyj Fond*, czyli Skarbiec Diamentowy Rosji, który we mnie wzbudził dreszcz, kiedy pomyślałem, ile na zgromadzonym tam złocie i szlachetnych kamieniach krwi i ludzkiego cierpienia.

J.Ch.: Skarbiec na Kremlu, moim zdaniem, jest źle wyeksponowany. W ciemnym pomieszczeniu diamenty, wszystkie, tracą swój efekt. Tak jak Orłow. W miejsce takiego skarbu można by położyć cokolwiek, też by równie źle wyglądało. Dla równowagi wspomnę, że o wiele bardziej ordynarnie demonstrowane złoto znajduje się w skarbcu angielskim.

Niezależnie od uwag krytycznych, wizytą w Skarbcu Diamentowym zrobił mi pan dużą przyjemność, ja bardzo lubię oglądać skarbce. Na ogół w domu mało posiadamy brylantów wielokaratowych, a po znajomych też ciężko je spotkać, i człowiek chętnie patrzy, jak to naprawdę się prezentuje.

T.L.: Tym sposobem, zacząwszy podróżować zdecydowanie oddzielnie, kończymy wędrówkę w tej książce wspólnie. Bardzo Pani za to dziękuję!

J.Ch.: Drobiazg, jakoś pan sobie w podróży radzi. Niech więc będzie.

ROZDZIAŁ VIII

Mieć płeć

URODA, URODA, URODA

T.L.: Jak, Pani zdaniem, powinna kobieta odnosić się do zdobyczy kosmetologii?

J.Ch.: Jeśli jakoś zamierza w y g l ą d a ć, nie wolno jej lekceważyć spraw elementarnych. Mnie tak znowu nigdy na w y g l ą - d a n i u nie zależało. Chociaż, przyznaję, o urodę dbałam. Jednak bez przesady.
Uważałam natomiast zawsze, iż należy stosować rozmaite zabiegi ziołowe. W tamtych, bezpośrednio powojennych, czasach dziewczyny nie dysponowały dzisiejszymi możliwościami. Myśmy inaczej funkcjonowały, bo brakowało tych tysięcy mazideł, nakładanych na twarz przez obecne nastolatki. W ogóle nie stosowałam kosmetyków. Także w małżeństwie, bo mój mąż bardzo ich nie lubił. Twarz *au naturel* to wszystko, co akceptował. Wystarczyło, abym się upudrowała, by już mnie wąchał na schodach z komentarzem: — *Fuj, śmierdzisz!* Dzięki temu twarzy sobie nie zniszczyłam. Podobnie jak później, już po rozwodzie, gdy stosowałam tu i tam rozmaite mazidła, choć bez przesady, nigdy nie zostawiałam kosmetyków na gębie, idąc spać. To sprawa dla cery absolutnie podstawowa; odkąd skończyłam szesnaście lat i gdzieś na ten temat coś wyczytałam, wiedziałam, że trzeba przed

snem zmywać makijaż. Jeden, jedyny raz w życiu zdarzyło mi się, że się kropnęłam spać, nie myjąc twarzy ani zębów. Nic ze sobą wtedy nie zrobiłam, jak stałam, tak padłam. Ale znajdowałam się akurat w stanie zupełnie rozszalałej histerii. Nigdy więcej mi się nic takiego nie przytrafiło. Do tego stopnia, że również w pijanym kompletnie widzie myłam się, jak należy. Nawet kiedy wskutek tak zwanej przerwy w życiorysie miewałam luki w pamięci, rano okazywało się, że z twarzy jednak wszystko zmyłam idealnie. Czyli to się we mnie zakodowało.

Tak, pacykować się nie lubię. Jednak dziś jeszcze potrafiłabym odmłodzić się o kilkanaście lat. Ale ileż z tym zachodu...! Ciężka praca, wszystkie baby, zwłaszcza starsze, dobrze o tym wiedzą. Pięć godzin dla urody. Któż ma tyle czasu?!

Pierwsza czynność. Parówka na twarz. Potem maseczka. Świetna sprawa, szczególnie dla starych grop. Położyć się, samemu namazać sobie gębę rozdyźdaną breją, a ona równocześnie ścieka za uszy, za kołnierz, na szyję oraz brudzi mebel, na którym osoba spoczywa. Trzeba by coś podetkać... Lecz jak, skoro oczków rozewrzeć nie można? I jak sprawdzić, czy minęło przepisowe trzydzieści minut, bo tyle dla siebie maseczka na gębie wymaga. No i, jasna sprawa!, dopiero p o t e m zaczyna się cały właściwy ciąg dalszy. A niech go szlag na miejscu jasny trafi! Komu się chce? Bo mnie nie. Jeden, jedyny raz w życiu cały ten program dla urody odwaliłam, trwało wszystko mniej więcej dwie i pół godziny. Jakżeż za to później przepięknie się prezentowałam!!! Cały Sylwester m ó j! Tylko że miałam trzydzieści pięć lat; dziś na ten sam efekt pracować bym musiała wspomniane pięć godzin co najmniej.

O nie, wcale nie jest łatwo być kobietą...

T.L.: A ów jedyny raz, który Panią rzucił o łóżko w stanie niehigienicznej histerii?

J.Ch.: Miałam wtedy pięćdziesiąt pięć lat. Skończył się pobyt u dzieci w Algierii, kopenhaska wizyta u Alicji również okazała się niezbyt łatwa. Wracałam ze szczętem rozbita, a tu jeszcze otrzymałam list od matki z wiadomością o śmierci Lucyny, mojej ciotki. Kompletnie rozszalała paranoja. Przerażona zupełnie, do pluskania się nie miałam głowy. Sam pan rozumie. Rano odwaliłam to całe zaległe mycie i po krzyku.

T.L.: Co radziłaby Pani w kwestii kosmetyków swoim młodym czytelniczkom?

J.Ch.: Po pierwsze, nie nakładać na siebie straszliwej maski. Młoda twarz tego wcale nie potrzebuje. Krem jakiś, powiedzmy, zwłaszcza gdy się wychodzi na wiatr, oczywiście, to ma swój sens. Również przy problemach z cerą warto stosować preparaty zdrowotne, natłuszczające lub wysuszające, które uczciwie pomagają. Albo napar z bratków. Natomiast podkład na pół centymetra gruby, na niego następne coś... Niechżeż one, na litość boską!, zaczną tak kombinować, mając lat trzydzieści pięć, a nie osiemnaście. Inaczej, głupie, w wieku lat czterdziestu będą miały twarze gorsze niż ja w tej chwili. Sam pan widzi, nie mam zmarszczek ani skóry zniszczonej kosmetykami. Gdybym usilniej zadbała o siebie, ona, ta moja gęba, jeszcze by trochę lepiej wyglądała. Ale jakoś nie za bardzo się staram. Nie wychodzi mi, no! Nie mam czasu na głupstwa.

T.L.: O mężczyźnie powiada się kpiąco, iż „długo pozostaje pod wrażeniem, jakie zrobił na kobiecie". Zdołałem się w życiu przekonać (niekoniecznie rzecz jasna osobiście), że działa to i w drugą stronę. Ale też ładne kobiety są świadome spustoszeń, jakie czynią w męskich szeregach. Panowie ochoczo padają trupem do stóp efektownej niewiasty.

J.Ch.: Bo ja wiem? Miałam wielbicieli, jakieś tam chłopaki się we mnie kochały, bardzo się z tego cieszyłam. Później też nie skarżyłam się, szczególnie w wieku lat powyżej trzydziestu. Okazywało się, że się im podobam. Czort bierz, niech się podobam, bardzo byłam z tego powodu ucieszona. Zawsze to jakaś pociecha w okresie niełatwym, bo łatwo mi wtedy nie było. Zdaję sobie zresztą sprawę, że wszystko jest kwestią gustu. TYLKO ŻE JA NIGDY NIE PODOBAŁAM SIĘ SOBIE! Już od czwartego roku życia. Mój rodzaj urody nie zachwyca mnie także u innych.

T.L.: Hmmm, blondynka, z ciemną oprawą oczu, zgrabna figura, świetne nogi, foremny biust. Jak zatem pragnęłaby Pani wyglądać?

J.Ch.: Jak Beata Tyszkiewicz! Układ kostny jej czaszki, twarzy, ten rodzaj urody, taką chciałabym siebie widzieć. Podskórne, nie do podrobienia, szlachetne piękno.

T.L.: Cudze chwalicie, swego nie znacie... Pamiętam naszą drugą wspólną wizytę w Moskwie i spotkanie obu Pań podczas przyjęcia, wydanego przez ambasadora RP. Moment, gdy Pani i Beata Tyszkiewicz witałyście się, a potem poddawałyście się chciwym spojrzeniom aparatów fotograficznych licznie przybyłej rosyjskiej prasy. Panie są całkiem różne, ale każda w swoim rodzaju efektowna. Tak, Pani czarne oczy u ponętnej blondynki...

J.Ch.: Pozostanę przy swoim. Chociaż, zaraz, oczy zrobiły się od jakiegoś czasu niebieskie. Dziwne.

MĘŻCZYŹNI

T.L.: Ile Pani książek zmarnowała przez mężczyzn?

J.Ch.: Co pan właściwie ma na myśli?

T.L.: Bo przecież kontakty z drugą płcią dość intensywnie zabierają czas. Poza tym mącą w głowie, osobliwie wśród młodszych reprezentantów ludzkiej populacji. Lepiej, a już z pewnością przyjemniej, niekiedy pójść z kimś razem do kina albo zlec we wspólnej pościeli, niż męczyć się, siedząc i pisząc. Bo nawet jeśli osobnik, zauroczony innym osobnikiem, skrobie coś czasami pokątnie, to głównie snuje się, zaczadziały, z oszalałym umysłem, który odbiera napisanemu tekstowi niezbędną siłę. Druga płeć niekiedy wykonuje wobec nas energetyczny wampiryzm.

J.Ch.: Hmm, niech pomyślę przez chwilę... Z dziesięć książek, lekko licząc, tak zmarnowałam...

T.L.: I warto było?

J.Ch.: *(bardzo zdecydowanie)* NIE, NIE WARTO BYŁO! Należało zostać przy sobie, zaparłszy się w środku, nie usiłować się przystosowywać, bez porywów dobrego serca oraz rozszalałej uczuciowości. Nie, nie należało się poświęcać. Wreszcie moje życie to bardziej książki niż chłopy. Nawet dzieci, moi dwaj chłopcy, to zupełnie inna para kaloszy. Boże, wyobrażam sobie następującą scenę. Synowie klęczą przy pniach katowskich, a nad nimi zawisa wyostrzony topór w towarzystwie barczystego, umięśnionego, zakapturzonego osobnika. Znaczy: będą mieli ucinane łby. Chyba że ja wezmę rozbrat z pisaniem. O! Natychmiast bym się poprzysięgła na wszystko, w kościele albo gdzie tylko każą, że nigdy w życiu już się nawet nie podpiszę!!! Ani jednej litery, nic! Lecz, tak w głębi duszy... miałabym jednak nadzieję, że może, mimo wszystko, jakoś mi się uda wykręcić. A oni zyskają bezpieczeństwo. No, i sam pan widzi kobiecą perfidię. „Kobiety są podstępne i zdradzieckie".

T.L.: Jak przedstawia się, generalnie rzecz ujmując, Pani stosunek do mężczyzn?

J.Ch.: Mężczyzna kobiety w pełni nigdy nie potrafi zrozumieć.

T.L.: I oto powraca nasz spór sprzed kilku lat, gdy ukazało się wznowienie „Stenogramów Anny Jambor", cyklu powieściowego stylizowanego na autentyk, który Pani uważa za jeden ze sztandarowych manifestów kobiecego pojmowania świata. Tymczasem, jak się po latach okazuje, „Stenogramy Anny Jambor" napisał... mężczyzna, mianowicie Kazimierz Bieruński, dyrektor elektrowni na Pomorzu. Wiem, bo mówiła mi długoletnia redaktorka wydawnictwa ISKRY, sławna wśród wydawców Krystyna Goldbergowa, w jakiej tajemnicy i dbałości o *incognito* Bieruńskiego odbywała się praca nad tekstem. Czy podtrzymuje Pani swój sąd w świetle miażdżących faktów?!

J.Ch.: E tam, w tym miejscu to ja uparta jednostka jestem! Na pewno on, ten Bieruński, posiadał kuzynkę, siostrę, żonę i one wszystko napisały. Nie uwierzę, aby żona tylko pomagała mu w robocie. Dumas, jak wiadomo, swe książki też często dyktował, ktoś inny zaś dyktowane zapisywał. Pewnie i ze „Stenogramami Anny Jambor" tak samo było: dyktowała Bieruńska, a Bieruński zaledwie pokornie notował. No nie, mężczyzna kobiety nie jest zdolny pojąć, wykluczone! Zresztą, gdybym nawet przyjęła pańską karkołomną hipotezę co do autorstwa „Stenogramów Anny Jambor", to przecież autor zaprezentował kobietę nadzwyczaj nietypową jeszcze i w dzisiejszych czasach. Takich bisneswoman, jak bohaterka „Stenogramów...", ze świecą szukać! Poza tym ona tak głupio wybrała sobie męża, że w przypadku inteligentnej dziewczyny to prawie niemożliwe. Co prawda w oceanie ludzkich możliwości zdarza się wszystko, fakt. Ale fałszywy dźwięk w osobowości Anny Jambor jednak zawsze mi pobrzękiwał. Jak widać — nie bez racji...

T.L.: Zatem, faceci nic nie umieją, do niczego nie są przydatni? Pani Joanno...

J.Ch.: Ależ jesteście ogromnie przydatni, naprawdę. Wasza siła fizyczna potrafi nam zazwyczaj przyjść z pomocą, jeśli tylko nie trafimy na lenia albo na zupełnego kretyna, który nie wie, co się robi z własnymi zaletami. Sama z męskiej siły rada korzystam.
Kiedyś, na przykład, kupiłam drewno do kominka i postanowiłam połupać ogromne drewniane bałwany, bo łupanie uwielbiam. Ci od bałwanów zwalili je dookoła domu, poszli sobie.
A ja — spróbowałam rąbać...
Wie pan, chyba się jednak troszeczkę zestarzałam. Umiem nadal rąbać drewno. Tak. Tylko już mi nieco sił brakuje. Może to jednak j e s t kwestia wieku? Bo dwadzieścia-trzydzieści lat wstecz gdybym zaaamioootła porządnie toporem... Spróbowałam więc znów, zaaamioootłam. A potem musiałam, niestety, rzetelnie odsapnąć. Do łupania drewna użyłam zaś tym razem kilku silnych chłopów. Patrzyłam na nich z zawiścią, kiedy wykonywali to, co ja pragnęłabym uczynić własną rączką.
Niezależnie od targających mną uczuć, przyznaję — kiedy w grę wchodzą prace fizyczne, mężczyźni okazują się ogrom-

nie i nadzwyczajnie przydatni. Nieporównywalnie od kobiet
w tej materii są zdolniejsi. Rąbią od niechcenia drewno,
potrafią bez wysiłku przesunąć szafę z książkami w środku...
Ja bym musiała książki jednak przedtem usuwać...
Zatem chłop porąbie, przesunie. I wyczerpie przy robocie
siły. Wtedy do akcji wkraczam ja. Czy jajeczniczkę, czy na-
leśniczki, czy mięsko, czy inne draństwo — oczywiście, natychmiast, proszę bardzo! Załatwiam sprawę po stokroć lepiej niż oni! Wszystko im mogę dać, niech tam. Taka
naturalna, przyrodnicza wymiana usług. Każda płeć wykonuje to, do czego jest zdolna bardziej, lepiej przystosowana
fizycznie. A mężczyzna to przecież zwierzę wieloużytkowe.
Przydatne do rozmaitych celów.
W dodatku, rzadko, lecz jednak się niekiedy zdarza, iż nie-
przeciętna siła w mięśniach u chłopów bywa skojarzona
z wysoką inteligencją. Nie miałabym zresztą nic przeciw
temu, aby bałwany, jakie nabywam do rozpalania ognia
w moim kominku, przełupywał profesor filozofii. Tylko na
ogół dzieje się tak, że kiedy grzecznie spytam zdatnego do
rąbania osobnika płci męskiej, w którym roku Aleksy I Kom-
nenos objął władzę w Bizancjum, on mi oświadcza, uprzejmie i natychmiast, wytrzeszczywszy wdzięcznie ślepka, iż
nie ma o Komnenach zielonego pojęcia. Pan wie?

T.L.: W XI wieku?

J.Ch.: Uratował się pan. W 1081 roku.
Ktoś taki jak pan stałby się wielce dla mnie interesujący,
gdybym akurat zajmowała się problemami historii powszechnej. Natomiast roztrząsając kwestie stopów metali, gwałtownie pożądałabym raczej metalurga. W jakiej temperaturze
topi się platyna? Wie pan?

T.L.: Nie za bardzo...

J.Ch.: 1772 stopnie Celsjusza. Wstyd! Straciłam gwałtownie całe
moje zainteresowanie dla pana jako dla osobnika rodzaju
męskiego. Nie ulęgnie się już nigdy we mnie na pana widok
kobieta, skłonna do podziwiania, że tu on porąbie, tu zaś aż
tyle wie... Skreślam pana z grona facetów, których skłonna
byłabym posadzić przy stole i obdarować, czym się tylko da.

Proszę nie liczyć więcej na jajecznicę, pomidory oraz jarzynową sałatkę.
Chyba że akurat miałabym natchnienie do gotowania, a może nawet przyrządzoną potrawkę.
Wtedy — niech osoba żre!
Bo jeśli przyrządzam żarcie, które mnie samej sprawi przyjemność, wetknę je w gębę komu popadnie.

T.L.: A mężczyźnie zdolniejszemu niż ja skłonna była Pani kiedyś ofiarowywać z zachwytu również siebie?

J.Ch.: Zaraz, jaką siebie! — *Najpierw* — mówiłam, kiedy był na to czas — *sobie może p o g a w ę d z i m y...* W tym rzecz... Oczekiwałam, by mi przekazał część jego wiedzy, później skłonna byłam go nakarmić, ale ofiarować mu siebie? O! Niekoniecznie! I zdecydowanie na samym końcu...! — *Poza tym* — chętnie bym tak hipotetycznemu „mu" powiedziała — *proszę uprzejmie wykonać, co trzeba, i udajmy się w dalszą podróż umysłową. Ona ciekawsza dla mnie, wie pan?*

T.L.: Pani Joanno...!

J.Ch.: Już dobrze, dobrze, zgoda. Kiedy miałam na karku mniej krzyżyków niż siedem, moje poglądy jednak przedstawiały się troszeczkę odmiennie. Jako trzydziestolatka rozumowałam nieco inaczej, fakt.
Kiedyś, na przykład, odwiedził mnie pilot samolotów odrzutowych, który mi wyjaśniał w przystępny sposób zasadę funkcjonowania tych urządzeń, jakimi się posługiwał. Odznaczał się ów zdobywca przestworzy urodą wielce ciekawą, mówił z sensem, bardzo przy tym rzeczowo. Ba, gdyby usiłował okazać mi na domiar szczęścia zainteresowanie, nie miałabym chyba zasadniczych oporów. W sensie optycznym, i tak dalej też, wzbudziłby ewentualne silniejsze emocje. Skoro jednak nie wykazywał w moim kierunku upodobania, no cóż..., trudno. Nie czepiałam się. Na podobne okazje miałam zawsze w odwodzie hazard oraz pisanie.
Psiakrew! Jednak lotnika mi szkoda. Pilot odrzutowców, nurek głębinowy, o przepraszam!, on dla każdej kobiety musi się z punktu okazać kimś interesującym. Należy ich wszelako p r z e d t e m nieco rzetelniej zbadać pod kątem przy-

datności. Nie, nie w łóżku. Najpierw t r o s z e c z k ę obok. Optuję za poglądem sugerującym, aby kontakt intelektualny oraz uczuciowy bezwzględnie poprzedzały kontakt fizyczny. Jeśli jakiś on, stercząc koło mnie, zabiera się od razu do macania, to go w mordę co najwyżej strzelę. I po krzyku!

T.L.: Rozumiem.

J.Ch.: Nie wiem, czy pan rozumie. Nie wiem, czy w ogóle jakikolwiek mężczyzna potrafi to zrozumieć. W każdym razie wyjaśniam: kobieta od mężczyzny oczekuje tych wszystkich sprawności, jakich sama nie posiada. W gruncie rzeczy to proste. Mózgi obu płci, twierdzą naukowcy, różnią się od siebie. Stąd podział płci. I stąd fascynacja odmiennością płciową.

T.L.: Jak dalece Pani życie określali mężczyźni?

J.Ch.: Gdybym posiadała przy boku przez całe życie naprawdę ważnego mężczyznę, może bym jednak nie zaistniała? Mąż. Kochałam go ogromnie i właśnie jemu zamierzałam poświęcać wszystko. O tyle wszystko w końcu poświęciłam, że aby on ukończył, jak się należy, studia, ja zrezygnowałam ze stopnia magisterskiego, zadowalając się dyplomem inżyniera-architekta. Stworzyłam mu szansę, idąc wcześniej, niż pragnęłam, do pracy zarobkowej.
Albo gdyby rzetelnie zaistniał w mojej biografii Piotr, który był dla mnie ważny... Boże jedyny! Tylko że on zjawiał się raczej okazjonalnie ze swym egocentryzmem. Gdybyśmy wszelako zostali razem — również nie wykluczam rozmaitych rozstrzygnięć... Bo Piotr kobiety uwielbiał, aprobował w pełni ich odrębność. Ale...
(chwila milczenia)

T.L.: Ale...?

J.Ch.: ...właśnie, ale... Piotr równocześnie wymagał zaspokajania swojego egocentryzmu i wiele dlań należałoby poświęcać. Nie chodzi mi oczywiście o sypianie z nim ani o wiecznie prawdziwą, niekłamaną, łączącą nas przyjaźń. To sfera zwykłych, normalnych ludzkich stosunków.
Tylko że nie wiem, czy dając im wszystko to, czego ci moi mężczyźni dla siebie ode mnie żądali, zostawiłabym dla sie-

bie dość, by siebie najskrytszą zachować, uchronić. Chyba że, jak przypuszczam, i tak bym się w jakimś momencie zbuntowała — a wówczas bez wątpienia k a ż d y związek z mężczyzną, nawet najważniejszym, rozpadłby się. I mój mąż, i Piotr uznawali we mnie człowieka, w porządku. Ale zarazem od tego człowieka wymagali zbyt wiele. W pewnym momencie człowieczeństwo zmieniali mi... Zmieniali mi je — w kobiecość. Zwłaszcza czuły na elegancję zewnętrzną Piotr.

Człowiek jak człowiek — ogoli się, w cholerę!, i już, gotowy, by egzystować. Krawat zawiąże, wyruszy do pracy.

Ale kobieta, niestety, ona ma jeszcze trochę dodatkowych obowiązków: wykonać kosmetyczną maseczkę, makijaż, uczesanie, manikiur, gębę sobie pomalować i pazury też. Inaczej rzecz ujmując: kobieta, poza wszystkim innym, ma obowiązek dbać w każdym momencie o to, jak się prezentuje „po kobiecemu". Przepraszam, lecz owa dbałość wymaga troszeczkę wysiłku i w bawełnę tej prawdy nie owijajmy! Gdyby jakiś facet zapragnął spróbować, jakie są choć w części „babskie" kłopoty, niech zacznie sobie malować systematycznie, co mu się żywnie spodoba. Ale niech maluje s y - s t e m a t y c z n i e. Nagle przekona się, jak mu się ograniczy czas, przeznaczany na człowieczeństwo. Osobliwie go będzie posiadał zbyt mało... Chyba że gej albo transwestyta, tym czasu na mazanie mordy nie szkoda...

T.L.: W pani życiu istnieli na serio trzej mężczyźni, ale podbici niejako czwartym. Zatem: mąż, Wojtek, czyli Diabeł, i Marek. Plus Piotr. Przewijający się przez karty tej książki.

J.Ch.: Plus Piotr. Ja go, w jakimś sensie mężczyznę mego życia, uczciwie zaprezentowałam jako Grzegorza w „Dwóch głowach i jednej nodze". Do dziś Piotr się śmieje i pyta, czy ma mi się przedstawiać jako Grzegorz. On otóż przelatywał przez moją egzystencję ponad wszystkimi innymi. Więc psychiczna oraz intelektualna z Piotrem bywała mi, jak by to ująć... Bywała mi od czasu do czasu p o t r z e b n a. W rozmaitych sytuacjach łapałam się na refleksji: — *Boże, jakbym to Piotrowi opowiedziała, on by natychmiast złapał, w czym dzieło!*

Jego reakcja prawdopodobnie okazałaby się w każdej sytuacji równie skuteczna, jak wówczas, kiedy odwiódł mnie od samobójstwa oraz od innych podobnie głupich dupereli. Nie wykluczam, iż ja w nim pozostałam na tej samej zasadzie. Przez ładnych parę lat wcale sobie tego faktu nie uświadamiałam, teraz już tak. Całymi latami nam siebie nawzajem nie brakowało, aż wreszcie, raz na jakiś czas, przychodziła t a k a c h w i l a i... Jezus Mario! Mnie oraz jemu coś się wzajem w jednej chwili ochapiało. O co miałam do Piotra pretensję, to o pewną Hanię kiedyś... Ale zostawmy. Dość tego!

T.L.: Mężczyźni najczęściej tak są przepełnieni miłością własną, że trudno im zaakceptować prosty fakt, iż w gruncie rzeczy każdy z nich daje się zastąpić innym facetem! A też i fakt, że kobiety, wbrew złudzeniom panów, potrafią ciągnąć w sobie równoczesne uczucie do dwóch osobników płci przeciwnej.

J.Ch.: O! Niech pan nie robi z normalnych kobiet Messalin! Tak równocześnie to nie za bardzo się daje! Na Boga! Owszem, dopuszczam sytuację, że jeden mężczyzna jest w życiu kobiety czymś w rodzaju kanwy, inny zaś staje się swojego rodzaju osnową. Tylko dzieje się to raczej wtedy, gdy brakuje z t y m j e d n y m j e d y n y m rzetelnej pewności, iż on jest t y l k o dla mnie.
Mojego męża kochałam uczciwie, rzetelnie. I wbrew sobie!!! Bo rzadko się zdarza, aby kogoś kochać tak korzennie, ile sił starcza, tak n a p r a w d ę... Stwierdziłam to wtedy, kiedy zdecydowałam się położyć całą siebie na ołtarzu rozwodu. Uczucia, jakie mnie wówczas przepełniały, całkowicie zaćmiewały umysł. Rozum dostał śpiączki. Zorientowałam się tylko, że gotowa jestem wykonać największy możliwy wysiłek, poświęcając siebie dla j e g o dobra. Teraz, po upływie tylu dziesięcioleci, wolno mi to powiedzieć. Mojego męża obdarzałam miłością mocniejszą niż miłość do samej siebie. Taką miłość, jeśli większa jest do tej drugiej osoby niż do siebie, w moim przekonaniu trzeba nazwać miłością prawdziwą. Oddać siebie, przestać istnieć dla drugiej osoby...

Mnie się to przydarzyło tylko raz... Bo ja wiem zresztą, czy takie natężenie uczuć daje się powtarzać? Tak k o c h a ć i tak ryzykować w miłości, można w życiu absolutnie wyjątkowo. Chyba rzeczywiście tylko raz, jeden jedyny raz na całe jedno jedyne życie.

Bo kochać się w kimś albo z kimś... O! Można mnóstwo razy. Proszę bardzo! Zależy ci na kimś dziko i wściekle? Oczywiście, dlaczegóż by nie?! Pożąda się z różnych nadzwyczaj przyczyn. Ale oddać siebie samą, ze wszystkim, na całą resztę życia... Taka trochę niełatwa raczej sprawa. Niekoniecznie do odczuwania oraz stosowania na każdym kroku.

Ale prawdziwa miłość potrafi się pięknie odpłacić, fakt. Wiem, bo mam dwóch synów, stworzonych jako owoce uczciwej, rzetelnej wielkiej miłości. Oni są udani, wie pan? Bo emocje rodziców wpływają na inteligencję, wrażliwość, na całą osobowość dzieci. Z historii wiadomo, iż tak zwane dzieci miłości, co zazwyczaj oznacza nieślubne potomstwo rozmaitych osób, wykazywały ogrom zdolności, wdzięk, były też na ogół urodziwe. A dlaczegóż to? A dlategóż, że poczęto je w chwili wybuchu entuzjazmu dwóch dorosłych osób odmiennej płci. Zwłaszcza kobiety decydujące się w dawniejszych wiekach, kiedy nie znano jeszcze mechanizmów regulacji poczęć, na gwałtowne porywy uczucia, aż do złamania wszystkich barier tak zwanej przyzwoitości włącznie, i ryzykujące cały swój honor — one musiały się powodować wstrząsającym, szarpiącym do głębi mózg oraz trzewia uczuciem. Z takich wybuchów emocji lęgły się dzieci, które najczęściej okazywały się pod każdym względem znacznie lepsze od potomstwa, płodzonego w wystygłych małżeńskich łożnicach. Kwestia gorących uczuć dwoja ludzi do siebie nawzajem zawsze poskutkuje znacznie lepszym efektem niż znudzone byle co.

Co tam ludzie! Wystarczy uważnie popatrzeć na świat zwierzęcy, aby to zrozumieć bez pudła.

Ja lubię konie i obserwowałam je zawsze uważnie. Otóż, przepraszam bardzo za zestawienie, ale nie każda klacz przyjmie każdego ogiera i nie każdy ogier pokryje naprawdę skutecznie dowolną klacz. Ze związków pełnego zapału ogiera oraz przychylnej mu klaczy powstają końskie znakomitości. Dopiero one wygrywają derby, Wielką Pardubicką i co tam jeszcze kto chce. Przy czym klacze wykazują większy niż konie płci męskiej upór, starając się o godnego ich uwagi samca. Do tego stopnia, że jeśli hodowca pragnie skojarzyć jakiegoś ogiera z niechętną mu klaczą, musi strzelić jej nad uchem z pistoletu, aby stres, stanowiący efekt akustycznego szoku, rozluźnił ją skutecznie w kwestii tego właśnie konia. Inaczej — nie ma przeproś...

Sama przyroda decyduje więc, jak należy kojarzyć pary dla osiągnięcia bardzo udanego potomstwa.

W przypadku ludzi sformułowałabym taką dyrektywę: jeśli chcecie posiadać cudowne dzieciaki, starajcie się o nie z wielkiej miłości. Oraz — co równie ważne! — w chwili absolutnego amoku, zapomnienia, szału. Musi was do siebie wzajemnie naprawdę rwać w tej właśnie, jedynej, niepowtarzalnej chwili. Jeśli uda się wam w t e d y zapomnieć o wszystkim — jest szansa na dzieci najlepsze z możliwych. Przyroda, po prostu przyroda. Wobec niej my głupie stwory jesteśmy. Ona nam zawsze da radę.

T.L.: Tak jak obłąkujący nas seks?

J.Ch.: Często bardzo seks ludzie traktują jako działalność głównie w kategoriach rozrywki albo rutynowej przyjemności. Znów odwołam się do przyrody. Mnie odwiedza w domu kocica. — Mrau! Mrau! — mówi do mnie. I żąda, aby ją głaskać. Pod szyją, po łbie... Wije mi się pod ręką, pod nogami...Pochłania ją ekstaza, aż drapie dywan pazurami z fizycznej rozkoszy, której straszliwie pożąda. Czy ona mnie kocha? O, nie! Zwierzę ma mnie w gruncie rzeczy gdzieś, ono pragnie po prostu doznać swojego osobistego, kociego, głębokiego zadowolenia. Ja także lubię głaskać kota, bo wytwarza się między nami specyficzny, radialny kontakt. Fizyczne zetknięcie kociej sierści oraz mojej ręki wytwarza korzystne biopole. Uspokaja mnie. Ją także. Otóż doznania kocicy, prezentującej potrzebę bycia głaskaną, przypomina potrzebę doznań ściśle seksualnej natury. Każdej z nas, jak sądzę każdej kobiecie, przytrafiało się niekiedy w życiu: chcieć seksu! Po prostu — twardego seksu... Znowu przepraszam za brak eufemizmów, ale ujmę to tak: każda baba choć kilka razy w swej egzystencji miała rzetelną ochotę być porządnie wychędożona. Tylko t e g o nie mieszajmy z u c z u c i a m i! Osobnik wybrany w celu owego zerżnięcia (bywa, że złapany byle jak, bywa, że uchwycony starannie) rzecz jasna powinien się do wiadomych celów nadać. Z byle łachem nie warto się zapominać. Ale także i miłemu facetowi, z którym połączyła nas jakaś przelotna sprawka, życia przecież nie poświęcimy! W ogóle, poświęcimy mu raczej niewiele. Bo to nie jest to, o co nam serio chodzi.

T.L.: Tu aż rwie się rada dla młodych dziewcząt, aby nie myliły miłości, seksu i namiętności. I aby zważały, z kim, kiedy, co oraz po co...

J.Ch.: Zbyt często we wczesnej młodości jedna od drugiej dowiadują się na ten temat idiotyzmów. To tak, jakby schrupać coś pysznego, osiągając w rezultacie schrupania dość powierzchowne, choć przyjemne doznania smakowe. Albo jeszcze inaczej. Człowiek strasznie zmarzł. Zmarznąwszy zaś, trafił do porządnie ogrzanej izby. O Boże, jaka przyjemność szalona! Albo ktoś konający z gorąca skąpie się w chłodzie. Cudo po prostu! Fantastyczne doznania, nieprawdaż? Tylko że, w przeciwieństwie do nich, seks jest czymś szalenie intymnym, indywidualnym, powinien się łączyć z uczuciem. Jeśli nie — traci kompletnie swój sens i całe istotne znaczenie. Poza tym osoba zbyt swobodnie podchodząca do seksu, zaczyna się rozdrabniać. A później, kiedy trafi na kogoś wartego, by właśnie j e g o obdarzyć prawdziwym uczuciem, to c z y m w gruncie rzeczy zdoła go obdarzyć? Skoro już dotąd ona albo on zdążyli intymnym sobą, głębokim swym jestestwem, poobdarzać dwieście pięćdziesiąt cztery osoby? Jak wtedy, nie zwyczajnie, lecz najspecjalniej w świecie, usatysfakcjonować osobę, która jest zarazem numerem jeden i — niestety — numerem dwieście pięćdziesiąt pięć? Bez wygłupów, zastanówmy się! Skoro nasz przepiękny bukiet kwiatów, godny ofiarowania tylko jednemu jedynemu, spokojnie wyszlajałyśmy w rynsztoku, co ofiarujemy? Brudny wiecheć?!

Facet poszedł w kolejowym wagonie sypialnym do toalety. Umył się. Wrócił. Już w przedziale zorientował się, że jego szczoteczka do zębów została w rzeczonej toalecie. Wraca, puka, zajęte. Puka jeszcze raz, wraca znów do przedziału, następnie podchodzi do toalety, puka znów, operacja powtarza się jeszcze kilkakrotnie. W końcu dopukał się. Otwiera mu inny osobnik, ze spienionym pastą pyskiem. — *Proszę wybaczyć* — zwraca się właściciel przyrządu do mycia zębów — *zostawiłem tutaj moją szczoteczkę.* Na co ten drugi, spieniony: — *Przepraszam pana najuprzejmiej! Psiakrew, myślałem, że ona kolejowa...*

Człowiek nie kolejowa szczoteczka do zębów, on raczej służy do celów bardziej indywidualnych. Kto więc chce, niech używa takich slipingowych szczoteczek, przy sposobności osiągając cel zasadniczy. Zęby umyte? Umyte!

Jeden z drugim kretyn, jedna z drugą kretynka używają owej szczoteczki, bardzo z siebie zadowoleni.

Ale JA NIE. Dziękuję bardzo! Bez zdecydowanie akceptującego stosunku uczuciowego do człowieka przeciwnej płci w ogóle odpada dla mnie kontakt fizyczny.

Widzę teraz oczami duszy współczesne panienki, oblatane w seksach grupowych, orgietkach i tak dalej, które to czytają. — *O czym ona mówi, ta stara kretynka? Wariatka! Żeby doznać elementu przyjemności (na przykład ciepły prysznic), mam od razu kopać studnię głębinową?!*

Bo dla nich cały ten seks stanowi zwyczajną przyjemność w rodzaju gorącego prysznica po mrozie. Ot, przemiłe doznanie fizyczne. Czynić wysiłki?! Okropne! Czuję żal, że dziewczyny tak zdegradowały rzecz, która powinna stać się dla związku dwojga ludzi wyjątkowym zdarzeniem. To kompletnie przestało iść w parze z uczuciami. Z tego, co czytam, tak właśnie wynika. Bo, z drugiej strony, jednak młode panienki, które akurat znam osobiście, one są całkiem normalnymi dziewczynami, tak znów z byle kim nie latają do łóżka. Owszem, coś tam każdej może się przytrafić. Byle nie stało się z b y t łatwe. Za moich czasów również się zdarzało, że w kogoś strzelał grom z jasnego nieba. Jednak na zasadzie incydentu, nie normy!

(*moment milczenia, dyskretny półuśmiech*)
No, dobrze, już się przyznam. Raz mnie także się coś strasznie głupiego przydarzyło. On tak strasznie pragnął się ze mną przespać...! Nawet mi się dosyć podobał; ani nie był obrzydliwy, ani nic takiego. Wręcz, nie ukrywajmy, odznaczał się wcale bujną urodą. Poza tym człowiek inteligentny, na poziomie. Wszystko niby co trzeba, same zalety. Tylko że czasem nawet i natłok zalet również nie starcza, kiedy do człowieka nie ciągnie. A mnie jego charakter nie leżał. Na śmierć i życie bym się w nim akurat nie zakochała. Jednak on tak mi bez przerwy strasznie truł..., tak truł...! A trzeba wiedzieć, że akurat wtedy miałam naprawdę mało czasu, gęsto zajęta sprawami zawodowymi. Czyli że brakowało mi cierpliwości, by wisieć godzinami na słuchawce telefonicznej, wysłuchując jego uczuciowych deklaracji. „Czort bierz! — pomyślałam sobie. — Skoro już on tak natarczywie chce, a mnie teraz akurat to specjalnie nie przeszkadza, więc pójdę z nim do tego łóżka... Wtedy wreszcie da mi święty spokój!". No, i odwaliłam, co trzeba, choć bez żadnej ekstazy, bo do „ekstazów" wymagane są uczucia obopólne.

T.L.: Z jakim skutkiem? Dał spokój?

J.Ch.: Niestety, truł mi dalej, tyle że jakby ciut mniej. Przestawał mi truć stopniowo, widać z czasem uznawszy, że jednak nie natrafił na takie coś, o czym od chwili urodzenia marzył podczas bezsennych nocy. Spotkawszy go zaś po latach, uznałam, że nic się nie wydarzyło i pozostawaliśmy odtąd w wielkiej przyjaźni. W każdym razie już wiem, że można z kimś pójść do łóżka ze zwyczajnego braku czasu.
To trochę tak, jakby mnie ktoś błagał, wymagał, prosił, abym mu — choć raz w życiu! — przyrządziła pierogi z grzybkami. Akurat! Umieć, umiem. Potrafię. Ale nie chcę, nie lubię, nie zamierzam, bo przy pierogach z grzybkami dużo jest roboty, nie będę grzybów myć, potem gotować ani ciasta gnieść. No, gdyby jednak ów wymagający osobnik całkiem mi zatruł życie, zrobiłabym te pierogi, w cholerę, niech ma! Niech ma, niech zeżre, niech się odczepi! On będzie kontent, a ja odzyskam mój czas.

Jednak... Wie pan co, chyba w takich razach trzeba przyrządzać niedobre pierogi, by się namolny typ raz na zawsze odchromolił.

T.L.: Zdarzają się zatem wyjątki od reguł.

J.Ch.: Owszem, i nawet dobrze, że się zdarzają. Tylko że w wypadku seksu musi nieuchronnie dojść do naruszenia cielesnej nietykalności.

A ja, generalnie rzecz biorąc, w ogóle nie znoszę naruszeń mojej autonomii, nawet zwyczajnego dotykania, głaskania, ujmowania za rączkę. Tłok wywołuje we mnie agresję, wszelka okazywana skłonność do naruszania mojej fizycznej przestrzeni również. Kolce nagle ze mnie wyrastają, inni też stają się dla mnie w jednej chwili osobliwie kolczaści. Bardzo ograniczona jest liczba osób, z którymi dopuszczam choćby rzucanie się sobie na szyję. Na palcach jednej ręki daliby się wszyscy policzyć. Dlatego jeśli mężczyzna zaloty rozpoczynał od rękoczynów, stawał z punktu na straconej pozycji. Żadnego głaskania po ramieniu, żadnego chwytania za rączkę!!! A już gdybym miała obejmować się z innymi dziewuchami, przytulać?! Brrr!

T.L.: Przepraszam za natręctwo, ale jak w takim razie zainicjować kontakt intymniejszy nieco? Na odległość się nie da.

J.Ch.: Owszem, rozpoczynajmy na odległość właśnie. Od okazania drugiej osobie pozytywnych uczuć. Niejeden raz odczuwałam — nie, żeby z miejsca dziką miłość, ale, powiedzmy, lekkie zakochanie. Wtedy, kiedy tak się zdarzało, mogliśmy przechodzić bardzo stopniowo, ostrożnie, powolutku!, do rozmaitych dalszych punktów interesującego nas programu. Żadnego pośpiechu. Wcześniej, niż dyktuje instynkt — nie! Na wszystko przychodzi właściwy czas. Dla mnie bliskość fizyczna stanowi naruszenie niezwykle istotnej psychicznej granicy. Dlatego rzadko, tylko absolutnie incydentalnie, zezwalam pojedynczym jednostkom, aby tę granicę przekroczyły.

Ja nawet tańczyłam, tylko po prostu tańczyłam z pozoru bardzo dziwnie. Jeśli prosił mnie do tańca osobnik uczuciowo obcy, o innej niż moja grupie krwi, tańczyłam z nim inaczej niż z kimś, kto mi się rzeczywiście podobał.

Tutaj mam jedno jasne wspomnienie. Otóż w mojej tanecznej biografii przez chwilę zaistniał pewien taki facet, żonaty, a i ja nie byłam wolna, z którym coś za każdym razem w tańcu iskrzyło. Tylko że nie erotycznie, lecz wyłącznie tanecznie. Kiedy szykował się jakiś bal, pierwsze pytanie każdego z nas dwojga dotyczyło tego, czy stawi się na balu i drugie. Inni siedzieli, gadając, pijąc, jedząc, żartując. A myśmy — TAŃCZYLI! Od początku do końca nic, tylko razem t a ń c z y l i ś m y. Ani on mój mąż, ani ja za niego wychodziłam. Nic nas poza tańcem nie łączyło. Jednak istniało **TO COŚ**. Prezentował sobą dla mnie taneczne arcydzieło. Musieliśmy jedno drugiemu silnie podpasować, skoro wybieraliśmy nieodmiennie wspólny taniec z nieukrywaną wzajemnością. To było — przepraszam za zbyt egzaltowane wyrażenie — upojne zgoła! Kończyło się przyjęcie, umierał bal. I do widzenia, żegnaj, cześć pieśni! Rozchodziliśmy się, każde w swoją stronę. Do głowy by nam nie przychodziło, by zamieniać pozycję taneczną na leżącą... A jeśli nawet, gdzieś tam bardzo w głębi, coś się niekiedy zatliło... To istniało owo coś wyłącznie jako element równie egzotyczny, jak — na przykład — żądza wspólnego polowania na hipopotamy.

T.L.: Wracając do Pani anegdoty kolejowej ze szczoteczką. Wydaje mi się, że wiele kobiet korzysta ze szczoteczek publicznych, żywiąc obawę, iż nigdy nie otrzymają własnej...

J.Ch.: Ma pan rację.
Rozumiem je doskonale. Sama wyszłam za mąż w wieku lat osiemnastu, ponieważ byłam zdania, że nigdy w życiu nikt nie zechce się ze mną ożenić. Skoro chciał mój przyszły mąż, czym prędzej z jego chęci skorzystałam. No, pomijam w tym miejscu taką drobnostkę, że on się akurat doskonale nadawał na męża dla mnie. Ale gdyby nie oświadczyny w stosownym momencie... Co działoby się później bez ślubu, nie wiem, w końcu nie on jeden przebywał w mojej erotycznej biografii.
Tylko niech pan źle nie zrozumie! Chodzi o to, że istniało kilku facetów, którym się jednak podobałam. Ze dwóch-

-trzech by się ich znalazło... Lecz ja zawsze stawiałam twarde wymagania. Mój absztyfikant musiał spełniać pewne warunki, które sobie wymyśliłam już jako piętnastolatka: powinien być przystojny, inteligentny oraz dobrze wychowany. Niestety, moja dobra wola co do ewentualnych kandydatów na męża łamała się w obliczu ich braku inteligencji. Dopiero ojciec moich synów... Jego IQ znacznie przekraczało wymóg, obowiązujący członków stowarzyszenia Mensa. I na synów też się to potem rzuciło. Wreszcie to on wraz z kumplem stworzyli pierwszy w świecie aparat do mierzenia tętna płodu. Gdyby ojciec moich synów zamierzał się doktoryzować, w Polsce nie znalazłby się kompetentny promotor. Mój mąż posiadał zupełnie odmienne wyposażenie genetyczne i charakter niż ja. Człowiek był niełatwy. Ale tak wybitny, że się na niego bez trudu zdecydowałam.

A w rezultacie jego oraz mój syn, Jerzy, potrafił, całkowicie z marszu, zdać matematykę podczas egzaminu wstępnego na Politechnikę Warszawską, a nawet kiedyś mnie, humanistce!, wyjaśnić, o co chodzi z całkami oraz resztą przerastających mnie Himalajów matematyki wyższej. Chwaliłam się tym zresztą w rozmaitych tekstach. Gdyby mój mąż nie zrezygnował z uprawiania profesjonalnej elektroakustyki, stałby się jednym z najlepszych w swojej branży. Nie tylko w kraju, na całym świecie. Podobnie jak w innej dziedzinie Piotr, który zalicza się do światowej czołówki architektów. Zatem nawet jeśli któraś dziewczyna boi się staropanieństwa, jak ja bardzo dawno temu, niech na wszelki wypadek bez rozszalałej histerii rzuca oczkiem dookoła. Zważając, coby dobrze wybrać. Właściwy facet? To ma sens...!

T.L.: Obecnie kobiety skłonne są do agresywnych zachodów, aby zdobyć upatrzonego mężczyznę. Co Pani na to?

J.Ch.: NIE MOŻNA!!! Kto ciekawy szczegółów, niech sięgnie po mój utwór „Przeciwko babom!". W każdym razie — co to za przyjemność?! Przyjemność pojawia się wtedy, kiedy facet m n i e chce, nie wtedy, kiedy j a jego chcę, on zaś się t y l k o zgadza. Jeśli on t y l k o się zgadza... a, strzelić go w ryja i ruszać gdzie indziej!!! Nadagresywne baby w ogóle nie rozumieją, na czym polega współżycie z mężczyznami, do czego oni są z punktu widzenia kobiet stworzeni. Zapewniam je — mnóstwo przyjemności można ciągnąć z faktu, że mężczyźni w ogóle istnieją.

T.L.: Ba! Pięknej kobiecie łatwo tak mówić. Brzydkie dziewczyny skazane są na gwałtowne poszukiwanie własnych szans. Często pierwszych i zarazem ostatnich.

J.Ch.: Znowu pan głupstwa gada! Nie to ładne, co ładne, ale co się komu podoba. Nie ma kobiet brzydkich, są tylko zaniedbane. Każda pokraka, proszę pana, ma swego straszaka. Każda potwora znajdzie swojego amatora. Trzeba po prostu w i e d z i e ć, czego się chce. Młode dziewczyny kiedyś przeważnie pragnęły Gregory Pecka, a współczesne pożądają Mela Gibsona. Rozumiem, że chciałyby też ułapić Lindę, młodszego Pazurę, Deląga. Niech się więc jedna z drugą nie rzuca bezmyślnie na byle hydraulika, który akurat zjawił się w jej domu, chociaż — prawdę powiedziawszy — niejedna tylko na przypadkowego hydraulika zasługuje...
(*Tu pani Joanna na chwilę milknie, zastanawia się i wreszcie stwierdza refleksyjnie:*
— *Zaraz, hydraulik?! Co ja mówię, przecież hydraulik to s k a r b!*)
...albo i na niego nie. Cóż poradzić na ludzką głupotę, skoro ona odwieczna...?

T.L.: Czyli dziewczyn, gustujących w swobodzie wyborów erotycznych, Pani nie pochwala.

J.Ch.: Potępiam je. Bo one się nie szanują. Rozumiem to tak: nie dawać siebie każdemu, kto wpadnie w rękę i gdzie popadnie. Nie wpuszcza się przecież do własnego domu tłumu przypadkowych ulicznych przechodniów. Wśród nich trafiają się osobnicy skłonni do pijaństwa, narkomani, ćwoki, skończone brudasy, wszelkie typy patologiczne. Skoro zaś panna gustuje w patologiach, może ona troszeczkę w upodobaniach — zboczona...? Cóż, jej sprawa. Ale szczęśliwie nie wszystkie są zboczone.
Dziewczynom nie przychodzi do głowy, że każda stanowi jakąś określoną wartość, absolutnie indywidualną. I że trzeba szanować to swoje niepowtarzalne j e d n o j e d y n e, co

się je ma raz w życiu. Niech się nie zapatrują na komunizm, gdzie różne głupki apelują o wspólnotę. Czy chcesz, aby w twoich osobistych butach latały inne? Ja w każdym razie nie życzę sobie, aby wzuwać moje własne pantofle po czternastej kolejnej chętnej użytkowniczce. Osobistą szczoteczkę do zębów także rezerwuję tylko dla siebie. Ceńmy to, co jest wyłącznie n a s z e, bez dzielenia się tym wyłącznie n a s z y m z każdym, jak popadnie. Historia udowadnia, że to się w dłuższej życiowej perspektywie opłaca.

I jeszcze jedna ważna kwestia.

Nawet jeśli wyjdę na nieznośną mentorkę, apeluję tutaj, jak już wcześniej zaapelowałam w książce „Przeciwko babom!": pamiętajcie, dziewczyny, oni, faceci — są delikatniejsi. Nie deprymujcie chłopów ostatecznie i nie wdeptujcie ich w ziemię! W swoim własnym, dobrze pojętym, interesie. Tyle wieków skutecznie udawałyśmy, że jesteśmy słabą płcią, więc teraz — kretynki kompletne! — nie ujawniajcie siły. Największej babskiej tajemnicy!

T.L.: Tajemnica, raz odkryta, przestaje być tajemnicą. Pani ją odkrywa.

J.Ch.: Daje się znowu ukryć, zapewniam. Przy odrobinie rozumu i po upływie jakiegoś czasu. Cierpliwości — tego bym co mądrzejszym babom życzyła.

PRZESTAŃCIE RÓWNOUBIOLOGICZNIAĆ!

T.L.: Czy kobiety powinny pracować zawodowo?

J.Ch.: Z całą pewnością bardziej, niż latać do roboty, wolą brać się na ogół za posiadanie oraz wychowywanie progenitury. Do tego stworzyła je matka natura.

T.L.: Przecież Pani wielokrotnie wspominała, że przebywając przez rok w domu, bez etatowego zatrudnienia i parając się zawodowo tylko zleceniami, gotowa była Pani po owych dwunastu miesiącach wybiec na ulicę z plakatem obnoszo-

nym na piersiach z informacją: PRZYJMĘ KAŻDĄ PRACĘ!
Dostrzegam sprzeczność!

J.Ch.: Ależ ja jestem zupełnie nietypowa, kobiecy wyrodek, z lekka
potwór, nie ulega wątpliwości. Charakter posiadam nieodpowiedni.

T.L.: Gdyby jednak dać kobietom szansę na samorealizację zawodową?

J.Ch.: Toby sobie radziły jeszcze lepiej, niż obecnie muszą sobie
z konieczności radzić. Zwłaszcza te, którym na pracy zależy
tak samo, jak na wychowywaniu dzieci. Jak mnie zależało.
Lecz w tym celu trzeba im pomóc, zdejmując z karku przynajmniej część obowiązków biologicznych. Obecnie ciągle
jeszcze biologia przydeptuje kobiety. Ukochaną pracę, wy-
konywaną z oddaniem, trudno pogodzić z posiadaniem dzieci. Nie ma lekko!
Dlatego liczne z tych, które odnoszą zawodowe sukcesy,
przystępują do ostrej roboty już po odchowaniu potomstwa.
Tak jak duża grupa wybitnych kobiet-polityków. Wcześniej
na karierę zawodową stać jest tylko te, które mają forsę, by
opłacić bez problemu gosposie, opiekunki, niańki. Chociaż
zdarzają się niekiedy baby silne jak czołgi, z piekielną mo-
tywacją. Te przemogą absolutnie wszystko.
Miałam w szkole koleżankę. Spotkałyśmy się po wielu latach, gdy jako mniej więcej czterdziestolatka urodziła dziecko. Jezu, cóż to była za MATKA! Kiedy do niej wpadłam,
dwuletni dzieciak już chodził i oczywiście próbował szko-
dzić. Ona ze mną swobodnie rozmawiała, równocześnie zajmując się bachorem. Jej zajmowanie się nim wręcz mną
wstrząsnęło! Żadne zwierzę, niedźwiedzica, tygrysica, lwica,
kotka, suka, obojętne, nie zajmowałoby się swoim drobiazgiem tak, jak ta matka. Pozornie nie zwracała na malucha
ni krzty uwagi, lecz, jakby od niechcenia, dbała o niego tak,
że sobie nie mógł żadnym sposobem zrobić najmniejszej
nawet krzywdy. Tłumaczyła mi: — *Całe życie pragnęłam dziecka, więc skoro nareszcie mam, o co w ogóle chodzi...?!* Fenomen
polegał na tym, że i przedtem, i po urodzeniu pracowała
zawodowo, bezbłędnie radząc sobie, z czym trzeba.

Tutaj wiele zależy od faceta. Ja, co zawsze i nieodmiennie podkreślam, miałam męża, który jako ojciec sprawdzał się wprost idealnie. Już sporo panu się go nachwaliłam. Przewijał świeżutko urodzone dziecko wcześniej niż ja, nauczył się pielęgniarstwa natychmiast. On wyjmował syna z wanny, bo mnie było z gówniarzem wielkim, ciężkim oraz ogromnie wesołym nieco trudno. Mogłam zawsze mieć do niego, męża, nie syna, absolutne, bezgraniczne zaufanie. Kiedy wysłałam go z chorym dzieckiem na wczasy, przyjechawszy, zastałam potomstwo zdrowe, a obydwu moich chłopów radośnie prosperujących.

Mężczyźni przecież świetnie się do dziecka nadają. Bo posiadają, jak baby, bądź co bądź, dwie sprawne ręce, umieją nauczyć się pielęgnacji, z praniem wszystkiego niemowlęcego włącznie. Owszem, zdarza się, że brakuje im talentu do gotowania. Ale bab też to przecież niekiedy dotyczy. Każdy ma prawo do braku talentów. Które z nich umie, niech więc gotuje. Jeśli zaś w domu egzystują dwie ofiary, niech się zwrócą do sąsiadek albo do krewnych. Do załatwienia jest wszystko, aczkolwiek owo „wszystko" bywa wściekle trudne, przyznaję. Tylko że jeśli ktoś pragnie progenitury, niech nie puszcza sprawy na żywioł i odpowiednio się przygotuje.

W każdym razie mężczyźni, odpowiednio podbechtani, mnóstwo potrafią wykonać. Tylko przeważnie nie chcą. Czemu się nie dziwię zresztą...

Bo ja też nigdy nie chciałam. Ja chciałam urodzić — i niech to samo żyje... Szkoda, że tak się nie da.

T.L.: Skoro więc mężczyźni i potrafią, i wykonują, co należy, to na czym zasadza się problem z aktywnością kobiet w życiu publicznym?

J.Ch.: Potrafią i wykonują. Ale nie wszystko. Pewne czynności da radę wykonać tylko baba. Tak zadecydowała biologia. W dziewięćdziesięciu procentach na sto umiejętność organizowania życia codziennego posiada w sobie kobieta. Mężczyzna, generalnie rzecz biorąc, t e g o c z e g o ś w sobie nie nosi, więc musi się od niej dowiedzieć. Oraz dysponować spisem, przylepionym na lodówce, który precyzuje kolejność i czas poszczególnych czynności. Nawet on się chętnie do poleceń zastosuje. Ale skoro ona musi mu naskrobać ten spis, czasami sama woli już zakasać rękawy, biorąc się do roboty. Także dziecka chłop nie urodzi, więc również i tutaj wyłącznie kobieta musi jednak odpracować, co należy. Następnie życie ją zmusza do aktywności, nie tylko na polu potomstwa, więc, chcąc nie chcąc, cierpliwie wykonuje stosowne spisy na mężowski użytek, włącza go do roboty, przy okazji radząc sobie z całą resztą, z pracą zawodową też!

T.L.: Skoro określa nas biologia, to co zrobić z równouprawnieniem?

J.Ch.: Nie da rady, dotyka pan czystej teorii. Bo równouprawnienie oznacza równe prawa. Prawa do zarabiania i posiadania własnych pieniędzy, do dysponowania nimi, wykonywania wszystkich prac, poza niewskazanymi dla kobiet z powodów medycznych (jedna z drugą nie powinna brać się za prace kesonowe, obsługiwać świdra pneumatycznego, jeździć na traktorze). Kobiety w pełni posiadają i powinny posiadać prawo do wykształcenia oraz do głosowania. I tak dalej. Co prawda, na marginesie zupełnym, wyznam, że nie rozumiem, po co komu w naszym skorumpowanym kraju latanie do wyborów, ale to szczegół bez znaczenia.
Równouprawnienie, co nadzwyczaj silnie zawsze podkreślam, bynajmniej nie oznacza równoubiologicznienia. Bo mimo wszystko pozostanie różnica biologiczna, a jej nie przemożemy.

T.L.: W Pani wizji naturalną koleją rzeczy aktywność w życiu publicznym, zwłaszcza zaś politycznym, ciążyć będzie ku męskocentryzmowi.

J.Ch.: Wcale nie. Już powiedziałam, że kobiety są tak samo jak mężczyźni zdatne do polityki, tyle że później w nią wchodzą. I łatwiej sobie tam radzą niż mężczyźni, również gdy trzeba stanowić prawo, którego kształt jest fundamentem funkcjonowania społeczeństw.

Widzi pan, w kobietach istnieje instynkt przyrodniczego sensu. Mówię tu o kobietach mądrych, a te ze wszystkim sobie poradzą. Jak i mądrzy faceci. Choć ludzi mądrych, przyznajmy, zbyt wielu nie istnieje... Dlatego większość mężczyzn, głupków zwyczajnych, nie jest w stanie znieść takiej sytuacji, w której nie ON jest najważniejszy na świecie, tylko jej PRACA. Naturalnym zaś biegiem rzeczy ona skłonna będzie rzucić wszystko, by wyruszyć z nim w dżunglę nad Amazonką, bo on coś tam musi wykonać. W drugą stronę to działa niesłychanie rzadko.

T.L.: Obyczajowość silnie ewoluuje.

J.Ch.: Niech obyczajowość nie przesadza z przeewoluowywaniem, aby się nagle nie okazało, iż mężczyźni to gatunek podległy, gromada mięczaków, ćwoków, niedojd, którymi baby muszą się opiekować. Nie dość, że na ich kobiecych głowach kokoszą się dzieci, jeszcze im zgnuśniałych chłopów na dobitkę trzeba?!
(*Pani Joanna, z przerażoną miną, zrezygnowanym gestem opuszcza ręce i ramiona, aż wpadają pod stół.*)
O nie, w ogóle bym tego nie wytrzymała!!! Baby, zwłaszcza młodsze, dobrze wam radzę, zastanówcie się... Po szczegóły odsyłam do „Przeciwko babom!".

GENIUSZ PROFESJONALIZMU

T.L.: Czy zna Pani genialne kobiety-architektki?

J.Ch.: Jedną, nie wiem, czy genialną, ale na pewno bardzo zdolną, znałam. Przyjechałam gdzieś z jakimiś zadaniami i zastałam dawną znajomą, starszą ode mnie panią architekt, która wyrywała sobie włosy z głowy, wypowiadając rozmaite brukowe słowa, ponieważ do hotelu, którego wnętrza właśnie robili, sprowadzili krzesełka... Tak, na jej miejscu i ja usiłowałabym gdzieś kupić cyjanek. Te kształty..., te kolorki...

T.L.: Z polskich architektek karierę zrobiła chyba tylko Halina Skibniewska.

J.Ch.: Wie pan co, dziękuję bardzo za taką karierę! Nawet gdyby
mi ją ofiarowano pięćdziesiąt lat temu na złotym półmisku,
nie biorę. Mogę nie wziąć?!

T.L.: Przecież warszawskie osiedle Sady Żoliborskie uznawane
jest za dobry projekt. Podobnie jak osiedle przy ulicy Szwo-
leżerów.

J.Ch.: Mogę nie wziąć, mimo wszystko?! Na dobre projekty stać
wiele kobiet. Ale stąd do genialności jeszcze daleko.
Widzi pan, kobiety są bardziej praktyczne. Moim zdaniem
kobieta lepiej panu zadba o funkcje oraz o całe wyposażenie
obiektu, o to wszystko, co jest praktycznie potrzebne. Natomiast genialność w koncepcji wizualnej częstokroć bywa
„niepraktyczna". I kobieta-architekt w tym miejscu się zatrzyma. Zadba natomiast starannie, aby jednostka, która
w projektowanym budynku zamieszka, łatwo mogła rozwie-
sić bieliznę do suszenia po praniu. Niby dałoby się wszystko
razem pogodzić, jednak kiedy ona zacznie od rzeczy niezbędnych, nie od „wybuchowych", w konsekwencji do „wybuchowych" już nie zdąży dojść. A ten łobuz, który zaczyna od
rzeczy „wybuchowych"... Jezus! Co on roboty dowali wszystkim bliższym oraz dalszym współpracownikom, biorącym
po nim koncepcję na warsztat do praktycznego rozpracowa-
nia. Nawet pan sobie nie wyobraża. Na końcu zresztą i tak
okaże się, że jeden niezbędny, nieusuwalny wychodek, nigdzie się nie mieści. W rezultacie do „wybuchowej" koncepcji wpuścić można jako lokatora najwyżej węża, bo człowieka
już nie. Chyba że architekt-wykonawca (zwłaszcza gdy jest
wyrozumiałą, chętną do współpracy kobietą) dosztukuje, co
trzeba, poodwęża, co trzeba.
Sama musiałam wielokrotnie rozwiązywać podobnie nieroz-
wiązywalne problemy. To się dzieje, jak w przypadku każdej
porządnej twórczości, niekiedy w bardzo dziwnych okolicznościach. Dla głowy, kiedy pracuje, nie ma złych miejsc.
Na przykład jedzie się trolejbusem zapchanym do ostatnich
granic. Kiedyś tak przejechałam dwa przystanki, wybiegłam,
jak najszybciej runęłam do deski i... wreszcie mi się udało!
Projekt, z moimi poprawkami, zagrał.

Dziś i tak architekci mają trochę łatwiej; nas trzymały w kagańcu normatywy, powierzchnia, koszty. Dawniej obowiązujące ograniczenia normatywno-finansowe wykańczały doszczętnie. Choćbyśmy orłami byli, podcinano nam skrzydła. Tak, w architekturze najpierw potrzebny jest geniusz, a dla geniuszy nad Wisłą miejsca brakowało. Zatem wyjeżdżali, wyjeżdżali, wyjeżdżali. Najlepsi. Opowiadałam o nich panu w innym miejscu.

T.L.: Czy Pani obecnie trochę, troszeczkę, ciupinkę bodaj nie żal zawodu?

J.Ch.: W tej chwili już absolutnie nie. Od momentu gdy objawiła mi się kaplica na Orly, wszystko stało się jasne. Tyle że wcześniej się na szczęście dowiedziałam: obu zawodów razem nie pociągnę — albo pisanie, albo architektura. Właściwie życie samo za mnie wybrało. Obowiązywała blokada etatów, musiałabym więc przebijać się jak z maczetą przez dżunglę. Gdy zdecydowałam się na pisarskie pióro zamiast kreślarskiego piórka, w rezultacie odczułam wielką ulgę. Później już potoczyło się bezboleśnie, wcześniejsze rozterki wyrzuciłam w kąt. Nie lubię łkać nad rozlanym mlekiem.

MIĘDZY RÓWNOUPRAWNIENIEM A MODĄ

T.L.: Kto w życiu bardziej Pani zagrażał zawodowo, kobiety czy mężczyźni? Abstrahuję teraz od rodziny.

J.Ch.: Właściwie nie zagrażał mi nikt. Z chłopami dawałam sobie radę, z dziewczynami byłam zaprzyjaźniona, o co więc chodzi? Wie pan, w kontaktach z przedstawicielami obojga płci ja nawet nie musiałam stosować specjalnych, nadzwyczajnych taktyk. Wystarczyło zachowywać się naturalnie. Żadne problemy nigdy właściwie z tego tytułu nie zaistniały. Ja nawet wierzę w przyjaźń między kobietami i mężczyznami, sama posiadam takich przyjaciół, przy których nie muszę zważać na różnicę płci. Maciek, Anka, Jurek, Maria, Zdzich — kilkoro prawdziwie bliskich ludzi kręci się po mojej egzystencji.

T.L.: Chociaż trzeba jednak stwierdzić, że rodzaj przyjaźni trochę jednak zależy od różnicy płci. W każdym razie tak wynika z moich doświadczeń.

J.Ch.: Zgoda.

T.L.: A czy ważniejszy jest dla Pani świat kobiet czy związki z mężczyznami, niekoniecznie erotycznej natury rzecz jasna?

J.Ch.: Oba te światy nie dają się rozdzielić i żaden by mi osobno nie wystarczył. Świat samych kobiet? Bez sensu! Żyć w świecie wyłącznie męskim? Może i byłoby ciut łatwiej, ale też bez sensu.
Mam w sobie takie coś, że uważam, na przykład, iż ciężki przedmiot powinien nosić chłop, a nie baba.

T.L.: No a co, jeśli wokół znajdują się wyłącznie baby...?

J.Ch.: Właśnie. Już z dwojga złego wolę koło mnie wyłącznie chłopów, bo ugotować przecież sama potrafię.

T.L.: Pytam, gdyż bardzo silnie podkreśla Pani wagę i znaczenie żywiołu żeńskiego w swym życiu.

J.Ch.: No, i co z tego?! Żywioł żeński, proszę pana, służy zupełnie do czego innego!

T.L.: Kiedy zastanawiam się nad tym, jak kobiety zazwyczaj spoglądają na mężczyzn, dochodzę do wniosku, że wszystkie panie, z Joanną Chmielewską włącznie, traktujecie nas niczym uciążliwe pasożyty, choć przecież pewien zespół nieusuwalnych i specyficznie męskich przymiotów sprawia, na szczęście, iż trudno wam jednak bez chłopów żyć. Nie mam oczywiście na myśli li tylko sfery seksualnej. Żądacie przecież na ogół więcej niż tylko prostego, brutalnego, **oczywistego** męskiego seksu. Jak w starym, rubasznym dowcipie z młodziutkim juhasem.

J.Ch.: Pan opowie, nie znam!

T.L.: Młodziutki juhas, targany żądzami podczas długiego pobytu na hali, zdecydował się... hmmm... nadużyć zaufania owieczki. Gdy już ją wyobracał, podciąga energicznie cyfrowane portki i żwawo zbiera się do odejścia. Wtedy, z ogromnym żalem w wielkich ślepiach, owieczka zwraca się ku niemu:

— *A buzi?!!! Gdzie buzi?!!!* — pyta pełna uzasadnionych pretensji.

J.Ch.: (*Dowcip chyba przyjmuje z aprobatą.*)
Baby, co to one uważają, że wont z tymi mężczyznami, to one głupie są beznadziejnie! Jak trep z lewej nogi. Albo zboczone. Bez mężczyzn nie ma życia! Ja jestem normalna. Wolę chłopów. No, niech mnie pan źle nie zrozumie. Wolę was jako użyteczne przedmioty. My was rodzimy, więc nawet z waszymi wadami dajemy sobie łatwo radę. Każda płeć potrafi co innego, zatem całe to równouprawnienie można sobie o kant tyłka potłuc, pod tramwaj podłożyć i w wychodku na gwoździu zawiesić. Żebyśmy robili nie wiem co, świat został stworzony j a k o ś. Nie damy rady tego zmienić. Aż do ostatniego amen, aż do końca n a s z e g o świata. Mam w Bogu nadzieję, że końca n a s z e g o świata, takiego właśnie świata, nie dożyję. Dlaczego? Ponieważ Boski pomysł kreacyjny, aktualnie wciąż obowiązujący, podoba mi się. Uważam go za właściwy i w pełni aprobuję. Jak długo mężczyzna nie urodzi dziecka, tak długo żadna zmiana nie nastąpi. A dyrdymały głupowate na temat tych tam insektów dwupłciowych i równie głupie idiotyzmy? Też możemy je sobie o kant tyłka...

T.L.: Pani Joanno, o ile wiem, technicznie możliwe jest, by mężczyzna dziecko urodził. Co wówczas?

J.Ch.: Jak któryś urodzi, wtedy będziemy się zastanawiać. Ale, oświadczam panu stanowczo, to NIE JEST I NIGDY NIE BĘDZIE MOŻLIWE! Doprawdy, słów brakuje w rozmowie z panem, skoro się człowiek nie chce wyrażać jak budowlaniec.

T.L.: Geje bardzo się o możliwość rodzenia dzieci starają. Chcą i pod tym względem równouprawnienia.

J.Ch.: Współcześnie obserwujemy tylko objawy pseudorównouprawnienia, związanego z nadmierną drapieżnością kobiet i męskimi obawami, ich panicznym strachem przed dominacją kobiet. Stąd związki pederastów (*chodzi o homoseksualistów, których — jak wiele osób — pani Joanna od zawsze upor-*

czywie nazywa „pederastami" i nie pozwala w żadnym razie sko-
rygować tego błędu — uwaga T.L.) albo lesbijek. Ja je traktuję
jako rzadką upiorność. Niedobrze mi się od tego robi. Bo
takie związki niczemu nie służą, one są niekreatywne. Ale
niech się pan nic nie martwi — i to też przejdzie, skończy
się, sczeźnie. Nie ma przeproś, przyroda od kultury zawsze
okaże się silniejsza, bowiem jest silniejsza od nas wszystkich. Przyroda, biologia załatwią sprawę, zobaczy pan. Chętnie powyższe twierdzenia wyryłabym złotymi zgłoskami
w marmurze. Bo przydałyby się wtedy, kiedy już wszyscy
dojdą do wniosku, że wcale nie byłam taka głupia, za jaką
mnie mieli. Wyjdzie na moje, jak wyszło już raz, z zawale-
niem się minionego ustroju. Traktowali mnie jak kretynkę
wszech czasów, a kto miał rację?!
Czytałam kiedyś utwór z fabułą głoszącą, że w wyniku tych
różnych idiotyzmów z zanieczyszczeniami środowiska natu-
ralnego doszło do takich strasznych efektów, iż postanowio-
no uporządkować świat. W wyniku pełnej hibernacji cała
ludzkość została uśpiona na sto lat i tylko pięciu ludzi czu-
wać miało nad instrumentami oraz całą resztą techniki, aby
wszystko całkiem nie zdechło. O, cholera, pan popatrzy, nie
pamiętam, co dalej!

T.L.: A co powinno się dziać dalej?

J.Ch.: Wszystko się powinno odnowić, przecknąć, a ujrzawszy drugą płeć, ludzie powinni się nią zainteresować. Patrzeć łako-
mie na osobniki inne niż te reprezentujące płeć własną. Tak
właśnie powinno być. I tak zawsze będzie. Bo przyroda da
sobie radę z nami wszystkimi.

T.L.: Wedle ustaleń seksuologów około pięciu procent populacji
mężczyzn i około dwóch procent populacji kobiet wykazuje
„naturalne" skłonności homoseksualne, prawdopodobnie
biorące się z pewnych zakłóceń w naszym życiu płodowym
i żadnym sposobem nieusuwalne.

J.Ch.: CO PAN SIĘ TAK CZEPIA TEGO SEKSU!!! Gówno prawda!
Już się pan pewnie przekonał, że lekarze ustawicznie zmie-
niają zdanie na temat przyczyn rozmaitych chorób. Tu też
tak się zapewne dzieje. Moim zdaniem, skłonności homo-

seksualne biorą się przede wszystkim z obaw mężczyzn przed kobietami. On, ten mężczyzna, woli już nawet drugiego chłopa niż dzisiejszą straszną babę, bo on się harpiowatych bab boi. Pan sobie poczyta „Przeciwko babom!", dobrze? We współczesnym wychowaniu pojawił się groźny raczej efekt pseudorównouprawnienia (widzi pan — to nawet wymówić trudno). Parę chwil wcześniej już podzieliłam się z panem obserwacją, że aktualnie występuje naddrapieżność kobiet w połączeniu z reakcją mężczyzn na tę naddrapieżność. Mężczyźni zaczęli odczuwać paniczny strach przed kobietami, a w rezultacie ten lub ów wybiera drugiego chłopa chętniej niż straszne baby, które mu zagrażają. Aktywność współczesnych kobiet przeradza się częstokroć w agresję, a mężczyźni naprawdę czują paniczną bojaźń przed kobiecą agresją. W genach od tysiącleci mają zapisaną potrzebę machania mieczem, by bronić słabej płci. Lecz „słaba płeć" zrobiła się czymś, co kojarzy się przede wszystkim z atakiem... Do czego to porównać...? O! To jakby poszczuć facetów wygłodniałymi karaluszycami, rozszalałymi dzikimi szczurzycami, wściekłymi kocicami, rzucającymi się na chłopów z pazurami. Mężczyźni zatem nie bardzo wiedzą, przeciw komu powinni machać tym swoim mieczem. A że w gruncie rzeczy z natury są leniwi, marzą na co dzień o świętym spokoju oraz o damskiej obsłudze, uciekają w pederastię. Bo co oni powinni zrobić w naszym strasznym świecie, skoro stracili tak zwane naturalne znaczenie? Skoro baby, suki piekielne!, dają sobie radę bez nich...

I ja sądzę, proszę pana, że one, baby, są głupie! Bo w ż y c i u nie należało ujawniać, iż poradzą sobie bez chłopów, zarabiając pieniądze na strawę i życie dla całej rodziny, zajmując wysokie stanowiska, zdobywszy stosownie wysokie wykształcenie.

Jeszcze przyjdzie im żałować. Zrozumieją, gdzieś tam, w środku człowieka, że, niestety, jedni bez drugich się nie obejdziemy... Z absolutnie elementarnej, bezdennej głupoty baby nie chcą się z tym pogodzić. Niech pan więc będzie spokojny, kiedyś się na nich wszystko zdrowo odbije. Może ja

tego już nie dożyję, lecz zobaczy pan, że mam rację! Posiadam zdolności wieszcze, jak Pytia. Przewidziałam upadek ustroju, przewiduję powrót do normalnych, utrwalonych przez stulecia relacji damsko-męskich. Jeszcze wyjdzie na moje! Specjalnie, aby uprzedzić fakty, napisałam na ten temat utwór publicystyczny pod tytułem „Przeciwko babom!". Aby został ślad, gdy już moja racja zatriumfuje. Nie zdradzę tutaj treści, kto chce, niech sobie przeczyta, ale kilkoma szczegółami mogę się podzielić i w pana książce.
Na przykład okulary. One miewają nie lada znaczenie w stosunkach jednej płci z drugą. A tam, dajmy sobie spokój! Po szczegóły odsyłam do mojej książki.

T.L.: Weźmy się może raczej za relacje damsko-damskie. Powiedzmy, stroje.

J.Ch.: Świetnie. Właśnie dotknął pan tematu, który mnie bardzo żywo zawsze obchodził.
Najpierw opowiem coś bardzo refleksyjnego. Jedna moja koleżanka szkolna, którą spotkałam po piętnastu latach, wyznała mi, że od wczesnej młodości marzyła o balowej kiecce, potężnie wydekoltowanej. Ale... miała wtedy na plecach pryszcze. Martwiła się więc okropnie, co się stanie, kiedy pryszcze wyjdą na jaw.
Gdy zaś dorosła i pryszcze całkiem znikły, to — już nie było balów... Zostały tylko zwykłe zabawy, jakieś tam prywatki, eee, dajmy spokój! Oto nasze, babskie, nieszczęście.

T.L.: *Tempora mutantur...* Ale ja z innej beczki.
Dostrzegam otóż w Pani sporą, co do kwestii strojów, niekonsekwencję, typowo, rzekłbym, „babską" właśnie. Z jednej strony chętnie deklaruje Pani, że strój nic nie znaczy i mogłaby się Pani bez obrzydzenia przyoblec w wór pokutny albo inne giezło, z drugiej strony jednak w prozie Joanny Chmielewskiej czytelnik napotyka mnóstwo opisów i wspomnień: jak, w co, kiedy była Pani ubrana i jakie to robiło wrażenie na innych. Zapamiętuje Pani wydarzenia z różnych lat na przykład po kształcie buta, który akurat Pani wzuła lub po kroju i odcieniu niebieskiej sukienki na dawnym sylwestrowym balu.

J.Ch.: Proszę zauważyć, ile w tej chwili mam lat. Czterdzieści lat wstecz miałam cokolwiek mniej, prawda?

T.L.: O, wciąż jest Pani w świetnej formie!

J.Ch.: Zamierzał pan wybąkać: — *Ciało przywiędłe, za to dusza młoda?...*

T.L.: Pani Joanno, mówmy o sukienkach!

J.Ch.: Dobra. Ja przedwojenna, pan sam wie. Dzieciństwo spędzałam w latach okupacji, pierwszą młodość tuż po jej zakończeniu, a wychowywana byłam na lekturach przedwojennych. I m a r z y ł a m, żeby się UBRAĆ. W c o ś! Zaś tam, mogłam się ubrać... Zawracanie gitary... Choć straszliwie mi zależało. Bardzo chciałam. I nie miałam w co. Nadszedł rok 1961 lub 1962, bez znaczenia, w każdym razie dostaliśmy, jako pracownia, premię. Sama ją zresztą wypracowałam, bo premię liczyli od przerobu, ja akurat miałam jakiś duży przerób. Dzięki premii mogłam ruszyć do sklepów.

A później, kiedy już wrzuciłam na siebie to, co z rozkoszą kupiłam, idąc ulicą, uświadomiłam sobie, że spełniło się moje wielkie marzenie, MAM NA SOBIE WSZYSTKO NOWE! Nowe pantofle, nowe pończochy, ba, nowe majtki miałam, ładne, niebarchanowe, a kupić takie desusy, to u nas sztuka prawie jak u ówczesnych Ruskich. Halkę nową miałam, nowy kostium też, uszyty w Modzie Polskiej u niejakiej pani Zosi, najgenialniejszej krojczyni świata. Cudowna krawcowa, klasy międzynarodowej. Na ulicy kilkadziesiąt po kolei kobiet potrafiło zaczepić mnie, by spytać, gdzie kupiłam albo szyłam kostium, który skroiła pani Zosia...! To o czymś świadczy!

(W tym miejscy pada uwaga nadzwyczaj podstępna: — Pani Zosiu! Jeśli Pani jeszcze pracuje, proszę się do mnie zgłosić!)

Materiał na kostium kupiłam dobry, drogi, od dziewczyny, która dostała go w paczce z zagranicy. Bielizna — majtki, halki i tym podobne — pochodziła z Czechosłowacji albo z Jugosławii, kupiłam to jako szmugiel, pantofle trafiłam co prawda nasze, ale robione ręcznie z okazji wystawy, jaką nasi Belgom zorganizowali. Później eksponaty wróciły do kraju, te pantofle zresztą dostały w Brukseli jakąś nagrodę. Były

na mnie, kurza jego morda!, o pół numeru za małe, więc
z początku nie kupiłam. Nazajutrz wszakże widziałam się
z Piotrem, więc mu wyznałam: — *Wiesz, natknęłam się na jedne*
jedyne takie pantofle, miękkie, piękne... za małe! — Piotr, bezmyślnie, jak sam potem przyznał, rzekł: — *A cóż to za kobieta,*
która nie kupuje obuwia tylko dlatego, że okazało się o pół numeru
za małe? Sam pan rozumie, poleciałam i kupiłam je natychmiast. Torebkę miałam oraz rękawiczki też oczywiście miałam, choć czy nowe, już dziś głowy nie dam.
W każdym razie pierwszy raz w życiu idę, tu oto, ze speł-
nionym odzieżowym marzeniem na sobie. Zakwitło we
mnie jakieś tam szczęście, ale... przeleciało mi po głowie,
że powinnam mimo wszystko być trochę szczęśliwsza. Tyle
jednak miałam wtedy w swoim środku wszystkiego innego
ważnego. Zrobiłam dobry projekt, więc rozpierała mnie fraj-
da rzetelnego architekta, uczucie zwykłej zawodowej godności tudzież satysfakcji. A o stroju myślałam zdziwiona:
„Mnóstwo na mnie tego wszystkiego. I co?!!!". Zwykłe zadowolenie? Mało.
Poza tym, niech pan sobie wyobrazi, na kapeluszu miałam
mniejszy kwiatek niż powinnam.
Tyle o wymarzonych szmatach. Chociaż to nie koniec przy-
gód z nimi związanych.
Razem z Piotrem, ja w nowym kostiumie, on także w czymś
przyzwoitym, udaliśmy się do letniego kina Jutrzenka przy
ulicy Rozbrat na „Ptaki" Hitchcocka. Mało pamiętam z filmu, bo bardziej miałam we łbie moje pantofle niż cały nadzwyczaj dramatyczny rozwój akcji. Jedno, co z patrzenia na
ekran mi się zalęgło, to myśl: „Co by było, gdyby teraz na
widowni otworzyć klateczkę, z której wylecą gołębie? Gdybym tak namówiła na podobny eksperyment moje dzieci?!".
Że zdemolowana byłaby cała dzielnica, gwarantuję. Pamięta
pan „Ptaki"?

T.L.: Jakżeby nie?! Naturalnie! Jeszcze wtedy, kiedy, pacholęciem
będąc, oglądałem pierwszy raz ów obraz i nie umiałem poskładać do kupy metaforycznego przesłania Hitchcocka, już
orientowałem się, że zaistniało prawdziwe arcydzieło. Nie-

słychany film, porażający. Dający do myślenia coraz silniej, zwłaszcza teraz, w dobie masowego terroryzmu. Zresztą lęk przed drapieżnością fruwających stworzeń ciągle, do dzisiaj we mnie siedzi. Nie lubię ani kołujących stad gołębi, ani gromad sejmikujących jaskółek. O mewach, „bohaterkach" Hitchcocka, nawet nie wspominam. Ani o innych wynaturzonych hordach. No, kończę tę dygresję.

J.Ch.: Skoro pamięta pan „Ptaki", rozumie pan, co chcę powiedzieć.

Niestety, mój szatański pomysł z wykorzystaniem Jerzego oraz Roberta w charakterze wywoływaczy latających potworów spełzł na panewce, a to z powodu niewygodnych pantofli. Co innego snuło mi się po głowie, gdy myślałam o stanie własnych stóp. A Piotr w dodatku zaproponował: — *Słuchaj, taka piękna dziś wieczorem pogoda, może pospacerujemy troszeczkę...* Uff, pogodziliśmy się z obuwiem dopiero, gdy je oddałam do szewca przy ulicy Wilczej, bo on się specjalizował w naukowym rozbijaniu pantofli. Chodziłam w nich dziesięć lat, okazały się najlepszymi pantoflami świata. Nie straciły nigdy fasonu, nawet gdy popękały.

Natomiast pierwszy w moim życiu sweter kupiłam sobie, mając lat trzydzieści sześć. Przedtem wszystko robione było własną ręką, co łatwo zrozumieć z racji wydarzeń historycznych.

T.L.: Gawędząc wesoło o butach, dotykamy mimochodem rozmaitych atrybutów kobiecości. Tych wszystkich gadżetów: torebki, pudry, szminki.

J.Ch.: Z nimi proszę nie do mnie. Ja się nie rozpieszczam pod tym względem. Bo wszelkie upiększydła zasadnicze znaczenie mają raczej dla bab występujących publicznie. Ja zaś przywiązuję do spraw kosmetycznych zaledwie normalną wagę. Czyli jak każda normalna kobieta: używam, lecz nie demonizuję. Te z nas, które muszą ze względów zawodowych się pokazywać, mają — być może — czasami problem. Ja nie, bo ja nie od pokazywania się jestem. A przeciwko podglądactwu kamerowemu w przypadku mojej osoby zwykle bardzo gwałtownie protestuję.

Posiadam oczywiście kosmetyki, jasne! Do tej pory używam arabskiej henny, którą sobie przywiozłam z Algierii przed dwudziestu przeszło laty. Mały zapasik, a wciąż go starcza. Jednak różne eleganckie uśliczniające dyrdymały, kupowane w Paryżu pod wpływem perswazji mojej synowej Zosi oraz wnuczki Moniki, przeważnie leżą, ciśnięte gdzieś w kąt. Co zaś do higieny, jakby ktoś był ciekaw, to oświadczam, że myję się czasami. Nawet niekiedy mydłem... Powinnam pluskać ciało w wodzie z dodatkiem oliwy, bo mam suchą skórę, lecz zazwyczaj zapominam. I też idzie jakoś wytrzymać...

T.L.: Od czasu do czasu, zależnie od fluktuacji mody w rozmaitych sezonach, spotyka się na ulicach kobiety na wysokich obcasach i w pończochach ze szwem. Pani ukochany styl.

J.Ch.: Elegancki babski wystrój. Jeśli się niekiedy pojawia, mimo zwalczania uporczywego, wykwita zapewne z wielu przyczyn, ale również wskutek uporu mężczyzn, którym sztuki z obcasem oraz szwem od zawsze się podobają.

Tymczasem wyrosło całe pokolenie kobiet w ogóle nie posiadających na ów temat pojęcia. Tak, dopiero teraz... Teraz akurat w całej Europie widuję znacznie częściej niż w ostatnich dekadach wysokie obcasy i pończochy ze szwem. Reakcja handlu wskazuje, że tendencja się utrzyma. Bo jeśli kiedyś w ogóle tych atrybutów nie dawało się kupić, obecnie jest ich wszędzie pełno.

Co prawda wszystkie baby zawsze ze szwem przechodziły męki, gdyż się to ścierwo przekrzywia. O Amerykankach słyszałam, że pończochy przy pasku zapinały sobie na trzy, a nie na dwie podwiązki, aby zminimalizować kłopot z falującym pończoszanym szwem. Może to i jest wynalazek, ale mnie się nie chce wyczyniać rozmaitych wygibasów.

Z podwiązkami mają kłopot wszystkie nadstandardowo grube baby. Niech pan sobie sam wyobrazi, że trzeba umocować, co należy, i dopasować. Jeśli ktoś gruby, nieźle się musi wić, by dopiąć celu. Niewygodnie jakby, prawda? Dlatego osobniczki skłonne do respektowania wymogów piękna, powinny się nieco odchudzić, jeśli pragną zażyć wdzięku szwu oraz obcasa. Nie, nie żeby od razu anoreksja, trochę tylko cieniej — i już wystarczy! Grube Amerykanki, posiadające bagaż w postaci pięćdziesięciu-sześćdziesięciu kilogramów nadwagi, niezbyt zdatne są do roztaczania powabu w pończochach ze szwem i w butach na szpilkach. Ja sama, od jakiegoś czasu mocno odchudzona, zapominam, że taki problem w ogóle istnieje. I biorąc z półki sklepowej pończochy, automatycznie sięgam po te ze szwem. W rezultacie przynajmniej niekiedy je później noszę, także i po to, aby posiadany zapas wyczerpać. Pieniędzy szkoda, zachodu szkoda. Kupione? To trzeba nosić, ot co!

T.L.: Może ktoś zbije majątek, wynalazłszy, w miejsce pończoch, rajstopy ze szwem?

J.Ch.: Nie, naprawdę cienkie rajstopy ze szwem nie istnieją. Specjalnie sprawdzałam. Nawet na półkach wytwornych paryskich magazynów bieliźniarskich rajstopy ze szwem egzystują tylko w asortymencie grubszych produktów.

Co prawda wynalazek rajstop, nawet i bez szwów, okazał się, ogólnie biorąc, błogosławieństwem po stuleciu pończoch: nagle nic się panu (a nie, panu akurat nie!) nie odpina, nic nie przeszkadza. Tylko w lecie pończochy okazują się zdecydowanie lepsze, gdyż rajstopy — za przeproszeniem — grzeją na tyłku.

T.L.: Co Pani na obowiązek, dziś zapomniany, noszenia przez kobiety halek?

J.Ch.: Osobiście wdziewam zawsze, pokazując się w miejscach publicznych. Dla bab preferujących sukienki halka okazuje się bardzo przydatnym szczegółem garderobianym. Tylko że tę część damskiego stroju wyprowadziły z mody spodnie. Spodnie oraz halka niezbyt się dobrze rymują. Bo co z halką wyczyniać w damskich spodniach? Ja spodni nie noszę nigdy, więc się nie muszę przejmować problemem. A halki wolę dlatego, że dzięki nim sukienki na kobiecie lepiej leżą. Halka na ogół jest śliska, zgrabniej więc się na niej sukienka układa.

W dzisiejszych czasach problem halek znika latem, gdy zakłada się na siebie byle co i po krzyku.

T.L.: Właśnie. Latem kobiety ścigają się raczej w konkurencji, jaką bym określił zdaniem: „Która z nas najładniej potrafi się rozebrać".

J.Ch.: Mnie aktualne tendencje mody raczej nie przypadają do gustu. Z modą, zawsze i wszędzie, należy po prostu UWAŻAĆ. Bo ona sugeruje za dużo, a baby bezkrytycznie albo za mało krytycznie się jej poddają. Wciąż z niesmakiem wspominam dwa bez mała dziesięciolecia, kiedy w całej Europie, w jakimkolwiek sklepie, nie uświadczyło się stanika. W każdym razie stanika przyzwoitego. Staniki akurat wyszły bowiem z tupotem z mody i — koniec, do widzenia! Jeśli ktoś stanik nosić lubił czy uznawał, że on dobrze robi (A DOBRZE ROBI!), musiał stalować biustonosze u gorseciarki. Następnie przez wiele lat nigdzie nie dawało się zdobyć paska do podwiązek. Przy rajstopach paski okazały się zbędne, moda je wyeliminowała. Na szczęście, teraz wszystko wróciło do normy. Tak zwani kreatorzy mody, ścigając się do naszych portfeli, wprowadzili urozmaicenia, a baby już mogą nosić, co się im żywnie spodoba. Przynajmniej raz fasoniarze wykazali życzliwość dla płci przeciwnej. A w przypadku wielkich dyktatorów częstokroć nie tak oczywista jest owa życzliwość. Bo przecież powszechnie wiadomo, że oni nader obficie zaliczają się do klanu homoseksualistów, niekoniecznie obdarzających kobiety entuzjazmem dla ich żeńskich walorów. Podejrzewam nawet, iż te hopki mody w jakiejś mierze stanowią wynik niechęci dyktatorów do przedstawicielek mojej własnej płci. Mszczą się. Licho wie za co? Przez całe dziesięciolecia kreatorzy usilnie starali się obrzydzić kobietom życie. Uczynić z nas takie jakieś maszkarony, mazepy, pałuby. Straszne! Co zaś się tyczy przesadnego rozdziewania się. Nie popieram. Bo dla kogo one się rozbierają, te idiotki? Dobrze, mogę zrozumieć, iż przy strasznym upale ściągają szaty dla siebie. Sama chadzam wtedy w czymkolwiek, we wszystkim, czego tylko jest jak najmniej, aby się nie mordować w spiekocie. Ale podtykać facetom nachalną goliznę...? Przecież im obrzydnie! Umiaru trzeba, bez kawy na ławę, niech się oni troszeczkę pozastanawiają, co też za urocze wdzięki baby mają do zaoferowania.

T.L.: E tam! Nie wierzę, aby w konkurencji na rozbieranie kobiety pozwoliły się przyhamować. Jedno z praw Murphy'ego powiada, że jeśli coś może się przydarzyć, zdarzy się na pewno.

J.Ch.: Głupstwa pan opowiada. Bywały przecież czasy, na przykład renesansowe, gdy damy w dworskich toaletach naszały obnażone biusty. I co? Jakoś minęły... A baby w rozdziewaniu się już dalej nigdy nie poszły. Przynajmniej tyleśmy okazały instynktu samozachowawczego.

T.L.: Otóż ja twierdzę, że istnieje zasadnicza różnica między dawnymi i nowszymi czasy. Wszystko bowiem jedno, czy renesansowe damy majtały cyckami na prawo i lewo, czy nie. Bo w każdym przypadku było im w krępujących swobodę ruchów toaletach niewygodnie. Natomiast wiek dwudziesty, rozbierając kobiety, uczynił to pod hasłami większej wygody. A wygody się nie wypuszcza z pazurów łatwo bez bardzo silnych racji wyższego rzędu. Stąd radykalizm zmiany myślowej, jaki wprowadzało zrzucenie gorsetu. Radykalizm, skutkujący najpierw wprowadzeniem absolutnie nowatorskiego kroju kostiumików Coco Chanel. A potem propozycji innych projektantek.
Za takimi faktami z obszaru ubiorów kryła się modelowa zmiana stylu rozumowania. Akcent z „chcę być piękna" przesunął się ku „chcę mieć wygodnie". To zaś musiało zaowocować ewolucją punktu widzenia na tak zwany problem kobiecości. Już nie szeptały niewiasty między sobą porozumiewawczo: „Seksapil to nasza broń kobieca", lecz: „Ona duża, proszę pana, ona krowa [...], jeśli się panu taki typ podoba, taka mała proszę pana, to ja!". Jeśli zaś szpieg, to nie powłóczysta Mata Hari, lecz nowoczesna Krystyna Skarbek.

J.Ch.: Nawet jeśli ma pan jakąś rację, to nie do końca. Bo kiedy będzie pan podziwiał facetkę w obcisłej sukni, proszę być kamiennie spokojnym: ona pod spodem nosi ten pogardzany gorset. Inaczej dziewczyna — nawet nie gruba, lecz całkiem na wymiary normalna — ryzykuje, że byle pojedyncza marszcząca się w okolicach talii fałdka skóry z miejsca zniweczy cały urok eleganckiej, wystrzałowej kiecki.

Często prawdziwa elegantka rezygnuje nawet i z bielizny lub zadawala się stringami lub innym czymś, co nie odznacza się, gdyż dokładnie opina stosowne fragmenty sylwetki.

No dobrze, kobiety rozdziały się z powodu upałów. Rozumiem. Sama stosuję. Ale po co w takim razie wciągają na siebie latem spodnie? Spodnie grzeją!

Z kolei faceci odwrotnie, zrzucając klasyczne spodnie, łażą po ulicy w jakichś farfoclach dla ochłody. Rozgrzany tyłek przyozdabiają jedwabnymi porteczkami w kwiatki. Wyglądają w nich jak kretyny. Modny fason krótkich gatek do kolan? Młodzian egzystujący kilka dziesięcioleci wstecz prędzej by ze wstydu umarł, niż miałby paradować w gaciach o kroju kalesonów. Kalesony wyglądają, ogólnie wziąwszy, okropnie, więc z czego te bałwany tak się cieszą?! Małpy, kiedy się stroją, też wykazują nie lada rozradowanie...

Męska moda, nazbyt już wygodna, zabija figurę. Trzeba się solidnie wysilić, aby ocenić, czy jeden z drugim posiada jakąś przyzwoitą sylwetkę, czy raczej przypomina obłego ludzika z reklam opon francuskiego Michelina.

Panowie, zapewniam, identycznie chłodzi lub grzeje materiał gładki oraz wzorek w kwiatki.

O, ze złości nawet mi się zrymowało!

T.L.: Jaki okres w modzie ostatniego pięćdziesięciolecia uważa Pani za czasy najkorzystniej eksponujące walor damskiego piękna?

J.Ch.: Zdecydowanie lata sześćdziesiąte! Koki, rozkloszowane, wcięte w talii suknie, u nas wyłącznie kwieciste, bo nie dawało się trafić w sklepach na gładkie materiały. Gładkie materiały widywałam, owszem. W Europie. U nas — nie! Wtedy przemysł socjalistyczny produkował na użytek masowy, stosując *urawniłowkę*. Większa ilość społeczeństwa zamieszkiwała jeszcze wieś, a wieś lubi kwiatki we wzorach na odzieży. Pewnie dlatego trzeba było jechać gdzieś dalej, aby wejść w posiadanie gładkich tkanin. U nas przecież po wojnie nastąpiła demokratyzacja... Rządy ludu... Właśnie czytam sobie „Historię Bizancjum" i natknęłam się na uwagę, że rządy ludu powodują wyłącznie straszliwy chaos. Bardzo rozumny, okazuje się, autor... Ale z lat sześćdziesiątych najlepiej wspominam linię H. Taki właśnie kształt sylwetki obowiązywał i kiedy się kobiety w nim mościły, wyglądały najładniej.

T.L.: A z mód wcześniejszych, tych bardzo niewygodnych?

J.Ch.: Uwielbiam cudowną modę czasów *fin de siècle*! Niekoniecznie kocham ówczesne szerokie tiurniury, lecz ogólny krój kiecek, zwężanych w kolanach, dalej lecących szerzej — nadawał kobietom niezwykłego *charme*! Tak, aprobuję w modzie sam schyłek XIX wieku, przed 1900 rokiem i nastaniem już mniej korzystnego *Art Déco*.
Tylko to pranie w dawnych czasach. Potworność! Włókna tylko naturalne, trudno się poddające ingerencji rąk, brak jakichkolwiek pralek.. W dodatku wszystko trzeba było prasować. Uprasować kieckę, posiadającą pięć rzędów falbanek oraz zaszewki, pliski, bufki — straszna robota! W dodatku, ze względu na prestiż, suknia powinna zawsze wyglądać na mało używaną. A przecież tylko rękawiczki kupowało się na tuziny. Bo sprane rękawiczki ówczesnej damie przynosiły nie lada ujmę. Po jednorazowym użyciu rękawiczki należało wyrzucić lub oddać osobom z gminu. Kiecki pozostawały dłużej w użyciu.
I co się dziwić, iż praczki cieszyły się dużym powodzeniem?

T.L.: Otóż to! Nie lekceważmy rozlicznych walorów fachu, który dziś już praktycznie sczezł. Ja w każdym razie oddam tutaj praczkom i ich żeńskim powabom wielki honor... To zawód, który kiedyś, raz po raz, udowadniał swą atrakcyjność. Nie tylko wtedy, gdy siostry od szarego mydła schylały się przy tarze nad balią, ale i wtedy, gdy — jako profesja dająca natchnienie ubogim artystom — trafiał zawód czyścicielek odzieży pod pióra, na płótna oraz do partytur licznych twórców. Czy praczki, wygięte przy robocie, dostarczały im tylko estetycznej satysfakcji — niech pozostanie spowite tak zwaną zasłoną milczenia...

J.Ch.: Pan da spokój głupotom, dobrze?!

T.L.: Przepraszam, rozmarzyłem się. Wracajmy do naszych baranów, jak mawiał narrator w wolterowskim „Kandydzie". Lata sześćdziesiąte wiązały się nie tylko z wiejskiej proweniencji kwieciem na odzieży. One przecież wynikały w istotnym stopniu z popularności ideologii dzieci-kwiatów...

J.Ch.: ...a nie, wynaturzenia proszę uprzejmie zostawić na boku. Wtedy się rozpoczęły męskie gacie w kwiatki oraz szyk, polegający na obnoszeniu podartych łachów. W kolejnej dekadzie z zapałem godnym lepszej sprawy przejęli to punkowcy. Dziewczyny nabywały dżinsy, w których natychmiast robiły dziury; inaczej wstyd by się było w takie nowe ubrać. Na mnie nadmiar mody na rzęchy robi dość obrzydliwe wrażenie.
Bo moda powinna istnieć po to, aby człowiek lepiej wyglądał. Jeśli więc przefasonowuje osobnika ludzkiego na małpę, mnie coś w tym nie gra...!

T.L.: Nie to ładne, co ładne, ale co się komu podoba...

J.Ch.: Złapmy więc na ulicy tysiąc dziewuch, pokażmy im jegomościa z połową łba wygolonią, a drugą połową nastroszoną w purpurowym kolorze i spytajmy, jakie emocje w nich budzi? Pawiany się im z urody podobają?

T.L.: Takie badania wykonuje się rutynowo na zlecenie producentów. Projektuje się rozmaite przedmioty stosownie do uzyskanych wyników.

J.Ch.: Niech pan zważy, iż ankiety grupowane są pod kątem gustów ludzi w określonych przedziałach wiekowych. Co innego piętnastoletnie panienki, co innego młode kobiety, jeszcze co innego panie w średnim wieku, wciąż jednak pełne wigoru. A całkiem inna sprawa to babcie, próchna, ekshumy. Pisałam o tym sporo na kartach „Przeciwko babom!".
W każdym razie tylko młodzież bezkrytycznie przyjmuje każde szataństwo, nawet wyjątkowo obrzydliwe.
Pod względem falowania mód specjalnie uważnie obserwuję Danię, gdzie jeżdżę systematycznie od bardzo wielu lat. Dawno już dosyć widywałam tam punkowych facetów w prze-

dziwnych kolorach, wymalowanych, na przykład, w zielony rzucik, wystrzyżonych w kratkę, wypindrzonych. Albo z potężnymi kłakami i w podartych rzęchach. A obok nich kroczyli młodzi ludzie wyglądający normalnie, w garniturach, ostrzyżeni klasycznie, bez żadnych ekstrawagancji. Wszystko zależy, gdzie ktoś pracował. Jeśli w banku, wkładał białą koszulę i krawacik. Żaden punk tamże pracować nie mógłby.

T.L.: Istnieje sposób godzenia ognia z wodą. W dzień powszedni garnitur, spodnie w kant, w sobotę zaś — włosy na cukier, skórzane kurtki, tu i tam niklowany łańcuch, na przegubach dłoni pieszczochy. Od biedy peruka.

J.Ch.: To kwestia nastawienia psychicznego. Nie każdy lubi schizofrenię. Oni już od dawna decydują się egzystować w jednym albo w drugim środowisku. Młody bankowiec na weekend przywdzieje raczej wygodne spodnie, wiatrówkę, zdejmie krawat. Bo to nie tylko moda, ale i różnica mentalności, podejścia do życia w ogóle.

Jechałam pewnego razu pociągiem do Alicji. W wagonie kolejki z Kopenhagi do Birkøred siedziały obok siebie dwie dziewczyny. Jedna modna, cała w obcisłej, czarnej skórze, nabijana ćwiekami. Druga w gustownej spódniczce, bluzeczce, zrobiona z klasyczną elegancją. Do tego normalne uczesanie, bardzo dyskretny makijaż. Patrzyłam to na jedną, to na drugą. Otóż widziałam w jednym miejscu istoty z całkiem innych planet! Jestem jednak za tym, abyśmy wybierali własne planety.

T.L.: Mnie się obfitość mody podoba. Wszelkie mieszanki wytwarzają nowe jakości, po prostu twórcze są. Tak przecież prezentuje swą różnorodność Paryż.

J.Ch.: W tym miejscu racja. Nawet i Paryż niekonieczny, aby się z panem zgodzić.

Kiedyś umówiłam się na wizytę u fryzjera w warszawskim Hotelu Europejskim. Przyszłam nieco wcześniej, siedziałam zatem spokojnie, obserwując otoczenie. Nagle zauważyłam wchodzące kurwy drugiego autoramentu.

T.L.: Dlaczego drugiego?! Europejski to lokal z klasą! Od zawsze! Byle kogo tam nigdy nie wpuszczali!

J.Ch.: Autorament pierwszy, powyłapywany, siedział akurat w więzieniu, w związku z jakąś kolejną aferą walutową. Swoją więc szansę ułapił teraz drugi sort. Na bezrybiu i rak ryba. Cóż za zróżnicowanie, nieprawdopodobne wprost!!! Przyglądałam się dokładnie. Od szalenie gustownej dziewczyny w bardzo szykownej sukience, z niebrzydkimi perełkami na szyi, wyglądającej jak młoda hrabianka, aż do panny obleczonej w nadmuchane dętki samochodowe à la wspominany wcześniej Michelin. Inne też poubierały się cokolwiek dziwnie. Z czego płynie wniosek, iż bogactwo stylu może dotyczyć nawet lokalnych kurwów drugiego autoramentu. One znajdowały się w pracy, różnicując po prostu ofertę. A jednak różnorodność nawet i wtedy ładnie się prezentowała. Ja lubię w gruncie rzeczy rozmaitość strojów. Sama potrafiłabym dawniej okręcić młodszy o parę lat odwłok zerwaną z okna firanką i ruszyć w tym na ulicę. Tylko że od pewnego wieku — głupio... Poza tym, jak panu tłumaczę, zawsze byłam za normalnym, nieprzesadnym stylem ubierania się. Na sobie zawsze nosiłam, co tylko zechciałam, modą się nie przejmując. Może tyle chociaż mnie obeszła, że kiedy zaczęło się mini, ja też skróciłam wszystkie kiecki. Długie nagle się zrobiły trochę jakby głupie. Po pewnym czasie również i zamszowy płaszcz skróciłam. Dawne dzieje. Obecnie nie zamierzam nosić kiecek ledwie sięgających tyłka. Trzeba znać umiar. Tyle że nie lubię długości do pół łydki, bo ona nieodmiennie każdą babę pobrzydza i postarza. Nie cierpię. Na dziesięć tysięcy kobiet w długości do pół łydki ile dobrze się prezentuje? Jedna?

T.L.: Nie powstrzymam się i sam opowiem śliczną anegdotę. Zaczyna się w chwili, gdy tylko co ujawniła się moda na mini. Jechałem autobusem, jak zwykle zaczytany, niezbyt zważając na otoczenie. Lecz od lektury oderwał mnie głos rozjuszonej starszej pani w spódnicy do pół łydki. Dostrzegłszy wsiadającą śliczną, zgrabną pannę w obcisłej i ryzykownie krótkiej spódniczce, obrzuciła ją wyzwiskami, zarzuciła nieprzyzwoitą odzież, opluła i nawet rzuciła się do rękoczynów. Powstrzymana przez ludzi, urażona wysiadła. Koniec pierwszego aktu. Lecz po mniej więcej dwóch latach nastąpił akt drugi. Obowiązywała już moda na midi, a *dernier cri* stanowiły słynne spódnice krojone ze skosa, zszywane z różnobarwnych klinów, tak zwane bananówy. Znów jadę autobusem, znów zaczytany, znów niezbyt zważając na otoczenie. I oto znów od lektury oderwał mnie głos rozjuszonej starszej pani. Tej samej, co poprzednio. Dostrzegłszy wsiadającą śliczną, zgrabną — również tę samą co poprzednio — pannę w obcisłej i do pół łydki bananowej spódnicy, obrzuciła ją wyzwiskami, zarzuciła nieprzyzwoitą odzież, opluła i znowu rzuciła się do rękoczynów. Powstrzymana przez ludzi, urażona wysiadła... Co starsza strażniczka moralności za drugim razem naciągnęła na pupę, jak Pani sądzi?

J.Ch.: Spódniczkę mini?

T.L.: Właśnie. Blaise Pascal w „Myślach" westchnął, że katolik to ten, którego po jednej stronie Pirenejów nazywają wiernym. Po ich drugiej, muzułmańskiej, stronie nazwą go — niewiernym.

J.Ch.: Tylko czy przypuszczał, jak bardzo szybko zaczną się przemieszczać Pireneje...?
Konwencji należy przestrzegać, lecz nienachalnie. Przesadne stosowanie się do wymogów, do w s z e l k i c h wymogów, uważam za uciążliwe oraz bezsensowne. Jestem za złotym środkiem, za umiarem. I za tym, abyśmy dobrze się czuli ze sobą samymi. Trzeba zatem adaptować każdą modę do tego, co podszeptuje nasze własne wnętrze. Niewolnictwo odradzam. W niewolnictwie nikomu nie jest do twarzy.
Ale społeczny zwyczaj ma też sens. Gdybym w okienku bankowym spotkała urzędnika przyodzianego w stylu punk albo hippisa, nie nabrałabym do niego zaufania. Dla mnie moda hippisowska, także moda punk, dowodzi udziału w zbiorowej głupocie. Otóż ja nie życzę sobie, aby moimi pieniędzmi obracał półgłówek.

T.L.: Punkowie, również hippisi, to często ludzie bardzo inteligentni, tyle że zbuntowani!!!

J.Ch.: Niemożliwe!!! Buntować się można znacznie inteligentniej, niż robiąc z siebie pomietło, pokrakę, mazepę oraz małpę! Co nie przeszkadza, że z każdej głupoty, również punkowej, się wyrasta. Przy okazji nabierając więcej oleju do łbów. W przypadku *en masse* branych hippisów za ich śmiertelną głupotę uważam przekonanie, że nie trzeba pracować. Zatem — skąd brać jedzenie? Ubiory? Jak się ogrzać? Czym się umyć?

T.L.: Hippisi gotowi byli pracować, tyle że w sposób inny, z grubsza mówiąc — ekologiczny. Do teraz w Kalifornii trwają wspólnoty hippisowskie, zarabiające na siebie. Fakt, że powstawały po okresie anarchizującego buntu, więc później niż w czasie triumfu ideologii dzieci-kwiatów. Co się nie sprawdziło, to hippisowska wspólnota kobiet. Inne fundamenty ideowe trwają, są praktykowane, przestrzegane. Ponieważ wyrastałem w burzliwych latach sześćdziesiątych, więc komuny wspólnotowe, przyznaję, budzą mój sentyment.

J.Ch.: Osobiście jakichkolwiek wspólnot NIE ZNOSZĘ. Ale jeśli ktoś pragnie żyć w stadzie — zakazu nie ma, wolno mu. Czepiać się nie zamierzam. Tylko dla siebie stada nie chcę. I JUŻ!

T.L.: Jest Pani skrajną indywidualistką, wielokrotnie oświadczającą, że przez całe życie marzyła Pani o życiu o s o b n y m. Nawet goście nie bardzo mogą u Pani nocować, bo Joanna Chmielewska kocha dystans. Skąd taka skłonność, u kobiet raczej nietypowa?

J.Ch.: Bo ja wiem? Od dzieciństwa to miałam. Jak tylko sięgam pamięcią, zawsze cechowała mnie potrzeba izolacji. Powtarzałam jak Hindusi mantrę: — *Proszę się ode mnie odczepić i na głowie mi nie siedzieć!* Tkwi we mnie żywiołowa niechęć do wspólnot natury bez mała fizycznej, na pewno zaś emocjonalnej.
Chyba ona wzięła się z nadopiekuńczości, jaka mnie spotykała w dzieciństwie. Cała rodzina pastwiła się nade mną — jednym jedynym rodzinnym dzieckiem. Na pewno za dużo oni mnie chcieli m i e ć, zatrzymać przy sobie. Zbyt częs-

to interesowali się, co akurat robię albo dlaczego mam taki właśnie wyraz twarzy. Można zwariować od nadmiaru troskliwych krewnych, zapewniam... Oczywiście, w wieku pięciu lat nie posiadałam o tym mechanizmie zielonego pojęcia. Lecz gdy moja matka, cierpiąca z powodu straszliwych migren, kładła się w ciągu dnia i zasypiała, ja poruszałam się na palcach, starając się n i e o d d y c h a ć, aby jej przypadkiem nie obudzić, tracąc moją chwilową, za to cudowną — samotność.

T.L.: Konwencja tej rozmowy upoważnia mnie do postawienia intymnego pytania. Przy niechęci do bliskiego, bezpośredniego kontaktu, jakim cudem w wieku starszym nieco znosiła Pani u swego boku mężczyzn?

J.Ch.: Mężczyźni okazują się zazwyczaj mniej czepliwi niż kobiety. Bo który facet koniecznie pragnie siedzieć przez cały boży dzień bok w bok i trzymać się za łapkę?! Od tego zwariowałabym zupełnie.

T.L.: Dzieci także wymagają mnóstwa fizycznej bliskości.

J.Ch.: Ciężkie chwile to wielokrotnie bywały... Na przykład nie cierpiałam zabaw z bachorami.

T.L.: W chowanego też nie?!

J.Ch.: Pan da spokój, w chowanego rodzina w komplecie od lat czterech do stu bawiła się niekiedy wspólnie. Mnie chodzi o zabawy innego rodzaju. Odwiedziwszy dzieci w Kanadzie, musiałam się z pięcioletnią wnuczką Moniką bawić lalkami. Od Zosi, synowej, wiedziałam, że maluch marzył wprost straszliwie, iż pokaże babci swoje skarby, rozmaite przytulanki. Odpracowałam, nie powiem. Ale namówiłam Monikę, abyśmy przeszły prędko na klocki Lego. No, a wówczas — tośmy sobie z rąk wyrywały. Musiałam klocków dokupić, bo dla obydwu nas brakowało. Gdyż dystans, jaki okazuję, ma swoją specyfikę. Ja aprobuję jakieś z ludźmi kontakty, zwłaszcza z bliskimi. Byle one okazywały się KONSTRUKTYWNE. Jeśli należało moim chłopcom czytać książeczki, proszę bardzo, czytywałam i po trzy za jednym zamachem. Zwłaszcza ulubione lektury: „Doktora Doolittle", „Złoty kluczyk, czyli przygody pajacyka Buratino" (ruska wersja „Pinokia") oraz „Kubusia Puchatka". Tuwima, a także Brze- chwę, w tamtych czasach znałam na pamięć, więc nawet nie musiałam czytać. Pozostałych książeczek dla dzieci nie by- łam w stanie strawić. Bo dzieciom należy czytywać rzeczy z ich punktu widzenia sensowne, ale też do wytrzymania dla dorosłego lektora. Powiedzmy — baśnie Andersena. Dla książek sensownych, KONSTRUKTYWNYCH, w ostatecz- ności potrafiłam, czort bierz!, się poświęcić.

Za to mnie proszę niczego nigdy nie czytać. Nienawidzę, przestaję rozumieć.

ROZDZIAŁ IX

O wyższości miłości nad przyjaźnią i wręcz przeciwnie

T.L.: Pani Joanno, czym dla Pani jest przyjaźń?

J.Ch.: LOJALNOŚĆ. Przyjaźń to jest przede wszystkim absolutna lojalność. Pełne zrozumienie, pełne zaufanie, pełna lojalność. Nawet kosztem własnych interesów. Przyjaciel — to przyjaciel! Jeśli ktoś tak bliski, jak przyjaciel, na mnie liczy, nie wolno mi go zawieść. Nigdy!
Granitowa, absolutnie granitowa przyjaźń w moim życiu to Alicja. Bez Alicji by mnie nie było. Pomogła mi, zupełnie bezinteresownie, w jednym z najcięższych okresów. A druga — to Jerzy Rembertowicz. Prawdziwy przyjaciel. I trzecia — Maciek Krzyżanowski. Jeśli trzeba by mi pomóc, on by na głowie stanął. I ja dla niego też. Niestety, zmarł nie tak dawno. Bardzo mi żal.

T.L.: Chciałbym jeszcze przez moment podrążyć Pani relacje z Alicją. Otóż Pani przyjaciółka, decydując się bez najmniejszego wahania zaprosić dawną koleżankę z pracowni do siebie, kiedy już przebywała w Danii, jeszcze się z Panią przecież tak mocno nie przyjaźniła. Co nią więc kierowało? Zwykła przyzwoitość?

J.Ch.: Będąc kiedyś u niej, coś na ten temat wybąkałam. I Alicja wyjaśniła, w czym dzieło. — *Chcesz wiedzieć, dlaczego załatwiłam ci zaproszenie tutaj?* — spytała. — *No, no! DLACZEGO?* — prawie zabrakło mi tchu. — *Bo byłaś jedyną osobą, która, gdy wyjeżdżałam z Polski, odprowadziła mnie wtedy na pociąg...*

Fakt, prawda, odprowadziłam ją na pociąg, bardzo przejęta tym wyjazdem. Przecież wyruszała za granicę na stałe. Wyznam teraz panu raz jeszcze, co mną z kolei kierowało. Chociaż bardzo porządnie to w „Autobiografii" wyłożyłam. Otóż, wszystko zaczęło się kilka lat wcześniej, nim nastąpił wyjazd Alicji. Akurat bardzo wtedy zapragnęłam zarobić, a moje pragnienie brało się z prostej życiowej konieczności. Marzyłam o jakichś porządniejszych pieniądzach, ale bez rezygnowania z zawodu architekta. I najlepiej poza Polską, bo na Zachodzie przynajmniej sensownie płacili. Usiłowałam, co tam będziemy ukrywać, złapać swoją okazję. Otóż, w ramach międzynarodowej wymiany kobiet-architektek do Francji wyruszyły nasze dziewczyny. Było to i mi proponowane. No, ale skąd... Za co? Trzeba najpierw kupić bilet i niezbędne wyekwipowanie, no — za co?! Dzieci akurat chore, na desce kreślarskiej terminowe zlecenia; nie miałam wtedy wolnych nawet stu złotych. Gdzie mi w tej sytuacji myśleć o Paryżu...? Nie pojechałam. Gdybym pojechała, zawarłabym osobistą przyjaźń z Solange, która akurat zaprzyjaźniła się z Alicją.

T.L.: Chwileczkę. W tym miejscu proszę o wyjaśnienia. Kim była Solange?

J.Ch.: Wspominałam o niej w „Autobiografii". To Francuzka, przyjaciółka Alicji, architektka związana z ruchami kobiecymi lat sześćdziesiątych, przewodnicząca europejskiego związku kobiet-architektek, poznana w trakcie pobytu u nas delegacji znad Sekwany.
Oprowadzałyśmy rozmaite persony z tej wycieczki po Warszawie. Bardziej zajmowała się nimi Alicja, lecz mnie, dlatego że wówczas znałam jeszcze nieźle francuski, moja koleżanka wciągnęła do zapewnienia różnym osobom programu rozrywkowego.
Pamiętam, jak dwójce Francuzów, facetowi i babie, jednak bez uczestnictwa Solange, starałyśmy się objaśnić szczegóły warszawskiej legendy o Złotej Kaczce, zamieszkującej podziemia Pałacu Ostrogskich przy ulicy Tamka. Tylko że za żadne skarby świata nie potrafiłam sobie przypomnieć, że

po francusku samica kaczki to *la cane*. Ratowałam się, wprowadzając do legendy *le canard*, czyli kaczora. Oni, ci Francuzi, w rezultacie zrozumieli, iż kuriozum naszego narodowego kaczego dziwa zasadza się na tym, że właśnie kaczor znosił słynne złote jaja, zastępując bohatersko przy odwalaniu całej trudnej porodowej roboty kaczkę płci żeńskiej! Dopiero gdyśmy ich wreszcie pożegnały, pojęłyśmy, przypomniawszy sobie stosowne słowo, że jednak z tą kaczką cokolwiek nam nie wyszło...

Do Danii wyjechałam właśnie dlatego, że na staż w pracowni Solange straciłam widoki. Jedna z koleżanek wygryzła mnie z paryskiego kontraktu.

Ale po kolei. W ramach rewizyty za Warszawę do Paryża pojechało kilka naszych dziewuch, zresztą przeważnie głupich. Cztery sztuki szwendały się po placu Pigalle, zbite w kupę, jakby związane łańcuchem, bo tak się panicznie bały gwałtu. Baby po trzydziestce, ogólnie biorąc wciąż i wszędzie razem. Rzeczywiście, w całym Paryżu nie trafiały się piękniejsze i młodsze, tylko one cztery... Francuscy gwałciciele, pewnie jeszcze przed ich wyruszeniem do Paryża, czekali tylko, zacierając ręce i ostrząc sobie właśnie na nie...hmmm...zęby?

Idiotki skończone...

Szczęśliwie mnie w tym gronie zabrakło. Wątpię zresztą, czybym chodziła zbita w kupę, wierząc, że akurat cała męska populacja Francuzów oraz wszyscy turyści płci męskiej marzą z utęsknieniem, aby odwalić na mnie gwałt. A niechby i spróbowali, to mimo wszystko, bądź co bądź, jakiś komplement dla kobiety po trzydziestce. Pewnie gdybym miała lat szesnaście — to na temat ewentualnego gwałtu zupełnie co innego by mi się pomyślało. Ale nikt w tym gronie nie miał szesnastu lat, szło o baby całkowicie, skończenie dorosłe.

W grupie, oprócz tych kretynek, trafiło się również kilka facetek niegłupich. Znajdowała się wśród nich Alicja, która, zamiast spacerować po placu Pigalle, zajmowała się owocnymi dyskusjami z wcześniej poznaną Solange. Na tym właściwie wszystko by się skończyło, gdyby nie kolejne wydarzenia.

Dodam jeszcze parę słów, aby rozwinąć to, co już wspominałam na temat mojej ówczesnej sytuacji. Otóż ja wówczas marzenie o Paryżu musiałam definitywnie schować do kieszeni, czyli skreślić z powodów czysto finansowych. Nawet niedrogo kosztowało, około pięciuset złotych (przy moich trzech tysiącach złotych pensji), Alicja zaś gorąco namawiała. Lecz ja tych pięciuset złotych nie posiadałam... Matko Boska!!! Wtedy PIĘĆSET ZŁOTYCH!

(Pani Joanna chwyta się za głowę!)

Gdybym je ucapiła, spadłyby mi z głowy portki dziecka, buty dziecka, rachunki za coś tam i za coś tam innego również. Raczej się więc zastanawiałam, nie jak wydać pół tysiąca, ale gdzie taką ogromną kwotę pożyczyć! Uziemiona, zaklopsowana radykalnie, ze zleconą robotą we łbie — ani czasu, ani pieniędzy. Tylko ogromna chęć we mnie trwała. Chęć. Dużo, owszem. Ale za mało o troszeczkę... Marzenia płakały w mojej kieszeni i na płaczu się wszystko kończyło.

Perswadowałam Alicji: — *Ty, ty mi nie truj. Przecież w tyłek nie mam się kiedy podrapać! Nie jadę, won! Jeszcze mi Paryża do kompletu brakowało!*

Cóż, nie pojechałam. Tracąc szansę, albo przynajmniej chociaż szanskę życiową, gdyż w Paryżu nawiązałabym bezpośrednią bliższą znajomość przecież nie z placem Pigalle, ale z Solange.

Podczas paryskiego pobytu Alicja zaprzyjaźniła się bowiem z Solange, która posiadała własną pracownię architektoniczną. I zaoferowała Alicji miejsce pracy u siebie dla jednej, wybranej przez nią sztuki. Moja przyjaciółka wskazała akurat mnie. Nawet nie trzeba było się wygłupiać z ucieczkami z kraju, wystarczyło pojechać legalnie, na formalne zaproszenie. Tak bym zresztą postąpiła. Uzgodnione zostało, że otrzymam od Solange zaproszenie z propozycją zatrudnienia.

Lecz wyjechać mogłam dopiero za kilka miesięcy. Bo nie rzucę przecież od jednego kopa dzieci, roboty, obowiązków rodzinnych. To wszystko należy przed wyjazdem ustawić, uporządkować. Akurat, przypadkowo, do Francji wyruszała pewna moja przyjaciółka, architektka, nieposiadająca perspektywy zatrudnienia. Poinformowana więc została, iż u Solange czeka na mnie miejsce pracy: — *Jedź tam, chwyć się na razie mojej roboty i szukaj dla siebie czegoś innego, nie obijając się bez sensu, nim się zjawię. Ja potem przyjadę i cię zmienię* — zaproponowałam, idiotka skończona!

Abym otrzymała od Solange zaproszenie z formalnym zapewnieniem o czekającej pracy, ktoś w Paryżu musiał udać się do polskiej ambasady, pobrać niezbędne papiery, wypełnić, wysłać do Warszawy. Solange poprosiła o tę przysługę przyjaciółkę, zaczepioną na moim miejscu. Nic dziwnego, trudno wymagać, aby właścicielka niemałej pracowni, główna jej projektantka, osoba raczej zagoniona, biegała po ambasadach z drobną dla niej sprawą. Jednak przyjaciółka, której u Solange załatwiłam ostoję na pierwszy paryski oddech, odmówiła. Nawet w trakcie byle przerwy na lunch nie znalazła czasu, żeby pogalopować do ambasady. Po co jej było zmieniać wygodną posadkę? Usłyszawszy, co się dzieje, Solange wściekła się okropnie. Oświadczyła, że ani nie pojmuje stosunków panujących między Polakami, ani nie zamierza się w nie wdawać. Zrezygnowała ze mnie.

I tym sposobem, w połowie szóstej dekady XX wieku, czekając na wymarzone zaproszenie do Paryża, straciłam przyjaciółkę, zawodową szansę, pieniądze do zarobienia, co najmniej kilka lat w obrębie ulubionej kultury romańskiej oraz dobrą znajomość francuskiego.

Ale zyskałam Alicję w całej jej duchowej krasie. Może więc wyszło na moje?

Nim jednak będzie o Alicji, trzeba wspomnieć coś na temat wystawy w Montrealu w 1968 roku. Pisali do mnie kumple, pracujący tam od 1964 roku, wysyłali z krzykiem korespondencję treści następującej: — *Na litość boską, przyjeżdżaj natychmiast! Jest robota, dobrze płacą!!!! Tylko wystaraj się o zaproszenie i stawiaj się w Montrealu!* Poprosiłam rodzoną ciotkę, żeby mnie tym niezbędnym zaproszeniem wsparła. W odpowiedzi otrzymałam umoralniający list, zawierający tysiąc ostrzeżeń wraz z informacją, że u nich, w Kanadzie, pieniądze nie walają się po ulicy. Przeleciał czas, Montreal mi się wściekł.

Już pan rozumie, co wykonała Alicja, kiedy przysłała mi zaproszenie do Kopenhagi, korzystając zresztą z wielkiej uprzejmości pana von Rosen? Teraz wracam do porządnej chronologii.

Bo po pewnym czasie od paryskiej rewizyty Alicji u Solange, ciągle w ramach zawodowej ogólnoeuropejskiej wymiany, do Polski zjechała z Danii następna grupa zagranicznych architektów. Ponieważ ich językiem do konwersacji był przede wszystkim niemiecki, więc do kontaktów z Duńczykami najlepiej oczywiście pasowała władająca biegle tym językiem Alicja. Wtedy właśnie, w Warszawie, poznała pana von Rosen. Mnie akurat wówczas cokolwiek trudno było związać koniec z końcem i żaliłam się do niej, jak to się zdarza między koleżankami, że do Francji nie pojechałam, że to, że śmo. Alicja w tym momencie wyznała, że ona teraz wyrusza do Danii. A że już zaczęło się powoli wyjaśniać, iż dobrze się rozumiemy, kontaktujemy się bez problemu na licznych polach, zatem nawiązała się jakaś bliskość. Więc co jej nie miałam odprowadzić, wielkie mi mecyje!? Normalny element, taki żal, że ktoś rzetelny odjeżdża, żadne tam dziwo. Alicja jednak zapamiętała sobie dobrze, że na dworcu byłam z nią tylko ja. I kiedy już mogła, od razu załatwiła mi zaproszenie. — *Przyczyna wydaje mi się niewspółmierna do rezultatu* — wyznałam Alicji, usłyszawszy, co spowodowało całkowitą rewolucję w moim życiu.

Zupełny przypadek sprawił, iż w ciągu tygodnia od przyjazdu udało mi się zatrudnić w architektonicznej pracowni. Dziś Alicja nie jest już w dobrej formie, wreszcie ma parę lat więcej niż ja. Czasem różni tak zwani uprzejmi dziwią się, że trochę o Alicję się teraz troszczę ja. Lecz, po dobroci proszę, niech nikt mi nie radzi, abym ją kiedykolwiek zostawiła, samotną...! Ja nie zwariowałam, ja po prostu mam dobrą pamięć.

T.L.: A gdyby, załóżmy, jednak nie udało się Pani wówczas wyjechać?

J.Ch.: Istniała pewna alternatywa: przenieść się na prowincję w charakterze architekta powiatowego. Pomógłby mi Wiesiek Wieczorkiewicz, kumpel, zatrudniony akurat w Ministerstwie Budownictwa jako wiceminister. Trochę by mi się życie skomplikowało. Dokąd jechać, gdzie zamieszkać, ile trzeba czasu, by zdobyć pozwolenie na praktykę prywatną, takie tam dyrdymały. Czy dzieci przenosić do Pcimia, Mławy, Małkini Dolnej albo Górnej? Trudna decyzja, ale musiałabym się jednak zdecydować. Zrobiłabym to. Bóg jeden raczy wiedzieć, co by z tego wynikło. Bo z powodu Wojtka, z którym wtedy byłam związana, nie potrafiłam pisać. Utrudniał mi. Niby posiadałam w zanadrzu jeszcze trzecie wyjście, mogłabym niby rzec doń: — *Won z tego domu!!!* Ale to wyłącznie teoria, z równie uprzejmą zachętą zwracałam się do Wojtka wielokrotnie, więc któryś kolejny raz też niekoniecznie dałby pożądany rezultat. Nie ma jednak tego złego, co by na dobre nie wyszło. W rezultacie wszystkie jego wygłupy spowodowały, że mnie Alicja wyciągnęła. Wyszłam z impasu, przede wszystkim finansowo. Otrzymywałam wtedy trzy tysiące złotych pensji, posiadając dwadzieścia dwa tysiące złotych długu, ostatnie na nogach buty, od których obcas odpadał, oraz ostatnie majtki na tyłku. Czy było wyjście? Gdy już się znalazłam w Danii, w pierwszej kolejności spłaciłam wszystkie długi i zaczęłam przysyłać dzieciom forsę na życie.

T.L.: Całą „Autobiografię" tak Pani zbudowała, że czytelnik obcuje z tekstem wesołym, optymistycznym. Lecz naprawdę...

J.Ch.: Wykluczone, żebyśmy obie z Alicją w Kopenhadze siedziały i płakały. Przeciwnie, myśmy się świetnie bawiły. Nie, proszę sobie nie myśleć, że świetna zabawa polegała na wspólnym ganianiu po knajpach. Ale wystarczyła nam też zwykła rozmowa. — *Słuchaj* — powiedziała do mnie kiedyś Alicja — *ty, zobacz, coś tu nie gra... Czy my jesteśmy niespełna rozumu? Normalnie przecież to chłop wyjeżdża na saksy, baba siedzi w domu i czeka. Zobacz, co się u nas wyrabia. Myśmy wyruszyły obie na poniewierkę, a te nasze głupy, oba* — (Janek Alicji i Wojtek mój) — *siedzą w Warszawie i się cieszą.* Odpowiedziałam: — *Tobie i tak dobrze, bo do tego wszystkiego ja jeszcze dysponuję dziećmi...* Alicja nie do końca rozumiała tak zwane matczyne rozterki, gdyż sama nigdy dzieci nie posiadała. Kiedy zwijałam się, aby skombinować dla gówniarzy jakieś pieniądze, prychała: *Wariatka, co ty za historie wyczyniasz!*

T.L.: To jednak musiało być, ogólnie wziąwszy, nieco strasznawe. Czasem przecież człowiek nie ma jak nawet polizać własnych ran, bo mu z rozpaczy sił brakuje.

J.Ch.: Nie w tym dzieło. W tamtych chwilach, po prostu — należało mieć charakter. Okazało się, że ja go miałam. Po tych wszystkich prababkach awanturniczy, zacięty, ale pozwalający się nie ugiąć, gdy robi się naprawdę trudno. Takie coś: jeśli na pustyni zdycham, to przecież umrę, idąc, czołgając się, obojętne. Nie popuszczę i nie zrezygnuję! Ot, cechy charakteru. I końskie zdrowie. Pracowałam po dwadzieścia dwie godziny na dobę i wytrzymałam. Tych zdrowych, głupich pierdoł, które skarżą się na pracę po szesnaście godzin, w związku z tym nie rozumiem. Potem odpocząć. Jakie odpocząć?! Słowo daję, ludzie powariowali. Gdzie mnie wtedy, w tamtym wieku, było do odpoczywania...

Dlaczego mi się udało? Bo miałam dobry grunt. Nie paliłam papierosów w wieku lat szesnastu. W życiu moim nie siedziałam obok narkotyku. Nawet w najmniejszym stopniu nie używałam alkoholu.

T.L.: Proszę nie przesadzać z abstynencją. Kiedyś opowiadała mi Pani o zapaści po jednym, jedynym kieliszku wina. Czyli jakieś wyskokowe płyny się Pani niekiedy przydarzały.

J.Ch.: Kiedy to było? Jak już miałam trzydzieści parę lat i trochę mocnych przeżyć za sobą?! Ale przecież nie wtedy, gdy miałam lat dwadzieścia, dwadzieścia pięć, dwadzieścia osiem, a i trzydzieści tyż. Proszę mi nie wymawiać nerwicowych historii. Kiedy liczyłam sobie trzydzieści cztery lata, okazało się, że szkodzi mi ilość alkoholu o objętości jednej łyżeczki od herbaty. Dobrego wina zresztą w tamtych latach nie uświadczył pan, owocowego zaś oraz domowej roboty ani myślałam pić. Miałam na jego tle wstręt od czasów, kiedy, jako dorastająca dziewczynka, próbowałam skosztować owocowego wina produkcji mojej babci. Już jeden kieliszek owego trunku powodował u mnie straszliwą sraczkę, więc czegoś takiego później do ust nie brałam. Niby od czego miałam zatem tracić zdrowie? Nerwica, jaka mnie dopadła, to zupełnie inna sprawa. Jako źródło zdrowia traktowałam nie alkohol, tylko kąpiele w zimnej wodzie. Przez pięć lat brałam lodowate prysznice. Chryste Panie, przy moim ówczesnym zdrowiu najzdrowszy koń to zdecydowanie zbyt cherlawe zwierzę! Naprawdę, miałam mnóstwo siły. To, że człowiek posiada męża, dziecko, pracę zawodową i jeszcze coś tam musi...? No, cóż takiego?! Dlaczego ma nie podołać?! Dziecko w tyłek mu się zębami wbiło i się za nim wlecze? Przecież zdarza się, że ono sypia, prawda? Wtedy każdy może przy pracy posiedzieć.

T.L.: No, nie wszyscy mają tyle siły.

J.Ch.: Jak ktoś całkiem zdrowy „nie ma tyle siły", niech się powiesi! Nieprawda, większość siłę ma! Lenistwo, zwykłe lenistwo.

T.L.: Ciekawe, że w gronie Pani przyjaciół przeważają mężczyźni: Jerzy Rembertowicz, Maciek Krzyżanowski. Wierzy Pani zatem w przyjaźń męsko-damską?

J.Ch.: Przecież, już to panu mówiłam, posiadam męskich przyjaciół, takich prawdziwych przyjaciół, z którymi nic poza przyjaźnią nas nie łączy. Choć różnimy się płcią, ta różnica seksualnie nie ma najmniejszego znaczenia...

T.L.: Przypuszczam wszelako, że chodzi mimo wszystko o nieco inny rodzaj przyjaźni niż w przypadku istot jednopłciowych.

J.Ch.: Pewnie że tak! Zupełnie inny. I nawet trudno mi określić, na czym owa inność polega. Odmienny charakter zwierzeń, inny typ kontaktów, styl udzielania sobie wzajemnej pomocy. Nigdy tego porządnie nie analizowałam, lecz wiem, że różnica istnieje. Przy czym, proszę mi wierzyć, przyjaźniąc się z Maćkiem, Jerzym, Zdzichem — przyjaźniłam się również z ich żonami. Pewnie dlatego, że one mogły być granitowo spokojne, ja jestem nieszkodliwa... W każdym razie byłam taka dla ich mężów. Niekiedy, widzi pan, kobiety są w stanie uwierzyć w nieszkodliwość innej baby.

T.L.: Czy była w Pani życiu jakaś przyjaciółka z kategorii „najważniejszych"? Oczywiście poza Alicją.

J.Ch.: Owszem, miałam inną przyjaciółkę, też, zdawałoby się, granitową. Na całe życie. Niestety, po czterdziestu dwóch latach okazało się, że, psiakrew, diabli wzięli przyjaźń... Nie powiem, o kogo chodzi, *nomina sunt odiosa*. Siebie jednak za to głównie winię. Bo nie zdawałam sobie sprawy z jej uczuć. Czyli byłam w tej przyjaźni egoistyczna. Za mało uważnie patrzyłam, co nią szarpało. Nie wolno tak. Ktoś może tłumić w sobie latami złe uczucia i trzeba to wiedzieć. W jakimś momencie przecież się zeń coś uleje albo coś w nim pęknie. Nie zdawałam sobie z tego sprawy, obdarzona egocentrycznym charakterem po mojej rodzinie. Uważam zatem, że niesympatyczny finał wielodziesięcioletniej przyjaźni w dużym stopniu nastąpił z mojej winy. Do byłej przyjaciółki jednak mam również pretensję. Niedużą, ale jednak. Może należało wcześniej otworzyć głupią gębę, nie milczeć? Może należało inaczej reagować, zwłaszcza w najbardziej niesympatycznych, zasadniczych chwilach?

T.L.: Pani Joanno, nim zadam następne pytanie, wyznam, że mam trochę stracha...
Przez całą naszą rozmowę przewija się bowiem bezustannie ktoś, kto brzmi jak dodatkowa struna w gitarze. Słabo dla postronnych słyszalna, ale przecież ważna i szlachetnie nastrojona. Czy nie czas już, aby porządnie opowiedzieć o panu Piotrze?

J.Ch.: Skoro chyba cały świat wie, że ów pilnie strzeżony, przez lata trzymany w najgłębszej tajemnicy, gach Chmielewskiej, to właśnie Piotr, niech więc pan pyta. Kiedyś milczałabym jak grób. Dziś nie ten wiek, nie ta sytuacja. Dawniej należało nasz związek ukrywać. Obecnie nawet wspólne zdjęcia sobie robimy.

T.L.: To bardzo specjalna sprawa...

J.Ch.: (*Uśmiecha się najpierw, jakby w głąb siebie.*)
Bardzo specjalna, tak. Roztkliwiająca. Widzi pan, na samo wspomnienie gęba mi się rozpromienia. Bóg jeden raczy

wiedzieć, co by się stało, gdybyśmy mogli skojarzyć się ze sobą, kiedy miało to, przynajmniej pozornie, jakiś swój sens. Pewnie po niedługim czasie, teraz tak myślę, bylibyśmy już osobami na zawsze rozdzielonymi albo nienawidzącym się, rozżartym, rozwiedzionym małżeństwem. Lub cholera jeszcze wie czym. Lecz w tamtych, jakże dawnych, czasach i ja byłam elastyczniejsza, i on nieco bardziej odmienny. Być może przystosowałabym się do niego, bo kobiety są w ogóle bardziej elastyczne, a on, gdyby zależało mu silnie na kobiecie, gdyż był w niej zakochany, no to poszedłby na wszystko... Wynikłyby w rezultacie z tego kontaktu same przyjemności oraz ustępstwa. Ale że on prezentował egocentryzm i należał do ludzi, którzy biorą wszystko jak swoje, gdy naprawdę czegoś chcą i nie są skłonni wdawać się w cokolwiek, co im nie pasuje, ja zaś także również nie taki znów anioł, więc szanse na razem mieliśmy doprawdy niewielkie.

W rezultacie powstała z tego jakaś przyjaźń, powiedzmy trochę posiekana, połamana. Rozmaicie ze mną i z Piotrem bywało, bo to takie albo owakie życiowe wydarzenia zachodziły, i różne kłopoty się trafiały. Troszkę więc nasze „coś" raz kulało, drugi raz odzyskiwało zdrowie. Wspólny język mieliśmy wszakże zawsze i mamy nadal. Co nie znaczy, że powinniśmy sobie wzajemnie życie poświęcać.

Piotr jest, jak i ja, architektem, posiada za granicą własną pracownię. Robi po całym świecie sporo projektów, których naprawdę nie musi się wstydzić. La Boule, Les Sables, ośrodki wczasowe na południu Francji — to są jego i jego pracowni projekty. Co prawda uważam, że to takie — ot!
— „domeczki". Miniaturowe jakieś wszystko, a ja w architekturze, tworzonej na użytek potrzeb prywatnych, nie lubię miniaturek. Widać ludzie, jadąc na wczasy, pragną znaleźć się w otoczeniu absolutnie odmiennym od normalnego. Bajkowym. Żeby im było kolorowo. Optycznie wszystko przedstawia się bardzo atrakcyjnie, zaprojektowane zostało tak, aby użytkownicy przenosili się w świat bajki. Malutkie pokoiki w malutkich domeczkach. Sądzę, że dużutkie są tam tylko łazienki, ponieważ nikt nie lubi rozbijać nosem lustra, jak sobie zęby myje. Ale, razem wziąwszy, brakuje w tych

budowlach przestrzeni, której ja jestem spragniona. *Entou-rage* projektów stworzonych przez Piotra jemu widać odpowiada, mnie by nie odpowiadał. Chociaż... Ze względu na osobę projektanta może pojadę na tydzień, pomieszkam, przekonam się na własnej skórze, jak się człowiek w takim czymś czuje. Na krótko do wytrzymania, na resztę życia? Przenigdy! Prywatnie Piotr mieszka podobnie, czyli mikroskopijnie. Przytulnie, tak, bardzo atrakcyjnie, tak, jego otoczenie jest urządzone prześlicznie. Tak. Tylko że dla mnie — c i a s n o!

No, wreszcie ujawniłam, że między jednym z ważniejszych mężczyzn mojego życia i mną kładzie się przeszkodą konflikt przestrzenny. Jedna osoba uwielbia mieszkać w kościelnej nawie, a druga w malutkim przytulnym pomieszczonku. Otóż oświadczam: ja uwielbiam mieszkać w nawie kościelnej. Zwłaszcza kiedy ją sama sobie mogłabym zagospodarować. Bo, uwielbiając przestrzeń, uwielbiam równocześnie zakamarki. Jak każda normalna kobieta.

Wspominałam dyskretnie o Piotrze w „Autobiografii". To właśnie on zaraził mnie kaplicą na Orly, której nieskazitelność odebrała ochotę do uprawiania zawodu. — *Chodź, jedziemy, coś ci pokażę* — powiedział. A później, gdy już odeszliśmy, spytał tylko: — *No, i co?!* Na tym skończyła się nasza rozmowa. Uznałam, że jednak, mimo wszystko, coś innego w życiu potrafię jeszcze zdziałać.

Przez całe długie okresy nie mieliśmy ze sobą bezpośredniego kontaktu.

T.L.: Dlaczego?

J.Ch.: Tak zwane rozmaite względy prywatne. Na moim tle jego żona zawsze dostawała amoku. Wszystkie znajome i zaprzyjaźnione z nami osoby, które zorientowane były w sytuacji, twierdzą, że dla niej na świecie istnieje tylko jedna rywalka. Mianowicie ja. Jedyne straszne ścierwo, istotnie takie raczej groźne. Reszta kobiet jej nie interesuje. Może i miała trochę racji? Ale..., ale widać, jednak nie ja byłam tak strasznie ważna przez wszystkie minione lata, tak aż do niezbędnego stopnia ważności. Bo gdybym naprawdę była s t r a s z n i e

w a ż n a, to numer mojego telefonu przecież się nie zmieniał... Cóż, pewnie obydwoje wykazaliśmy zdrowy instynkt.
Piotr dał mi po latach do projektowania mojego własnego
domu bardzo zdolnego człowieka ze swojej pracowni, czyli
Grzegorza Tsu-Tse Lianga. Wymogłam od Piotra kogoś zna-
komitego, gdyż on sam, wybitny architekt, ograniczył się
tylko do zaprojektowania „koncepcyjki". Ciągle jeszcze się
na niego wściekam i zrobiłam już mu raz przez telefon solidną awanturę. Bo Piotr, świetny koncepcjonista, zaprojekto-
wał mi malutki domeczek malutkiej kobietki, dla której najważniejsze jest, żeby mieć się gdzie umalować. Osóbka,
która by tam zamieszkała, pracę musiałaby traktować „mimochodem". No, to ja dostałam absolutnego szału i wyko-
nałam potężną awanturę. Spytałam grzecznie: — *Coś ty wymyślił? Malutkie gówienko dla „takiej malej", dla kurwy głupiej
z ptasim móżdżkiem?!!! Co wtyka tę swoją mordę w lustro, aby
się upstrzyć, tak?! Czy ty sobie w ogóle zdajesz sprawę, ile mi jest
miejsca do pracy potrzebne???!!!* Piotr śmiał się, choć ciągle nie
wiem, jak on to odebrał, taka byłam wtedy rozwścieczona.
Śmieje się do tej pory, mimo że trochę go nadal złości, bo
nie wykorzystałam w gruncie rzeczy jego koncepcji. On jeszcze ciągle pozostaje w przekonaniu, że kobiety służą do
ozdoby. Kobieta nie może źle wyglądać; niech umrze, ale
niech będzie piękna. A ja publicznie nie wypowiem się,
gdzie mam tę żeńską ozdobę. Owszem, proszę bardzo!, mogę wyglądać jak ostatnia małpa świata. O wiele bardziej zależy mi na innych rzeczach.
W tym miejscu, na punkcie urody, kłócimy się ciągle. On
proponuje, żebym się zestroiła w coś tam, a ja wściekam się
i awanturuję. Taki nasz wspólny kod, który nas obydwoje,
bardzo już dorosłych, bawi.
W rezultacie mam dom od Grzesia Tsu, który terminował
w Paryżu u Piotra, w Warszawie zaś długo pracował w spół-
ce architektów „Dom i Miasto", założonej przez Czesława
Bieleckiego, a później, po jej rozerwaniu, jeszcze sporo projektował, między innymi dla mnie. Wygrywał prestiżowe
konkursy. Szkoda, że młodo zmarł, odżałować nie mogę.
Warto mu poświęcić ciepłe słowo, gdyż uważam Tsu za jed-

nego z najzdolniejszych architektów, jakich w ostatnich dziesięcioleciach spotkałam. On przede wszystkim miał talent. Wprowadzał do swoich projektów coś naprawdę trudnego do osiągnięcia. Gdyby żył Chińczyk (nazywam go tak, bo miał ojca Chińczyka, a matkę Polkę), oszczędzałabym jak wściekła, aby zgromadzić pieniądze na następny dom, oczywiście, on by projektował. Umarł, psiakrew!, nie mam po co oszczędzać. Dom, w którym mieszkam obecnie, Grześ Tsu zbudował na bazie pomysłu Piotra, tyle że radykalnie zmienionego w skali oraz przefasonowanego w proporcjach. Zachował główną myśl, tworząc całość po swojemu. Rozczapierzył budowlę Piotra dla lalek, ile się tylko dało. Zrobił dokładnie coś, co ja kocham: zestawił mi przestrzeń z zakamarkami.

T.L.: Przebywając w Paryżu, mam dokładnie takie wrażenie, jakie Pani w swoim domu. Przestrzeń bulwarów z zakamarkami charakterystycznymi dla każdej dzielnicy. Szeroki oddech i wąskie westchnienia. Zrymowane, dają efekt niezwykłej przytulności.

J.Ch.: Paryż został zaprojektowany zupełnie genialnie w swej przestrzenności. Fenomenalna urbanistyka! Nie dość tego, on jest w gruncie rzeczy łatwy. Gmatwanina, malutkie uliczki, ciasnota, co pan tylko chce. A na azymut wszędzie pan trafi. To właśnie urok Paryża. W cudownym założeniu urbanistycznym, które panu leci stąd aż po horyzont, co i raz przytrafia się jakiś śliczny zakamarek. Nie ma drugiego takiego miasta.

T.L.: Gdyby przyszło Pani wybierać: miłość czy przyjaźń?

J.Ch.: Po co wybierać?! To są dwie całkiem różne rzeczy. Wybiera pan jajko czy chleb? Nie wiem, co ważniejsze. Najlepiej konsumować razem. Z moim mężem, którego kochałam, byłam z a p r z y j a ź n i o n a. Zresztą on ze mną też, przez cały nasz czas. Aż do topora, którym nas rozrąbał.
Zresztą, mówi pan: „kochać". Kochać, kochać... Duże słowo! Można przecież być zakochanym, można na kogoś lecieć, można z kimś sypiać, takie tam różne można. A równocześnie można nie mieć do osoby cienia zaufania, więc z takim,

354 CHMIELEWSKA DLA ZAAWANSOWANYCH

poniekąd bliskim, osobnikiem o żadnej przyjaźni mowy nie
ma. Mnie się to zdarzało. Uczucie, trzeba panu wiedzieć,
cokolwiek upiorne. Pisałam o tym trochę w „Autobiografii".
Mój Wojtek okazał się klinicznym przykładem... Ja jestem
życiową optymistką, jeśli mi na czymś zależy, to chcę, aby
wyszło, i będę się o to coś starała do upadłego. No, ale skoro
już upadło? Wtedy przestańmy się może wygłupiać? Z tym
że o Wojtku jednak wiedziałam od samego początku, że
z wiarą w niego trzeba tak raczej bez euforii. Natomiast że
drugi z mężczyzn, obecnych w moim życiorysie po rozstaniu
z mężem, czyli Marek, w sprawach polityki oszukuje mnie,
dowiedziałam się, będąc w Kanadzie, i przeczytawszy wszystkie dokumenty i książki zgromadzone u mojego wuja, Tadeusza.
Żebym ja musiała opracowania historyczne, dotyczące dzie-
jów najnowszych mojego kraju, czytać tyle lat po wojnie jak
powieść kryminalną?! Z wypiekami na twarzy, przez dwa
miesiące nie mogłam się oderwać! Najbardziej mnie zaś bo-
lało, że nigdy mu potem nie mogłam już wypomnieć, jak
mnie obełgał, na przykład w sprawie Katynia. Bo kiedy wróciłam z Kanady, on miał na tyle rozumu, aby się ode mnie
całkiem odseparować. Miał szczęście chłopak, bo wtedy,
spotkawszy Marka, wdeptałabym go w kratki ściekowe od
rynsztoka. Długo trwało, nim uznałam wreszcie, że trzeba
machnąć na niego ręką. Na plaster mi wyrzuty sumienia?
Nie wypada, aby mój były gach przeze mnie musiał się leczyć
w szpitalu. Trochę głupio, prawda? Chociaż do dziś chęć
zemsty jeszcze kusi. Ręka świerzbi...
Nie tylko na Marka.

ROZDZIAŁ X

Pozaświaty oraz świat

T.L.: Pozostało kilka kwestii trudnych.

J.Ch.: Bez nadmiaru delikatności, dobrze?! Słucham.
Tylko najpierw, pozwoli pan, pewna drobna refleksja. Otóż przerozmawialiśmy już naprawdę wiele godzin, a ciągle w tle pozostaje mnóstwo tematów niepodjętych oraz spraw, na które trafia mnie, i trafiać zawsze będzie, ciężki, jasny, nieodwołany szlag! Za mało nagadaliśmy do siebie, za mało... Teraz niech pan drąży dalej.

T.L.: Jaki jest Pani stosunek do religii i do wiary?

J.Ch.: To dwie całkiem inne sfery uczuć. Częstokroć wewnętrznie skłócone.
Od razu deklaruję: ja jestem wierząca.
Ogromnie przemówił do mnie pewien bardzo inteligentny ksiądz. Jako dziewczynka niezbyt duża, słuchałam jego kazania, otoczona w prowincjonalnym kościele kręgiem ludności małomiasteczkowej oraz wiejskiej. Chyba to się działo jeszcze podczas okupacji, pod sam koniec. Rozmawiając z wiernymi o Panu Bogu, ów ksiądz posłużył się następującym przykładem: — *Gdyby ktoś wam pokazał zegarek (znacie zegarek, prawda?), gdyby ten ktoś wpierał w was, że się ów zegarek sam zrobił, nikt by nie uwierzył.*
Lecz cóż znaczy byle zegarek w obliczu świata...? Rozejrzyjcie się wokół, popatrzcie, jak świat został wykonany. Słońce wschodzi,

kiedy trzeba. I zachodzi też, kiedy trzeba. Cała reszta funkcjonuje właśnie jak w zegarku: wiosna, po niej lato, później jesień, wreszcie zima. Gwiazdy, słońce — wszystko toczy się dobrym trybem. Zastanówcie się zatem, czy s a m o się uczyniło? Czy może raczej KTOŚ musiał nam świat uczynić? I w dodatku — uczynić tak doskonale... Któż więc to sprawił? Jak wam się wydaje?

To właśnie był Pan Bóg. On to nam załatwił.

Nie wiem, co ksiądz tłumaczył dalej, ale zacytowany mniej więcej z sensem fragment kazania przemówił do mnie z przeraźliwą jasnością. Bo przecież n a p r a w d ę ten zegarek nie mógł się sam zrobić. *ON TO NAM ZAŁATWIŁ.*

On nam to załatwił, bez względu na określenie, jakim nazwiemy stwórcę świata, owego kogoś, kto wykonał wszystko tak cholernie porządnie — niech sobie będzie Bogiem, Jehową, Manitou, Buddą, Jowiszem, Alfą i Omegą, jak byśmy jeszcze chcieli, bo jego nazwa — to tylko zwykła sprawa językowa. Francuzi westchną: — *O, mon Dieu!*, Niemcy potakną: — *Ja, Herr Gott!* I tak dalej. Jednak, mimo rozmaitych słów, egzystuje ponad nami jakaś tajemnicza istota, trudna do zdefiniowania. Ona odpracowała bardzo porządnie cały ten nasz ze światem interes. Podoba mi się jej rzetelność.

Kilka lat temu otrzymałam kartkę pocztową: zwyczajna dłoń, a po niej pełznie mrówka. Malutka...

Przecież nie ma tak małej istoty, nad którą Pan Bóg by nie czuwał. Nad mrówką też!

Całe życie byłam wierząca. Jestem wierząca nadal.

Ale religia — to sprawa druga. Nazywając Boga różnie, można uprawiać wszelkiego rodzaju religię. Każdą. Bo każda religia opiera się na tym samym założeniu o istnieniu tajemnej siły sprawczej. Religie składają się na kościoły. Każdy zaś kościół — to już są ludzie. Ludzi ja zaś niespecjalnie wszystkich jak leci uwielbiam... I nie wierzę — Panie Boże przebacz! — że człowiek wyświęcony na księdza w jednym mgnieniu oka dostaje nieprawdopodobnych zalet, tracąc przy okazji wszelkie swe dotychczasowe wady. Każdy ksiądz, biskup, arcybiskup, papież także — może się okazać najostatniejszym bydlęciem.

...Przebacz mi, Panie, moje obrazoburcze poglądy! Przynajmniej ufam, że jesteś jeden. Bo istnienia k i l k u stworzycieli świata nie bardzo sobie wyobrażam... (*Pani Joanna, zwracając się do Absolutu, uśmiecha się lekko. Ja również.*)

Jeśli bowiem istnieliby ONI, dawni starzy bogowie z mitów oraz legend, szczególnie gdyby ich istniało kilku, zwłaszcza gdyby byli płci męskiej, natychmiast by się pokłócili. I świat nie zacząłby egzystować.

Wierzę zatem w jednego Boga.

T.L.: Życie pozagrobowe. Istnieje?

J.Ch.: Zostało stwierdzone jakoby naukowo, że nic w naturze nie ginie. Stwierdzono ponadto, iż oprócz fizycznej powłoki człowieka istnieją jeszcze jakieś inne warstwy: bioelektroprądy mózgowe i inne takie dyrdymały. Czyli coś się w coś przepoczwarza. Nie wykluczam reinkarnacji. Spekuluję po cichutku, że dusze, które po zdechnięciu cielesnym wylatują z ludzi, gdzieś sobie później ciągle istnieją. Może więc nie zginie i moja duszyczka, popatrując sobie właśnie w tym p ó ź n i e j na cały zakichany światowy interes?

Dalej? Głębiej? Co się stanie? Ja nie wiem. Tylko mam w sobie żarliwą nadzieję. Nadzieję, że TAM coś wiecznie trwa.

Jako dziecko, w 1939 roku pewnego razu umarłam. Przy którejś chorobie spokojnie, grzecznie, padłam sobie delikatnym trupem.

Co prawda okazało się, że jednak, mimo wszystko, żyję. Przecknęłam się na straszliwy krzyk matki. Wstawszy z martwych, doznałam spływającej na mnie łaski spokoju. Bo zrozumiałam.

„Czego się bać?" — pojęłam w jednej chwili.

T.L.: Stąd wniosek, że Pani się śmierci nie lęka?

J.Ch.: Ależ skąd, boję się okropnie! Tyle przecież jeszcze rzeczy powinnam tutaj załatwić...

Kiedy już wszystkie załatwię, proszę bardzo, mogę sobie umierać.

Ileż to jednak roboty przede mną...!

O śmierć zanadto się raczej nie troszczę, gdyż jest jedyną
absolutnie wszystkich dotyczącą przypadłością. Niech ona
się więc o siebie sama zatroszczy, skoro taka powszechna.
Beze mnie, jeśli łaska!

T.L.: Czy zdolna jest Pani wyobrazić sobie Polskę inną niż chrześ-
cijańska? Powiedzmy — jako kraj, w którym zapanuje is-
lam...

J.Ch.: Z TYMI KOBIETAMI!!! Pan się puknie w umysł! Nie istnieje inna religia, umożliwiająca nam tryb egzystencji, do
jakiego Polacy przywykli i jaki prowadzą. Mordy babskie
mamy sobie zasłaniać czarnymi płachtami?

T.L.: A buddyzm?

J.Ch.: O buddyzmie czytałam bardzo wiele w młodości. Później już
wcale, więc mało na jego temat pamiętam. Choć, zapoznając
się z regułami tego światopoglądu, od razu wiedziałam, iż
nie całkiem mi przypasował.

T.L.: Mozaizm, czyli religia Żydów?

J.Ch.: Z religii żydowskiej jako chrześcijanie wyszliśmy. Jakby ktoś
chciał, niechże sobie wraca. Ale istnieje tych parę osób, które mogą nie chcieć, prawda? Zresztą podstawa obu porząd-
ków wiary — Dziesięcioro Przykazań — jest do przyjęcia
przez wszystkie właściwie religie. Radykalne zmiany więc
nie są takie znowu konieczne.
Lecz, na ogół biorąc, religie — to zwykłe (albo i ciężkie),
zawracanie głowy. Oto bowiem istnieje jedna Istota, którą
my w naszym języku nazywamy Bogiem, w innych językach
jest określana rozmaicie. Ona stworzyła cały bardzo piękny
świat: wschody i zachody słońca, fale pluszczące o brzeg.
(Tu Pani Joanna znów wznosi oczy do nieba, po czym mówi:)
— Dzięki Ci, Panie Boże, że tak pięknie się nam stworzyłeś
i że takie piękne coś zechciałeś stworzyć nam...
Tylko dlaczego jeszcze dopuszczasz, by w środku siedzieli
raz kapłani, a raz draniе?
Właśnie z powodu takich nieortodoksyjnych pytań z rozmaitymi osobami nie mogę swobodnie rozmawiać, zwłaszcza
kiedy nadmiernie utożsamiają wiarę, religie oraz kościoły.

Mówiąc inaczej: traktują za jedno ludzi oraz idee. Niestety, nie zawsze pozostające w spójności...

Jeśli jednak z moim katolickim Kościołem w pewnych sprawach różnię się opiniami (na przykład wszystkie niechciane dzieci świata składałabym pod progiem Spiżowej Bramy, a — z zupełnych drobiazgów — niezbyt odpowiada mojej indywidualistycznej naturze przymus bratania się z bliźnimi w postaci obowiązkowej wymiany „znaku pokoju" pod koniec mszy, połączonej z dotykaniem innych ludzi, aktem zbytnio jak dla mnie fizycznym), jeśli się więc z moim Kościołem różnię niekiedy opiniami, to jednak rzymski katolicyzm pozostaje nieodmiennie wciąż m o i m wyznaniem. Ani myślę tego na stare lata zmieniać.

T.L.: Pełen niepokoju zadaję Pani pytanie o pontyfikat Jana Pawła II oraz osobę Karola Wojtyły.

J.Ch.: Może i wydłubałabym jakąś jedną albo drugą drobną krytykę, ale to był świetny papież. Poza tym absolutnie wyjątkowo, niezwykle przyzwoity człowiek. Wiem o nim dużo i dobrze, również od osób, które znały go w młodości. Ludzie zazwyczaj kochają plotkować, prawda? A jednak na Janie Pawle II szata wciąż biała...

Ba, gdybyśmy go mieli jakieś osiemset lat wcześniej...! Całkiem inaczej jako Polacy wyglądalibyśmy dzisiaj! Tylko że za młode mieliśmy wtedy u nas chrześcijaństwo. Papieże dwunastego--trzynastego wieku wykazywali zapędy procesarskie. Wspierali władzę cywilną. Czerpiąc obficie na przykład ze świętopietrza dla celów świeckich. Rezultat każdy widzi. Już nie wspominam nawet o nieco później funkcjonujących Borgiach oraz kilku innych papieżach. Z drugiej wszelako strony zdarzali się też Kościołowi Ojcowie naprawdę Święci. Oni z uporem podnosili skalany przez innych prestiż Instytucji. Szkoda tylko, że przytrafiało się ich niezbyt wielu, jak na skalę dwóch tysięcy lat. Co nie zmienia faktu, iż wspólnota duchowa zdolna przetrwać dwa tysiące lat, zachowująca, mimo fluktuacji, dobry raczej wpływ na ludzi oraz chroniąca skutecznie dla przyszłości rozmaicie pojmowane bogactwo — taka wspólnota zasługuje, by ją szanować.

T.L.: Zawsze mnie pewna sprawa zastanawiała. Oto kobiety wierzące, rzetelne katoliczki — często uprawiają wróżby i magię. Obszary cokolwiek nieortodoksyjne, sprzeczne z doktryną katolickiej teologii...

J.Ch.: Bo te sprawy dotyczą z u p e ł n i e czegoś innego! Wróżby, magia, radiestezja — to są bioprądy, kompletnie inna sfera niż obszary związane z głęboką metafizyką. Mówi pan teraz o zdolnościach wewnętrznych człowieka, o mało zbadanych ludzkich sprawnościach. „Poważna" nauka zawsze lekceważyła tego rodzaju „głupstwa" „duperele", „dyrdymały", nigdy się nimi porządnie nie zająwszy.
Sama przecież doznawałam działania bioprądów, w dodatku od człowieka, którego ja, kobieta, darzyłam uczuciem. Opisałam, jak mi kładł rękę na kręgosłupie, tak przedtem straszliwie bolącym, aż nawet kiedyś z bólu zemdlałam. On mi tę swoją dłoń położył i... wszystko przeszło. „Zaraz — powstrzymywałam się od nadmiernego entuzjazmu — może to miłość, zdolna w ogóle czynić cuda?".
Tylko dlaczego później tą samą dłonią w jednej chwili uspokoił dziką, spotworniałą, szalejącą z niepokoju klacz? Toż on nie koń przecież! Ani klacz nie była w nim zakochana, ani go nie uważała za swojego mężczyznę. Jednak potrwało ledwie ułamek sekundy, kiedy z wariactwa nastąpiło przeistoczenie się w cudowną łagodność prześlicznej klaczy.
A pani Wanda, zaprzyjaźniona ze mną bioenergoterapeutka, która z sukcesami zajmowała się leczeniem ładnych paru osób? Na własnej skórze, najdosłowniej to rozumiejąc, wypraktykowałam, że pani Wanda wywołać umie określoną reakcję pacjentki.

T.L.: Bioprądy swoją drogą, a kabała lub wróżenie z ręki swoją.

J.Ch.: Dobrze, niech już będzie, kolejny raz coś panu opowiem.
Mam dwanaście lat, sekundę temu skończyła się wojna. Jest czerwiec 1945 roku. Znajduję się w Starej Wsi, na terenie jakiegoś dostojnika. Pamiętam, że rosło tam mnóstwo upiornych żywopłotów oraz że posiadali fenomenalną kolekcję motyli.

Wtem pojawiają się Cyganki, jedna z nich wróży wszystkim. A mnie — odmawia wróżby! Upieram się, bardzo silnie, choćby z czystej przekory. Wreszcie daje się przekonać. Wykrztusza z siebie, że umrę w młodym wieku, około dwudziestego piątego roku życia. Dobra, na razie liczę sobie dwanaście wiosen, do dwudziestu pięciu lat jeszcze ocean czasu, co mnie obchodzi śmierć w wieku aż tak podeszłym...?

Cyganka, litując się nad biedactwem skazanym na zgon w kwiecie młodości, nauczyła je wróżyć, poinformowała, co kryje się w kartach oraz co i jak one gadają.

To był jeden jedyny wypadek w całym życiu, kiedy ktoś wtajemniczał mnie we wróżenie.

Od Cyganki wkrótce się odczepiłam. Kończąc dwadzieścia pięć lat, nie umarłam ani nie poddałam się autosugestii z bardzo prostego powodu: o wszystkim mianowicie w nawale rozmaitych spraw zapomniałam...

Jednak osadziła się we mnie pamięć o kartach i o naukach Cyganki. Jakoś tak sama z siebie, nie wiem nawet jak, nauczyłam się wróżyć. Do dziś dnia umiem stawiać kabałę. Ona, kabała, żąda dwóch rekwizytów: świec oraz wina. Potem, jeśli przepowiednię ktoś uzna za godną wynagrodzenia kabalarki, może jej zapłacić, ile uzna za stosowne. Nie dziękując! Natomiast gdyby się nie spodobało, za zapłatę wystarczy zwykłe „Dziękuję!". Po „Dziękuję!" wróżba się bowiem nie sprawdzi. Gwarantowane.

Stawiałam kabałę miliony razy, rozmaitym bardzo osobom, wychodziły rozmaite rzeczy. Kiedyś w BLOK-u wywróżyłam Jadwidze, że straci coś, co posiada prawie od urodzenia, strata zaś przyniesie jej wielką radość. *Ki diabeł?!* — nikt nie pojmował. Po czym wyrwali jej bolący ząb u dentysty. Gorzej i znacznie poważniej było u Alicji, gdy pewnego razu, wśród wielu wróżb, akurat w otoczeniu mojej najbliższej przyjaciółki widzę śmierć najbliższej dla niej osoby. Trzy razy rozkładałam karty, po trzykroć je zbierałam. Aż skończyłam, przerażona. Alicja protestowała: — *No, co ty!? Innym tak długo wróżyłaś, a mnie byle jak traktujesz?* Coś zabajtlowałam, poszłam sobie precz. Zwierzyłam się obecnym, zakazali mi

informować Alicję o zagrożeniu, co to jej wygadały karty.
Milczałam więc.
Matka Alicji zmarła dwa tygodnie później.
Raz w życiu kabałę postawiłam sama sobie.

T.L.: Przecież sobie nie wolno! Pech!!!

J.Ch.: Jednak postawiłam.
Wczesną jesienią. Karty gadają, patrzę... rozwód! Próbuję
ponownie. Rozwód? Za trzecim razem? ROZWÓD! Chicho-
cząc głupkowato, zwróciłam się w stronę męża. — *Słuchaj,
kabała mówi, że się rozwiedziemy!* Pękał ze śmiechu. Ja do spółki z nim.
Rozwiódł się ze mną w listopadzie.
Tak, stawiałam kabałę wielu osobom. Nie zawsze, nie za
często, gdyż do kabały potrzebny jest specjalny nastrój. Jeśli
on przychodził, karciane gadanie się bez pudła sprawdzało!
Mnie się też sprawdzało, mimo że ja nie Cyganka, od Cyganki ułowiłam tylko szczątek informacji. Nawet ludziom,
o których kompletnie nic nie wiedziałam, umiałam wiele
z kart powiedzieć. Sprawdzały się moje kabalarskie słowa...

T.L.: Zatem w kabałę Pani wierzy?

J.Ch.: Sprawność kabalarską uznaję za specyficzny rodzaj talentu,
podobnie jak talent radiestezyjny. Coś jak promieniowanie,
bioprądy, zjawiska niezbyt dobrze zbadane, aczkolwiek już
uznane za istniejące. W gruncie rzeczy nie wiem nawet, czy
do kabały trzeba posiadać intuicję, czy karty same podpo-
wiadają. Na zasadzie wywoływania duchów za okupacji.

T.L.: 28 listopada 2003 roku, w piątek, podczas spotkania z Pani
fanklubem, czyli Towarzystwem Wszystko Chmielewskie,
w warszawskiej kawiarni Szpulka, zarządzanej przez znakomitą dziewczynę, Anetę Feliszak, odbyło się andrzejkowe
lanie wosku. Wosk skapnął między innymi na egzemplarz
jednej z Pani książek, a konkretnie na „Lesia"...

J.Ch.: ...Wiem. I wyszedł wtedy dokładny kształt Ameryki Północnej.
Aż do Przesmyku Panamskiego. Idealny geograficzny kształt.

T.L.: Czyli: zasłużona od dawna kariera czeka Panią wreszcie
w kręgach języka angielskiego i hiszpańskiego, bo całe połu-

dnie USA funkcjonuje przecież po hiszpańsku. Z angielskim jeszcze zobaczymy, ale „Pech" po hiszpańsku już się ukazał, przygotowywane są dalsze przekłady. Sygnalizowano mi obecność Pani powieści nawet w Buenos Aires.

J.Ch.: Nie czepiam się, proszę bardzo. Może to i wróżba...?

T.L.: Oby, bardzo Pani tego życzę.
A czy w ogóle zdarzało się Pani przewidzieć przyszłość?

J.Ch.: Tak.

T.L.: Na jakiej podstawie?

J.Ch.: Nie wiem. Ale przeczucie kilkakrotnie mnie nie zawodziło. Dokładnie opisałam w „Autobiografii" to, co teraz powtarzam do pana.
Zaczęło się podczas okupacji, gdy miałam jedenaście lat. Nastąpiła akurat rozszalała mania wywoływania duchów. Ułożono na drewnianym stoliku papier z wykaligrafowanym alfabetem, ustawiono talerzyk, przystąpiono do akcji. Sama byłam ciekawa, co z seansu wyniknie. Ponieważ zabiegi przy uczapierzaniu jakiegoś ducha ciągnęły się nazbyt długo, jak na wytrzymałość jedenastolatki, udałam się do siebie na spoczynek. Za chwilę przylecieli do mojej sypialni, ponieważ duch, wskazując talerzykiem po alfabecie, oznajmił: — *Jak ciężko...* I ustał. Widać beze mnie mu nie wychodziło... Co prawda znudzona byłam rzetelnie, lecz skoro się duch uparł... Co tam, niech go piorun strzeli!, sympatyczna jestem dla duchów, odsiedzę, skoro trzeba. Co nastąpiło dalej, nie pamiętam, dość jednak, iż okazałam się świetnym medium. To pierwsze z idiotycznych wydarzeń podobnego rodzaju.
Drugi raz przytrafiło się z Brajtszwancem. Ciągle jeszcze trwała okupacja oraz wywoływanie duchów. Spirytyzm przywlokła z Warszawy do Grójca ciotka Lucyna, wszyscy żądni byli popatrzyć, co się wydarzy. Otóż siedzi kilka osób dookoła stolika, wśród nich moja ciotka i jej przyjaciółka, niejaka Jadwiga. Duch przylazł, przedstawił się, po czym wypisał za pomocą namalowanej na talerzyku strzałki: — *Niech się Felek strzeże!* Takie właśnie słowa nam zafundował. Wszy-

scy zdrętwieli, gdyż imię Feliks nosił brat siedzącej wraz z nami Jadwigi, przy okazji zresztą był to jeden z absztyfikantów mojej ciotki. Jezus, Maria! Przecież szaleje wojna!!! Czego ma się Felek strzec? Kogo?! Kiedy?! Na co duch, bardzo porządnie, po kolei, literkami, napisał: „Brajtszwanc". Co prawda nazwisko wskazane przez gościa z zaświatów brzmiało trochę inaczej, lecz że go nie pamiętam, pozostańmy przy symbolicznym „Brajtszwancu". Jadwiga, siostra Felka, zbladła śmiertelnie. Wyjaśniła, że nazwisko Brajtszwanc nosi jeden z przyjaciół jej brata. Reichsdeutsch? Folksdojcz? Niemiec? Nie wspomnę już dziś. I rzeczywiście, jak się okazało, ten Brajtszwanc kręcił się obok Felka w charakterze fałszywca... Jak rozumieć obecność ducha? Skoro jedyna osoba, która mogłaby palcem popychać talerzyk, to Lucyna, ale ona nie miała nawet zielonego pojęcia o istnieniu Brajtszwanca! Jak więc zdołałaby go wymyślić? Zapewne stało się tak. Kiedy duch napisał: „Niech się Felek strzeże!", w podświadomości Jadwigi zapaliło się nazwisko: „Brajtszwanc". Bo chodziło o jednego jedynego nie-Polaka, który się blisko stykał z jej bratem. Tak zwany porządny Niemiec. Niby podczas wojny twierdzono: „Dobry Niemiec to martwy Niemiec", lecz ten zdawał się wykazywać porządność w charakterze. Nazwisko z podświadomości Jadwigi zostało jakoś ułapione, a następnie przekazane wszystkim nam z ostrzeżeniem. Z podświadomości, gdyż tam właśnie odkładają się rozmaite kawały naszej pamięci. Już nawet niektórzy naukowcy się z taką hipotezą zgadzają. Świadkiem działania bioprądów sama stawałam się niejeden raz, nawet nie tylko wśród ludzi (w innym miejscu wspominam, jak zadziałały bioprądy pewnego faceta na kobyłę, a przecież żadna kobyła nie zakochała się chyba nigdy w facecie!), więc osobiście w możliwość podobnych zajść wierzę.

W rezultacie oświadczeń ducha mnie wystrychnięto na medium, po czym okropnie się nad dzieciakiem znęcali...

Kilka miesięcy później, kiedy do Grójca już podchodził front, potężnie grzmiały armaty, wszystko się w cholerę trzęsło, a gdzieś, nie za daleko od miasteczka, Ruskie latały jak kot z pęcherzem, siedziałam przy biurku i uparcie się uczyłam.

Bo ja, czy chodziłam do szkoły, czy nie chodziłam, uczyłam się zawsze uparcie, naukę traktując jak każdą inną życiową powinność. Siedziałam więc, uczyłam się i się bałam. O matko, jak ja się bałam...! Tu mi się trzęsie, tu dookoła łupie, przerażające wrażenia. Nagle, w jednej chwili, do dziś pamiętam ten moment, w jednej chwili spłynęła na mnie doskonała pewność: nikt z naszej rodziny podczas tej wojny nie zginie!!! Uspokoiłam się w ułamku sekundy i przystąpiłam spokojnie do dalszej nauki. Do samego końca wojny czasem przybiegał do mnie ten i ów z bliskich, dopytując się o moje zdanie, dwunastoletniej panienki!, na rozmaite tematy, związane z naszym bezpieczeństwem... Mogłam ich wszystkich solennie, wszystkich razem i każdego z osobna, bez pudła zapewniać z granitową pewnością: — *Nikt z naszej rodziny podczas tej wojny nie zginie!!!* Kiedy zjawiła się babka z wiadomością o rzekomej śmierci ojca w Powstaniu, nie uwierzyłam ani przez moment. Moi czytelnicy znają ten fakt z „Autobiografii".

T.L.: To są przeczucia. Lecz Pani przewidywała również realne historyczne koincydencje faktów. Na przykład upadek Związku Radzieckiego, o czym już mówiliśmy przy okazji zastanawiania się nad rozmaitymi meandrami życia w PRL-u.

J.Ch.: *Pshaw!* Wystarczyła zwyczajna znajomość historii, wsparta elementarną analizą. Ale że powtórzeń nigdy za wiele, więc jeszcze raz podkreślę własny na ten temat pogląd.
Przecież dokładnie wszyscy wiemy, że nic, co oparte na przeraźliwym łgarstwie, nie da rady długo egzystować. Łgarstwo wyjdzie na jaw, łgarzy diabli wezmą. Na Krymie będąc, w latach siedemdziesiątych, spostrzegłam, na czym polega nienawiść gruzińsko-rosyjska, o której przedtem tylko słyszałam. Obejrzałam matkę, córkę oraz pewnego mężczyznę... Nie wiem, w jakich stosunkach pozostawali, lecz widać było, co tam nastąpi. Opisałam w „Autobiografii", jak oświadczyłam na podstawie owego podróżnego obrazka: — *To się rozpieprzy, rozleci się, sczeźnie! Molocha szlag trafi niechybnie!* Wtedy uważano mnie za głupią, lecz ten się dobrze śmieje, kto się śmieje ostatni... Kiedy więc Niemcy przełazili na

wyprzódki przez Mur Berliński, siedząca wówczas u Alicji, oświadczyłam z niekłamaną satysfakcją, oglądając bezpośrednią transmisję telewizyjną i widząc, jak rwą kamienie z sowieckiego (*sic!*) bruku: — *Masz, proszę cię bardzo! Ruszyli zaledwie kamyk, a teraz już pójdzie lawina.* Bo ja się na polityce co prawda nie znam kompletnie, za to na temat dynamiki procesów historycznych umiałabym to lub owo powiedzieć. O ludziach także.

*

T.L.: Zatem nie powstrzymam się od pytania. Co nas czeka?

J.Ch.: Jeszcze dwa albo trzy lata bałaganu musimy przetrzymać. Później Unia Europejska wymusi w Polsce jakieś znormalnienie. Jakżeż to nie przypadnie do smaku tym wszystkim wieprzom, usiłującym stale wpychać przednie racice oraz ryj do koryta...! Gdyby zaś z jakichś powodów Unia okazała się niezdolna do interwencji, przed upływem dziesięciu lat ruszą się zwykli ludzie. Wreszcie się wówczas wygrzebiemy z generalnego bagna, przechodząc do bardziej cywilizowanych układów. Warunek to zmiana obecnego systemu prawnego.

T.L.: W kwestii zaś świata?

J.Ch.: W bliższej perspektywie sporo zależy od rozwoju sytuacji z arabskim terroryzmem. Co wydarzy się dalej, nie wiem, Duchem Świętym nie jestem.

*

T.L.: Podejmowaliśmy obszernie problem przeczuć, wróżb, intuicji. A co Pani sądzi w kwestii zdolności parapsychologicznego widzenia na odległość?

J.Ch.: Zajmowałam się tym trochę, mianowicie w celu zużytkowania na kartach jakiejś kolejnej powieści. Ostatecznie niczego nie zużytkowałam... Na razie. Jednak nie żałuję, bo i tak, na wszelki wypadek, pisarz powinien wiedzieć dziesięć razy więcej, niż wykorzystuje.
Radiesteci. Wróćmy do nich na moment. Pewien radiesteta, człowiek przyzwoity, który za pomocą radiestezji nigdy nie

załatwiał żadnych osobistych spraw, opowiedział mi, jak kumplowi jego syna podwędzili motor. Złamał się wtedy i metodą różdżki motor znalazł. Dotarli do złodzieja, odebrali, wszystko, jak należy. Z jego relacji dowiedziałam się, że bardzo liczne czynniki podczas poszukiwań radiesteta musi brać pod uwagę: trzeba krążyć, zgadywać, o jakie chodzi miejsce, o jaki kierunek. I tak dalej. Należy mieć solidną wiedzę. No, i talent. Podobno zresztą taki talent do różdżkarstwa posiadam. Namawiano mnie, bym praktykowała radiestezję. Ale odmówiłam. W każdym razie uważam, iż różdżkarstwo ma swój głębszy sens.

A przecież dawniej radiestetów uważano za takich samych głupków, jak obecnie kabalarki.

Zatem: wstrzymujmy się z ocenami zjawisk, jakich ciągle nie potrafimy rozgryźć i które wynikają ze spotęgowanych sił wewnętrznych rozmaitych uzdolnionych osób.

T.L.: Jedno wiem. Kabała, jaką mi Pani kiedyś zechciała postawić, sprawdza się wciąż.

J.Ch.: O, kurczę blade! Musiałam akurat znajdować się w chwili natchnienia. Wtedy karty same się pod ręką kabalarki układają. Innym zaś razem... Weź, człowieku, głową w ścianę bij...! Hmmm... Ułożyłam panu kabałę? Chyba rzeczywiście pana lubię. Bo od wielu już lat na ogół wymawiam się od kart. Strasznie męczące zajęcie. Poza tym — bardzo trudno powiedzieć zaprzyjaźnionej osobie, że ktoś bliski jej umrze. A tu, w kartach, samo się pcha...! Nie chcę, nie lubię tak! No, a już samej sobie — od czasów rozwodu — KABAŁY NIE UŁOŻĘ PRZENIGDY!!!

T.L.: Istnieją znaki wróżebne?

J.Ch.: Zależy które. Kot, przelatujący mi drogę, nie interesuje mnie w najmniejszym stopniu. No, może w stopniu maleńkim, bo o tyle, o ile pragnę go nie przejechać. Przy zachowaniu gwarancji bezpieczeństwa niech mi lata przed maską samochodu choćby i siedemnaście kotów. Żaden problem. Strach związany z przechodzeniem pod drabiną? Też przejdę dowolną ilość razy, wykorzystując z upodobaniem ogół drabin zgromadzonych w okolicy.

Ale wierzę w sny prorocze. I na wyścigi też przenigdy nie pojadę białym mercedesem, bo wtedy — przechlapane! Nowe żółte majtki to również gwarantowana przegrana. Na ogół jednak magia oraz ja pozostajemy ze sobą w niejakiej sprzeczności. I tylko kiedy coś nie wychodzi, na przykład przegrywam sromotnie w kasynie, jeśli westchnę do ducha mojego ojca z prośbą o wsparcie, zdarza się, że westchnienie pomaga. Do tej pory wzdycham skutecznie.

Za^{koń}czenie?

DESER DLA ZAAWANSOWANYCH,
CZYLI CO SŁYCHAĆ U NAJBLIŻSZYCH

T.L.: Rozmawiamy w roku 2005. Czytelnicy nie darowaliby mi, gdybym nie spytał, co się dzieje u osób Pani bliskich, czyli bohaterów „Autobiografii" oraz jakże wielu powieści.

J.Ch.: Moja ciotka Teresa liczy sobie obecnie ponad dziewięćdziesiątkę, ale każdemu życzę takiego wigoru! Nasz wspólny doktor stwierdził, że jest niezniszczalna, sił ma aż nadto. Gdybyśmy wszyscy się choć w połowie tak trzymali, los okazałby się dla starszych osób cudownie łaskawy. Tyle że ciotka straciła w sporym stopniu zdolność słyszenia, więc wspomaga się aparatami słuchowymi. Ze skutkiem nie zawsze dobrym. Moja siostrzenica, Małgosia, zajmująca się Teresą, zdziera sobie gardło i płuca, wykrzykując do niej hasła z krzyżówek. Krzyżówki bowiem dla mojej ciotki okazały się znakomitym panaceum na nudę starych lat. Lubi przyjmować gości, byle nie w nadmiarze i zdecydowanie na krótko. Bo wobec gości, którzy nazbyt zamarudzą, czasami robi się dość niesympatyczna, nawet nie zdając sobie z tego sprawy. Wtedy, jakoś tak mimochodem, wyrywają się z Teresy raz albo drugi treść i forma wypowiedzi niezbyt dla natrętów życzliwe. Poza tym osiągnięcie porozumienia z moją ciotką bywa obecnie trochę jakby niewygodne. Wytłumaczyć jej, o co mi chodzi, raczej trudno, bo trzeba straszliwie wrzeszczeć. Starość jednak bywa uciążliwa.

Z kolei moja absolutnie najbliższa przyjaciółka, czyli wszystkim znana Alicja, już ponadosiemdziesięcioletnia, wróciła do domu w Birkerød po złamaniu nogi i pobycie szpitalnym. Cztery razy dziennie zjawia się u Alicji duńska pielęgniarka, a ona, podopieczna duńskiej służby zdrowia, bardzo pyskuje, że pielęgniarki ją zmuszają do wstawania oraz do niepotrzebnych wędrówek po domu. I nawet — krzywi się Alicja — niemiłosierna siostra miłosierdzia zmusza ją do podróży dalszych, kiedy wożą ją na masaże. Alicja jednak musi się ruszać, aby nie zaległa obłożnie na zawsze. Pragnęłaby przy sobie jakiejś osoby na stałe, choćby w celu podawania kawy do łóżka. W związku z czym w Birkerød nieustannie urzęduje ta albo owa pomocna dziewczyna. Ja zaś odwiedzam Alicję w miarę systematycznie, też wedle sił. A ona się wścieka na niedowład własnej witalności.

Mój starszy syn, Jerzy, prowadzi jak zwykle firmę i został ponadto konsultantem w dziedzinie telekomunikacji. Rozwiódł się, ponownie ożenił. Usilnie poprawia sobie charakter. Bardzo się stara, choć z pewnymi trudnościami...

Młodszy, Robert, wraz z żoną Zosią i córką Moniką mieszkają w Kanadzie, lecz w tej chwili już systematycznie odwiedzają mnie w Polsce, po czym razem ruszamy albo do Francji, albo gdzie indziej. Na przykład w tym roku do Pragi czeskiej, bo musiałam sprawdzić, czy istnieje sklep, w którym kiedyś kupowałam sobie rękawiczki, i spotkać się z czeskimi wydawcami moich książek. Co prawda wolałabym, aby Robert, Zosia i Monika przyfrunęli definitywnie na jakiś bliższy mi ląd, wtedy bym docierała do całej trójki trasą dostępną dla automobili. Tylko że Robert tworzy zbyt duże przedmioty, aby je konstruować w Europie. Projektuje mianowicie ogromne turbiny do wielkich odrzutowców, co w Kanadzie wychodzi jednak łatwiej. Skala nieco potężniejsza od naszej, w dodatku wyłącznie ich firma zajmuje się tym parszywstwem. Z pewną przesadą oznajmiam, że wszystkie statki oraz samoloty, używające wielkich turbin, obsługiwane są przez moje dziecko. Wszystkie! Poza tym Robert zajął się przekładami moich książek na angielski, obecnie trwają różne rozmowy z potencjalnymi chętnymi do ich wydania. Ale każda dobra propozycja nadal mile widziana...

T.L.: Co się stało z Wojtkiem, którego czytelnicy znają pod postacią Diabła?

J.Ch.: Umarł, najzwyczajniej w świecie.

T.L.: Co porabia trzeci z Pani życiowych partnerów, Marek?

J.Ch.: Tego nie wie nikt, podobno z jego własnymi dziećmi włącznie. Wiem, że wymościł sobie szałas pod lasem gdzieś na skraju Mazur, zrywając wszelkie kontakty.

T.L.: Lesio?

J.Ch.: Lesio siedzi w domu i maluje.

Z PERSPEKTYWY

T.L.: Który okres swego życia wspomina Pani najlepiej?

J.Ch.: Żadnego, wszystkie okazały się trochę wypaczone. Uciążliwe. Trudne. Nawet z samego przedwojennego początku, kiedy mogłoby być łatwo, „byłam wychowywana", niech to piorun strzeli! Bo proszę sobie wyobrazić dziecko, które, widząc tuż za oknem stawek zamarznięty na gnat, nie ma szans pójść na łyżwy. Chociaż łyżwy posiada...

T.L.: Dzisiaj wolno Pani robić, co dusza zapragnie.

J.Ch.: Na łyżwy teraz nie polecę, bo nie umiem. Nie zdołałam się nauczyć, mimo szalonej ochoty. Łaska boska, że się przynajmniej nauczyłam jeździć na rowerze, własnym uporem i właściwie przemocą. Gdybym się poddała rodzinnemu wychowaniu, stałabym się tak beznadziejnym pniem pod każdym względem, że nie wiem, czy to coś by w ogóle żyło! Powiem, że brak opieki jest oczywiście nieszczęściem dla dziecka. Ale wcale nie wiem, czy nadmiar opieki nie jest nieszczęściem dużo większym. Dlatego wobec własnych dzieci stosowałam raczej tę pierwszą metodę, zatem raczej brak niż nadmiar opieki.

T.L.: Dla porządku podkreślmy jednak, że kiedy Pani była zajęta, nad dziećmi Joanny Chmielewskiej ktoś zawsze opiekę sprawował: albo mąż, albo matka, albo inni krewni.

J.Ch.: (*ponuro*) Albo dzieci wychowywały się same...

T.L.: Proponuję szybkie spojrzenie wstecz. Czy własnym życiem udało się Pani pokierować?

J.Ch.: Uważam, że mankamenty mojej egzystencji brały się z mojej własnej winy. Popełniałam błędy, do czego się dobrowolnie przyznaję. Głupia byłam wyjątkowo, no i co zrobić? Człowiek nie może być taki znów strasznie mądry od urodzenia. Do tego doskakiwało dobre serce po moim ojcu, a z kolei drapieżny, pijawkowaty charakter mojej matki i ciotek wzbudzał we mnie protest: — *A właśnie że nie, a właśnie że ja inaczej!!!* Proszę bardzo — skutki przyszły same.

T.L.: Na ile więc procent czuje się Pani spełniona?

J.Ch.: Na dobrą sprawę nigdy sobie tego porządnie nie wyliczałam. Gdybym się jednak zastanowiła, uznałabym, że trzy czwarte życiowych spraw udało mi się przewalczyć. Ja się uparłam, wie pan? Mam w charakter wpisany upór i nigdy nie szłam z prądem. Jeśli coś okazuje się trudne, ja zrobię światu na złość i sobie poradzę! **poradzę**, PORADZĘ! W tym miejscu wyłazi ze mnie charakter po moich przodkiniach. Kiedy ktoś labidzi, że mu w życiu nie idzie, niech się lepiej bierze za robotę! Jeśli osoba ma zdrowie, wszystko przewalczy. Tylko choroba osobę usprawiedliwia. Znałam kiedyś taką dziewczynę, która cierpiała na schorzenie przewodu pokarmowego. Skoro miała, *excusez le mot*, permanentną sraczkę, czegóż, na Boga!, możemy od niej wymagać... Natomiast gdy ktoś jest normalnie zdrowy, jak jakiś yeti, wówczas bez przesady, jego lenistwa nie zamierzam tolerować. Aby coś w życiu wywalczyć, należy mieć w sobie pracowitość i chęć oraz trochę siły.
Ja dawałam radę, bo wychowywałam się raczej zdrowo.

T.L.: I niech tak zostanie.

J.Ch.: Bóg zapłać!

OSTATNIE SŁOWO KRYMINALISTKI

T.L.: Pani Joanno, gdyby miała Pani sformułować ogólną dyrektywę, ważną dla wszystkich ludzi, coś w rodzaju współczesnego kantowskiego imperatywu praktycznego, jak taka dyrektywa by brzmiała?

J.Ch.: Zachować przyzwoitość i nie krzywdzić innych.

.Zawracanie gitary

Dziwię się bardzo. Pan Tadeusz, nie tylko mój plenipotent, ale także jakby menedżer i agent literacki, powinien chyba starać się o stworzenie wizerunku co najmniej bóstwa, istoty zgoła nadziemskiej, budzącej zachwyty i podziw, godnej czci i uwielbienia bez granic. Tymczasem wyszła mu zupełnie koszmarna baba, głupkowata, infantylna, nieznośna, zdezorganizowana umysłowo i porąbana charakterologicznie. Nie wytrzymałabym z podobną kretynką nawet przez pięć minut.

Zaraz. A może ja rzeczywiście taka jestem? Rany boskie...!!!

Dla ścisłości wyjaśniam dwie kwestie.

Po pierwsze, w ciągu przeszło dziesięciu lat przerozmawialiśmy z pewnością więcej niż dwadzieścia cztery godziny, wielokrotnie się bowiem zdarzało, iż po zakończeniu tematów służbowych, trudnych, obrzydliwych, upiornie męczących, dla zwyczajnego odpoczynku toczyliśmy sobie jeszcze pogawędkę o du... tego, chciałabym być wytworna, powiedzmy... o ariergardzie Maryni. W którą to pogawędkę wskakiwało mnóstwo poglądów, opinii, emocji, wspomnień i zwierzeń, z pewnością wplecionych, choćby nawet bezwiednie, w powyższy, przerażający wywiad.

Po drugie, uroczyście zapewniam, że nie rozmawialiśmy wyłącznie po pijanemu. Czerwone wino jest prawdą, ono zdrowe, ponadto alkohol rozluźnia hamulce moralne, ale jednak bez przesady. Gdybym tę całą robotę odwaliła na bani, dawno już byłoby po moim pogrzebie. Nadmiar mi szkodzi, niestety.

Przy obowiązkowym czytaniu tekstu nie wdawałam się już w drobiazgi, ale pan Tadeusz nakręcił straszliwie. Nie zdołam, rzecz jasna, tego wszystkiego teraz sprostować i jedyną pociechą jest mi myśl, że mogę napisać dalszy ciąg „Autobiografii", korygując nieścisłości.

Wszyscy wiedzą, jak wygląda zwyczajna, prywatna, w wysokim stopniu przyjacielska rozmowa, szczególnie jeśli jej temat wzbudza silne uczucia negatywne. Doskonale znamy sceny, kiedy ktoś oburzony i wściekły wygłasza swoje opinie o przeciwniku, względnie jego samego sobaczy, i bez trudu możemy je przyrównać do wyrażania pochwał i zachwytów. Drugie pierwszemu do pięt nie sięga, barwność wypowiedzi i zachowań w wymienionych sytuacjach zajmuje zgoła dwa różne bieguny. Któż, prezentując aprobatę, wali się dłonią w czoło, wygraża pięściami, ciska wszystkim, co mu pod rękę wpadnie, używa słów powszechnie uważanych za obelżywe, rwie się do drapania przeciwnika pazurami po pysku? Nic z tych rzeczy, najwyżej może trochę pokwiczeć. A w oburzeniu...? Ho, ho!

Z upiornym zupełnie uporem pan Tadeusz wpuszczał mnie w maliny, pchając się w tematy obce mojej duszy, względnie dość obrzydliwe. To seks (dusił i dusił, jakby nie miał większych zmartwień!), to polityka (unikałam jej jak morowej zarazy i nie powiem, co o niej wiem, bo się nie będę wyrażać), to moje błędy życiowe, wynikłe ze zwyczajnej głupoty... O, rzeczywiście, taka radość własną głupotę wspominać i jeszcze się nad nią godzinami roztkliwiać, nie mówiąc już nawet o publikacji! Mam latać po mieście z transparentem: „Ludzie, popatrzcie, jaka ja byłam i jestem potwornie głupia?!!!"

Transparentu, w każdym razie, pan Tadeusz chyba mi dostarczył...?

W rozmowie, którą można sobie prowadzić bez ograniczeń, wśród rozmaitych eksplozji wewnętrznych, stresów, dygresji, skojarzeń, powtórzeń i przejęzyczeń, urywa się w połowie nie tylko zdanie, ale nawet słowo, bez opamiętania szasta się zaimkami, nie dbając o formę, ścisłość, gramatykę, zaniedbuje całość poglądu, eksponuje fragmencik, irytujący albo związany z czymś, co akurat wyskoczyło z pamięci... Melanż z tego wychodzi nieziemski.

Pan Tadeusz trochę tekst uporządkował, ale całkiem nie po mojemu.

Wcale się nie zgadzam z tym wszystkim, co tam podobno nagadałam, i niech mi pan Tadeusz nie wykłuwa oczu taśmami. A może ja mam poglądy zmienne? Inne w dni parzyste, a inne w niedziele i święta? Może moja skleroza biegnie ruchem falującym? Może w ogóle nie należy mnie traktować poważnie?

To ostatnie jest pewne.

A prosiłam, pisząc „Autobiografię", żeby mi już więcej nie zawracać głowy mną! To nie, jak do głuchych. Nie lepiej poczekać, aż umrę? Nie czepiałabym się już wtedy, najwyżej mogłabym straszyć po nocach.

Szczerze mówiąc, bardziej mnie skręca na nieścisłości merytoryczne niż na to moje, pożal się Boże, wnętrze, z którego wychodzi odrażający upiór. Zresztą właściwie trudno się dziwić, któryż mężczyzna zrozumie kobietę? Szczególnie o pokolenie starszą? Złośliwie wyjawię tajemnicę, panu Tadeuszowi myliło się jego dzieciństwo z moim i jego młodość z moją, lata czterdzieste i wczesne pięćdziesiąte to dla niego były sześćdziesiąte i siedemdziesiąte. Pan Tadeusz nawet nie wie, że kiedyś PEWEX nazywał się PKO! I jak tu wyłapać sedno rzeczy? A, co tam, niech będzie.

Zgodziłam się na publikację powyższego utworu, ponieważ przyszło mi na myśl, że w końcu to wcale nie takie ważne. Od tego, jak wyglądam w oczach ludzi, świat się nie zawali, jestem potworem czy aniołem, co za różnica? Pan Tadeusz odwalił straszną pracę, nie będę mu rzucała wiatrołomów pod nogi, chce być plenipotentem kretynki, proszę uprzejmie, każdemu wolno mieć jakieś kaprysy. A osobom, które to przeczytają, na pewno jest wszystko jedno.

Gwarantuję natomiast, że ja tego drugi raz nie przeczytam. Dbam o własną psychikę.

Z poważaniem
Joanna Chmielewska

Postscriptum
Natomiast wszystkie uwagi, poglądy i komentarze natury politycznej zamieszczone są w obfitości i nietaktownie w czterech piątych „Autobiografii".

Spis treści